1/68

TEATRO ARGENTINO

ASI ES LA VIDA

LA COLA DE LA SIRENA

EL CARNAVAL DEL DIABLO

EL SECRETO

AGUA EN LAS MANOS

DOS BRASAS

AGUILAR

TEATRO
CONTEMPORANEO

TEATRO ARGENTINO CONTEMPORANEO

Arnaldo Malfatti
Nicolás de las Llanderas
ASI ES LA VIDA

Conrado Nalé Roxlo
LA COLA DE LA SIRENA

Juan Oscar Ponferrada
EL CARNAVAL DEL DIABLO

José León Pagano
EL SECRETO

Pedro E. Pico
AGUA EN LAS MANOS

Samuel Eichelbaum
DOS BRASAS

Prólogo de
ARTURO BERENGUER CARISSOMO

AGUILAR - MADRID

Núm. Rgtro.: 285-59.
Depósito legal. M. 14010.—1959.

Printed in Spain. Impreso en España por Gráficas Dirección,
Alonso Núñez, 31, Madrid.

INTRODUCCION

INTRODUCCION

I

EL presente volumen ensaya una selección del teatro argentino en alguno de sus autores representativos de veinte años a esta parte. No es, pues, una colección histórica, una antología, sino una muestra de sus valores modernos.

Dividida la historia del teatro argentino en dos corrientes—la que imitaba las formas de la dramaturgia europea y la que ensayaba, heroicamente, dar un tono local al mismo—, su verdadera etapa de cierta madurez no se alcanza sino a comienzos de este siglo, cuando ambas corrientes, por una serie de factores sociales y literarios, lograron, en cierto modo, fundir sus respectivos valores.

En mi estudio *Las ideas estéticas en el teatro argentino* (Buenos Aires, 1947) analicé detenidamente aquel proceso hasta el momento de madurez hace un instante señalado.

No es necesario aquí, ni siquiera resumidamente, repetir el mismo análisis. Bastará con señalar que ni la escasa dramaturgia de la época hispana, dirigida por el barroquismo calderoniano; ni el teatro seudoclásico revolucionario, de intención política y estética angloafrancesada; ni los románticos, en su larga duración tocados sucesivamente por Zorrilla, Hugo o Echegaray, alcanzaron, a pesar de muy nobles intentos por lograrlo, una dramaturgia de validez netamente argentina.

Sí tenía esa validez el minúsculo teatro autóctono de raíz gauchesca—sainetes y mimodias—, que culminó con el famoso acontecimiento de la pantomima dramática *Juan Moreira,* la cual tuvo la virtud, hacia finales del siglo pasado, de concitar el interés del público hacia las muestras del teatro aborigen; crear de la misma arena circense un grupo de intérpretes criollos, y lanzar nuestro teatro a la aventura de una interpretación dramática de nuestra propia circunstancia histórica y humana.

Tales fueron los antecedentes que promovieron esa que se ha llamado década gloriosa del teatro rioplatense, y que incluye los nombres, hoy ya clásicos, de Nicolás Granada, Florencio Sánchez, Ernesto Herrera, Gregorio de Laferrère, Roberto J. Payró, Enrique García Velloso, José León Pagano, José de Maturana, etc.

Tal década gloriosa (1900-1910) se prolonga, en esa indecisión matizada de todos los límites estéticos, unos cuantos años más, para dar paso a la época contemporánea de la dramática argentina. Como de tal época es de la que, en esta selección, queremos dar una brevísima muestra, nos detendremos en ella con una revisión más pormenorizada.

II

Nuestro ensayo de 1947 ponía un punto final en el año 1918. Varias razones, generales unas, específicamente teatrales otras, indicaban con suficiente claridad que, entre dicho año y 1920, nuestro panorama escénico se había de transformar radicalmente. Entre las primeras están, en lugar preeminente, las consecuencias sociales y estéticas de la posguerra, con toda su secuela de cambios en la sensibilidad, de trueque de valores y de nuevas cuanto agresivas novedades de *vanguardia;* sigue la irrupción avasa-

lladora del cinematógrafo, cuya *competencia,* desdeñada en
un principio, ha llegado a adquirir verdaderos contornos
de amenaza, y, por último, el disloque de las ideas, la
dura *rebelión de las masas,* el vértigo de los renovados hallazgos científicos, filosóficos y psicológicos, son y seguirán siendo otras tantas razones para afirmar que la relativa unidad lograda por nuestra precaria dramaturgia con
la soldadura culta y popular y con la seguridad de la estética realista estaba a punto de romperse, como, fatal-
mente, ocurrió.

Entre las segundas, cabe mencionar la desaparición de
actores que habían dado la pauta dramática en la década
gloriosa de 1900 a 1910: tal el caso del oscurecimiento
en las sombras de la locura de Pablo Podestá, muerto en
1923; la aparición de nuevas figuras escénicas con otra
modalidad y temperamento interpretativos: tales los casos
de la sentimental y elegante Camila Quiroga o del genial
y profundo Roberto Casaux; no menos influyeron las notas exististas del sainete que podríamos llamar *urbano—ca-
baret,* tango de moda, nota lacrimosa—, cuya paternidad
se debe a aquellos cientos de veces representados *Los dientes del perro* (1918); por último, el gran núcleo de autores
del realismo-naturalismo desaparece casi íntegramente en
plazo de relativa brevedad. Nuestro teatro entraba en nueva e inquietante etapa.

Aunque enfrentarse con estos últimos cuarenta años de
quehacer escénico ofrezca todos los riesgos del juicio sobre
lo muy reciente—olvidos involuntarios, preferencias insal-
vables, errores de perspectiva, presiones de toda índole,
reservas naturales—, creo que su densidad ya exige, si no
un juicio imposible de discernir con estricta objetividad,
por lo menos un reordenamiento y un balance.

Si esta etapa no alcanza el brillo de la anterior, no todo
lo que en ella se ha hecho es deleznable, y si, por las razones apuntadas al comienzo, por la inseguridad estética de

todo el mundo contemporáneo—no somos en eso una excepción—, hay en ella desconcierto, valores no recomendables, incluso desapoderado afán mercantilista, ya que nuestro teatro llegó en un momento a convertirse en suculento negocio, ha habido y hay mucha labor realizada, no pocos hallazgos de significación y hasta, inclusive, obras de arte que hasta ahora nunca había alcanzado nuestra joven carátula.

Para explicar los desmayos de esta última época se ha recurrido, ¡cuándo no!, al sencillo expediente de *la decadencia*. La muletilla es ya tópico y, por lo mismo, inoperante. De *decadencia* teatral argentina han hablado, por turno, Santiago Calzadilla, en 1891; Juan Agustín García, en 1921; Juan Pablo Echagüe, en 1926 (y nada menos que refiriéndose al período 1904-1918); Bosch, en 1929; Camilo Stanchina, en 1941; Ernesto Morales, en 1944, y, por último, Raúl H. Castagnino, en 1950. Los dos últimos críticos, tras de señalar la consabida *decadencia,* estudian, el primero, nueve autores; el segundo, cuarenta. Si un teatro ya en declinación, con apenas un siglo de vida, da materia a la crítica para señalar cuarenta firmas dignas de ser mencionadas en una historia dramática, se hace un poco cuesta arriba creer en su decrepitud. En la actualidad dramática universal, sólidos y viejos teatros europeos apenas si podrían mencionar cinco o seis nombres dignos de integrar con justicia su historia escénica contemporánea.

No se crea por esto que me anima un espíritu de bondad patriótica o de inocente optimismo. Me alienta, sencillamente, un deseo de justificar, y, sobre todo, de severidad crítica, a fin de poner las cosas en un medio ponderado, afrontando todo el riesgo que supone ocuparse sin prejuicios graves de los fenómenos artísticos muy cercanos a nosotros.

Esta introducción es, pues, una especie de bosquejo de un libro denso que sueño escribir como complemento del publicado en 1947, cuya fecha tope ya hemos indicado. No es palinodia, sino sincera disculpa la que desde ya solicito por los posibles errores, olvidos o pretericiones en él cometidos.

Urge repetir nuevamente como punto de partida esta premisa esencial: nuestra unidad escénica—tema de la tierra y formas literarias cultas—se había logrado cuando la escuela realista-naturalista dió un modo estético coherente para nuestras posibilidades literarias y abrió el camino de nuestra propia auscultación. El rompimiento de este apretado bloque estético, al irrumpir las nuevas escuelas teatrales surgidas de la primera posguerra—surrealismo, creacionismo, deshumanización pirandeliana, etc.—, comprometió nuevamente la independencia de nuestros autores al lanzarlos, si bien de modo accidental y sin llegar a formar escuela, a una búsqueda inquieta y desazonada de tales nuevas formas; el *snobismo,* el ansia de celebridad o de dinero, la necesidad de no parecer insensible o retrógrado, el placer de estar con la última moda, todos esos factores volvieron a entorpecer la visión legítima de nuestro medio con sesgos extraños y con perspectivas ajenas a nuestro auténtico acaecer. Si el mismo conmovió a teatros de sólida y arraigada tradición, ¿cómo no había de acusar su impacto al dar con una carátula tan imberbe y recién formada como era la nuestra?

A pesar de ello, no conviene desesperar. Los modernos *enemigos* del teatro—cinematografía, radiotelefonía, televisión, que tan agudamente señalara en su famoso ensayo Díez-Canedo—siguen teniendo por día más vigencia; pero contamos los argentinos con algunos recursos para dar la batalla, y aun para abrigar ciertas esperanzas de ganarla: nuestro espíritu criollo, tan ducho, cuando se espabila, en encontrar la adecuación de lo exótico a su medio; nuestra alerta juventud, que nos permite dinamismo y fuerza; finalmente, dentro de lo teatral riguroso, dos nuevos ingredientes que—conforme a un fenómeno universal—hemos incorporado a la historia de nuestra carátula: las direcciones técnicas y los conjuntos llamados *vocacionales*. Es posible que en el manejo de estos dos nuevos recursos haya habido muchos errores y no escasa desorientación, pero no puede negarse que representan fuerzas vírgenes e intensas, cuyas consecuencias aún no podemos calcular. Sobre ellas volveremos más adelante.

Luego de esta sumaria e indispensable aclaración, este proemio debe iniciarse, necesariamente, con la extinción de la escuela realista-naturalista.

Como un signo de fatal agorería, el grupo más selecto de los grandes dramaturgos y comediógrafos de la que podríamos llamar *década dorada* murieron prematuramente jóvenes, entre los treinta y los cuarenta años. Así desaparecieron Florencio Sánchez, Gregorio de Laferrère, José de Maturana y Ernesto Herrera.

De aquella época heroica, sólo pervivieron tres autores significativos, cuya obra mengua, asimismo, en cantidad.

César Iglesias Paz dió, en 1920, *La propia obra,* con Angelina Pagano. Pieza singular en el autor, ya que en ella se salía de su acostumbrado medio burgués para intentar una relación sentimental mucho más libre y desembarazada—consecuencia de las primeras agitaciones sociales que conmovieron nuestro medio después de la primera presidencia radical de 1916, y sobre las que pronto volveremos—, anunciaba una de sus obras más fuertes: *Una deuda de dolor* (15 de septiembre de 1921), sobrio y enérgico acto estrenado en la famosa compañía por secciones que, por espacio de cerca de quince años, mantuvo Pascual Carcavallo en el teatro Nacional. La defensa de la mujer caída, el bien reflejado ambiente de una *garçonnière* porteña, la fina realidad de los tipos, señalaban la madurez de un gran dramaturgo, que la muerte nos arrebataría un año después, a los cuarenta y uno de su edad.

Nada agrega a su modalidad conocida y a su técnica consumada la obra final de Enrique García Velloso. Ni *Un bala perdida*—borrosa y larga comedia de ambiente porteño que le estrenara nada menos que María Guerrero en el entonces flamante teatro Cervantes (1921,—ni el apropósito circunstancial al éxito de una historieta: *Trifón y Sisebuta* (1925), son obras de mayor empeño, como tampoco *Los amores de la virreina* o *Los conquistadores del desierto* (1927) nos dicen nada de extraordinario.

Bajo los nuevos métodos directivos, iniciados después de 1930, estrenó García Velloso, en colaboración, dos especies de *comedias musicales* de carácter histórico: *Madama Lynch* (1932) y *La Perichona* (1933), que entonces llamaron poderosamente la atención por el cuidado montaje, la presentación exquisita y el ensamble nuevo y mecánico de la interpretación: Cunill Cabanillas y Sussini iniciaban una nueva etapa del teatro argentino, y no, por cierto, de las menos fecundas.

No puedo juzgar la obra de García Velloso—que fué mi maestro en las aulas del viejo Central, y luego y siempre venerado amigo—sin poner mucho de personal y emotivo. Por eso eludo el hacerlo. Al morir, en enero de 1938, había dejado una producción ingente, varia, irregular, de la que mucho se perderá, sin duda, pero a la que nunca podrá negársele el valor teatral, vivo, directo, argentino, de algunos aciertos notables: *Fruta picada, El tango en París, Mamá Culepina*, etc.

Poco escribió el último sobreviviente de las grandes horas después de 1920. Al regresar de una larga estancia en Europa, en 1923, Payró estrenó ese mismo año con la compañía de José Gómez—actor estudioso, de mucho empeño, aunque de facultades escasas—*Vivir quiero conmigo*, sobre el tema del egoísmo, y, en 1926, con la Pagano, *Fuego en el rastrojo*, especie de poema en prosa sobre las bellezas de la vejez, melancólico canto de quien moriría

dos años después. De noble calidad fueron sus dos piezas
póstumas: *Alegría* y *Mientraiga.*

Abundante fué—después de 1918—el teatro de naturaleza histórica. A las piezas ya mencionadas de García Velloso deben sumarse ahora las de otro autor de la época
veterana: David Peña. Se inició con *Facundo,* en 1906;
escribió un *Dorrego,* en 1909, y a estas figuras siguieron,
ya dentro de nuestra etapa, Liniers (1917) y Alvear
(1924).

El teatro histórico de David Peña—que, incluso, hasta
intentó, en 1919, un *Oscar Wilde* no representado—es, en
realidad, crónica dramatizada al modo épico. Grandes lien-
zos históricos, como láminas de un libro, puestos en diálogo.

Pronto debía superarlo un acontecimiento que se produce en el Odeón de Buenos Aires la noche del 6 de julio
de 1923. El estreno por la compañía de Camila Quiroga
de *La divisa punzó,* de Paul Groussac. El eminente histo-
riador, el crítico ácido e implacable, el director de nuestra
Biblioteca Nacional, se acercaba, ya famoso y anciano,
por primera vez a las candilejas. La pieza es un modelo
de esa entelequia tan difícil que es el *drama histórico.* Con
un asunto trillado y de larga data, la época de Rosas,
Groussac dejó muy atrás a todos sus predecesores en el
tema. La fuerza histórica de la evocación, la dolorosa y
compleja figura de don Juan Manuel—visto con hondura
y sin cargar las tintas—, el romance de Manuelita con
Thompson y la calidad literaria del diálogo componen una
pieza de subidos valores, digna de los más exigentes escenarios. Soportó con holgura, y es el mejor testimonio de
sus méritos, una reposición que casi veinte años después
se hizo en nuestro Teatro Nacional de Comedias.

Según testimonio de Joaquín de Vedia, Groussac tenía
escrita una segunda pieza de carácter autobiográfico, *Las*

dos patrias, que nunca llegó a un escenario e ignoro si fué publicada en alguna parte.

El último autor de los tiempos viejos que llega hasta nuestros días es José León Pagano.

La gloriosa ancianidad del maestro, que aún conserva intacta y vigente su robusta mentalidad, nos ha movido a cerrar con él esta etapa de liquidación de la escuela realista, en homenaje a su digna trayectoria y en recuerdo a su noble e infatigable labor.

Pagano, de fina raíz europea, educado en el gran teatro italiano de *risorgimiento,* hecho a las mejores fórmulas de la comedia llamada *de salón,* típica del dorado novecentismo, da a su teatro valor de trascendencia universal; de ahí que su realismo *argentino,* intentado en algunas de sus piezas, *El zarpazo,* por ejemplo (1922), sea muy diluído y sin mayor relieve específico. Su fuerza está en el diálogo y en las ideas; su brillo es un tipo de comedia dicaz, mundana y elegante, que refleja, en algunas, lo más cosmopolita del ambiente elegante de Buenos Aires.

Desde *Nirvana,* su primer tanteo escénico, allá por 1904, siguió escribiendo con regularidad obras de ambición literaria y de resonancia discreta, hasta que—en 1918—una fina y divertida comedia porteña estrenada por Parravicini, *El sobrino de Malbrán,* dió al autor el éxito consagratorio que reclamaba su calidad. Estos se repitieron, en 1921, con *Cartas de amor,* y en 1925, con *Lassalle.*

Calló Pagano por espacio de ocho años. En 1913, Blanca Podestá le llevó a la escena *Blasón de fuego,* sobre el tema de la revolución rusa comunista, y, al año siguiente, nuevamente Parravicini estrenó en el teatro vetusto de la Opera—tres años después se iba a convertir en el lujoso cine de hoy—*El inglés de anoche se llamaba Aguirre,* en la que el autor ensayaba tímidamente algunas experiencias de teatro de vanguardia, no, por cierto, muy claras ni felices.

Tras otro largo silencio, volvió, en 1950, con *El rescate,* comedia de dolor y arrepentimiento cristianos, y, en 1952, *Dos mujeres en una imagen,* otra comedia sentimental en la que hizo su última aparición sobre las tablas, como característica, su sobrina Angelita Pagano.

Varias comedias inéditas tiene aún el veterano autor. Ha publicado de ellas *La venganza de Afrodita* (1954), misterio profano en cuatro actos, de gran calidad literaria y excelente factura dramática.

José León Pagano es un fragmento vivo de nuestra historia escénica, y en tal calidad, por su talento y digna trayectoria, quedó aquí establecido el homenaje y la gratitud de todo el teatro argentino.

A su estilo—se le ha dado generosamente el título de discípulo de Jacinto Benavente—pertenece, en cierta medida, Roberto L. Cayol. Desde 1909, con *El anzuelo,* cultivó un teatro cuyo *argentinismo* o, mejor, *porteñismo* ambiente se veía comprometido por un diálogo excesivamente barroco, pomposo, que, por muchos momentos, caía en lo retórico y difuso. Tal era el defecto capital de sus dos obras más ambiciosas: *La muerta de aquella noche* y *Jaulas de oro.* Más ponderación y acierto psicológico tenían sus piezas breves: tal, por ejemplo, *La casa donde no entró el amor* (6 de septiembre de 1920), agudo boceto *porteño,* estrenado por la compañía de Muiño y Alippi, en sus famosas temporadas de teatro por secciones, en el ya inexistente escenario del Buenos Aires.

Esta perduración realista-naturalista, sin borrarse del todo, como es natural, se va diluyendo entre los quince años que van de 1920 a 1935. Es muy difícil—dado el sobresalto estético de este período—dar una clasificación rigurosa de piezas o de autores. Predominan, sin embargo, intentando una división muy provisoria y exclusivamente práctica, las siguientes formas generales: un teatro de orientación psicológica con especial empeño de penetrar en

nuestra alma individual y colectiva; otro de naturaleza po-
lémica y social, que, tras un brote muy fuerte, se reduce
paulatinamente; la continuación, sainetes inclusive, de nuestro colorido localismo costumbrista, y, por último, aquella escena que arriesgó el todo por el todo en el afán de
acercarse a las formas más avanzadas de la nueva dramaturgia europea. De este período, además, arranca una modalidad perdida casi desde los tiempos de la época rosista:
la traducción, solapado enemigo que, a la larga, concluiría por ser uno de los más embravecidos de nuestra argen-
tinidad dramática. Actrices y actores argentinos—ya los
veremos—se afanan por ser intérpretes, y por cierto que
muchas veces con gran calidad, del teatro universal, y tan
a punto resultó la cosa, que esa producción extranjera ha
venido—*les affaires sont les affaires*—a anegar hoy prác-
ticamente la producción nacional.

Dos autores sobresalientes podemos tomar como para-
digmas del teatro de análisis psicológico: Vicente Martínez
Cuitiño y Samuel Eichelbaum.

Dijimos en los preliminares de la introducción que una
de las causas anarquizantes de este período de la carátula
nacional había sido—es, mejor dicho—el desatentado afán
de *estar al día;* el de oír con demasiada obediencia las voces de las sirenas de ultramar. Viejo defecto nuestro es
éste, pero se agudiza cuando aquellas voces de sirena se
intensifican o se hacen más apetecibles por lo originales
o engañosas.

Ningún caso más evidente de esta inquietud que el de
Martínez Cuitiño. Dotado de excelentes cualidades: ambición literaria, pluma fina, penetración humana, generosidad en los conceptos, cultura, en una palabra, su principal
defecto ha sido no mantener una línea coherente de producción y poner su clave dramática al son que templaban
en otras latitudes. Esta carrera da a su teatro, noble y se
vero teatro, un aspecto de irregularidad, que muchas veces,

incluso, compromete la misma espontaneidad creadora, el libre impulso de su propia fantasía.

Con elementos muy nuestros, fué de un naturalismo agresivo en su primera época, desde *Mate dulce, La fuerza ciega,* hasta *La fiesta del hombre* y *Cuervos rubios,* en los que ya iniciaba una modalidad más *wildeana,* que culminó (1922) cuando, en el teatro Avenida, Lola Membrives le estrenó *El segundo amor,* en su famosa temporada benaventina.

En ese aspecto de teatro mundano y galante, ciertos nuevos atrevimientos se marcaron en *La emigrada* (1926), escrita para uno de los tantos regresos triunfales de Europa de Camila Quiroga. Estos nuevos intentos lo llevaron, en el lustro que va de 1925 a 1930, a una suerte de teatro estático y poemático en un acto, sin intriga y casi sin acción, librado al juego poético del diálogo: *La rosa de hierro, Proa* y, sobre todo, *Café con leche,* lírica pintura de un modesto cafetín porteño.

A partir, aproximadamente, de 1928, su desazón se evidencia al intentar todas las formas del teatro contemporáneo en una noble emulación que, por dispersa, dió obras de dudosa calidad, como ese pirandeliano y confuso *El espectador a la cuarta realidad* (1928), de tema demasiado ambicioso para realización tan incoherente; avance de psicología profunda, como *El trompo dormido;* piezas de gran jerarquía, donde se percibía la huella lenormandiana, como *Horizontes;* intentos expresionistas de endeble estructura, como el de su único estreno en el Teatro Nacional de la Comedia: *Servidumbre,* en 1937. Ello no le hacía olvidar su primera forma de teatro humano y directo—*Diamantes quebrados* (1934), con Camila Quiroga—, pero era evidente que su rumbo escénico zigzagueaba sin encontrar solución segura. Guardó unos cuantos años de silencio hasta su último estreno, *El mango escondido* (1949), con Mecha Ortiz, en el cual enfocó, sin mayor trascendencia, un problema de complejos freudianos.

Martínez Cuitiño—uruguayo de nacimiento, pero hombre esencial de nuestra vida escénica—quedará como uno de los autores rioplatenses más significativos, puros y desinteresados; como uno de los que fueron al teatro por el teatro mismo y llevaron para enaltecerlo todo su caudal de poesía, de decisión literaria levantada y de empeño por interpretar a fondo nuestra realidad nacional. Los reparos opuestos, el equívoco de muchos planteos, no entorpecen el acierto de muchas obras notables, la calidad siempre fecunda del diálogo, el acierto feliz de muchos tipos humanos reflejados con perspicacia y hondura.

Y aún nos ha dejado el testimonio de la vida literaria de su tiempo en esa evocación vibrante y colorida de su libro *El café de los inmortales* (1954), documento indispensable para todo porteño que quiera conocer un segmento, una época, de su vida cotidiana.

El áspero, frío, analítico y sagaz Samuel Eichelbaum tiene un estilo teatral personalísimo. Digamos, desde ya, que, desde Florencio Sánchez, no había aparecido en nuestra escena un autor de su calidad y su fuerza. Le opondremos reparos—¡Dios mío, quién no los tiene!—, pero es el caso más radical de seguridad en sí mismo, de vocación escénica y de personalidad inconfundible surgido en las máscaras argentinas contemporáneas. Su dramaturgia muy moderna, muy *puesta al día*, no le ha hecho flaquear en ningún momento el rigor de su propio y singular estilo.

La lanza al público—tras de algunas experiencias escondidas—Angelina Pagano, esa gran conquistadora de tanto continente ignorado, en 1920, con *La mala sed*. Siguieron regularmente *Un hogar* (1922), *La hermana tercera* (1924), *Cuando tengamos un hijo* (1929). Era realismo, pero un realismo desconocido entre nosotros por la audacia de la interpretación psicológica, en la que se anunciaban intensos rasgos prefreudianos; era un teatro de análisis profundo sobre cosas nuestras, sobre seres nuestros, en el que la crítica señaló, en cuanto al procedimiento, influjos de Ibsen, Strindberg y Dostoyevski. Esa corriente concluye—sin diluirse del todo—hacia 1930, año más o menos, con *Vergüenza de querer* y *Tejido de madre*. Curiosa, original y moderna obra de esta primera etapa es *Viva el padre Krantz,* en un único acto.

Soledad es tu nombre (1932) y *En tu vida estoy yo* (1936) señalan una evolución hacia una forma escénica fragmentada en cuadros rápidos, técnica de estatismo dramático, donde todo el interés recae sobre la intensidad graduada y minuciosa del diálogo. Obras, en verdad, más para leídas que para representadas. A esa hechura corresponde el primer estreno argentino del entonces recién fundado Teatro Nacional de Comedias: *El gato y su selva* (1936), estudio de la soltería recalcitrante en todos sus grados y del *miedo* al amor; *Pájaro de barro* (1940) podría ser el hito final de esta su segunda época.

Su potencia dramática le llevó, como era natural y hacía tiempo se esperaba de tan recio dramaturgo, hacia el tema de las capas populares. El campo había quedado *visto* ya en *Pájaro de barro,* esa historia tierna y amarga de la *chinita caída;* pero fueron los tipos broncos de la ciudad trabajadora, los tipos duros de la cotidiana vida ciudadana, los que quedaron plasmados en dos aguafuertes de legítima calidad escénica: *Un guapo del 900*—enérgica pintura de los entreveros políticos anteriores a *la ley Sáenz Peña*—, estrenada en 1940, y *Un tal Servando Gómez* (1942), sublimación heroica y dramática del *compadre,* tan frecuente en la sainetería popular.

Dos brasas—estrenada por un teatro vocacional y ubicada un poco arbitrariamente en Nueva York—, nuevo retorno al análisis psicológico, menudo y tenso, pone, por ahora, fin a la labor de Eichelbaum.

Es posible que exista a veces en el autor impericia dramática para conducir la acción con lúcida coherencia; que podamos ver en una misma obra actos plenamente logrados y soluciones truncadas en los desenlaces; que su diálogo, en ocasiones, deje oír más al autor que a los personajes; pero su agudeza psicológica, su penetración de los entresijos humanos, la trascendencia social de muchas de sus obras, en las que vuelca una piedad, quizá sin mucho humorismo redentor, pero alta y valiente sobre el drama de los humildes y vencidos; el haber fabricado todo ese mundo casi sin salirse de los límites nacionales, lo hacen, sin disputa, uno de los autores argentinos más dignos de esta hora y, con seguridad, más importantes de toda nuestra historia dramática.

En este sector mencionaremos—pido perdón por los involuntarios olvidos—al teatro panfletista, pero muy seguro, de Julio F. Escobar; al escaso pero muy fino teatro de Edmundo Guibourg: *El sendero de las tinieblas* (1921) y *Cuatro mujeres* (1922); al melodramatismo de Luis Rodríguez Acasuso; al criollo y viejo heredero de los mejores *gauchescos* de Claudio Martínez Payva; al vibrante y recio de Rodolfo González Pacheco, y al del chileno Armando Moock, incorporado a nosotros, inquieto y, en ocasiones —*La serpiente, Mr. Ferdinand Pontac, Rigoberto, Del brazo y por la calle*—, de potente calidad dramática.

El teatro polémico y tribunicio ofrece un brote fulminante y repentino hacia 1920. Una serie de circunstancias históricas lo promovieron: el voto secreto sancionado en 1910 llevó a los radicales, en octubre de 1916, a la presidencia de la República; las *cuestiones sociales* comenzaban a agitarse y a traer toda su secuela de problemas económicos, religiosos, artísticos, etc. Llega hasta nosotros el impacto de la revolución maximalista de 1917; la posguerra de 1918 derriba monarquías y exalta nuevos estados; hay como una fiebre de renovación política y humana; en

enero de 1919 estalla en Buenos Aires una huelga general
revolucionaria, marcada con el sello de una *semana trágica:* tiros callejeros, vuelcos de vehículos, incendios en los
talleres metalúrgicos de Casena...

Ya, en 1918, *Los dientes del perro* contenía, aun dentro
de su modesta condición de sainete, una especie de inquietud redentora que su autor, José González Castillo, venía
desarrollando desde pocos años atrás: *La mujer de Ulises,
El hijo de Agar, Los invertidos,* etc., planteos de situaciones jurídicas consideradas injustas o denuncias de perver-
sas lacras sociales. Hacia finales de 1919, Julio F. Escobar, con un acto en el Teatro Nacional, que obtuvo insospechado e insistente éxito—*El hombre que sonríe*—,
había disparado no pocos dardos contra muchos conven-
cionalismos de la clase burguesa.

El tema se precipita en 1920. En el mes de enero, González Castillo y Martínez Cuitiño estrenan *La santa madre.*
Obra de circunstancias, era un ataque contra los malos
pastores de la Iglesia católica, no exenta, justo es reconocerlo, a pesar de su prejuicio y de su absurdo estético—hacer tribuna del teatro—, de buena calidad teatral.

Ahora, en colaboración con Mazzanti, el mismo González Castillo da con Enrique de Rosas, en el teatro Avenida, *El pobre hombre* (3 de julio de 1920), feroz diatriba
contra la clase patronal, y a finales del mismo año, el 18
de noviembre, un autor insospechado por su calidad inte-
lectual, por su prestigio universitario, bien que convicto de
un liberalismo un tanto amanerado, lanzaba duro ataque
contra las clases aristocráticas con *El mundo de los snobs,*
en cuyo Monseñor se creyó ver la clave de cierto ilustre
prelado argentino de cristiana actuación en los sucesos
de 1919.

Faltaba, para completar el cuadro, el tema candente de
la tierra, de la tierra como problema económico-social,
que, lejanamente, ya había intentado con soluciones ro-

mánticas el estreno de Martín Coronado. Lo dió con obra de singular valor un hombre de provincia, conocedor a fondo del problema, Alejandro Beruti, hoy tan hecho y tan querido como respetado en los medios teatrales argentinos, director de la Biblioteca de *Argentores,* periodista en su ciudad natal, Rosario, de espíritu inquieto y de claro sentido teatral.

La obra se llamaba *Madre Tierra,* tres actos estrenados por Enrique de Rosas en el Colón rosarino, en octubre de 1920, y un mes después, el día 16, en el teatro Nuevo de Buenos Aires. Simple, directa, de exposición concreta y diálogo vibrante, sin reticencias ni retóricas, llegaba hasta la medula del problema del latifundio, del dolor campesino, por medio de un alegato que recordaba las mejores tentativas en el género.

El éxito fué rotundo, y colocó a don Alejandro—es el nombre familiar que todos le damos—entre los primeros dramaturgos argentinos. Su obra restante, cerrada hace ya varios años con *Espionaje en alta mar,* nada ha perdido de limpieza y dignidad creadoras. Superados los temas planteados por este tipo dramático, el teatro polémico, que en su misma virtud circunstancial lleva el pecado de su transitoriedad, casi ha desaparecido en nuestro hacer escénico. Chispazos aislados no determinan una constante estética.

La comedia de color local, ya urbana, ya campesina, ha seguido su natural corriente de producción. Es ésta una modalidad escénica con permanencia insobornable. Al pintarnos a nosotros mismos con amabilidad, sin complejismos; al reflejar la vida diaria en su meridiano más común y hacedero, hace siempre las delicias del público, ya que, en el teatro, no hay ley de éxito más suprema que la ley del espejo; esto es, aquella pieza donde cada uno de los espectadores pueda sentir por un instante que es su propia vida la que se está viviendo en la maravillosa ficción de las candilejas.

A este tipo de teatro contribuyó en gran parte la promoción realista que va de 1900 a 1918. La contemporánea no ha hecho sino seguirla adaptando su técnica específica a las modalidades del presente.

Viejo autor de esa línea y continuador de la misma fué el infatigable Pedro E. Pico, con su centenar de piezas. Podría considerársele un heredero de Laferrère y Sánchez Gardel. En medio de mucha obra de menor calidad, acusó algunos aciertos de mayor envergadura: *Juvenilia* (1921), en donde se animó a escenificar la alegre estudiantina de Miguel Cané; *Usted no me gusta, señora,* fina comedia, de entre las mejores de su repertorio, que dió (1938) en el Teatro Nacional de Comedias; *Querer y cerrar los ojos,* en 1941. No olvidemos tampoco un acierto costumbrista, *Las rayas de una cruz.* Muerto en 1945, dejó dos obras póstumas que llegaron tardíamente a los escenarios: *Novelera,* en 1948, y *Agua en las manos,* en 1951.

De la misma índole, aunque con más concesiones para buscar la risa pronta y fácil, es el teatro, también múltiple, de Pedro Benjamín Aquino. Retratista de la burguesía porteña, sería inoficioso en la abultada serie señalar una pieza como mejor que la otra, ya que todas—*Criolla vieja, El hombre de la casa, El caballo de Troya,* etc.— están cortadas por la misma tijera, sastrería hechizada, sobre todo para los últimos tiempos de Orfilia Rico.

Camilo Darthés y Carlos S. Damel estrenaron, en colaboración, entre los años 1935 a 1945 una serie de felices comedias porteñas. Tienen estos comediógrafos típicos vena fácil, diálogo ingenioso, no escasa encarnadura humana y una visión pronta, ágil y exacta de lo que debe ser una *comedia de costumbres.* No dudo en afirmar que, pasados los años, cuando nos interese saber cómo era el

Buenos Aires de aquella época, el Buenos Aires anterior a la revolución de 1943 y a las transformaciones sociales posteriores a 1945, las comedias de Darthés y Damel serán un testimonio de preciosa calidad nacional. Teatro argentino en el mejor sentido de la palabra. Las hay de menor aspiración (*Una herencia complicada. El novio de Martina, Un bebé de París,* etc.), pero algunas alcanzan verdadera dignidad de comedias importantes en cualquier teatro del mundo: *El viejo Hucha, Los chicos crecen*—uno de sus mejores aciertos—, *La hermana Josefina, Tres mil pesos* y *Amparo.*

Díscolo, bohemio, de buena cepa literaria, aunque inclinado a un teatro de tono menor, quede, con todo, consignado el nombre de José Antonio Saldías, siquiera por aquella divertida pintura de los *politiqueros* nacionales: *El distinguido ciudadano,* estrenada en 1915. Ninguna de sus obras posteriores, hasta su muerte en 1942, alcanzó la calidad chispeante de este éxito primerizo, por el afán de servir antes a un determinado intérprete que a los llamados auténticos de la inspiración.

Mencionemos simplemente el costumbrismo porteño de Francisco J. Collazo y el teatro muy hechizo, muy de factura, pero, en ocasiones, muy eficaz y gracioso de Alberto Novión. Escribía al *pie forzado* de la modalidad impagable de Roberto Casaux, a quien dió éxitos inolvidables, o a la torsión caricatural de Luis Arata, del primer Arata; pero, a veces, brotaba de su pluma un ímpetu de real eficacia dramática; recordemos aquel *Bendita seas,* que le estrenara (1920) Camila Quiroga, y que Lola Membrives llevara hasta los escenarios de España.

Sólo una pincelada para Goicoechea y Cordono, quienes malograron su facundia al hormar casi toda su producción en la modalidad de Paulina Singerman, sobre todo en su segunda época, repitiendo de mil modos el tema de la niña rica y caprichosa que casa al fin con el muchacho humilde pero honrado. Versión porteña de _La novela de un joven pobre,_ que siempre encuentra un rincón de eficacia en el sentimiento del _vulgo municipal_ y _espeso._

Así las cosas, el binomio Enrique Muiño y Elías Alippi —gran actor el primero, fino comediante y eficaz director el segundo—, dedicados en el teatro Nacional a la comedia en tres actos, estrenan, el 2 de marzo de 1934, una pieza del español argentinizado Nicolás de las Llanderas y del argentino Arnaldo M. Malfatti. Titulábase _Así es la vida,_ y durante dos temporadas mantuvo un éxito clamoroso de público.

Era, sencillamente, que la _comedia costumbrista_ había dado su tono más alto y había alcanzado una significación nacional. Por sus tres actos desfilaban treinta años de vida argentina: sus hechos, sus hombres, sus cosas, y no con sentido épico o parlamentario, sino con una desgarrada y patética verdad humana. La Historia se contaba a través de la vida de una familia porteña sorprendida en su más íntima y estremecida intimidad. Todo en la felicísima pieza está equilibrado y preciso: lo sentimental con lo cómico, lo dramático con lo tierno; el diálogo, muy nuestro, es fino, objetivo, sencillo y de tensa calidad teatral. No había _caricatura_ ni brochazo sainetesco; como todavía pueden sorprenderse en el mismo Laferrère, en Novión, en Saldías, en Aquino, en Collazo. Era la _comedia,_ comedia donde lo nuestro, lo argentino, que es lo que importa, adquiría sentido trascendente de universalidad.

El público lo sintió en seguida. Se veía retratado como nunca lo había sido, y pocas piezas del repertorio nacional han tenido un éxito más natural, más legítimo y más sano.

Creo que el solo hecho de que en estos últimos años contemos con una comedia dramática como _Así es la vida_ sobraría para colocar un serio interrogante a la consabida muletilla de la _decadencia._ Baste con agregar que, trasladada al cinematógrafo, arte multitudinario por excelencia, nada perdió en calidad ni eficacia. Hay valores que ni el pérfido celuloide es capaz de destruir.

Otras obras escribieron Malfatti y De las Llanderas, pero ninguna—salvo el porteñísimo y notable sainete *Los tres berrerines* (1933)—alcanzó la calidad excepcional y ejemplar de *Así es la vida*.

Las nuevas modalidades escénicas—hasta la aparición de los teatros vocacionales, que dejamos para más adelante—tuvieron entre nosotros, de modo directo, escasa representación. Ni los problemas metafísicos y grotescos de Pirandello, ni las torturas psicológicas de un O'Neill, ni los ensayos del transconsciente de Lenormand, ni el expresionismo o creacionismo de los alemanes, influyeron sobre un autor determinado en forma inmediata y contundente. Ello no invalida que su problemática desazonara indirectamente a todo el teatro de esta hora.

Por eso dejaron rastros parciales, pero son muy pocos los que ensayaron, en la escena que se ha dado en llamar *comercial,* los nuevos explosivos ingredientes. Quizá porque aún el público no estaba en condiciones de oír tales detonaciones.

Francisco Defilippis Novoa, autor de un teatro serio y realista, iniciado en 1914, dió el primer paso con una obra estrenada en el teatro Marconi el 13 de agosto de 1926: *El alma del hombre honrado.* A pesar de los avances de su técnica—apariciones, oscuros, doble plano ideal y real—, la pieza en sí era un melodrama de endeble estructura y diálogo abstruso y metafísico. En todo lo que siguió—la fragmentación en cuadros de *Yo tuve veinte años* (5 de octubre de 1926), los intentos de *grotesco* sentimental en *María la tonta* o *El conquistador de lo imprevisto*—su *vanguardismo* se quedaba en la superficie, esto es, en la aplicación de todos los recursos de nueva data, pero el fondo seguía siendo comedia realista de viejo y trasañejo cuño.

Armando Discépolo había obtenido en colaboración con Rafael de Rosa, el 28 de julio de 1916, un éxito rotundo con su divertidísima comedia *El movimiento continuo*—una de las interpretaciones consagratorias de Casaux en su inimitable "chófer" catalán—, que era, en realidad, un sangrante y doloroso *grotesco* "avant la lettre". Esa habilidad sutil para mezclar sin distingos la risa y el llanto—tan grata luego a los autores italianos desde Chiarelli a Pirandello—la mantuvo después con digna altura en obras más recientes, ya francamente incursas en esta nueva modalidad teatral: *Relojero* (1934) y dos sainetes, que aquí incluímos, supuesto que son, en realidad, dos piezas dramático-cómicas de una rara y notable calidad teatral: *Stéfano* (1929) y, sobre todas, *Mateo,* estrenado por Carcavallo en el Nacional—14 de marzo de 1923—, aquella dramática historia del cochero don Miguel, arruinado por el avance del automóvil, digna de figurar en los repertorios de los mejores escenarios del mundo.

Su inquietud renovadora se ha señalado, asimismo, en su función de director, tal como en el caso de su otro hermano, Enrique Discépolo, esencial hombre de teatro, autor, actor y director, quien, tras no pocas arriesgadas empresas en procura de una nueva visión de nuestra máscara, luego de haber escrito las letras de algunos tangos ejemplares—tal el patético y sangrante *Yira*—, alcanzó, al borde casi de la muerte, un éxito con *Blum* (28 de octubre de 1949), pieza de endeble estructura, pero en la que realizaba una notable interpretación como protagonista de su propia comedia.

Teatro de moderna factura han hecho también, dentro de sus respectivas modalidades, Pablo Palant, César Tiempo, con su notable *Pan criollo* (Muiño-Alippi, el 9 de abril de 1937), primer planteo en serio del problema hebreo en nuestro país; el gran director Cunill Cabanillas, con *Chaco* (1932), de obsesionante fuerza telúrica, y con *Comedia sin nombre;* Monner Sans y Román Gómez Masía, colaboradores en un delicioso poemita en un acto y en prosa: *Yo me llamo Juan García* (1933) o, más ambiciosa, *Islas Orcadas,* en el Teatro Nacional de Comedias (1941). Cabría, quizá, agregar, como un retorno de perfiles clásicos, moratinianos o bretonianos, que, a la postre, es otra de las nuevas estructuras de la dramaturgia muy reciente, el nombre de un autor juvenilmente promisor y hoy en tenaz silencio: Tulio Carella, con su *Don Basilio mal casado* (Teatro Nacional de Comedias, el 4 de octubre de 1940) y, al año siguiente, en el San Martín, *Doña Clorinda la descontenta.*

Obra significativa, si bien perseguida por una renitente ceguera de las empresas, es la de Enzo Aloisi, quizá un tanto angustiada por el afán de renovarse, pero siempre de calidad y rigor literarios. Destaco, entre muchas, su deliciosa farsa vanguardista *Nada de Pirandello..., por favor,* estrenada el 15 de abril de 1937.

Como se ve, el balance es escaso, y, sobre todo, no es constante. Atisbos, pero nunca la línea firme que, desde la aparición franca de los independientes, se marcará en procura de lo nuevo con todo vigor.

Más naturalidad podemos observar en la dramaturgia de naturaleza poemática. Pronto perdió su canto en verso para allanarse a la prosa de la escena contemporánea, aniquilando lo que tanto abundó en el siglo pasado, la parrafada lírica; pero es dentro de este sector donde podemos señalar autores que, célebres en otros quehaceres literarios, dieron su aporte consular al teatro.

El primero, nuestro ilustre orador y tribuno Belisario Roldán. Poco quedará del teatro Roldán, inconsistente al más leve alfilerazo de la crítica; pero la versificación sonora, aunque no siempre sumisa a la lógica, y el gesto varonil de un marquiniano poema de 1916, *El rosal de las ruinas*—episodio de nuestras luchas civiles durante el levantamiento de López Jordán—, le dieron un éxito, confirmado con delirio durante el tercer acto, en que la *oración por la paz* se aplicaba inconscientemente al sangrante drama de Europa por aquellos años.

Un año escaso antes de morir—el 22 de septiembre de 1921—estrenó su última pieza: *El puñal de los Troveros,* fantasía pampeana con señores feudales y disputas amorosas al modo romántico, de construcción endeble y solución absurda, en el cual iba implicado uno de los tantos brotes *sociales* del teatro de aquel momento. De corte cyranesco en muchos episodios, se hicieron célebres, en este caso, los versos al *caballito criollo* del segundo acto—embretados con calzador en el mecanismo de la acción—, endecasílabos cuyo recitado pasó, incluso, a las festividades escolares.

Sólidos, pensados, de gran jerarquía literaria y siempre dignos de la pluma de tan conspicuo maestro fueron los cuatro poemas escénicos de Ricardo Rojas: *Elelín* (1929), episodio de la conquista española; *La casa colonial* (1932), sobre un tema de la independencia argentina; *Ollantay,* versión moderna y erudita del discutido drama inca; *La salamanca* (1939), visión cristiana de los misterios hondos de la selva nutricia del autor.

Igual tensión adquiere el teatro de Enrique Larreta. Se inicia, en 1923, con un estreno en el Cervantes, *La luciérnaga* (en ediciones posteriores, *La que buscaba Don Juan),* episodio lírico en una celda del terror de 1840; dió una nota de gran belleza nativa con *El linyera,* drama de nuestro campo moderno, que era, en realidad, como una versión escénica de ciertos aspectos de su novela *Zogoibí; La lampe d'argil,* escrita juvenilmente en francés bajo los hados d'annunzianos, fué readaptada, españolizada, en 1934, con el título de *Toma,* pieza de construcción escénica deficiente, pero de una estremecida belleza en el diálogo. De gran calidad estética es su *Santa María del Buen Aire,* estrenada en España, en 1935, y en nuestro teatro Colón al año siguiente, en conmemoración del cuarto centenario de la primera fundación de la ciudad. Dió luego *Tenía que suceder* (1943) y *Jerónimo y su almohada* (1945), obra esta última de un precioso contenido humano y literario, más para leída que para representada, y que fracasó la noche de su estreno por obra y gracia de una lamentable y afónica interpretación de Pepe Arias.

Autor de fina calidad poética, de un humorismo lírico y plástico muy raro dentro de nuestras máscaras, poeta, en suma, y muy ducho en el *metier* teatral, cualidades que rara vez ensamblan con eficacia, es Conrado Nalé Roxlo. Lo demostró cabalmente en el teatro Marconi la noche del 20 de mayo de 1941, al estrenar *La cola de la sirena*, pieza que llegó a las tablas merced a las inquietudes directivas de un hombre a quien debe nuestro teatro muchas instancias renovadoras, Enrique Gustavino, al cual, dicho sea de paso, olvidamos mencionar, y merece muchos honores, entre aquellos autores que trajeron a nuestras playas las inquietantes novedades de entreguerra.

Pieza muy bien pensada, donde la fantasía queda normal y poéticamente transferida a la realidad, de un humano y trascendente humorismo, cuajada de deliciosos detalles, fué, a pesar de su vuelo, y lo subrayo, el éxito más sostenido de ese año teatral.

Menor fortuna asistió al autor con *El pacto de Cristina,* especie de misterio medieval, de alto empeño, pero al que se me ocurre obturó una interpretación demasiado declamatoria de Berta Singerman en una de sus escasas incursiones escénicas, y tampoco—a pesar de ser una graciosa farsa en tiempos de la Colonia—logró imponerse con *Una viuda difícil*. En 1957 estrenó *Reencuentro* y *El neblí,* dos piezas cortas. Teatro de delicada factura poética cultivan, asimismo, Roberto Tálice y Eliseo Montaine, ya individualmente, ya en colaboración.

De bastante menor calidad teatral, salvada sea su incuestionable dignidad literaria, parte por impericia y parte por su temática exótica y libresca, es la dramaturgia de Arturo Capdevila en *El amor de Scherezade, El divino marqués, Zincalí* o *Cuando el vals y los lanceros,* esta última ingenua y desatinada visión del Buenos Aires del 900.

Dentro de este ciclo poemático, de esta dramática con alto sentido creador, por medio de la cual el teatro deja de ser un oficio para alcanzar eminencia de obra de arte —y que me perdone la ya superada doctrina *dinámica* de Giulio Bragaglia—, cabe mencionar aquellas piezas que continuaron recogiendo con sentido poético—el único posible en las circunstancias actuales—los temas patéticos de nuestro medio nativo, los mitos y vivencias de la tierra aborigen.

Es de toda justicia mencionar en primer lugar a Juan Oscar Ponferrada por su hermoso poema (25 de marzo de 1943) *El carnaval del diablo,* en prosa y verso. Heredero de los atisbos de Sánchez Gardel, sin duda con notoria influencia del García Lorca telúrico y simbolista, compuso Ponferrada una honda y vibrante tragedia con los profundos recursos que ofrece ese rico material folklórico de la pagana fiesta calchaquí. Igual tensión poética y dramática alcanza en su segunda pieza de 1947: *El trigo es de Dios.*

Con un teatro más vario y, por cierto, más *de oficio,* irregular y vistoso, Carlos Schaeffer Gallo dió, asimismo, algunas notas folklóricas con *La novia de Zupay* y *La leyenda del Kakuy,* que son, conjuntamente con sus ensayos de dramática gaucha, las joyas de su extenso repertorio.

No se ha perdido, por supuesto, esa tradición dramática payadoresca, lejana célula de nuestra nacionalización escénica. Mencionaremos cronológicamente las piezas más importantes de esta orientación. En 1936, Muiño y Alipi, en el Buenos Aires, estrenaron la deliciosa evocación de

Alberto Vacarezza *Lo que le pasó a Reynoso,* pieza en la que el penetrante y lúcido sainetero—pongo los adjetivos con meditada conciencia—de *Tucuna fué un conventillo, Juanito de la Ribera* y *El conventillo de la Paloma* (este último, éxito clamoroso de 1929), obtenía con una bella pieza en tres actos el triunfo que ya había logrado años atrás con otro ensayo similar, *La casa de los Batallán.* De carácter simbólico, fué el *misterio gaucho* estrenado por Juan Zocchi en el Teatro Nacional de Comedias, el 29 de julio de 1937, *Martín Vega,* y de idéntica naturaleza dos piezas más recientes: *Vida y muerte de Silverio Leguizamón,* de Bernardo Canal Feijoo, con la que abrió sus puertas el teatro Municipal en 1945, y en el Marconi, una colorida y bella versión del *Santos Vega,* de Antonio Pagés Larraya, en 1953.

Pongo aparte el nombre de Yamandú Rodríguez—autor de un teatro lírico y barroco—, quien al dar materia con su poema *El matrero* para la feliz ópera de Felipe Boero, en 1929, nos proporcionaba la primera constancia de una partitura argentina de auténtico y rico sabor nacional.

La mujer se ha incorporado a las filas de los creadores dramáticos. Mencionaremos a Salvadora Medina Onrubia, Angélica G. Moremo, Lola Pita Martínez, María Luz Regás, generalmente en colaboración con Juan Albornoz; Malena Sándor—con su bella pieza de 1938 *Una mujer libre*—, Eugenia de Oro y Graciela Teisaire.

Aquí podría concluir esta reseña. Es posible que no sea ni completa ni rigurosamente justa. No es temor, sino inquietud por una necesaria equidad, lo que me hace pedir nuevamente absolución por posibles errores, olvidos involuntarios o juicios apresurados. Mas antes de cerrar definitivamente esta introducción debemos consignar algunos fenómenos recientes que han dado nuevas y originales fisonomías a la evolución de nuestra dramaturgia. Los explicaremos brevemente.

Desde hace aproximadamente unos treinta años los escenarios argentinos comenzaron a sentir el influjo de las obras extranjeras traducidas. Ya tuvimos ocasión de subrayar de pasada este cariz, que había de tener tan peligrosas consecuencias.

Todos los intérpretes se sintieron halagados de poder incorporar a sus repertorios las obras más significativas de la carátula universal. Temporadas casi completas, salvo paréntesis aislados si la obra era de cartel, se fraguaron íntegras sobre la base de traducciones. La traducción llegó a ser un recurso económico más sustancioso y más cómodo; por lo menos, sin el riesgo de la creación original.

Desde los teatros de la emancipación, ya se había echado mano de este recurso. En nuestro ensayo de 1947 explicamos las razones. Ahora, eran otras. Era que nuestros cómicos se sentían con fuerzas para hombrearse con los mejores de Europa, y el hallazgo dió dinero. Creo que, salvo el caso de Roberto Casaux, no ha habido ninguno que dejara de lado el repertorio extranjero. La misma Angelita Pagano—tan heroica mantenedora de los valores nacionales—, cuando, luego de un largo silencio, reaparece en el teatro Comedia, en 1935, lo hace con *La enemiga,* de Nicodemi, para concluir con *El abanico de lady Windermere,* de Wilde. Todos los otros, sin excepción: Camila Quiroga, Eva Franco, Paulina Singerman, Iris Marga, Luisa Vehil, incluso la porteñísima y criolla Tita Merello. Los actores Alippi, Enrique de Rosas, Francisco Petrone, Santiago Gómez Coh, Guillermo Battaglia, García Buhr, Pepe Arias, Luis Sandrini, todos...

Después de la segunda posguerra, cuando se acrecieron las dificultades del transporte, la inflación y falta de divisas, las exigencias de las legislaciones sociales, que paralizaron en forma casi absoluta la visita periódica de compañías europeas; la divulgación por el cinema de obras dramáticas, que acuciaban la curiosidad de verlas en su original, acreció en forma imprevista y avasallante la ola de las traducciones. Entre los enemigos de nuestro teatro, lo exótico—tal como lo había sido durante los primeros ochenta años del siglo pasado—volvía a adquirir una virulencia insospechada, tan insospechada y grave que el propio Teatro Nacional de Comedias para su temporada oficial de 1957 anunciaba, sobre cinco títulos, cuatro extranjeros. Creo que esta sola prueba exime de más comentarios.

Un segundo fenómeno—coincidente con un cambio fundamental en todo el teatro de Occidente, que es, en el fondo, consecuencia de las técnicas cinematográficas—es el insensible paso del centro de gravedad teatral del actor al director.

Este cambio se operó entre nosotros en la década que va de 1930 a 1940. No creo cometer ninguna injusticia si digo que la consagración de este sistema se operó en el Odeón en algunas famosas temporadas dirigidas, al modo de las grandes direcciones rusas, alemanas y francesas, por Antonio Cunill Cabanellas y Enrique T. Sussini, que fueron, en tres años sucesivos, de la ya citada comedia musical *Madama Lynch* (1932) al montaje espectacular de *El pájaro azul*, de Maeterlinck, en 1935.

Un año después, el propio Cunill—que había sido discípulo del gran renovador y promotor catalán Adrián Gual—llevó su experiencia al Teatro Nacional de Comedias, donde realizó las temporadas memorables de aquella sala, desde 1936 a 1942.

El ejemplo cundió, y con su plasticidad criolla para aprender rápida y genialmente, muy pronto contamos con un grupo de directores responsables. Fueron y son Enrique de Rosas, Enrique Gustavino, Armando Discépolo, Luis Mottura, Narciso Ibáñez Menta, Esteban Serrador... El espacio me obliga, seguramente, a nuevas injusticias.

Hoy, salvo el caso de algún intérprete de atracción es-

trictamente personal, lo que figura en primera línea en
carteleras y programas es el nombre del director, tal y
como ocurre en el cine. Es ello un signo de disciplina y
rigor estéticos; de anhelo de hacer bien las cosas, que, de
aplicarse más generosamente a las firmas nacionales y de
contar con menos ambición por parte de los cómicos pro-
fesionales, podría dar a nuestra carátula horas de inolvida-
ble satisfacción.

El tercer fenómeno, consecuencia del anterior y asimismo coincidente con todo un movimiento paralelo en Europa y Estados Unidos, es la aparición de los llamados
teatros *independientes*.

Muy difícil es precisar el momento exacto de su comienzo. Varias coordenadas, sin embargo, lo preparan: en
el año 1930, Antón Giulio Bragaglia publica, entre nosotros, su libro *El nuevo teatro argentino,* en el cual, a la
vuelta de historiar y defender la posición del teatro independiente italiano, nos convidaba a intentar la alegre aventura; ese mismo año la revolución de septiembre dividió
al país en un peligroso juego de izquierdas y derechas,
de consecuencias imprevisibles, que dió pie para pensar
en la necesidad de un teatro más libre de los compromisos y ataduras de la escena burguesa; por último, nu-
merosos autores sin estrenar, jóvenes y audaces, no veían
la hora de que algún argonauta diera la señal de partida.

Fué éste, con todos los honores, Leónidas Barletta. Su
Teatro del pueblo—iniciado modestamente en un cine de
Villa Devoto el 14 de febrero de 1931—acreció paulatinamente sus medios de actuación y sus recursos técnicos
hasta constituir un engranaje independiente, económico,
sin estrellato, abierto a todas las tendencias, perfectamente
sincronizado y admirablemente organizado. Sus campañas
tuvieron el sello típico de todos los escenarios de esta naturaleza: montaje original y dirigido, repertorio universal
de piezas casi desconocidas o de clásicos; por último, lan-

zamiento de un grupo de noveles: Rivas Rooney, Menasché, Arlt, Nicolás Olivari, Rega Molina, Cané, Gómez Masía, etc.

El ejemplo cundió con la rapidez con que suelen cundir los hallazgos de fortuna en el fértil suelo argentino. Tomo del libro de José María *El teatro independiente* (Buenos Aires, 1955) la siguiente nómina de salas vocacionales: *Juan B. Justo, La Cortina, La Máscara, Tinglado, Evaristo Carriego, IFT, Florencio Sánchez, Estudio, Nuevo Teatro, I. A. M., O. L. A. T., Telón, Fray Mocho, Los Independientes* y veinte más, sin contar las del interior, enumeradas en la página 165 del libro citado.

Todos ellos han tenido la misma agitación: la búsqueda de un repertorio fuerte, clásico o moderno; la formación de actores sin vanidad; el afianzamiento de un grupo de directores jóvenes—Enrique Agilda, Pedro Asquini, el ya citado Barletta, Mane Bernardo, Alejandra Boero, Aurelio Ferretti, Oscar Ferrigno, Eugenio Filipelli, Marcelo Lavalle, Onofre Lovero, Ricardo Passano, Roberto Pérez Castro, Rubén Pesce, Alberto Rodríguez Muñoz, José María Funes, Pedro Escudero, Eduardo Alberto Vera, etcétera, llenos de ideas y llenos de inquietud.

¿Qué puede esperarse de este movimiento, que en un cuarto de siglo se ha convertido en serio rival de los teatros de empresa? Creo prematuro juzgarlo; pero, con todo, demos primeros el acíbar antes del dulce; sus errores podrían ser esencialmente cuatro: el haber caído con frecuencia en el mal de *snobismo*, cuando no en inevitables compromisos políticos; el haber buscado afanosamente un estetecismo que otra vez dió marcada preferencia a la obra extranjera, no siempre de calidad, sobre la obra nacional; la excesiva proliferación de grupos, en lugar de buscar una cooperación aglutinante y fructífera, y, por último, el haber declarado guerra sin cuartel a los teatros llamados *comerciales*, cuando lo natural—y es lo que está ocurriendo mientras escribo estas líneas—hubiera sido buscar una lógica y estimulante cooperación. No todo es bueno ni malo en ambos sectores del teatro nacional.

En descargo, han traído—cómo negarlo si está a la vista—un refrescante ímpetu juvenil, un término terrible de comparación para adocenamientos y rutinas de empresa, una insobornable voluntad de trabajo, un denodado afán de aprendizaje y de superación, y, sobre todo —por algo se llaman *vocacionales*—, una auténtica vocación de arte, que, por encima de inevitables vanidades y rencillas—la vanidad es en el teatro pecado viejo, inevitable y casi necesario—, ha mostrado floraciones de verdadera y auténtica calidad. Por lo menos, Gorostiza, Ferretti y Cuzzani, tres grandes autores de la más reciente hornada, salieron de los teatros *independientes*.

Han hecho lo que en veinte años no lograron hacer los dos teatros oficiales del país, el Nacional de Comedias (1936) y el teatro Municipal (1945): acuciar la sensibilidad escénica dormida. Y la prueba la tenemos en que bajo el cobijo oficial quien más hizo por alentar dicha sensibilidad fué el *Seminario Dramático,* que, en el Cervantes, dirigía Juan Oscar Ponferrada y era, a la postre, otro teatro *independiente*.

El cuarto fenómeno sería en esta última década la casi total desaparición del sainete, que, extinguidas las temporadas de Muiño-Alippi y del gran Carcavallo, pareciera haberse retirado de los escenarios... ¿Para siempre?... ¿O es que acaso se ha retirado a piezas grandes, donde sólo alienta el desapoderado afán de hacer reír? Algunas piezas bastas y gruesas de ciertos autores, que mejor es callar, ¿no son acaso sainetes desfigurados y maltrechos? Han perdido eficacia de pincelada honda, tensa y colorida al transformarse en *pochades* para públicos de sensibilidad *boulevardière*.

Pero esa corriente fuerte y popular, ese trazo vivo de

nuestra máscara diaria, seguirá siendo el gran resorte de nuestro teatro verdadero y fecundo. El encaste vivo de todas sus posibilidades. Como tantas otras veces en nuestra historia, pasamos una racha de extranjía. Las sirenas vuelven a gritar, y es en ese único sentido que, sin mucha lógica, podemos emplear la socorrida palabra *decadencia*.

¿Decadencia cuando cientos y miles de muchachos apenas veinteañeros están luchando por una dramaturgia más fresca, más noble, más generosa? No. En todo caso, desorientación momentánea, y si queremos ser más estrictos hablemos de crisis, crisis fecunda y de crecimiento, como lo son, en última instancia, por su juventud y su hora histórica, todas las crisis argentinas, todas las crisis de América...

III

No podía faltar en nuestra selección *Así es la vida,* de Malfatti y De las Llanderas, por las razones apuntadas en el capítulo anterior; se incluye *El secreto,* de José León Pagano—incurso dentro de las fechas de este volumen —, a fin de presentar a un glorioso autor de las mejores horas de nuestro teatro, y hacer así honor a su limpia ejecutoria; *La cola de la sirena,* de Conrado Nalé Roxlo, va inserta como ejemplo de teatro moderno en una de sus expresiones argentinas de más exquisita y original calidad; incorporamos *El carnaval del diablo,* de Juan Oscar Ponferrada, por tratarse de una recia y vibrante manifestación de dramaturgia telúrica, encastada en los mitos de los valles del noroeste argentino, una de las zonas folklóricas más ricas del país; era inexcusable dar cabida al nombre del fino comediógrafo Pedro E. Pico, no sólo por su fecundo aporte al buen teatro criollo, sino por su misma calidad estética, siempre de imperturbable buen gusto en el plano de la que se ha llamado *alta comedia*. Como un homenaje a su memoria hemos elegido su obra póstuma, *Agua en las manos;* finalmente, por lo ya dicho en el capítulo II, la muestra se cierra con el nombre señero de Samuel Eichelbaum en su pieza *Dos brasas,* a nuestro entender, efectivo signo de su modo dramático y una de sus obras más recias y mejor construídas.

Es evidente que habremos cometido notorias injusticias; pero, repetimos, no se trata de una historia, sino de un índice, y para ese quehacer nos ha sido forzoso elegir una pieza paradigmática, no por simpatías personales ni afinidades artísticas, sino por su función estética de los aspectos más evidentes del teatro argentino contemporáneo: comedia de costumbres, ensayos de vanguardia, dramaturgia regional, alta comedia y obra psicológica.

Los ausentes preclaros, y hay muchos, comprenderán el puro sentido didáctico de esta selección.

Si así no fuere, espero resignado la crítica sana o malévola. Es el fatal destino de quien opera con materia viva y debe sujetar su natural y amplio deseo de justicia a los estrechos límites de un volumen que jamás puede alcanzar la tranquilizadora amplitud de una antología.

ARTURO BERENGUER CARISOMO.

NOTA

"ASÍ ES LA VIDA", DE NICOLÁS DE LAS LLANDERAS Y ARNALDO MALFATTI

NICOLÁS DE LAS LLANDERAS.—Comediógrafo español radicado hacía muchos años en la Argentina, donde falleció el 20 de mayo de 1938. Casi siempre en colaboración con Arnaldo Malfatti, produjo, además de la obra incluida en el volumen, algunas de aliento y positiva belleza costumbrista, como *Miente y serás feliz* y *Caminito alegre,* a las que siguieron *La gallina clueca, Coima, Si los viejos levantaran la cabeza,* y una serie de piezas en un acto, que renovaban los mejores momentos del tradicional *sainete* hispanoamericano: *Los tres berretines, Luján, Dársena norte, Astillas del mismo paño, La paja en el ojo ajeno, Picnic,* etc.

ARNALDO MALFATTI.—Comediógrafo argentino. En colaboración con Juan F. Ferlini, estrenó, en 1922, *¿Trabajar? ¡Nunca!,* graciosa farsa que le valió un éxito consagratorio. A ella siguió otro estreno de fortuna, *Como tronco e' ñanduhay,* hasta encontrarse con Nicolás de las Llanderas y formar el binomio que ha dado a la escena argentina tan buenas horas de noble esparcimiento. Ha sido también muy eficaz y diligente la labor gremial de Malfatti en la Sociedad General de Autores de la Argentina ("Argentores") y en la Casa del Teatro.

Así es la vida.—Ya dejamos dicho en la Introducción el valor singular de esta bella comedia. Por ella desfilan treinta años de vida argentina, de vida porteña, sin *pintoresquismo* ni concesiones ni caricatura. Todo en la misma es sencillo, verídico y hondamente humano. Cada acto, en su época, tiene el exacto matiz que le corresponde, y el espectador, que conoce esa etapa del vivir argentino, siente a un mismo tiempo fuerza de vitalidad, nostalgia y una viva tensión poética lograda de la propia circunstancia escénica.

Todos sus personajes: Eloísa, la vieja madre criolla; el severo y admirable dueño de casa Don Ernesto—una creación insuperable de Muiño—, el tarambana y politiquero Alberto—otro hallazgo interpretativo de Elías Alippi—, las hijas e hijos del matrimonio, los personajes extranjeros—como el platónico y sentimental Liberti—, el "socialista" Carlos y hasta los episódicos—Rosendo, Rocamora, etc.—son otros tantos modelos de pintura exacta, viva y radicalmente teatral.

El diálogo es directo, simple, *vital,* y hasta los mismos recursos sentimentales—el tema de la "mesa familiar", ¡tan porteño!, que cierra los actos segundo y tercero—están conquistados sin exceso y dentro de los límites permisibles en las leyes del buen gusto.

Así es la vida es un documento, es un trozo palpitante de historia argentina íntima—quizá la verdadera y única historia—y una pieza teatralmente impecable. Su éxito ha sido, pues, uno de los legítimos de estos últimos años de teatro nacional.

"LA COLA DE LA SIRENA", DE CONRADO NALÉ ROXLO

CONRADO NALÉ ROXLO.—Nació, en Buenos Aires, el 15 de febrero de 1898. Poeta, humorista, dibujante agudo en finas caricaturas, comediógrafo, fué laureado con los Premios Municipal y Segundo Nacional de Teatro por su bello poemario *El grillo* y por su comedia *Una viuda difícil,* respectivamente.

Bajo el seudónimo de *Chamico* o bajo el de *Alguien,* es autor de una serie de cuentos llenos de sabroso y moderno humor, coleccionados en varios volúmenes: *Cuentos de Chamico, El muerto profesional,* etc.

También es autor de una serie deliciosa de cuentos para niños y de dos volúmenes dedicados a sátira de la profesión médica, *La medicina de reojo* y *El humor de los humores,* en originales ediciones ilustradas por él mismo.

Mención aparte merece su regocijante *Antología apócrifa,* verdadero libro modelo de *pastiches* de autores famosos antiguos y modernos.

Para el teatro, aparte la pieza ya mencionada y de la que integra este volumen, es autor de *El pacto de Cristina, Holofernes y las rosas, El neblí* y *Reencuentro.*

Es, sin disputa, uno de los escritores más proteicos, ingeniosos y finos de las actuales letras argentinas.

La cola de la sirena.—Poeta en *El grillo* y *Claro desvelo,* humorista de cuño audaz y nuevo en los cuentos firmados por *Chamico,* Roxlo se cotizó como uno de nuestros comediógrafos más finos, más nuevos, más audaces y poéticos con el estreno de esta comedia.

Cabría traer el recuerdo de *La ondina,* de Giraudoux; pero lo que es fantasía pura en la bellísima *trouvaille* francesa, es, en esta farsa de Nalé, transferencia a una humanización humorística y deliciosa del mito propuesto.

Y el autor, en el fondo, al narrar la historia de la desdichada sirena Alga transformada en mujer, lo que nos dice con profunda melancolía—es el fin de todo humorismo verdadero—es que todo aquello que escape de su naturaleza tiene siempre inexorable castigo. Alga quiso ser mujer, quiso amar como tal, pero su destino —¡qué terrible palabra!—no podía convalidar, en el mundo de lo humano, su condición poética, ingrávida e intransferible de sirena. Patricio se ha enamorado de un mito, y los dioses castigan tan herético desafío a lo inexorable.

Suavemente poética, maravillosamente dialogada, llena de detalles sugestivos—¡aquellos zapatos del acto segundo!—, *La cola de la sirena* es, sin disputa, una de las piezas más puras, más logradas, en el campo de la creación ideal, del teatro argentino de hoy.

Prueba de que el talento y la verdad poética son capaces de sustituir con notoria ventaja las triquiñuelas del *oficio* o la mecánica estricta de lo exclusivamente *teatral.*

"EL CARNAVAL DEL DIABLO", DE JUAN OSCAR PONFERRADA

JUAN OSCAR PONFERRADA.—Nació en Catamarca el 11 de mayo de 1908. Profesor y poeta, es autor de bellos volúmenes de versos: *Calesitas, La noche y yo, El alba de Rosa María, Flor mitológica* (Premio Municipal del año 1938) y *Loor de Nuestra Señora del Valle.*

Ganó el Premio Municipal de teatro por la pieza incluída en este volumen, y el mismo galardón se le concedió a su segunda obra dramática, *El trigo es de Dios,* estrenada en 1947.

Dirigió desde 1947 a 1955 el Instituto Nacional de Estudios de Teatro de la Comisión Nacional de Cultura, y en el mismo formó el Seminario Dramático, conjunto experimental de arte escénico, que ofreció notables representaciones populares de un vasto repertorio clásico, extranjero y nacional.

Tiene, a la fecha, concluída su tercera tragedia, *El gran nido verde.*

El carnaval del diablo.—Catamarqueño de nacimiento—tierra montañosa donde yacen insomnes los viejos mitos de la raza calchaquí en sus valles idílicos y en sus montañas enormes—, Juan Oscar Ponferrada era quien estaba en mejores condiciones—desaparecido Sánchez Gardel—para llevar a la escena esas viejas notas telúricas folklóricas, de tanta y tan poderosa fuerza poética.

Se necesitaban, pues, dos cualidades, el poeta y el dramaturgo, y el autor de *El carnaval del diablo* las reúne en calidad sobresaliente.

La pieza incluída en el presente volumen es, por tanto, una de las manifestaciones más vigorosas, más tensamente dramáticas dentro de esa promoción que intenta llevar al escenario todo el misterio de una raza en su agonía, su misteriosa condición aborigen y su trágico sino de pueblo oprimido.

No podría negarse que en la urdimbre estética de este drama influye el modo de Federico García Lorca, en lo que Lorca tenía de poeta terrígeno y regional; pero, sobre que la proposición de un alto modelo antes ennoblece que deprime a un artista, ese vestigio queda compensado por la original factura, el vuelo lírico personalísimo y la virtual condición de dramaturgo que muestra Ponferrada en su tragedia mitológica.

Aparte estas virtudes, es necesario consignar que, pese al recóndito sentido local de la pieza, ésta, por su calidad humana y su alto índice poético, adquiere un signo de universalidad, lo que hace aún más singular su importancia y su significación en el panorama de la carátula argentina moderna.

"EL SECRETO", DE JOSÉ LEÓN PAGANO

JOSÉ LEÓN PAGANO.—Nació, en Buenos Aires, el 20 de enero de 1875. Dramaturgo, pintor, crítico literario y de arte, profesor de literatura y estética, ha sido una de las personalidades más relevantes y señeras de su generación.

Educado y cultivado en Europa, estrenó, curiosamente, su primera obra en Barcelona: *Más allá de la vida,* traducida al catalán, y dada a conocer en el teatro de la Gran Vía de la ciudad condal por la actriz Blanca Iggins; la segunda pieza, *El dominador,* se dió en Roma por la compañía del gran actor Ferrucio Garavaglia.

De regreso al país, da su primer estreno nacional en 1904, *Nirvana*, y, al año siguiente, *Almas que luchan*. Siguieron, luego, *La ofrenda, El halcón, Los astros, El sobrino de Malbrán, El tío Diego, Cartas de amor, El zarpazo, Lasalle, Blasón de fuego. El inglés de aquella noche se llamaba Aguirre, El rescate, El secreto* y *Dos mujeres en una imagen*.

En su obra crítica se destacan *A través de la España literaria, Motivos de estética, Nuevos motivos de estética* y una obra fundamental por su densidad e importancia histórico-crítica, *El arte de los argentinos* (Gran Premio Nacional de 1939), y numerosas cuanto penetrantes monografías sobre pintores y escultores del país.

Con toda justicia a su infatigable labor y hondo talento de artista y de maestro, Pagano es académico de las Academias argentinas de Letras, Arte e Historia.

El secreto.—Incorporamos a la presente antología de Teatro Argentino Contemporáneo esta pieza característica del autor de *El sobrino de Malbrán*. Se dan en ella los rasgos típicos de su arte dramático, ya estudiados en la Introducción: sobre la base de un asunto conducido con pericia—la incertidumbre y el *pathos* dramático se mantienen tensos hasta el final del proceso escénico—, campea el análisis psicológico escrupuloso y hondo, el trazo vivo y real de los caracteres, en un medio argentino de aristocrático refinamiento, y la cálida belleza del diálogo, en el cual brillan, a la par, la hondura del concepto, la fina intención irónica y la vibración poética.

Original como tema—es nueva y conducida con hábil pericia la dramática situación del médico cuyo *secreto* sirve de soporte al asunto—, la construcción se rige por los cánones virtuales de teatro, sin extravagancias técnicas ni heterodoxias estéticas, mediante los más limpios recursos del verdadero dramaturgo. Posterior en muchos años a las piezas más relevantes del autor, es una muestra cálida—dentro de nuestro período antológico—de cómo Pagano no ha perdido en el curso de su brillante carrera de autor los signos típicos de su estética, su anhelante y poético sentido de misericordia cristiana y su ímpetu vital de gran comediógrafo.

Recibida por crítica y público con verdadero entusiasmo, después del éxito de *El rescate, El secreto* puede integrar con honor el repertorio literario del sabio polígrafo argentino y dar a esta Antología una dignidad notoria con una de las más bellas muestras de uno de nuestros autores de más noble y sostenida ejecutoria.

*

"AGUA EN LAS MANOS", DE PEDRO E. PICO

PEDRO E. PICO.—Nació, en Buenos Aires, el 13 de julio de 1882 y falleció, en la misma ciudad, el 13 de septiembre de 1945.

Se inicia muy joven en el teatro con un sainete popular en el estilo de Carlos María Pacheco, *La polca del espiante*, y, en seguida, con otra pieza dramática en un acto, *Para eso paga...*

La única fuerza, en tres actos, le abrió el camino definitivo de la vocación y del éxito, que Pico siguió con tesonera y cada vez más afinada tensión de gran dramaturgo.

Retrató el campo argentino en *La Seca, Trigo gaucho, Tierra virgen, Pueblerina, La novia de los forasteros*, etc., y enriqueció el acervo de la *alta comedia* argentina con títulos de la calidad de *Las rayas de una cruz, La historia se repite, La luz de un fósforo, La verdad en los ojos, Yo no sé decir que no, Usted no me gusta, señora; Novelera*, etc.

El teatro de Pico—su casi única experiencia literaria—se caracteriza, como hemos dicho en la Introducción, por su finura, elegancia del diálogo, humano sentido y pulcritud en los conceptos y versión escénica.

Agua en las manos.—Todos los caracteres del teatro de Pico —elegancia mundana, chispa en el diálogo, gracejo en las situaciones, *porteñismo* de buena ley, buen gusto—se dan en esta obra póstuma que integra el presente volumen.

Es posible que pueda tachársela de intrascendente y ligera, pero también es buen teatro, cuando se hace bien, como en el caso presente, aquel que, con limpios recursos e ingenio diestro, sólo busca proporcionar al espectador una tregua de solaz y plácido esparcimiento.

No faltan—era lo normal en el fecundo autor—ni el atisbo psicológico bien logrado, sobre todo en el empedernido y simpático solterón Gonzalo, ni la frase cáustica de aguda penetración, ni ciertos toques de valor de diestro y avezado comediógrafo.

Al incluirla he querido—dejando a un lado expresiones más fuertes del autor: *Las rayas de una cruz*, por ejemplo—tributar un homenaje, en su obra póstuma, a quien, muerto en plena madurez, aún podía haber dado al teatro argentino piezas de una calidad depurada y sólida, ya presagiadas en sus últimas comedias.

Sujeta al rigor clásico de las famosas *unidades*—tiempo, lugar y acción—, es testimonio bien evidente de la pericia escénica que ya alcanzaba el llorado autor de *La novia de los forasteros*.

"DOS BRASAS", DE SAMUEL EICHELBAUM

SAMUEL EICHELBAUM.—Nació en Domínguez (provincia de Entre Ríos) el 14 de noviembre de 1894.

Aparte las narraciones—*Un monstruo en libertad, Tormenta de Dios* y *El viaje inmóvil*—, toda su densa obra literaria queda en el teatro, cuya evolución y principales títulos hemos señalado ya extensamente en la Introducción de este volumen.

Obtuvo el Premio Municipal a la mejor obra dramática del año 1930, y el Premio Jockey Club a la mejor obra de creación en prosa. Y se hizo acreedor al Premio Alberto Gerchunoff (bienio 1952-1953) en mérito al conjunto de su importante labor de dramaturgo.

En el año 1946, representó a la Argentina en el Congreso de las Sociedades de Autores reunido en Washington.

Ha ejercido, asimismo, los cargos de presidente interino y vicepresidente de la Sociedad Argentina de Escritores.

Dos brasas.—Queda hecho en la Introducción el elogio a este conspicuo autor, uno de los más importantes, si no el más, del teatro argentino contemporáneo.

La obra incluída—amarga exposición de la miseria moral, de la sordidez—define rigurosamente su teatro: honda penetración psicológica, exposición escrupulosa de los caracteres a través de un tenaz y sorprendente análisis de sus vaivenes y evoluciones; diálogo recio, seco, cortante, de una fotográfica realidad, que no excluye, por momentos, un hálito poético ardiente como el que exhalaba de su misma grandeza la tragedia griega.

Estrenada con heroico empeño por un teatro vocacional—luego de un largo peregrinaje a través de escenarios indiferentes o temerosos, que no se arriesgaban con pieza de tan difícil realización—, es, además, una muestra, un modo de acreditar el beneficio que estas nuevas aventuras teatrales de los *Independientes* han supuesto para el renuevo y tonificación de la carátula nacional.

Prueba de indudable madurez, la hasta ahora última pieza de Eichelbaum muestra un progreso indudable en uno de sus escasos puntos débiles: el rigor de la construcción escénica. *Dos brasas* es, por el contrario, un drama cuyo *crescendo* trágico, cuyo progreso *teatral* está seguido, emplazado y resuelto con ágil y sorprendente vigor de gran dramaturgo.

NICOLAS DE LAS LLANDERAS

Y

ARNALDO M. MALFATTI

ASI ES LA VIDA

COMEDIA ASAINETADA EN TRES ACTOS

Esta obra fué estrenada el 2 de marzo de 1934, en el teatro Nacional, por la compañía Muiño-Alippi, con arreglo al siguiente

REPARTO
(Por orden de aparición de los personajes)

MARGARITA	René Sutil.
FELIPA	Ana Arneodo.
ELOÍSA	Ada Cornaro.
EDUARDO	Gerónimo Podestá.
ADELA	Pepita Battaglia.
ROSENDO	Héctor Bonatti.
ERNESTO	Enrique Muiño.
FELICIA	Ana Arneodo.
ALBERTO	Elías Alippi.
LERENA	Luis Fagioli.
EDELMIRA	Julia Sabate.
CARLOS	A. de Vicente.
LUIS	Cayetano Biondo.
LIBERTI	Sebastián Chiola.
BARREIRO	Alberto Bello.
ROSAURA	Alba Rey.
MARÍA TERESA	Angela Armand.
PETRONA	María Martínez.
PEÓN (No habla).	
ROCAMORA	Pablo Piazza.
SANTILLÁN	Miguel Coiro.
VICENTE	Enrique Duca.
MUCAMA (No habla).	
TOTA	Elsita Martínez.

NOTA IMPORTANTE

Los actores deben tener muy en cuenta el tiempo transcurrido de uno a otro acto. Sus edades son:

	ACTO I	ACTO II	ACTO III
MARGARITA	15 años	"	"
FELIPA	18 —	29 años	47 años
ELOÍSA	37 —	48 —	"
EDUARDO	14 —	25 —	43 —
ADELA	16 —	27 —	"
ROSENDO	25 —	36 —	"
ERNESTO	42 —	53 —	71 —
FELICIA	19 —	30 —	48 —
ALBERTO	35 —	46 —	64 —
CARLOS	20 —	31 —	"
LUIS	21 —	32 —	"
LIBERTI	32 —	43 —	61 —
BARREIRO	30 —	41 —	"
TOTA	"	"	23 —

El vals que se ejecuta en el fonógrafo de cilindro debe hacerse interiormente con un disco muy estropeado del famoso vals *Estudiantina*. Los muebles del comedor, que en el segundo acto son nuevos, deben dar en el tercer acto la sensación de su vejez y su uso.

NICOLÁS DE LAS LLANDERAS

ARNALDO MALFATTI

ACTO PRIMERO

Amplio patio en la casa, algo colonial, de don Ernesto Salazar. A la derecha, pared divisoria de escasa altura, tras de la que se ven árboles frutales y flores de la casa vecina. En foro derecha, puerta de reja que da al zaguán. A la izquierda, foro, puerta de la sala, de la que se ve una parte con los muebles enfundados. Sala en el foro con ventanal y persiana del sistema antiguo de tablitas ligadas por cordones. En lateral izquierda, dos puertas y una entrada de arco al corredor. Cubre el patio un toldo de franjas negras y rojas. Junto a la pared derecha, una pajarera. A pocos pasos de aquélla, un aljibe con macetas alrededor. Tinas con plantas, macetas con flores, juego de mimbre, todo distribuído convenientemente. Entre la puerta de izquierda, mechero de gas con una bomba blanca que se enciende a su tiempo. Junto a la puerta del corredor, dos mesitas con manteles blancos y sobre ellas cristalería y compoteras con dulces, etc. Son las cinco de la tarde de un caluroso día del año 1905.

Al levantarse el telón está sentada, cosiendo, MARGARITA, una muchacha como de quince años. De la sala surgen las notas de un romántico vals de la época, ejecutado al piano, y que MARGARITA tararea. Interrumpe la melodía la corneta del conductor del tranvía, que se acerca y se aleja. FELIPA, una chinita pizpireta, asoma precipitadamente por el corredor; pero al ver que hay gente en el patio, se detiene malhumorada y hace mutis.

FELIPA.—¡Caramba digo! Siempre hay "cintilenas" en el patio. Ya pasó otra vez sin poderles hacer ni una sonrisita desde el "zaguán"... *(Mutis. Se oye un pregón en la calle, que se va perdiendo mientras va terminando el vals en el piano.)*

MARGARITA.—¡Uf! ¡Qué calor! *(Se desabrocha el cuello de la blusa y metiéndolo para adentro deja un pequeño descote.)* ¡Adela!

ADELA.—*(Dentro, desde la sala.)* ¿Qué querés?

MARGARITA.—¿Por qué no tocás ese vals nuevo tan lindo?

ADELA.—¿Cuál?

MARGARITA.—Ese que trajo Carlos.

ADELA.—¡Ah, ya sé! *(Dentro se escucha el vals "Sobre las olas".)*

MARGARITA.—*(Tarareando.)* "Olas que al llegar pañideras muriendo a mis pies..." *(Por el corredor, con una fuente de dulces caseros, ELOÍSA, señora de unos treinta y tantos años, que viste delantal blanco. Al ver a MARGARITA y asombrada como si la viera desnuda, dice:)*

ELOÍSA.—¡Marga! ¡Ay Dios mío! Pero ¡esta hija yo no sé a quién sale!...

MARGARITA.—¿Qué pasa, mamá?

ELOÍSA.—El cuello, nena...

MARGARITA.—Pero, mamá, si hace mucho calor...

ELOÍSA.—¡Abróchese le digo! ¿O se cree que el pudor de una niña es distinto en invierno que en verano? ¡Ay, cómo son estas muchachas modernas! ¡Yo no sé hasta dónde van llegar..., no sé...!

MARGARITA.—*(Abrochándose.)* Bueno, mamá; no se enoje. Ya está.

ELOÍSA.—*(Dándose aire con el delantal.)* Verdaderamente hace un calor que... *(Se oyen dos aldabonazos. Por el corredor aparecen EDUARDO y FELIPA, que vienen corriendo. Es un muchacho que viste pantalón corto. Por la sala aparece ADELA, que viste de corto.)*

EDUARDO.—¿Es el sastre, mamita? ¿El sastre?

ELOÍSA.—¡Qué sastre, m'hijo! ¡Ay! ¡Nos tenés locas con el dichoso traje!

EDUARDO.—*(Dando un puntapié en el suelo.)* ¡Todavía no me van a traer el traje y no me voy a poder poner los pantalones largos!

FELIPA.—Dentre. *(Abre la puerta y aparece ROSENDO, que es un vigilante chinote que se le va al humo a FELIPA.)*

ROSENDO.—Salú, mi prienda.

FELIPA.—¡Chis! Que está la señora.

ELOÍSA.—¿Quién es?

FELIPA.—Es el chafe.

ELOÍSA.—*(A las muchachas.)* ¿Otra vez?

ROSENDO.—*(Entrando en el patio y saludando militarmente.)* Permiso.

ADELA.—Buenas tardes. ¿Cómo le va?

ROSENDO.—Riventao, niña, sin despreciar a los presentes. Por eso vengo, pa ver si me pueden osequiar con agua o líquido que se le parezca. Y... así es la cosa nomás.

MARGARITA.—Pero usted ya ha venido varias veces hoy.

ROSENDO.—Sí, niña. La calor y la sed no caminan por riglamento. Y así es la cosa nomás.

FELIPA.—Y claro, niña. ¿Le doy agua, entonces?

ROSENDO.—*(Resignado.)* Y... si no hay más rimedio, tomaré agua. ¡Pa sufrir son los varones! *(Todos ríen y* FELIPA *con gran escándalo.)*

FELIPA.—¡Qué gracioso es! ¡Es más simpático!...

ELOÍSA.—¡Vamos, Felipa! Tomá, dale esta copa de vino. Pero no le vaya a hacer mal.

ROSENDO.—No, señora; el agua, algunas veces; el vino, nunca. *(Brindando.)* La felicito por su cumpleaños y pa que viva ochenta años rodeada de sus hijos, sus nietos y los amigos que la aprecean por sus grandes virtudes y por la..., la..., la... ¡Y así es la cosa nomás! *(Bebe.)*

FELIPA.—¿Le sirvo otra, señora?

ROSENDO.—No, que está prohibido. Además, de a poquito es mejor. Después güelvo. Y ya sabe, la felicito por... *(Pito dentro.)* ¡El oficial! *(Mutis.)*

ADELA.—¡Cómo le gusta beber!

FELIPA.—Y... con el calor, niña, sufre mucho el pobrecito...

ELOÍSA.—¡Mirala a la defensora! Vamos, vamos a la cocina, así terminamos de una vez. *(Mutis por el corredor*

ELOÍSA y FELIPA; *detrás de ella,* EDUARDO, *que, mirando para no ser sorprendido, le da un pellizco.)*

FELIPA.—*(Bajo.)* ¡Ay niño, que lo van a ver...! *(Mutis.)*

ADELA.—¿Viste lo informales que son en la casa? ¡Quedaron en traer el regalo esta mañana y todavía no lo han traído!...

MARGARITA.—A ver si hacemos un papelón. *(En la calle se oye un organito que toca malamente el tango "La Morocha". Con alegría.)* ¡Ay! ¡Un tango! (ADELA, *con grandes precauciones, se asoma por la persiana.)* ¡Adela! ¡Por Dios! ¡Que te pueden ver!

ADELA.—Vení, si no hay nadie. (MARGA *va hacia la sala.)* ¡Cómo me gustaría saber bailarlo!

ADELA.—¡Si nos ve mamá...!

MARGARITA.—*(La toma por la cintura y dan unos pasos de tango. Aparece por corredor* ELOÍSA, *con una bandeja de masas.)*

ELOÍSA.—*(Horrorizada al ver a las hijas.)* ¡Adela! ¡Marga! ¡Ay, qué hijas locas! Vengan para acá, vengan para acá. *(Mirando para todos lados, muy bajo.)* ¿No les da vergüenza bailar un tango? ¡Ay, si las ve su padre!...

ADELA.—Pero, mamita, si es que...

ELOÍSA.—¡Cállese la boca, descocada! ¿Dónde **han visto** a una niña bailar esa música de perdición? Vengan conmigo. ¡Vengan, les digo! ¡No las puedo dejar ni un minuto solas! *(Mutis las tres por el corredor.* MARGA, *que sale la última, aún hace unas quebradas. Pequeña pausa. Pregón en la calle. Por el corredor,* FELIPA, *con dos botellas, se dirige hacia el aljibe. Sigilosamente y con grandes temores,* EDUARDO *se va acercando a ella.* FELIPA *abre la tapa del aljibe, tira de la cuerda y saca un balde en el que hay varias botellas y lo pone sobre el brocal; cuando se inclina para agarrar las botellas que están en el suelo,* EDUARDO *la besa en la nuca.)*

FELIPA.—¡Ay!

EDUARDO.—*(Asustado.)* ¡Chis!

FELIPA.—¡No! ¡No me callo! ¡Se lo tengo de decir a la señora! ¡Qué había sido atropellador el gurí este!

EDUARDO.—¡Che, che! ¿Qué es eso de gurí? Hoy me pongo los pantalones largos, ¿qué te pensás? Mirá el bigote cómo me está saliendo

FELIPA.—Salga, salga. Si juera mayoral o vigilante..., hombre así de carrera, güeno...; pero con un mocoso como usted... *(El organito toca un vals muy lento.)*

EDUARDO —¿Mocoso decís? Vení para acá. *(Intenta abrazarla y ella se esquiva. Por la puerta de reja aparece* DON ERNESTO SALAZAR, *hombre que frisa los cuarenta, se sorprende ante la escena y se queda parado moviendo la cabeza sin ser visto por los otros dos.)*

ERNESTO.—*(Aparte.)* ¡A la pucha! ¡Si atropella así con un vals lento, qué será con un pasodoble!... *(Al dar una vuelta en la persecución, los dos ven a* ERNESTO *y quedan como petrificados.* FELIPA *agarra las botellas, las quiere meter dentro del balde; pero como no hace más que mirar a* DON ERNESTO, *las deja caer dentro del aljibe. Da un pequeño grito y, asustada, hace mutis por el corredor.* EDUARDO, *sin saber qué hacer, se acerca a la jaula.)*

EDUARDO.—*(Tembloroso.)* Pa... Pa... pito, ¿vi... vió qué lindos están saliendo los pichones?

ERNESTO.—*(Con mucha intención.)* Sí, m'hijo, sí. Ya veo que salen buenos los pichones...

EDUARDO.—*(Sin saber lo que dice.)* Estábamos... aquí... con el aljibe... del agua, de las botellas... del... *(Baja precipitadamente la cuerda del aljibe.)*

ERNESTO.—Sí, m'hijo, sí. Ya lo he visto. Andá, andá para adentro, que aquí en el patio *(Con intención.)* te acaloras demasiado. *(Mutis* EDUARDO *por el corredor. Quitándose el saco, que deja en el respaldo de una silla.)* ¡Apurado el mocito! Y, bueno..., no hay que hacerle... ¡Sale al padre! *(Por el corredor,* ELOÍSA, *trayendo un saco de lustri-*

na. A poco, Felipa, *con mate que sirve a* Ernesto, *y mutis.)*

Eloísa.—Y vos, ¿cómo viniste tan temprano?

Ernesto.—Y... no era cosa de llegar tarde en un día como hoy. ¡Figurate, vieja, tu cumpleaños! ¡Sesenta primaveras! ¡Qué bien las llevás!

Eloísa.—¡Callate, loco! ¡Sesenta, nada menos!

Ernesto.—*(Mirando los dulces.)* Amigo, cómo se ha trabajado hoy; esto parece la confitería del Gas. *(Prueba.)*

Eloísa.—No andés tocando, viejo, que si tocás se desarregla todo y tienen fea vista.

Ernesto.—Lo de la vista es lo de menos; lo importante es que tengan buen gusto. *(Aparece* Felicia *por el corredor.)*

Felicia.—*(Acercándose.)* Buenas tardes, papá.

Ernesto.—A propósito, m'hija. Decime una cosa. Ese mozo Carlos, que te regala tantas músicas, ¿te anda arrastrando el ala a vos?

Felicia.—*(Turbada.)* No, papá.

Ernesto.—¿Seguro?

Felicia.—Y... yo no sé lo que él piensa. Yo le puedo responder por mí. *(Transición.)* Pero es un muchacho muy serio, muy trabajador...

Ernesto.—Sí, m'hija, ya sé. Me parece buen muchacho; pero... me gustaría que si hubiera algo entre ustedes, lo supieran tus padres antes que nadie. *(Aparece* Felipa, *trayendo un mate que ofrece a* Ernesto.)

Felicia.—Y así ha de ser, papá. ¡Cómo se cree que yo me iba a atrever sin su consentimiento a...!

Eloísa.—¡Claro, cómo se iba a atrever ella!... No sé por qué le has de decir esas cosas. ¡Pobrecita! ¡La hacés avergonzar! Vaya, m'hijita. ¡Vaya, corazón! *(Mutis* Felicia *por el corredor.)* ¡También vos...! Claro que el muchacho viene por ella. ¿Te creés que no me he dado cuenta?

Ernesto.—Cuando yo digo las cosas, por algo las digo.

Es un buen muchacho, trabajador, todo lo que querás, pero... ¿sabes lo que dicen de él?

ELOÍSA.—¿Qué?

ERNESTO.—Que es socialista.

ELOÍSA.—¡No!

ERNESTO.—Sí.

ELOÍSA.—¡Ay! ¿Socialista? ¿De esos que tiran bombas y están excomulgados?

ERNESTO.—¡Qué bombas, vieja! Pero... siendo socialista, comprendé...

ELOÍSA.—¡Ah, siendo así..., esta tarde, cuando venga, le decimos quen o puede entrar!... ¡Ah, no! ¡Herejes en mi casa, no! ¡Figurate, m'hija casada con un socialista, qué desgracia sería! ¡Pobrecita de mi alma...!

ERNESTO.—Pero ¡sos macaneadora! ¡Para qué te habré dicho! Dejá que el muchacho venga como siempre, que yo le hablaré cuando sea el momento. (*A* FELIPA, *por el mate.*) ¡Gracias! (*Transición.*) Y a propósito de políticos. Veamos al que tenemos en casa. ¿Tampoco vino a dormir hoy?

ELOÍSA.—(*Dolida.*) Tampoco.

ERNESTO.—¡Qué linda vida! Yo siento que sea tu hermano, pero le voy a pegar una felpeada...

ELOÍSA.—(*Tratando de disculparlo.*) El dice que no viene a dormir porque con eso de las elecciones tiene tanto trabajo en el comité...

ERNESTO.—Sí. Del comité es de donde se trae esas ligas con moños, ¿no? ¡Sos inocente! Todo eso lo trae de lo de Hansen, porque él con codearse con gente de figuración y decir dos mil veces al día: "¡Yo soy un hombre derecho!...", ya es feliz.

FELICIA.—(*Dentro.*) ¡Mamá, llámelo a Dardito!

ELOÍSA.—¿Qué hace?

FELICIA.—(*Dentro.*) Está acá en la cocina y no la deja hacer nada a Felipa.

ERNESTO.—¡No te digo! ¡Sale de ley el purrete! *(Llamando.)* ¡Eduardo! *(Transición.)* Lo voy a mandar buscar los pantalones largos. Va a ser mejor.

EDUARDO.—*(Apareciendo.)* Vea..., pa... pa... pi... pito... Este yo...

ERNESTO.—Sí, sí. Ya sé. Que los pichones salen buenos.

EDUARDO.—¡No! Es... este... que...

ERNESTO.—Sí, sí. Pero como hoy estás tan nervioso..., andá... Andate a la sastrería a buscar tu traje.

EDUARDO.—¿De veras me deja?

ERNESTO.—Sí, sí. Andá... *(Mutis* EDUARDO *a la calle.)* Vigílalo, no vaya a ser que el inocente nos regale, de contrabando, un nieto a cuadros como los tableros de ajedrez...

ELOÍSA.—Pero ¡qué locuras decís! Mirá, si el nene...

ERNESTO.—Vieja, mirá que te hablo por experiencia. Yo también he sido purrete y también había chinitas en casa...

ELOÍSA.—¡Callate! ¡Siempre sos el mismo zafado! *(Aparecen en la puerta de calle* LERENA *y* ALBERTO*; los dos visten elegantemente y están un poco borrachos.)*

ALBERTO.—Pero no hablemos más, doctor. Usted sabe que yo soy un hombre derecho.

ERNESTO.—Bueno. ¡Ya llegó el hombre derecho!

ALBERTO.—¿Con cuántos votos dice que cuenta su recomendado, doctor?

LERENA.—Con unos doscientos, doctor.

ALBERTO.—¡Muy bien! Mándemelo, doctor, que yo le voy a buscar ubicación en seguida. Precisamente hay una vacante en la inspección de escuelas, y...

LERENA.—¡Caramba, doctor! No va a servir.

ALBERTO.—¿Por?

LERENA.—Porque a gatas el hombre sabe leer y escribir.

ALBERTO.—¿Y qué importa eso? Los que tienen que saber leer y escribir son los maestros. Los inspectores no necesitan esos requisitos superfluos. Mándemelo nomás, doctor, mándemelo.

LERENA.—No sé cómo agradecerle, doctor...

ALBERTO.—¡Bah, valiente! ¿No quiere pasar a tomar algo?

LERENA.—No, doctor, muchas gracias.

ALBERTO.—Caramba, lo siento. Pero ya sabe dónde me tiene a su disposición, doctor. Esta es su casa. *(Se dan la mano, grandes saludos.* LERENA *hace mutis y* ALBERTO *entra a la casa.)* ¡Salud, hermanos!

ERNESTO.—¡Pero, che, mirá que sos rico tipo! ¡Te dejás decir doctor como si lo fueras!

ALBERTO.—¿Qué tiene? ¿No se lo digo yo a él?

ELOÍSA.—Lo será.

ALBERTO.—¡Qué va a ser, si toca la guitarra en un piringundín! Nos decimos doctor los dos porque así, cuando venimos para casa, nos hacen la venia todos los vigilantes.

ELOÍSA.—¡Sos loco, hermano!

ERNESTO.—¿Cómo loco? ¡El doctor es un hombre derecho, que va a colocar de inspector de escuelas a un hombre que no sabe leer ni escribir! ¡Hum! ¿Qué te creés vos? ¿Que eso lo hace cualquiera?

ALBERTO.—Che, tomaduras de pelo, no. Todo lo que yo hago son cosas de alta política.

ERNESTO.—¿Alta política? Si eso que hacés vos es alta política, yo soy el gigante Goliat.

ALBERTO.—Pero ¡qué desgracia! ¡Mi familia no me comprende! ¡No me comprende!

ELOÍSA.—Te comprendemos demasiado, hermano.

ALBERTO.—Para que vean, son unos ignorantes los dos. ¿No han oído que ese recomendado dispone de doscientos votos?

LOS DOS.—Sí.

ALBERTO.—Doscientos votos a diez nacionales son dos mil nacionales; y lo que vaya tirando en el sueldo que le paguen en el empleo, ¿cuánto representa a fin de año? *(Transición.)* Y aparte de ese asunto material, que a mí no me interesa porque soy un hombre derecho, ¡está el servicio prestado al partido para conducir a la patria a sus grandes destinos!

Ernesto.—*(Aplaudiendo en cachada y palmeándolo.)* ¡Bravo, doctor! ¡Muy bien! *(Transición.)* ¿Cuántas ligas trae hoy para conducir a la patria a sus grandes destinos?

Alberto.—*(Registrándose los bolsillos.)* ¿Lo están viendo? No soy comprendido. Seguro de que te creés que me he pasado la noche de garufa.

Ernesto.—*(Cachándolo.)* ¡No! ¿Vos de garufa? ¿Un salvador de la patria de garufa? ¡Qué esperanza!

Alberto.—¡Claro que no! He estado trabajando toda la noche, porque ese comité me va a matar. Pero no importa... ¡Hay que sacrificarse por el partido y por el ideal, porque yo soy un hombre derecho!

Ernesto.—¡Cómo no! Un hombre derecho que se ha torcido.

Alberto.—¡No le permito, doctor!

Ernesto.—¡Ah! A mí no me doctorés. Dejate de discursos y andá a acostarte. Que no te vean así los sobrinos. *(A* Eloísa.*)* Dale la llave. *(Se la da.)* Después que hayas dormido bien esos "ideales" con soda que traes, ya vamos a hablar.

Alberto.—No pienso acostarme. Me voy a mojar un poco la cabeza *(Hipo.),* y para demostrarle que estoy en pleno uso de mis facultades mentales y a pesar de tu injusto ataque, como soy todo corazón y hombre derecho, ¡que los cumplas muy felices, cuñado! *(Hipo.)*

Ernesto.—Si la que cumple años es tu hermana.

Alberto.—¡Ah! ¿Sos vos? *(Hipo.)* Claro, tiene uno tantas cosas en la cabeza...

Ernesto.—Cosas, no. ¡Copas! ¡Copas! Equivocaste la letra.

ALBERTO.—¡Con vos es inútil hablar! *(Hipo.)* Te debo un regalo, hermana. *(Marcando mutis.)* Lo haré efectivo después de las elecciones. *(Hipo y mutis por primera izquierda.)*

ERNESTO.—¡Cómo se le ha puesto chúcaro el caballo blanco! ¡Hoy le relincha a cada rato!

ELOÍSA.—También vos, viejo, no le perdonás ni una.

ERNESTO.—¿Que no? Si no lo perdonase, ya lo hubiese puesto de patitas en la calle. *(Aparece en la puerta de reja* ROSENDO.)

ROSENDO.—Permiso.

ERNESTO.—Adelante. *(Aparte.)* La bolilla que faltaba.

ROSENDO.—¡A la orden, mi "dotor"!

ERNESTO.—No. Yo, no. El otro. *(Aparte.)* Hoy les ha dado a todos los sinvergüenzas por doctorarme. *(Alto.)* Yo no soy el doctor.

ROSENDO.—¡Ah, cierto! El doctor es don Alberto. Criollo de ley don Alberto.

ERNESTO.—¡Y derecho! ¡Hombre derecho!

ROSENDO.—¡Hum! ¡Si lo sabré yo! El me hizo "auto ridá"...

ERNESTO.—¡Y lo que ha ganado la Policía teniendo elementos como usted!

ROSENDO.—Y... ganar ha ganao, porque si no, yo entuavía andaría robando gallinas por ahí. Ahora ya, ¿pa qué? Ya puede uno ser honrao, casi siempre. Y... así es la cosa nomás.

ERNESTO.—¿Y qué es lo que quiere ahora?

ROSENDO.—Y..., si no es molestia, si podría hacerme "osequiar" con un vaso de agua o líquido que se le parezca... Estoy con un calor que me dirrito. Y así es la cosa nomás.

ERNESTO.—*(Sirviéndole una copa.)* Sírvase.

ROSENDO.—Pero, doctor, pa qué se ha molistao. Aprovecho pa filicitarla, señora, y pa disearle que viva noventa años rodeada de todos los que la aprecean por sus virtudes y por... y porque...

ERNESTO.—Y... porque así es la cosa nomás.

ROSENDO.—Y... así es nomás, doctor. Salú. *(Bebe.)*

ELOÍSA.—Gracias. *(Aparte.)* Cada vez que viene me aumenta diez años de felicidad.

ROSENDO.—*(Sacándose el quepis y secándose la frente.)* Ahí a la sombrita se estará bien.

ERNESTO.—Y... siéntese.

ROSENDO.—No. Estoy de facción. Está prohibido. *(No le quita ojo a la botella.)*

ERNESTO.—Servile otra copa.

ROSENDO.—¡No! ¡No faltaba más! Está prohibido. De a poquitos es mejor.

ERNESTO.—No le sirvas, entonces.

ROSENDO.—*(Al ver que se llevan la botella.)* Y, güeno, tomaré otra pa no dispreciarlo, doctor. *(Tomando la copa.)* Güeno. Aprovecho pa filicitarla, señora, y pa disiarle que viva cien años rodeada de todos los que la aprecean por sus virtudes y por..., por...

ERNESTO y ROSENDO.—Y... porque así es la cosa nomás.

ROSENDO.—*(Riendo.)* ¡Qué dotor este! Salú. *(Bebe.)* Y, güeno, me voy pa la parada. En seguida vuelvo. Y ya sabe, señora, aprovecho pa...

ELOÍSA.—Sí, sí, gracias. Ya me lo dijo.

ROSENDO.—Y... así es la cosa nomás. Pa servirlo, mi dotor. *(Mutis a la calle.)*

ERNESTO.—Este, como siga con las felicitaciones, termina borracho... Y... así es la cosa nomás. *(Por el corredor, FELICIA.)*

FELICIA.—Mamá, ya se levantó tío Alberto. Lo he visto que iba al baño.

ERNESTO.—¡Pobre tío Alberto! ¡Qué manera de trabajar! Hoy seguramente no ha dormido nada. Se va a enfermar.

FELICIA.—Tiene razón la gente cuando dice que se sacrifica por los demás. Hombres como él quedan pocos, ¿verdad, papá?

ERNESTO.—Sí, m'hija, sí. Muy pocos. *(Aparte.)* Y a los pocos que quedan los debían fusilar. *(Aparece* MARGARITA *por segunda izquierda y cruza hacia la sala.)*

MARGARITA.—¡Mamá, papá! ¡Tío ya se levantó! *(Va a la sala y quita las fundas.)*

ELOÍSA.—Sí, hija, ya lo sé. *(Por el corredor,* ADELA *con unos floreros con flores.)*

ADELA.—¡Mamita! Tío ya está levantado. *(Mutis sala. Se oye un aldabonazo. Por el corredor aparece* FELIPA. *Abre la puerta de reja y aparece* EDELMINA, *sirvienta, que trae una bandeja cubierta con una servilleta.)*

EDELMIRA.—Aquí le manda la niña Petrona estas rosquitas que las ha hecho ella misma. Dice que luego va a venir a saludarla.

ELOÍSA. Muchas gracias.

EDELMIRA.—Que la disfruten con salud. Buenas tardes a todos.

ELOÍSA.—Muchas gracias. *(Mutis sirvienta. Las chicas vienen de la sala.)*

FELICIA.—¡Ay! ¿Qué es, mamá?

ELOÍSA.—Son unas rosquitas que manda Petrona. *(ERNESTO las tira al pozo.)*

ERNESTO.—¡Tíralas a la basura!

ELOÍSA.—¡Viejo!

ERNESTO.—No sé. Vez pasada nos mandó unas iguales, las comimos y casi reventamos.

ELOÍSA.—¡Qué loco! Tomá, llevá la bandeja. *(Aparecen en la puerta de reja* CARLOS y LUIS, *dos muchachos jóvenes.* FELICIA y ADELA *hacen mutis a la habitación de izquierda y se ve que espían por las celosías.)*

Carlos.—Buenas tardes.

Luis.—Buenas.

Eloísa.—*(Aparte.)* ¡El de la bomba!

Ernesto.—Pasen, muchachos.

Carlos.—*(A* Eloísa.*)* Que los cumpla muy felices, señora.

Eloísa.—*(Un poco seca.)* Gracias. *(Cada uno le entrega un ramito de flores.)*

Luis.—Hubiéramos querido traerle algo mejor, pero...

Eloísa.—La voluntad basta. Muchas gracias. Son muy lindas. Voy a ponerlas en agua. *(Aparte, a* Ernesto.*)* Vigilá vos, que yo me voy a arreglar un poco. *(A los muchachos.)* Con permiso.

Carlos.—Haga nomás, señora.

Eloísa.—Voy a avisar las muchachas. *(Se dirige también al corredor.)*

Ernesto.—¿Para qué? Si están espiando detrás de la puerta. *(Se cierran de golpe las celosías.)* ¡Salgan! ¡Salgan, que ya las han visto! (Margarita *hace mutis riendo en el momento que aparecen* Felicia *y* Adela.*)*

Adela.—¡Oh papá, también... cómo es!... *(Saludos de los muchachos, que se ve que están cohibidos por la presencia de* Ernesto.*)*

Ernesto.—Siéntense. *(Se sientan separados. Hay una pausa, con miradas de ellos, aparte.)* Bueno, me tendré que hacer el dormido para darles un poco de libertad. *(Alto.)* ¡Qué día de calor!, ¿eh? *(Se abanica.)*

Carlos.—Terrible. *(Otra pausa.)*

Ernesto.—*(Aparte.)* Animado el club. *(Alto.)* ¿Y qué? ¿Hay mucho trabajo?

Luis.—Eso es lo que sobra siempre.

Carlos.—Que no falte, querrás decir.

Ernesto.—*(Fingiendo que comienza a dormirse.)* Así es, muchachos..., así es... Que no falte... *(Bosteza y da unas cabezadas. Miradas y guiñadas de inteligencia entre los muchachos y las chicas.)*

ADELA.—*(Acercándose un poquito a* LUIS.) ¿Por qué viniste tan tarde?

LUIS.—Si recién salimos del trabajo.

ADELA.—¡Engañador!... ¡Sabe Dios dónde has estado!

LUIS —Pero *(Un resoplido de* ERNESTO *que los hace separar.)*

ERNESTO.—*(Aparte.)* Conviene que conserven las distancias.

FELICIA.—*(Que está hablando con* CARLOS.) Le digo que sí. Papá me preguntó si me festejaba.

CARLOS.—¿Y usted qué le contestó?

FELICIA.—Y... que no.

CARLOS —¿Y por qué le mintió, si sabe que la quiero?

LUIS.—No seas mala, si sabes lo que te quiero.

ADELA.—No te acerqués, que te va a ver papá.

LUIS.—¡Qué va a ver, si está dormido!

ERNESTO.—*(Aparte.)* Eso es lo que vos te creés...

LUIS.—*(Queriendo agarrarle una mano a* ADELA.) ¡Cielito lindo!

ERNESTO.—*(Moviéndose y tosiendo.)* ¡Ejem! ¡Ejem!

ADELA.—*(Que se ha separado rápidamente.)* ¿Viste?

ERNESTO.—*(Aparte.)* Acá hay que dormir como las liebres: con un ojo cerrado y el otro abierto...

CARLOS.—Pero así no podemos seguir, Felicia. Usted sabe la sinceridad de mi cariño y no me gustan los disimulos y los engaños. Hoy mismo hablaré con su papá.

FELICIA.—No, no, eso no. Espere. Yo le diré primero a mamá y después...

ERNESTO.—*(Aparte.)* Diplomática la hija... *(Aparece por el corredor* ALBERTO.)

ALBERTO —Buenas tardes

LUIS.—¿Cómo está, don Alberto?

ALBERTO.—¿Qué hay, muchachos? ¿Cómo les va? ¿Y

qué dicen las lindas sobrinas? Buen ojo, muchachos. Han
sabido elegir, ¿eh?

Felicia.—¡Tío...! ¡Por Dios...!

Alberto.—Ya sabés cómo soy de franco, sobrina. Incapaz de decir una cosa por otra. Hombre derecho. (Ernesto *tose. Un poco desconcertado.)* Así es, hombre derecho... (Ernesto *vuelve a toser.)* ¡Cuidate ese resfrío,
cuñado! *(Transición.)* Por ser hombre, hombre derecho,
ando como ando. No tengo ni un minuto disponible para
dedicarlo a esta paz del hogar, a esta vida apacible que
es mi sueño... *(Tos fuerte y continuada de* Ernesto.)
¡Comprate una caja de pastillas, cuñado! *(Transición.)* ¡Ah,
la política! ¡La política! ¡La política! ¡Cómo absorbe
nuestras energías! *(Transición. A* Luis.) Y a propósito de
política, ¿contaremos con su voto en las próximas elecciones?

Luis.—Faltaría más, don Alberto, después de lo que
hizo usted por mi primo.

Alberto.—Gracias, muchas gracias. Hombres así son
los que necesita el partido. ¡Hombres conscientes de su
deber cívico! Y usted, amigo Carlos, ¿se decide esta vez a
concedernos su voto?

Carlos.—No, don Alberto, para qué lo voy a engañar.
(Tos cachadora de Ernesto.)

Alberto.—Che, ¿querés toser con sordina, que me
pones nervioso? *(A* Carlos.) ¿Y por qué ese desinterés por
los asuntos políticos?

Carlos.—No es desinterés, don Alberto. (Ernesto *sigue a* Carlos *con interés, afirmando con la cabeza.)* Es
que creo que la política debe ser otra cosa. Que hay que
traer hombres nuevos al gobierno del país, que hay que
educar al pueblo para que sepa que su voto no es para
venderlo o negociarlo, sino que de él depende su propio
bienestar y el de todos.

ERNESTO.—Así es nomás. Has dicho una gran verdad, muchacho.

ALBERTO.—¡Utopías! ¡Utopías! Por ese camino no llegará usted nunca a nada, y es una lástima, porque hombres como usted, conscientes de su deber, son los que necesita el partido.

ERNESTO.—A vos te sirven todos: el que vota por amistad, el que vota consciente y el que vota por diez pesos... ¡Es una papa el "dotor"!

ALBERTO.—¡No le hagan caso! ¡Qué cuñado este! (Transición.) Pero, bueno, dejemos la política, porque las muchachas se aburren, y vamos a la sala a hacer un poco de música. (Se dirigen a la sala.) Así se libran de la vigilancia del viejo. (A CARLOS, palmeándolo.) ¿Soy gaucho o no soy gaucho? (Por el corredor aparecen ELOÍSA y MARGA.)

ELOÍSA.—¿Adónde van?

ALBERTO.—A la sala a hacer un poco de música, hermana. A alegrar este nido de paz y de concordia. (Cuando van a entrar en la sala, aparecen en la puerta de calle LIBERTI y BARREIRO. El primero es italiano; el segundo, gallego. Ambos son jóvenes y visten modesta pero correctamente.)

LIBERTI.—(Con pronunciación muy italiana.) Buona tardi.

BARREIRO.—(Con mucho acento gallego.) ¡Salud a la sagrada familia!

ERNESTO.—¡Bueno! ¡Ya cayó la indiada! (Saludos.)

LIBERTI.—E que esta indiadas e de cuidados, ¿eh? Señora, la felichito, e cumpla muchos en compañía de este sinvergüenzas e de todos los chicos, e los nietos, perque la semilla e buona e non va finire cui a los viecos.

ELOÍSA.—¡Que Liberti este!

ERNESTO.—¡Y cómo progresa hablando en criollo! Cada

vez se nota menos que sos gringo. ¿Sabés lo que parecés? ¡Catamarqueño! *(Todos ríen.)*

LIBERTI.—¡Te voy a dar a vos! *(Amenazándolo. Entregándole un paquetito a* ELOÍSA.*)* Acá tienes, señoras, cuesta cualque cosa, perque vea que la ricordamos col cariños.

ELOÍSA.—Pero, Liberti, ¿por qué se ha molestado?

LIBERTI.—¡Qué tanta historia!... Es una porquería que no vale nada.

BARREIRO.—*(Entregándole otro paquetito.)* No, no crea que es desinterés; lo mismo que esto. Es para pagarle de alguna manera la cena de esta noche, porque viniendo nosotros..., ¿eh?..., supongo que se habrá echado el resto.

ERNESTO.—¡Como que llevan una semana robando gallinas a los vecinos!

ELOÍSA.—No le hagan caso. Lo de siempre. Ustedes son de confianza.

LIBERTI.—¿E mi ahicado?

ERNESTO.—¡Lindo! Lo mandé a la sastrería a buscar su traje de pantalones largos. *(Mutis* ALBERTO. *Aparecen en la perta de calle* ROSAURA, MARÍA TERESA *y* PETRONA. *Las tres usan grandes sombreros de la época, con muchas frutas y adornos.)*

LAS TRES.—*(Desde adentro.)* Buenas tardes.

ELOÍSA.—¡Rosaura! ¡Petrona! ¡María Teresa! *(Entran las visitas y saludan a los que están en el patio. Por la sala aparece* ELOÍSA.*)*

ERNESTO.—Las tres carabelas.

ELOÍSA.—Pero siéntense, muchachas.

ERNESTO.—*(Aparte.)* Si éstas son muchachas, yo estoy en la edad del destete.

LIBERTI.—*(Aparte.)* ¡Callate! ¡No me hagas reír!

ELOÍSA.—*(Mientras las besa. Alto.)* ¡Chicas! ¡Nenas!

ERNESTO.—Che, vos que querías comprar una chacra, ahí tenés los sombreros de las nenas... No les falta más

que el molino. *(Por los sombreros. Salen todos menos* AL-
BERTO.)

FELICIA.—Pero ¡qué sombreros divinos!

ROSAURA.—¡No! ¡Qué van a ser, m'hijita! ¡Sencillísimos!

MARÍA TERESA.—A nosotras no nos gustan los sombreros de moda, tan grandes, tan recargados...

PETRONA.—No nos agrada llamar la atención; por eso
nos los hacemos nosotras.

ERNESTO.—*(Aparte.)* Los de invierno también. Todos
los loros que mueren en el barrio los embalsaman y se los
sacuden en el sombrero.

ELOÍSA.—¡Ay Petronita, tiene que darme la receta de
las rosquitas! Estaban riquísimas.

PETRONA.—¿Las probaron ya?

ELOÍSA.—¡Se las comió todas mi marido! *(Asombro de*
ERNESTO.)

MARÍA TERESA.—¡Qué atrocidad! Yo no puedo comer
más de dos o tres.

ERNESTO.—*(Aparte.)* ¡Que Dios te conserve el estó-
mago!

ELOÍSA.—Pero sáquense los sombreros. Pasen a la sala.

PETRONA.—No; si nos vamos en seguida. No hemos venido más que a saludarla, porque nos han avisado de casa
de tía Isabel que está enferma.

ERNESTO.—*(Aparte.)* Habrá comido rosquitas. Porque
éstas, cuando hacen roscas, envenenan a la familia y a las
amistades.

ELOÍSA.—Pero, por lo menos, tomarán una copita..., un
dulce.

LAS TRES.—Bueno; eso sí. Por no despreciar.

LIBERTI.—¡Eh, nosotro vamo también! *(Todos hacen
mutis a la sala, menos* ERNESTO *y* CARLOS.)

CARLOS.—*(A* ERNESTO.) Don Ernesto, ¿me puede con-
ceder unos minutos?

ERNESTO.—Cómo no. Precisamente yo andaba con ganas de hacerle el mismo pedido.

CARLOS.—Mejor así.

FELICIA.—*(Que aparece en la puerta de la sala. Muy nerviosa.)* ¡Papá! ¡Carlos! ¿No vienen?

ERNESTO.—Un momento, m'hija. Ahora vamos. (FELICIA *se esconde en el zaguán para poder escuchar.)*

ERNESTO.—Siéntese. ¿De qué se trata?

CARLOS.—Y... puede que de lo mismo de lo que usted quería hablarme. Y advierto que si no he hablado ya, no es por falta de ganas ni por falta de respeto y cariño por ustedes.

ERNESTO.—Y para Felicia...

CARLOS.—Así es la cosa. *(Mutis* FELICIA, *muy nerviosa, a la sala.)*

ERNESTO.—Me gusta que venga derecho al asunto.

CARLOS.—¿Y para qué andar con vueltas, don Ernesto? Yo quiero a Felicia. La quiero como sabemos querer los hombres honrados que ponemos pecho a la vida y el corazón en una mujer que nos acompañe durante toda ella. Usted me conoce y conoce a los míos.

ERNESTO.—Así es.

CARLOS.—Entonces, ¿me permite usted que visite esta casa como novio de Felicia?

ERNESTO.—Sí... y no.

CARLOS.—¿Cómo dice?

ERNESTO.—Que sí y que no.

CARLOS.—No comprendo.

ERNESTO.—Lo vas a comprender en seguida. Y perdoname que te hable de vos, pero así me parece que van a tener más sinceridad mis palabras.

CARLOS.—Y yo también lo voy a escuchar con más cariño.

ERNESTO.—Y bueno, m'hijo, mejor así. Yo sé que vos

sos un hombre honrado, trabajador, leal, buen hijo, hombre en todas tus cosas...

CARLOS.—Yo le agradezco ese buen concepto.

ERNESTO.—No te apurés a agradecerme, que ahora te voy a cargar la romana por el otro lado. Yo sé todo eso, sé que con esas cualidades harías feliz a mi hija; pero... sos un poco "tocame un valse".

CARLOS.—¿Tocame un vals? ¿Qué quiere decir?

ERNESTO.—Que por malas compañías, o lecturas, o no sé qué diablos, andás metido en políticas nuevas que no van por buenos caminos, muchacho.

CARLOS.—¿Yo? ¿Lo dice usted porque soy socialista?

ERNESTO.—¡Y lo confesás!

CARLOS.—¿Y por qué no, si me siento orgulloso de serlo? ¿Usted no cree que deben renovarse los procedimientos políticos? ¿Usted sabe lo que es la política de ahora?

ERNESTO.—¿A quién se lo vas a contar, si tengo "un hombre derecho" en casa? ¡Si la estoy sufriendo acá mismo!

CARLOS. ¿Entonces...?

ERNESTO.—Pero una cosa es tratar de mejorar la política y otra la que intentás vos. ¡Socialista, che!

CARLOS.—Es que a los hombres nos asustan mucho las palabras. ¡Socialista! Lo dice usted así, como si dijera: ladrón o asesino. Pero ¿usted sabe lo que es el socialismo? ¿Lo que pretende el socialismo?

ERNESTO.—Y... alterar el orden público. Poner lo de abajo arriba.

CARLOS.—No, señor. Pretende que haya un poco más de justicia en el mundo. ¿Está mal eso?

ERNESTO.—No.

CARLOS.—Pretende que el pueblo se eduque. Que sepa leer y escribir. ¿Está mal?

ERNESTO.—No, claro. Pero, che, ¡socialista!...

CARLOS.—Pretende que haya una legislación que proteja al trabajo, que evite la explotación, que fije un horario humano para el obrero, para el empleado.

ERNESTO.—Sí, claro, sí... Todo eso está bien. Pero, che, ¡socialista! Algo más pedirán cuando...

CARLOS.—Piden todo lo que es justo, lo que es humano; por eso soy socialista, don Ernesto. Ahora..., si usted cree que un hombre honrado y trabajador, como usted reconoce que soy, no puede hacer feliz a su hija porque sea socialista, dígamelo y hará usted infeliz a su hija y a mí.

ERNESTO.—No..., si yo... la... Claro... que...; pero, che, ¡socialista!

FELICIA.—*(Nerviosa, en la puerta de sala.)* Pero, papito, ¿vienen o no vienen?

CARLOS.—*(Suplicante.)* ¿Voy, don Ernesto?

ERNESTO.—Y... bueno, andá, andá.

CARLOS.—Gracias. *(En cuanto* CARLOS *hace mutis a la sala, se abre una de las celosías y aparece* ELOÍSA, *que se acerca precipitadamente a* ERNESTO.)

ELOÍSA.—¿Y...? ¿Confesó? ¿Es socialista?

ERNESTO.—Sí.

ELOÍSA.—¡Ay Dios mío! ¡Le habrás dicho que no vuelva!

ERNESTO.—No. No se lo he dicho.

ELOÍSA.—¿Por qué? *(Dirigiéndose los dos a la sala.)*

ERNESTO.—Porque mirá, vieja: si el socialismo es lo que él me ha dicho, andate con cuidado no me haga yo también socialista.

ELOÍSA.—*(Horrorizada.)* ¡Jesús, María y José!... *(Marcan mutis a la sala cuando se oyen dos aldabonazos. Aparece por el corredor* FELIPA, *que corre hacia la puerta de calle;* ERNESTO *y* ELOÍSA *se detienen en la puerta de sala.)*

FELIPA.—*(A* ROCAMORA *y* SANTILLÁN, *dos compadres que han aparecido en la puerta.)* Güenas tardes, ¿qué diseaban? *(Se oye una contestación confusa.)* Sí está. Voy a avisarle.

ERNESTO.— ¿Quién es, che?

FELIPA.—Sos dos "siñores" que priguntan por el "dotor".

ELOÍSA.—¿Y los dejás en la puerta sin abrirles?

ERNESTO.—Hacelos pasar, muchacha.

FELIPA.— Voy, señor. *(Abre la puerta y entran* ROCAMORA *y* SANTILLÁN.)

LOS DOS.—...tardes

ELOÍSA.—*(Medio asustada.)* ¡Ay!

ERNESTO.—*(Aparte.)* ¡No te asustes, que no muerden! *(Aparte, a* FELIPA.) ¿Y a estos reos les llamás señores vos? (FELIPA *hace mutis por el corredor. A* ELOÍSA.) Andá a avisarle a tu hermano que lo esperan estos dos "caballeros. *(Mutis de* ELOÍSA *a la sala.)*

LOS DOS.—Chas Gracias.

ERNESTO.—*(Aparte.)* Yo me quedo a vigilarlos, porque si no, son capaces de llevarse hasta el piano. *(Aparece* ALBERTO.) Che, a ver si liquidás a estos "dotores" del barrio de las ranas, porque si los ven las visitas, ¡figurate el papelón! Che, ¿son los inspectores de escuelas que vas a nombrar?

ALBERTO.—¡Dejate de macanas! (ERNESTO *hace mutis a la sala.)* ¿Qué tal, amigos? ¿Cómo les va?

ROCAMORA.—Salú, dotor.

SANTILLÁN.—Venimos pa molistarlo, como siempre.

ALBERTO.—Para mí nunca es molestia atender a los que saben sacrificarse por el partido, máxime si son dos buenos amigos como ustedes.

ROCAMORA.—Chas gracias, dotor.

SANTILLÁN.—Ya sabemos que usted es de los pocos gauchos que van quedando.

ALBERTO.—¡Qué gaucho, amigo! ¡Yo soy un hombre derecho y nada más! Pero ¡siéntense!

SANTILLÁN.—Chas gracias. *(Se sientan.)*

Alberto.—Bueno, vamos a ver. ¿En qué puedo servirles?

Rocamora.—Y... venimos por el asunto del ñato Reyes, que lo quieren jorobar nomás.

Alberto.—*(Haciendo memoria.)* Reyes... Reyes...

Santillán.—Sí, "dotor". Nicasio Reyes, aquel grandote, picao de "virgüela".

Alberto.—¡Ah, sí! Aquel del contrabando, ¿no?

Rocamora.—No, dotor. Pero ¿no se ricuerda? Fué aquel que mató de seis puñaladas al pardo Gervasio.

Alberto.—¡Ah! Sí, sí. Ya recuerdo. ¿Y está preso todavía por esa pavada?

Santillán.—Y..., dotor..., tiene muchos testigos en contra.

Rocamora.—Como usted sabe, Reyes es bravo y, pa su disgracia, de mala bebida.

Santillán.—Esa noche tenía unas giniebras de más y... cayó al boliche del gallego, ande estaba el pardo Gervasio con algunos amigos.

Rocamora.—Como sabía que habían hablao mal del partido, de entrada nomás, se plantó frente a todos y les dijo: "¡Aura se las van a ver conmigo!", y sin darles tiempo a nada, peló la daga y liquidó al pardo y a dos más...

Alberto.—¡Qué lástima, porque es un buen elemento!

Santillán.—¿Que es güeno? *(A Rocamora.)* Acordate de las elecciones de hace tres años, cuando vió que íbamos perdiendo, ahí nomás se cortó solo pal atrio de la iglesia, y meta bala, sacó vendiendo almanaques al presidente, a los chafes, a los que estaban votando, y se piantó la urna pa su casa.

Alberto.—Sí, recuerdo. Esa elección fué muy reñida, pero la ganamos en buena ley. ¡Caramba! Estar preso ese muchacho... Y tan próximas las elecciones... Con la falta que nos hace...

Santillán.—Y... ya ve.

ALBERTO.—*(Que ha paseado, pensando, parándose frente a ellos.)* ¿Cómo fué que dijo Reyes al entrar al boliche? ROCAMORA.—*(En compadre.)* "¡Aura se la van a ver conmigo!"

ALBERTO.—*(Gritando.)* ¡No, señor! ¡Cállese la boca! ¡No dijo así! Han oído mal todo. Ese muchacho de vida ejemplar es incapaz de una compadrada de esa naturaleza. ¡Reyes mató en defensa propia! (ROCAMORA y SANTILLÁN *lo miran y se miran asombrados.)* ¡Sí, señor, en defensa propia! Porque él, al entrar al boliche, no dijo *(En compadre)·* "¡Aura se la van a ver conmigo!", sino que al ver que se le venían encima, retrocediendo, dijo *(Muy humilde.):* "¿Aura se la van a ver conmigo?" *(Transición.)* Y cuando se vió perdido, ¿qué iba a hacer el pobre muchacho? Sacó armas y se defendió. *(Los otros han ido poniendo cara de alegría.)*

SANTILLÁN.—¡Qué macanudo, dotor!

ROCAMORA.—No, si nosotros sabíamos que metiéndose usted en el asunto...

SANTILLÁN.—No de balde dice la muchachada que usted va a llegar muy lejos.

ROCAMORA.—¡Y pa las próximas "elesiones", diputao, quieran o no quieran!

ALBERTO.—No, amigos, no. Yo no quiero nada del partido. ¡Soy un hombre derecho y nada más! ¡Un hombre amigo de la justicia y de la verdad, que son los escalones que deben ascender todos los que desean el bien de la patria!

ROCAMORA.—¡Viva el dotor Alberto Castañaga!

SANTILLÁN.—¡¡Viva!!

ALBERTO.—*(Palmeándolos.)* Gracias, gracias.

ERNESTO.—*(Por la sala, asombrado.)* ¡Bueno, una manifestación política dentro de casa!

ALBERTO.—Ahora mismo vamos a arreglar ese asunto. *(Llamando.)* ¡Felipa! Traeme la galera y el bastón.

Felipa.—*(Dentro.)* Voy, dotor.

Alberto.—Che, Ernesto. *(A* Ernesto.) Haceme una gauchada. Prestame diez nacionales en dos de a cinco.

Ernesto.—Pero ¡che...!

Alberto.—Es para darle a estos amigos que están sin trabajo y son el sostén de la familia. Ya sabés que después de las elecciones...

Ernesto.—Bueno. Tomá. Con tal de que se vayan. *(Le da dos billetes. Aparece* Felipa *trayendo bastón y galera. Se las entrega y hace mutis.)* Pero ¿vas a salir?

Alberto.—Me reclaman asuntos del partido. ¡Los sacrificios que tiene uno que hacer!

Ernesto.—*(Marcando mutis a la sala.)* ¡Es formidable! ¡Hasta a mí me quiere convencer de que es un mártir!

Alberto.—*(Guardándose un billete y dándole el otro a* Rocamora.) Rocamora, llevale estos cinco nacionales a Reyes. Decile que no le mando más porque no puedo. ¡Tengo tantos gastos! ¡Ya ven! Soy el único sostén de esta casa. Tengo que mantener a mi hermana, a mi cuñado, a mis sobrinos... En fin, vamos a ver si arreglamos ese asunto de Reyes.

Santillán.—¡Miralo; es de ley!

Rocamora.—¡Y entoavía hay quien lo basurea en el partido!

Santillán.—¡Como pa achurarlos a todos...! *(Mutis los tres por la puerta de calle. Dentro acaba de terminar un vals. Se oyen murmullos de aprobación.* Felipa *enciende las luces del patio.)*

Eloísa.—*(Dentro.)* Pero quédense un rato más.

Petrona.—¡No, qué esperanza! Se nos ha hecho tardísimo.

María Teresa.—La pobre tía estará esperándonos.

Rosaura.—Es que esta casa tiene pega-pega. Se pasan

las horas volando... *(Van apareciendo todos por la sala. Saludos, besos.)*

FELICIA.—*(A* ERNESTO, *aparte.)* Papito, qué bueno sos. *(Lo besa.)*

ERNESTO.—*(Acariciándola.)* ¡Ojalá me los digás siempre, m'hija! *(Cuando se dirigen a la puerta derecha, aparece en ella* EDUARDO, *de pantalón largo. Alegría de todos.)*

LAS CHICAS.—¡Ay Dardito!

ELOÍSA.—¡Mi hijo!

PETRONA.—¡Ay, pero si es un hombre!

ROSAURA.—¡Que Dios se lo conserve!

MARÍA TERESA.—*(Dándole la mano.)* Yo no me animo a besarte como siempre, porque ya sos peligroso.

ERNESTO.—*(Aparte)* ¡Y tan peligroso! ¡Si lo hubieran visto como yo! *(Saludos y hacen mutis* PETRONA, MARÍA TERESA, ROSAURA, CARLOS *y* LUIS.)

ELOÍSA.—*(Que ha estado mirando al hijo.)* Pero, m'hijo, esos pantalones te están larguísimos.

EDUARDO.—No, mamita, no. Si me quedan muy bien. *(Se los levanta.* FELICIA *y* ADELA *han ido a la sala, y desde las persianas se supone que despiden a los novios.)*

BARREIRO.—No, hombre, están largos. Los tienes que acortar un poco.

EDUARDO.—No, señor. Si están muy bien. Muy bien.

LIBERTI.—¡Che, no te metas con mi ahijado! Tomá. *(Dándole dinero.)* Para que te compres na linda novia.

ERNESTO.—No te molestes, que él las consigue gratis. *(Transición.)* Parecés más alto. Más fuerte. A ver, caminá un poco. Está bueno. Venga para acá. *(Dándole un cachete cariñoso y poniéndole la mano en el hombro.)* ¡Lindo nomás! *(Señalándole el pantalón.)* ¿Usted sabe lo que quiere decir esto, m'hijo?

EDUARDO.—Y... que ya no soy ningún pebete, papito.

ERNESTO.—Así es. Ponerse un pantalón largo, m'hijo, no es taparse las piernas; es algo más. Es que sus viejos lo consideran ya hombre, y el título de hombre hay que sabérselo ganar; y usted se lo va a ganar, ¿verdad, m'hijo?

FELICIA.—*(Desde la sala.)* ¡Dardo! ¡Vení!

ERNESTO.—¡Vaya! Vaya con sus hermanas. (EDUARDO *va hacia la sala.)*

ELOÍSA.—¡Miralo!... ¡Es un hombre ya! ¡Y pensar que lo tuve en brazos y ahora no podría levantarlo ni dos dedos del suelo!

ERNESTO.—Crecen..., espigan... Cosecha de vida, vieja, que si dan sinsabores y disgustos, ¿no está uno bien pagado con esta alegría de verlos crecer y hacerse hombres?

LIBERTI.—¡Eh! Cosí e. *(Pausa, mirando a* EDUARDO.) Tanta ansía per ser hombres e tanta volta siendo hombre desearía uno volver per atrás.

BARREIRO.—Ni más ni menos, y lo pasado..., pasado. (ELOÍSA *ha ido a la sala y se la ve abrazando y acariciando al hijo.)*

LIBERTI.—Merá. Merá cóme se le cae la babas. ¡Cosa puede haber al mundos egual que la madres...!

ERNESTO.—Y..., con poca diferencia..., el padre.

LIBERTI.—¡Va! ¡Va vía! ¡Qué va a cumparar! ¡Ah, doña! ¡Cume se le cae la babas!, ¿eh?

ELOÍSA.—*(Regresando al patio.)* Y... qué quiere.

LIBERTI.—Ya lo ve grande, co el bigote e la barbas y osté viequita, agarada de un brazo de él, que e un hombre forte per defenderla e protequerla... *(Con gran ilusión.)* ¡Lindo! Los chicos... *(Se sientan los cuatro en primer término izquierda.)*

ELOÍSA.—¿Y por qué no se casa, gustándole tanto los hijos y la vida familiar?

LIBERTI.—¡Eh!... Cosa quiere que le diga. Todavía no puedo pensar a cuesto.

ELOÍSA.—¡Cómo! ¿No piensa casarse?

LIBERTI.—Claro que sí. Ma, pero... pienso que el matremonio no e sólo quererse dos e darse besitos.

ELOÍSA.—¿Y qué es, entonces?

LIBERTI.—*(Avergonzado.)* E... osté pregunta per embrumar... ¡Ja, ja, ja! Osté sabe muy bien aquello que es el metromoneos... ¡Ja, ja, ja!

ERNESTO.—¡Decilo! ¡Largá, gringo, largá!

LIBERTI.—E... e tener na casa... Los hicos... Hacerlos crecer forti, sanos, educarlos... Ma... educarlos bien. Yo quiero que me hicos pueden llegar anche a... presedente de la repúblecas.

ERNESTO.—¡La gran flauta que te has levantado acaparador! *(Ríen todos.)*

LIBERTI.—E que todos los padres deberían de pensar come yo. Al matremoneo no basta decir *(Muy ligero.):* "¿Vos me gustás? ¡Yo te gusto! ¡Vamos a la iglesia!" Hay que tener el pan asegurado, la piata al Banco.

ELOÍSA.—Si todos pensaran como usted, se casarían viejos...

LIBERTI.—No, señora; se todos pensaran come yo, habría menos miseria al mundo.

ERNESTO.—¡Oh, no andás desencaminado, gringo!

ELOÍSA.—Y usted, Barreiro, ¿tampoco piensa en casarse?

BARREIRO.—¿Yo? ¡Lagarto! ¡Lagarto!

ELOÍSA.—¡Jesús! ¿Es tan enemigo del matrimonio?

BARREIRO.—¡No, señora! ¡Qué esperanza! ¡A mí me parece bien que la gente se case!

ERNESTO.—¿Y entonces?

BARREIRO.—Lo que no me parece bien es casarme yo.

ELOÍSA.—Pero ¿usted cree que un hombre soltero vive mejor que casado? Vea...

ERNESTO.—¡Esperate! ¿A que adivino lo que le vas a decir? Oue un hombre soltero gasta más que un casado. Que si coser un botón, que si zurcir las medias... Pero, mirá, con éste vas muerta, porque... como para que le

cosan el botón tenga que dar de comer a cinco o seis...,
prefiere andar sin el botón. *(Risas.)*

ELOÍSA.—Pero ¿y las atenciones, el cariño de los hijos?

BARREIRO.—Miren, eso de las atenciones y del cariño
de los hijos cuando se es viejo... ¡Hum!

ELOÍSA.—¿También lo va a negar?

BARREIRO.—Mire, señora: en mi casa hemos sido ocho
hermanos: dos mujeres y seis varones.

LIBERTI.—¡Linda cosecha!

BARREIRO.—Nuestros padres, pobres como eran, se pri-
varon muchas veces de un pedazo de pan para dárnoslo a
nosotros.

ERNESTO.—Era su deber.

BARREIRO.—Sí, eso dicen; los padres siempre tienen
el deber más amargo: el de sacrificarse.

ERNESTO.—¡No digas macanas! ¡No es amargura, porque...!

BARREIRO.—Bueno, hombre, no lo será. Hacían bien en
sacrificarse. Pero los hijos no supimos sacrificarnos por
ellos. Las hermanas se casaron y se fueron con sus maridos.

ELOÍSA.—Que es lo lógico.

BARREIRO.—Sí, señora; es lo lógico. Y nosotros nos
fuimos viniendo para América, uno a uno, para buscar
mejor vida.

ERNESTO.—Es muy natural.

BARREIRO.—Sí, señor; muy natural. Y los viejos que se
sacrificaron toda la vida por nosotros, uno murió sin vernos, y la vieja está sola, sin una mano que le haga una
caricia, ni una boca que le dé un beso, ni quien la cuide
en sus achaques de anciana. También muy natural, ¿verdad, señora?

ELOÍSA.—*(Dudando.)* Y... claro que... Pero... así es la
vida.

BARREIRO.—Ahí está la cosa, señora: ¡la vida! La vida

no entiende de cariños ni de sacrificios; la vida es una cosa que marcha sobre los afectos, sobre los recuerdos, sin detenerse ni un segundo, sin importarle nada todo el dolor que va dejando atrás, ni el que produce al marchar sobre todas esas cosas. Los hijos, mientras son pichones, todo va bien; pero crecen, se hacen grandes..., y cada uno busca su camino, aunque le duela dejar el nido donde no queda más que la tristeza de los viejos al verlos marchar. ¡No, no...! Casarme. Tener hijos, no. Eso no. (*Pequeña pausa en la que todos quedan un poco tristes.* ELOÍSA *se ha levantado y mira con angustia la sala donde se supone están los hijos.*)

ERNESTO.—(*Pasándose la mano por la frente, como queriendo quitar una preocupación.*) Bueno, che, hijos, no...; pero ¿una copita?

BARREIRO.—(*Transición.*) ¡Hombre, eso ni se pregunta! Esa es otra de las ventajas de la soltería, porque no pensando en tener hijos, hasta se puede uno volver alcoholista.

LIBERTI.—¡Burachín! ¡Senza vergoña!

BARREIRO.—(*Brindando.*) ¡A la salud de usted, señora! ¡Porque cumpla muchos muy felices y porque tenga a los hijos siempre a su lado! ¡Siempre!

ELOÍSA.—¡Que Dios lo oiga, Barreiro! (*Voces de discusión en la sala. Salen las tres muchachas riendo y corriendo; detrás de ellas,* EDUARDO, *muy enojado.*)

EDUARDO.—¡Ahora van a ver!

ERNESTO.—¿Qué pasa?

FELICIA.—Este zonzo, que ya no quiere que le digamos Dardito.

ERNESTO.—¿Por...?

EDUARDO.—Y... ya tengo pantalones largos... Ya soy un hombre...

ADELA.—¡Véanlo!

ELOÍSA.—¿Y qué tiene que ver el nombre con los pantalones, m'hijo, si es cosa de cariño?

ERNESTO.—Y por muy hombre que seas, m'hijo, para nosotros siempre serás pebete.

EDUARDO.—Sí, para ustedes, sí...; pero, para los demas, hombre. ¡Hombre!

LIBERTI.—*(Riendo.)* ¡Que muchachi!

ERNESTO.—*(Riendo, bonachón.)* Venga para acá, no se enoje. *(Acariciándolo y apretujándolo.)* ¡Hombre, para las cosas que haga falta serlo; niño, para el cariño de sus viejos, de sus hermanas!... Déme un beso. *(Le da el beso.)*

ELOÍSA.—Y a mí. *(Emocionada.)* Y no se apure por ser hombre, m'hijo, ni ustedes por ser mujeres, que si Dios hiciera el milagro de dejarlos siempre así, de cuántas penas había de librarnos.

LIBERTI.—¡Eh, señora, no se ponga triste! ¡Hoy es su cumpleaños! *(Las chicas se han acercado a la madre y la acarician.)*

ERNESTO.—¡Y claro, vieja! Y, a propósito, con la charla y las visitas no me acordé de mi regalo.

LAS MUCHACHAS.—¡Ay! ¡A ver! ¡A ver! ¿Qué es?

MARGARITA.—¿Qué es, papito, qué es?

LIBERTI.—¡Endivinen!

ERNESTO.—¡Eso es! ¡A ver si lo "endivinas", vieja!

ELOÍSA.—Y... ¿un vestido nuevo?

BARREIRO.—Frío... Frío...

ELOÍSA.—¿Los aros con diamantitos?

ERNESTO.—¡No! ¡Un regalo más importante!

ELOÍSA.—Ya habrás hecho alguna locura, y con cualquier cosa para la casa estaba bien.

LIBERTI.—¡Calinte! ¡Calinte!

ERNESTO.—¡Calinte! ¡Calinte!

FELICIA.—¡Ah! ¡Ya sé! ¡La carpeta para la mesa!

ERNESTO.—¡Más!

MARGARITA.—¡Los muebles nuevos para la sala!

ERNESTO.—¡Más aún!

ELOÍSA.—Pero ¿qué es?

BARREIRO.—¡Dicelos, que si no se van a morir de un ataque!

ERNESTO.—¿Se dan por vencidos?

TODOS.—¡Sí, sí, sí!

ERNESTO.—*(Entregándole un sobre a* ELOÍSA.) Tomá. La casa misma. ¡Esta casa!

LAS MUCHACHAS.—¿Eh?

ERNESTO.—¡La compré! Se hizo la operación con el Banco Habrá que estar pagando muchos años, pero ya es nuestra. ¡Es mi regalo! Está a tu nombre, vieja (ELOÍSA *lo abraza llorando, sin poder hablar.)* ¡Aquí cabemos todos! Los hijos, vuestros maridos si os casáis, los nietos si vienen... ¡Un nido grande donde quepamos todos, para que todas las mañanas os despierte el beso de vuestra madre, como ahora, y para que ella enseñe a rezar a vuestros hijos!... No llorés, vieja. *(Transición.)* ¡Vamos, vieja, alegría!

TODOS.—¡Eso es! ¡Alegría! ¡Alegría!

ERNESTO.—Vaya mi hija a tocar el piano, que voy a bailar con la vieja!...

LIBERTI.—*(Aplaudiendo.)* ¡Bravo! ¡Bravo! *(Risas, aplausos y...*

TELÓN

ACTO SEGUNDO

Comedor en casa de don Ernesto. En lateral izquierda, dos puertas. En ochava derecha, una que da a un corredor en cuya pared se ve un aparato telefónico. En el foro, amplia ventana. En ochava izquierda, estufa de pared encendida. Juego de comedor nuevo, compuesto de aparador grande, que está colocado en derecha; trinchante en izquierda, entre las dos puertas; amplia mesa en el centro; sillas, sillones, cuadros, adornos, etc. En primer término, junto al trinchante, una sillita de nene con una muñeca y algunos otros juguetes. Reloj grande de pie. La acción, en el año 1916. De tarde. Invierno.

Al levantarse el telón está sentada frente a la mesa ELOÍSA, escribiendo una carta. En el interior se escucha el ruido característico de la ciudad: insistentes toques de campanas de tranvías, bocinas de autos, etc.

ELOÍSA.—*(Escribiendo.)* "Querida hija Marga y nietitos Pirucho, Mangachita y Totito..."

FELICIA.—*(Por la derecha.)* ¿De correspondencia, mamá?

ELOÍSA.—Sí, escribiendo a Marga y a los chicos. *(Mutis* FELICIA *por la segunda izquierda.)* "Estoy deseando saber si recibieron los cortes de seda que les mandó tío Alberto."

ADELA.—*(Apareciendo por izquierda trayendo un vestido en la mano.)* ¡Mamá!... ¿Vos le diste a Tota las tijeras?

ELOÍSA.—Sí. Me las pidió para cortar un cartón.

ADELA.—¿Para cortar un cartón? Mirá. *(Extiende el vestido de lunares, y en algunos sitios, éstos están recortados.)*

ELOÍSA.—*(Riendo.)* ¡Jesús! ¡Qué ocurrencia!

ADELA.—Sí. Reíte. Reíte. ¡Linda abuela le ha tocado a mi hija! Tiene razón Luis: nos vamos a tener que ir, porque con tus mimos la echas a perder. ¡Un traje casi nuevo!... ¡Le voy a dar unos azotes que se va a acordar!

ELOÍSA.—¡Dios te libre! ¡Qué entiende la pobrecita!... Más azotes has merecido vos y no te los he dado. *(Por la segunda izquierda aparece* EDUARDO, *con una salida de baño.)*

EDUARDO.—Vieja, el calefón vuelve a andar como la mona.

ELOÍSA.—Pero, Dardo, ¿recién te levantas? ¡Ay, si te ve tu padre!

EDUARDO.—Y... qué quiere, me acosté tarde...

ELOÍSA.—¡Qué vida estás haciendo, hijo! En lugar de estudiar...

ADELA.—Tiene razón mamá.

EDUARDO.—Ché, vos no te metás, que a vos nadie te da vela en este entierro. *(Mutis primera izquierda. Por la octava aparece* FELIPA *haciendo pucheros y trayendo unas servilletas planchadas, que coloca dentro de un cajón del aparador.)*

FELIPA.—*(Hablando sola.)* ¿Por qué no se lo llevará Dios de una vez por todas, pa que me deje vivir tranquila?

ELOÍSA.—¿Qué te pasa a vos? ¿Tampoco vino hoy a dormir tu marido?

FELIPA.—¡Qué va a venir! ¡Sinvergüenza! ¡Así se muriera!...

ELOÍSA.—¡Vamos! Esas cosas no se dicen ni en broma.

FELIPA.—*(Llorando.)* ¿Y cómo no las voy a decir, si soy como viuda siendo casada?

ERNESTO.—*(Apareciendo por la izquierda.)* ¿Qué le pasa a ésta?

ADELA.—Lo de siempre, papá.

ERNESTO.—Pero, ché, vos te pasás la vida llorando por culpa de tu marido.

FELIPA.—¡Y qué vi a hacerle, señor, si es mi desgracia! Hace tres días que no viene a casa. Siempre borracho. ¡Eso no es marido! Es como si tuviéramos el matrimonio por "tiléfano".

ADELA.—¿Y para qué te casaste, si cuando era vigilante ya era un borracho?

ERNESTO.—Pero, m'hija, después de lo que había pasado no tenía más remedio que casarse.

FELIPA.—¡Por qué habré tenido aquel momento de "dibilidá"! *(Transición.)* Pero estaba tan lindo con el "unijorme"... Aura que sin el "unijorme" es un mate lavao, no vale nada.

ERNESTO.—¡Mirá por dónde te salvás si le conoces de "mate lavao"!

FELIPA.—Y así es, patrón. No hubiera pasao nada. Tenía razón mi mama, la pobrecita que en paz descanse, cuando me decía: "Tené cuidao con la melicia; mirá que adentro hay un hombre."

ERNESTO.—¡Y vos te ensartaste! Dentro de la "melicia" había un hombre, y mamao.

FELIPA.—Sí, señor. ¡Y sinvergüenza, pa mi disgracia! *(Marcando mutis por la derecha.)* ¿Por qué no se lo llevará Dios de una vez por todas, pa que me deje vivir tranquila? ¡Atorrante!

ERNESTO.—Pobre negra. *(Va a sentarse en un sillón.)*

ELOÍSA.—Viejo, en el sillón nuevo no te sentés, se estropea todo. (ERNESTO *hace un gesto y se dirige a sentarse a otra butaca.)* Ahí tampoco. Son recién comprados, y si empezás a usarlos a diario...

ERNESTO.—*(Algo enojado.)* Pero, ché, ¿estos muebles son nuestros o son prestados? ¡Si sé esto, no los compro! No se puede uno sentar porque se estropean; no puede entrar el sol porque se descoloran... En vez de muebles, parece que hemos metido en casa enfermos graves.

ELOÍSA.—¡Qué exagerado!

ERNESTO.—¿Exagerado? Les he llegado a tener tanto

respeto, que cada vez que paso frente a ese sillón, lo hago en puntas de pie para no despertarlo, como si fuera un enfermo grave. *(Ríen las dos. Por la derecha,* ALBERTO, *en traje de calle.)*

ALBERTO.—¡Ahjá, parece que hay buen humor!, ¿eh? ¡Eso demuestra que hay alegría y que los negocios prosperan al unísono de las granadas que se lanzan al espacio en los frentes de batalla donde se está jugando la civilización!

ERNESTO.—Pero, ché, vos siempre hablás como si estuvieras en la tribuna.

ALBERTO.—¡Qué querés, cuñado! La fuerza de la costumbre. *(Por el corredor entra* FELIPA *trayendo unas copas, que deja en el trinchante.)*

FELIPA.—*(Marcando mutis.)* ¿Por qué no se lo llevará Dios? *(Mutis.)*

ALBERTO.—Pero, ché, esta negra es Jeremías. ¿Qué le pasa?

ERNESTO.—Y... lo de siempre. El marido. El sinvergüenza de tu "chauffeur".

ADELA.—Tenés que llamarlo al orden, tío.

ALBERTO.—¡Lo pondré de patitas en la calle!

ADELA.—No, echarlo, no, porque si lo echas tendrá que irse la pobre Felipa con él.

ALBERTO.—Pero, hermana, yo no puedo tolerar sinvergüenzas a mi lado.

ERNESTO.—Sí, claro, querés tener la exclusividad.

ALBERTO.—No te lo permito. Yo soy un hombre derecho.

ERNESTO.—¡Cómo me tenés seco con eso del hombre derecho! Yo que sé que sos más retorcido que sarmiento de parra.

ALBERTO.—¿Retorcido?... Soy director general de una de las más importantes oficinas de la república.

ERNESTO.—Así anda el país.

ALBERTO.—*(Haciendo mutis por la izquierda.)* ¡Bah! ¡No te hago caso!

LIBERTI.—*(Dentro.)* ¿Dónde está me socio el haragán?

FELICIA.—*(Dentro.)* Por aquí, señor Liberti. Está en el comedor. *(Entran* FELICIA *y* LIBERTI, *que trae en la mano un ramo de violetas envuelto en papel de seda.)*

LIBERTI.—¡Eh! Ya soy aquí. Buena tarde. ¿Come le va, doña Eloísa?

ELOÍSA.—Bien, gracias, Liberti, ¿y usted?

LIBERTI.—¡Eh! ¡Sempre forte!

ERNESTO.—Pero ¡qué florido venís!

LIBERTI.—*(Muy cortado.)* ¡Eh!... *(Mirando a* ADELA.) Este..., sabe..., este... allá a la esquina había un florista de esto..., e... sabe... de... de estos de las flores... ¿Y dónde está Felicia?...

ADELA.—En seguida viene. *(*LIBERTI *va a sentarse en un sillón al lado de* ERNESTO.)

ERNESTO.—*(En un grito.)* ¡No!

LIBERTI.—*(Dando un respingo.)* ¡Dío! ¿Cosa pasa?

ERNESTO.—¡Que no te sentés ahí!

LIBERTI.—¡Dío, me asustaste! *(Se va a sentar en otro sillón.)*

ERNESTO.—¡¡No!!

LIBERTI.—Pero ¿cosa hay?

ERNESTO.—¿No ves que son los muebles nuevos, y si te sentás se estropean?

LIBERTI.—¡Qué socorencia!

ELOÍSA.—No le haga caso, Liberti. Siéntese nomás. *(Mutis de* ELOÍSA *y* ADELA.)

ERNESTO.—¡Cómo! ¿El que es visita puede sentarse, y yo que los he pagado no? *(Transición.)* Bueno, che, ¿hay alguna novedad?

LIBERTI.—*(Enseñándole un cablegrama.)* Merá. Wilson e Compañía de Boston pide precio per cabras.

ERNESTO.—¿Y conseguiste para cotizarle?

LIBERTI.—Sí. *(Enseñándole otro papel.)* Luciani hace una oferta de diez mil kilos a este precio. ¿Cosa te parece?

ERNESTO.—¡Macanudo!

LIBERTI.—*(Levantándose.)* Entonces me voy al escretorio per hacerle telegrafiar en seguida. ¿Vistes come sigue sobiendo la lanas? ¡Dío santefecado! No sé dónde va ir parar

ERNESTO.—¡No te digo nada los pesos que estará ganando Barreiro!

LIBERTI.—¡No me hablés de ese gallego! ¡Me gostaría que se fondiese!

ERNESTO.—¡Ché, gringo!...

LIBERTI.—E per decir nomás. ¡Desagradecido allá! Se fué a la Patagonias, e in ocho años, no escrebió ne ina sola cartas. ¡Lindo amigos! ¡Ah!, ¿revisastes los cambios que te di ayer?

ERNESTO.—Sí, ya están revisados; te los voy a traer. *(Mutis segunda izquierda. Pequeña pausa. Por la primera izquierda,* ADELA.*)*

ADELA.—¿Lo han dejado solo, señor Liberti?

LIBERTI.—¡Eh! Más vale estar solo que mal acompañado.

ADELA.—Muchas gracias.

LIBERTI.—*(Riendo.)* ¡Eh! No lo digo por osté, eh. Lo digo per el viecos.

ADELA. Ya sé, ya sé. Era una broma.

LIBERTI.—¿E... Felicia?

ADELA.—En seguida viene.

LUIS.—*(Por ochava.)* Che, Adela. *(Transición.)* ¡Ah! ¿Cómo está, don José?

LIBERTI.—Ben, ¿e vos?

ADELA.—¿Se arregló ya la cosa?

LUIS. Sí.

ADELA.—¡Ay, qué lindo ir a París! ¡Mi sueño! ¿Y cuándo nos vamos?

LUIS.—Mañana, a primera hora.

ADELA.—¡Ay pobre mamá! ¡Cuando se entere!

LUIS.—Y... m'hija, ¡qué le vamos a hacer! Es nuestro porvenir. En un par de años, ¡listo!

LIBERTI.—Entonces, por lo que oigo, ¿se decidieron ir a Francia?

LUIS.—Sí. Es un negocio magnífico. Llevar caballada para el ejército aliado.

LIBERTI.—¿Se van los dos con la nena?

ADELA.— ¡Claro! ¡Cómo la vamos a dejar!

LIBERTI.—¡Qué descusto para los abuelos!

LUIS.—Y... así es la vida. ¿Qué quiere? Aquí pegados a las polleras de la abuela no vamos a hacer nuestro porvenir.

ADELA.—¿Lo sabe ya Eduardo?

LUIS.—No. Ahora se lo voy a decir.

LIBERTI.—Ma, ¿cómo? ¿Me ahicado larga la carrera e también se va?

LUIS.—Sí. Nosotros nos radicamos en Marsella, y él va de jefe de conducción con los barcos.

LIBERTI.—¡Pobres viecos! Se van quedando solos... *(Se oye una sirena y varias bombas.)*

LIBERTI.—¡Dío! ¡La chirena!

LUIS.—¿Habrán tomado Verdún?

LIBERTI.—*(Muy en compadre.)* ¡Qué van tomar! ¡Qué van tomar! *(Con mucho énfasis.)* ¡Hay soldados italianos allá!

EDUARDO.—*(Por la izquierda.)* ¿Oyeron la sirena?

ELOÍSA.—*(Por la izquierda.)* ¡Ay Dios mío, alguna catástrofe! ¡Cada vez que oigo la sirena es como si gritasen todas las madres juntas!

ALBERTO.—*(Apareciendo por la izquierda y dirigiéndose al teléfono.)* Algo importante debe haber ocurrido; voy a averiguar. *(Habla por teléfono.)*

ERNESTO.—*(Por la izquierda con unos papeles.)* ¿Oyeron? ¡Alguna paliza a los aliados!

LIBERTI.—¡Che, vos per vergüenza debías ser aliado, no quermanófilo! ¡Tenés un socio italiano!

ERNESTO.—Si no es por Italia, che; es por llevarte la contraria. *(Cruza de izquierda a derecha* FELICIA, *con tul y libro de misa.)*

ELOÍSA.—*(A* ALBERTO, *que ha terminado de hablar por teléfono.)* ¿Qué fué? ¿Qué fué?

ALBERTO.—Que han hundido el crucero "Hampshire", muriendo lord Kitchener y todos sus tripulantes; y además, en un avance ruso arrollador, los rusos han tomado ciento trece mil prisioneros austríacos.

LAS MUJERES.—¡Jesús!

ALBERTO.—Como va la guerra, no dura ni un mes.

LIBERTI.—¡Eh, eh, eh! Tanto como eso, no, ¡eh! ¡Que dure un poquito más, que estamos "barotados" de mercaderías!

EDUARDO.—¡Y claro! ¡Hay que ganar mucha plata!

ERNESTO.—Mejor sería que estudiases en lugar de andar diciendo pavadas.

EDUARDO.—*(Molesto.)* ¡En seguida saca a relucir los estudios!

ERNESTO.—¡No sé! ¡Te han aplazado ya dos veces...! ¿O te crees que tus padres tienen la plata para andarla tirando?

EDUARDO.—*(Secamente.)* No se preocupe; no la van a tener que tirar mucho más.

ELOÍSA.—*(Con temor.)* ¡Hijo! ¿Qué querés decir?

EDUARDO.—Yo me entiendo. *(Mutis con* LUIS *por la izquierda.)*

ELOÍSA.—*(A* ERNESTO.) ¡También vos...! ¡A ver si se nos va y...!

ERNESTO.—¡Si te parece, le regalaré un auto por sus

buenas clasificaciones! ¡Esta vieja...! ¡Tomá, Liberti, ahí tenés! *(Le entrega los papeles.)*

LIBERTI.—Ben. Me voy liqueritos. Después vuelvo, ¿no? *(Hacen mutis por la ochava* ADELA *y* LIBERTI. *En el interior se oye un gran escándalo y gritos de* FELIPA.)

FELIPA.—*(Dentro.)* ¡Canalla! ¡Chino bandido! ¡Sinvergüenza!

ERNESTO.—¿Qué es eso? ¿Qué pasa?

ELOÍSA.—*(Acercándose a derecha.)* No sé.

FELICIA.—*(Dentro.)* Pero, Felipa, ¿qué es eso?

ERNESTO.—*(A* ADELA, *que aparece corriendo por ochava.)* ¿Qué es?

ADELA.—Y... ya se lo pueden figurar. Llegó Rosendo y Felipa está con un ataque. Voy a llevar el frasco de sales. *(Toma un frasquito del aparador y hace mutis por la ochava.)*

ELOÍSA.—*(Haciendo mutis por la ochava.)* ¡Qué barbaridad!

ERNESTO.—*(A* ALBERTO.) ¡Che, es una vergüenza! ¡Hay que tomar una determinación! No pasa una semana sin tener un escándalo como éste, y yo no puedo tolerarlo en mi casa.

ALBERTO.—¡Ah! ¿Insistís en que lo despida? ¡Está bien! No se hable más. ¡Mandame a ese sinvergüenza para acá!

ERNESTO.—¡Llamalo vos! Yo no quiero ni verlo, porque no me voy a poder contener y le voy a encajar una trompada. *(Mutis por la izquierda.)*

ALBERTO.—Está bien, está bien. Las cosas pueden hacerse sin escándalo. *(Llamando en la derecha.)* ¡Rosendo! ¡Rosendo! ¡Venga para acá!

ROSENDO.—*(Dentro.)* ¡Voy, mi "dotor"! *(Aparece por la derecha* ELOÍSA.)

ELOÍSA.—Mirá, si lo despedís que se vaya él solo, porque yo a Felipa no la dejo marchar.

Rosendo.—*(Apareciendo por derecha, viste uniforme de "chauffeur".)* Güenas tardes, mi dotor.

Alberto.—*(Muy enérgico.)* ¡Déjese de saludos y venga para acá inmediatamente! *(Al ver que* Eloísa *hace mutis por la izquierda, y cambiando el tono bruscamente.)* Pero, che, viejo, ¡qué macanas me hacés! ¡Vení a dormir por lo menos dos veces por semana!

Rosendo. Y... dotor, pídame lo que quiera, pero eso no puedo. ¡Yo no aguanto a esa negra, que es más fiera que el agua! ¿No dicen que van a tratar la ley de separarse los casaos que no quieran estar juntos?

Alberto.—Sí, la ley del divorcio.

Rosendo.—Y... Güeno, dotorcito; si se trata, ¡por lo que más quiera, no se olvide de apuntarme!

Alberto.—¿Apuntarte para qué?

Rosendo.—¡Pa ser el primero en dar el grito de libertad!

Alberto.—Bueno, bueno, dejate de macanas. ¿Cómo has tardado tanto en venir?

Rosendo.—Y... dotor, me las vi bastante fiera para pasar las últimas piezas de seda.

Alberto. *(Mirando recelosamente a todos lados.)* ¡Chis! *(En tono bajo.)* ¿Por qué no me avisaste?

Rosendo.—¡Si lo he llamao una punta de veces por tiléfano acá y a la "garconière"...! En ninguna parte lo encontraba.

Alberto.—¿No se habrán dado cuenta?

Rosendo.—Y... yo no sé. Yo traté de escabullirme, pero me anduvo siguiendo un auto que..., no sé..., no sé... ¡Y pa más, se me pinchó una goma, y mientras la emparchaba y todo...!

Alberto.—Pero ¿no llevabas la rueda de auxilio?

Rosendo.—Me la han vuelto a robar.

Alberto.—¿Otra vez? Me estoy palpitando que la rueda no es para auxilio del auto, sino para auxilio tuyo. En cuanto necesitás unos pesos, desaparece la rueda.

Rosendo.—Pero ¿es que va a desconfiar de mí?

Alberto.—¡Jurame que no la has vendido!

Rosendo.—¡Y claro que juro, qué se cree! ¡Que se muera mi mujer si yo la he robao!

Alberto.—Sos bueno vos. Bueno, andá a traer el auto, porque conviene estar prevenidos.

Rosendo.—¿A qué nos meteremos en estos fandangos? ¡El día menos pensao se discubren y no me gustaría andar en líos, dotor, porque yo soy un hombre derecho!

Alberto.—¡Andá, dejate de macanas! *(Mutis* Rosendo *por la ochava.* Alberto *se sirve una copa de licor y la bebe. Por la ochava,* Felipa, *con hipo de llanto.)*

Felipa.—Pa..., pa..., pase por aquí. Voy a..., a... avisarle al señor. *(Al pasar junto a* Alberto *lo mira furibunda y dice por lo bajo:)* ¡A los dos se los tendría que llevar Dios! *(Hace mutis por la izquierda en el momento que aparece por la ochava* Barreiro, *que viste traje medio de ciudad y medio de campo, y que a pesar de no haber perdido su acento gallego le da un excesivo carácter criollo a todo lo que dice.)*

Alberto.—¿Qué deseaba?

Barreiro.—Pero, doctor, ¿es que ya no me conoce?

Alberto.—Pero, ¡amigo Barreiro, quién lo iba a conocer, si parecía Juan Moreira redivivo! *(Dándole la mano.)* ¿Cómo le va?

Barreiro.—Y... aquí vamos, dando una vuelta por el poblao.

Alberto.—¡Qué alegría más grande les va a dar! Porque en esta casa se le tiene muy presente, amigo Barreiro.

Barreiro.—Y... Yo también. Ya he visto que usted se va para arriba como leche hervida.

Alberto.—¡Qué quiere, amigo! No hay como tener conducta política y privada, para que los electores lo sigan sosteniendo con su confianza. En la vida hay que ser hombre derecho y nada más.

BARREIRO.—Así es..., así es...

ERNESTO.—*(Apareciendo por la izquierda con* FELIPA, *que cruza hacia la derecha.)* ¡Barreiro!

BARREIRO.—¡El mismo que viste y calza! *(Se abrazan.)*

FELIPA.—*(En el mutis por la derecha.)* ¡Así se los lleva- se Dios a todos los hombres! *(En el interior se oye la boci- na de un auto.)* ¡Así sonaras vos como la corneta, sinver- güenza! *(Mutis.)*

ALBERTO.—Bueno, amigo Barreiro, vengo en seguida. *(Mutis de* ALBERTO *por la izquierda.)*

ERNESTO.—Pero, che, ¡sentate! Sinvergüenza! ¡Ni una carta en ocho años!

BARREIRO.—Tenés razón, che, tenés razón. Pero meti- do uno entre la nieve y las ovejas, se olvida uno de todo.

ERNESTO.—¡Ah, loco el gaita criollazo! ¿Conque se ol- vida uno?

BARREIRO.—Eso no. Se olvida uno de escribirles, pero de ellos no. La prueba está en que del tren la primera vi- sita, aquí. ¡Ya ves si me acuerdo! ¿Y la parienta? ¿Y las crías?

ERNESTO.—Todos bien. Ahora los verás. *(Llamando.)* ¡Eloísa! ¡Adela! ¡Vengan, que hay una sorpresa! *(Tran- sición.)* Pero, che, ¡qué bien estás!

BARREIRO.—Y... por lo tocante a la salud no hay queja.

ERNESTO.—¿Y los negocios?

BARREIRO.—¡Tampoco hay queja! Traigo uno... ¡así! Y vengo con la intención de que lo hagamos los tres: vos, Liberti y yo.

ERNESTO.—¡Contento lo tenés al gringo!

BARREIRO.—*(Riendo.)* ¡Me escribió como cinco cartas y no le contesté a ninguna! ¡Ja, ja, ja! ¡Pero el gringo es buen gaucho!... *(Aparecen por la izquierda* ELOÍSA *y* ADE- LA.)

Las dos.—¡Barreiro!

Barreiro.—¡Señora! ¡Adelita! ¿Cómo les va? Pero ¿qué comen en esta casa, que no pasan los años para ustedes?

Eloísa.—Sí pasan, sí.

Barreiro.—Pues no lo parece, ¡eh!

Eloísa.—Pero siéntese.

Barreiro.—Muchas gracias. *(Se sientan todos.)*

Adela.—¿Y qué trae de la Patagonia?

Barreiro.—Vengo para planear un negocio que nos va a hacer ricos a todos, y me vuelvo para mis pagos.

Eloísa.—Por lo que veo, también andan por allá con la fiebre que ha traído la guerra.

Barreiro.—Sí, señora. ¡A pesar del frío, andamos con cuarenta grados para arriba!

Eloísa.—¡Jesús! ¡Parece como si el mundo se hubiera enloquecido!... En todo se habla de miles y miles. ¡Miles de toneladas, miles de hombres muertos, miles de pesos...! ¡Fortunas conseguidas en un mes...!

Barreiro.—Ansina es la cosa. ¡Mesmo como usted dice!

Adela.—¿Y qué tal por allá? Se debe usted aburrir mucho viviendo en el hotel, sin casa, sin familia.

Barreiro.—*(Un poco cortado.)* Vea..., este...

Adela.—Lo digo porque supongo que no habrá cambiado de opinión; seguirá siendo enemigo del matrimonio.

Eloísa.—¡Si viera cuántas veces me he acordado de lo que usted decía respecto a los hijos...! Nos van dejando solos, Barreiro. ¡Qué razón tenía usted!

Barreiro.—Sí, señora, sí. Este... Claro que... eso de los hijos es según se mire.

Ernesto.—No, Barreiro, no; es como vos decías. Marga se casó, se fué con el marido, y por ahí andan por Chile.

Barreiro.—¿Y Eduardo? ¿Estará hecho un hombre ya, con su título de doctor?...

Ernesto.—¡Qué esperanza! Le falta un año todavía. No estudia... ¡En fin!

BARREIRO.—¿Y Felicia?

ADELA.—Salió un momentito; fué hasta la iglesia.

BARREIRO.—(Riendo.) ¿Casada con un socialista y va a la iglesia?

ERNESTO.—No, si no se casó.

BARREIRO.—¿No se casó? ¿Por qué?

ERNESTO.—Y... cosas... (Gestos de inteligencia con BARREIRO indicándole que se calle porque ELOÍSA se pone triste. Transición.) Pues sí, Barreiro, sí. Tenías razón cuando decías que mientras los hijos eran pichones todo iba bien, pero de grandes cada uno volaba para buscar su nido.

BARREIRO.—Eso de volar..., según y conforme. Algunas veces no pasa así.

ERNESTO.—Siempre, Barreiro, siempre.

BARREIRO.—No, no, permíteme. Eso pasa cuando los hijos no se plantan en la tierra como los árboles.

ELOÍSA.—¿Qué dice?

BARREIRO. Sí; dicho así, parece una cosa de locos, ¿no? Pero le es una verdad más grande que el mundo. A los hijos hay que plantarlos en la tierra, pegarlos a ella; entonces no se van. Usted toma un campo, mete en él ovejas, árboles, trigo..., lo que sea. Educa a los hijos en el cuidado de todo eso, diciéndoles: "Esto es vuestro, hijos; es lo único que tenemos, es lo único que os va a quedar." Le toman cariño..., y en ese campo mueren los abuelos y los padres y los nietos, y quieren al árbol y la planta, porque en el árbol o en la planta quién sabe si no va el alma del abuelo o del padre que está enterrado abajo...

ERNESTO.—(Asombrado.) Pero ¡che, Barreiro...! ¡Te desconozco! ¡Ay, ay, ay! ¡Esto me huele mal! ¡Vos te has casado! ¡Vos te ensartaste!

ELOÍSA.—¡No, qué va!

BARREIRO.—Sí, señora; casé y tengo... ¡once críos!

ERNESTO.—¡No digas!

ADELA.—Pero, papá, ¿no ve que está bromeando? Si sólo hace ocho años que se fué.

BARREIRO.—Sí, Adelita, sí. Y tengo seis de casado nada más.

ELOÍSA.—Entonces, ¿los once hijos?

BARREIRO.—¡Y qué quiere! ¡Las cosas hay que hacerlas bien o no hacerlas! ¡Dos en los cinco primeros y uno en el último, porque... ya nos daba vergüenza!, ¿no? Mis paisanos ya le decían a mi mujer "el cuartel de la Guardia Civil".

ERNESTO.—¿Por?

BARREIRO.—¡Porque siempre largaba dos parejas! *(Ríen.)*

LIBERTI.—*(Dentro.)* ¡Decá, Felipa, decate de tanto anunciar!

ERNESTO.—¡Ahí está Liberti! Vení, escondete para darle una sorpresa. (BARREIRO *se esconde detrás de una butaca.)*

LIBERTI.—*(Por la ochava.)* ¡Salute! ¡Ya estamos aquí otra vez!

ERNESTO.—*(Inclinándole la butaca detrás de la cual está escondido* BARREIRO.) Sentate, que estarás reventado de tanto trabajar.

LIBERTI.—¡Dío! ¡Qué fino está el tiempo! *(Se sienta.)*

ERNESTO.—Che, ¿sabés que he estado pensando en lo que me dijiste hoy de Barreiro? ¡Qué desagradecido!

LIBERTI.—¿Desagradecido? ¡E un porco! E desculpe, señora. Ma yo quesiera encontrarlo una vez per cantarle cuatro verdadera a la facha. (BARREIRO *sale por detrás de la butaca y le tapa los ojos.)* ¿Qui está esto? ¡Bah, bah, bah!

ADELA.—¡Adivine quién es!

LIBERTI.—¡Eh!... Con estas manos, persona femenina non e. ¡Dío! ¡Vamos! ¡Salga de allá! *(Saca las manos de un tirón y se encuentra cara a cara con* BARREIRO.) ¡¡Dío!! ¡El gallego!

BARREIRO.—¡Acá me tenés para que me digás las cuatro verdades!

LIBERTI.—*(Emocionado.)* ¡Qué voy a decirte, si te veo! e non te veo! ¡Vení per acá! *(Se abrazan.)* ¡Senvergüenza!

ERNESTO.—¡Acá lo tenés, casado y con once críos!

LIBERTI.—¡No digas!

BARREIRO.—¡Y muy contento de tenerlos!, ¿eh? Porque son gloria pura. *(Enseñando un retrato.)* Vean, ésta es Ratita, éste es Monito, éste es Benteveo.

ERNESTO.—Pero, che, ¡en lugar de familia parece que has puesto un zoológico! ¡Qué nombres!

BARREIRO.—Esos son los que usan para andar por casa. Fuera tienen unos muy requetelindos: Eleuterio, Filiberto... Y vean, vean... *(Enseñando los dijes.)*

LIBERTI.—¿Cosa es?

BARREIRO.—¡Diez dientes! ¡Los primeros que se les cayeron a las cinco yuntas!

ERNESTO.—¡Che, si seguís poniéndolos en los dijes, vas a parecer la vidriera de un dentista! *(Ríen.)*

BARREIRO.—Sí, sí, ríanse nomás, pero yo me los pondré aunque se burlen. Para los demás no son más que dientes; ¡pero para mí son dientes que han estado en las boquitas que ya han aprendido a decir "¡papá!" y a besarme en la cara aunque se pinchen con las barbas!...

LIBERTI.—¡Dío! ¡Cóme se le cae la baba al que iba a ser solterito toda la vidas! ¡Quién pudiera decir lo mismo!

BARREIRO.—Pero, ¡cómo!, ¿ni te has casado?

ERNESTO.—¡Qué va! ¡Está dejando en ridículo a Italia, se lo he dicho muchas veces: es el primer italiano que, a su edad, no tiene una docena de cachorros!

LIBERTI.—¡Callate, no me cachés encima!

ELOÍSA.—Supongo que cenarán aquí para festejar la llegada de Barreiro.

BARREIRO.—No, no, señora; yo no puedo.

ELOÍSA.—¡Bah, déjese de cumplidos! Voy a preparar algo. Vamos, Adelita.

BARREIRO.—Le digo, señora, que...

ELOÍSA.—Ande, ande; después de tantos años, ¿no nos va a dar ese gusto? *(Mutis con* ADELA *por la izquierda.)*

BARREIRO.—Pero parece mentira... ¡Liberti solterón! ¡Que no se diga...!

ERNESTO.—Es que hay una razón, ¿sabés? No la dije antes, porque como estaban las señoras... Tiene un cotorrito con una francesa...

LIBERTI.—Che, che, ¡bah! ¡Decate de bromas! ¡A ver si este patagónico se cree que soy "jigoló"!

BARREIRO.—Pues tenés que darte prisa, ¿eh?, porque se te está pasando el tiempo.

LIBERTI.—¡Eh! ¡Non prechiso que me lo digas, que ya me soy dado cuenta! ¡Ma el año que viene, sen falta, me caso; se no, no voy a encontrar muquer que quiera acollararse conmigo!

ERNESTO.—¡Salí, gringo, no te amargués, si las vas a encontrar así!

LIBERTI.—¡Eh, claro! Vos decís esto perque sos mi amigos; ma... pensalo un po: ¿vos te casarías conmigo?

ERNESTO.—¡Che, tanto como eso...!

LIBERTI.—Ben, ésa es la misma contestación de todas las muqueres.

BARREIRO.—¡Salí, salí, qué te van a decir! ¡Qué te van...!

LIBERTI.—¡Callate, gallego! ¡Vos qué sabés de la vida de acá!

ERNESTO.—Tiene razón, che. Vos venís de la Patagonia, de entre las ovejas; ahora la mujer cambió, amigo. Como le ven un poco de barriga, no les gusta porque no está en línea. Luego, como fuma toscanos en vez de cigarrillos rubios, las asusta con el olor. Yo le he dicho que se compre una vuaturete copera en lugar de esa catanga que usa, pero no me quiere hacer caso...

LIBERTI.—Sí, cachame, cachame. Ma estoy perdiendo la cuventú. Las muchachas ya me dicen don o señor, e cuando una muchacha te dice don o señor, e perque te ha encacado la cubilación en asuntos amorosos.

ERNESTO.—*(Levantándose y riendo.)* ¡Qué Liberti este! *(A* BARREIRO.) ¿Decididamente no te quedás a cenar?

BARREIRO.—No, gracias, no puedo. Mañana, sí.

ERNESTO —Entonces voy a avisarle a la vieja, porque como sabe que vos son buen diente, estará pasando a cuchillo medio gallinero. *(Mutis por la izquierda.)*

BARREIRO.—Che, ahora que nos hemos quedado solos. ¿Sabés que me parece que he hecho una macana?

LIBERTI.—¿Por qué?

BARREIRO.—Porque pregunté si Felisa se había casado con aquel muchacho socialista, y vi que se ponían serios y que Ernesto me hacía unas señas como diciéndome que no insistiese. ¿Qué pasó?

LIBERTI.—¡Fuiste a meter propiamente el dedo al ventilador! E la traquedia de esta casa. Resulta que la muchacha estaba per casarse, como vos ya sabés, con toda la ropa lista..., e llegó el día de ficar la fecha de la bodas per el civile e la iglesia, y el muchacho se plantó e dico que él per la iglesia no se casaba. ¡Figurate el desgusto! ¡Come son tan religiosas...! ¡Se deshizo todo e chao!... Felicia desde entonces no ha tenido más novio... Está siempre triste, e come ina sombra a la casa. ¡E es una lástima, perque e ina bella muchacha!

BARREIRO.—Pues ahí tenés. Con una amistad de tantos años podés tirarte un lance. ¡Vos no tendrás inconveniente en casarte por la Iglesia!...

LIBERTI.—¡Come inconveniente! ¡Yo, se no me caso pei la Iglesia, no me caso!

BARREIRO.—¿Y entonces?

LIBERTI.—¡Eh! ¡Ya se me ha ocurrido muchas veces tirarme el lance!... Le traigo flores e todo...; ma, pero... ¡no tengo coraque! Tengo miedo a que me colgue la galleta de entrada nomá. *(Ha ido oscureciendo. Está la escena en semipenumbra. Por la derecha, FELICIA con un velo y un devocionario.)*

FELICIA.—¡Mamá!

BARREIRO.—No está aquí. Está adentro.

FELICIA.—¿Eh? ¿Quién? *(Enciende la luz.)*

BARREIRO.—Gente de paz. ¿No me conoce?

FELICIA.—Barreiro, ¿verdad?

BARREIRO.—¡El mismo!

FELICIA.—*(Dándole la mano.)* ¡Caramba! ¡Dichosos los ojos...! Pero... ¿los han dejado solos?

LIBERTI.—¡Eh! No le tenemo miedo al cucos.

FELICIA.—Me imagino, don José. *(Gesto de LIBERTI a BARREIRO.)* Pero ¿ya vió a papá y a mamá?

BARREIRO.—Sí, ya hemos estado hablando acá.

LIBERTI.—De la Patagonia, de los once hicos que tiene...

FELICIA.—¡Qué señor Liberti! *(Otra seña de LIBERTI.)*

BARREIRO.—No, si no es broma. ¡Tengo once! Y como decía aquel andaluz del cuento..., la imaginación proyectando.

FELICIA.—¡Que Dios se los conserve! *(Entristecida.)* ¡Debe ser tan lindo tener hijos!...

LIBERTI.—¿Rezó per mí a la iglesia?

FELICIA.—¡Qué señor Liberti! *(Mutis por la izquierda.)*

LIBERTI.—*(Desesperado.)* ¡Andá! ¡Declarate después de eso!

BARREIRO.—¿De qué?

LIBERTI.—¿No oíste que me ha encacado diez don e catorce señores? ¡No hay que hacerle! ¡José Liberti se queda para vestir santos e entra en un convento, nada más!

BARREIRO.—Bueno, che; si vas a meterte en un convento, metete en uno de monjas; siempre vas a estar más entretenido.

LIBERTI.—¡Decate de macanas allá! *(Se oye dentro una discusión y la voz de* ERNESTO *que domina.)*

ERNESTO.—*(Dentro.)* ¡Que se vaya! ¡No quiero verlo! ¡No quiero verlo! ¡Mal hijo! ¡Mal hijo! *(Aparece por la izquierda.)*

BARREIRO.—¿Qué pasa?

LIBERTI —¿Cosa suchede?

ERNESTO.—*(Abatido.)* Estos hijos, que me van a matar a disgustos.

LIBERTI.—¿Te diqueron ya lo del viaque a Francia?

ERNESTO.—¡Sí! ¡Se va! Se va faltándole un año para terminar la carrera. *(Aparece por la izquierda* EDUARDO.)

EDUARDO.—¡Papá...! Yo no quiero que...

ERNESTO.—¡Mirá: no me hablés! ¡Andate! ¡Andate a donde te dé la gana!

EDUARDO.—Pero, viejo, comprenda...

ERNESTO.—¿Qué querés que comprenda? Yo no comprendo más sino que después de haber hecho tantos sacrificios para que tuvieras una carrera, la abandonás cuando te falta un año para recibirte. ¡Tantos estudios, para terminar llevando caballos de aquí a Francia! *(Por la izquierda,* ELOÍSA, *llorando;* ADELA *y* FELICIA, *tratando de consolarla.)*

ADELA.—Pero, mamá...

ELOÍSA.—¡Déjenme! ¡Déjenme!...

BARREIRO.—Vamos, señora, tranquilícese.

LIBERTI.—¡Doña Eloísa, no se desespere así!

ADELA.—Mamá, no llore más.

ELOÍSA. Por lo menos, bien podrían dejarme la nieta.

ADELA.—Pero, mamá, ¿cómo voy a separarme de mi hija?

ELOÍSA.—*(Con amargura.)* Tenés razón. ¡Cómo vas a

separarte de tu hija! ¡También yo pensaba así cuando ustedes eran chicos, y ahora...!

FELICIA —Sé razonable, mamita.

ELOÍSA.—Sí, m'hijita, sí; si lo comprendo. Si es la historia de siempre, es la misma que se repite, pero... Siempre creemos que la vida va a cambiar, que no va a ser como fué.

ERNESTO.—¡Y no cambia, vieja! ¡No cambia! ¡Es la misma! Criar los hijos, verlos crecer..., y un día vienen unos amores nuevos o una nueva vida... y los ata más fuerte que este otro amor que, por ser tan verdad, ya es amor viejo. ¡Tienen que hacer su vida! ¡Su vida! Nosotros ya la hicimos, vieja. Hay que quedarse en un rincón esperando la buena noticia, que es como un rayo de sol que entra por la casa vieja, o la mala noticia, que ha de ir segando días.

ELOÍSA.—Y bueno... Si ha de ser para su bien...

EDUARDO.—Pero yo no me quiero marchar así, disgustado...

ADELA.—Claro. *(Suplicante.)* ¡Papá...!

ERNESTO.—*(Acariciando a* EDUARDO *y a* ADELA.) No. Si no estoy enojado; estoy triste. Vayan... Hagan su vida y que Dios los bendiga, mis hijos... ¡Que Dios los bendiga!

FELICIA.—Bueno, mamita, no llores más.

ADELA.—*(Aparte, a* FELICIA.) A ver si me ayudas a preparar los baúles. ¡Figurate la fajina...! *(Mutis por izquierda* FELICIA, ADELA *y* EDUARDO.)

LIBERTI.—*(Palmeando a* ERNESTO.) ¡Vamos, vieco, coraque! *(A* ELOÍSA.) ¡Eh! ¡Doña Eloísa, no sea así! A lo mecor e la fortuna de los muchachos.

BARREIRO.—¡Claro, hombre! Yo sé de estas cosas. El caso es que están sanos y fuertes. ¡Vamos, ánimo, ánimo! Volveré después por la noche para charlar un rato y hablar sobre ese negocio que tengo planeado. ¡Vais a ver cómo nos hacemos millonarios en un abrir y cerrar de ojos!

LIBERTI.—¡Qué aspamentosos este gallego! Yo también me voy, e luego voy a venir un rato. *(Se despiden y hacen mutis por la ochava* BARREIRO *y* LIBERTI.)

ELOÍSA.—*(Reclinándose en el pecho de* ERNESTO.) ¡Viejo...! ¡Se nos van!

ERNESTO.—Y bueno, vieja, no llorés... No llorés... Quedamos nosotros , nos queda nuestro cariño, que ése sí que está atado bien fuerte. ¡No llorés! ¡No llorés! ¡Además, puede que vuelvan pronto!... La guerra no puede durar mucho tiempo y lo tendremos acá otra vez, y... No llorés... No llorés... *(Por la ochava,* FELIPA, *despavorida.)*

FELIPA.—¡Señora! ¡Patrón!

ERNESTO.—¿Qué pasa?

FELIPA.—¡Si es pa no creerlo!

ERNESTO.—Pero ¿qué ocurre?

FELIPA.—¡Que ha venido el niño Carlos y quiere hablar con usted!

ELOÍSA.—¿Qué niño Carlos?

FELIPA.—¿Cuál va a ser? ¡El único que yo conozco! ¡El niño Carlos! ¡El que jué novio de la niña Felicia!

ELOÍSA.—¡No!

FELIPA.—¡Que le digo que sí, señora! Y dice que tiene que hablar con urgencia de un asunto grave con el señor.

ERNESTO.—Y bueno, decile que pase.

FELIPA.—*(Asombrada.)* ¿Que pase?

ERNESTO.—¡Claro, mujer!

FELIPA.—¿Aquí?

ERNESTO.—¡Sí, mujer, sí, aquí! ¡Andá de una vez! *(Mutis de* FELIPA *por la ochava.)*

ELOÍSA.—Yo no quiero que me vea. Si pregunta por mí, decile que no estoy. A ver si pretende, después de tantos años, volver a...

ERNESTO.—¡Qué va a pretender, vieja! *(Mutis de* ELOÍsa *por la izquierda en el momento que aparece por la ocha-va* Felipa.)

Felipa.—Pase, niño, pase. *(Aparece* Carlos *y* Felipa *hace mutis.)*

Carlos.—¿Cómo está, don Ernesto?

Ernesto.—Y... ahí andamos. Pase. Siéntese. *(Pequeña pausa.)* Hablando sinceramente, nunca pensé que lo volveríamos a ver por esta casa.

Carlos.—Tampoco yo pensé, después de lo ocurrido, que volvería a ella, no porque no me animara la misma simpatía de entonces, sino porque... quería olvidar, don Ernesto.

Ernesto.—¡Olvidar...! Los hombres nos pasamos la vida queriendo olvidar, y la vida, con una pequeña cosa, nos aviva el recuerdo de lo que creíamos muerto. ¡Olvidar!... ¡Falta hace!... *(Pequeña pausa.)* No como explicación de nuestra actitud de entonces, ya que es tarde para explicaciones, sino como una consecuencia de lo ocurrido, le diré que los padres buscamos siempre la felicidad de nuestros hijos, quizá por un modelo atrasado en el que se fundó nuestra propia felicidad; creemos que todo cuanto hacemos es por su bien; pero... algunas veces sentimos el dolor de ver que, aunque en conciencia hicimos bien, no logramos la felicidad que ambicionábamos para ellos...

Carlos.—En todo ocurre lo mismo. La vida nos va enseñando a rectificar, cuando ya es tarde para hacerlo.

Ernesto.—Así es, pero... ¡en fin!... Si la Humanidad no tuviese preocupaciones de espíritu que colocar por encima del interés, del deseo, de la pasión..., ¡qué pobre cosa sería la Humanidad!

Carlos.—Sí, don Ernesto. Precisamente por esos valores morales es por lo que estoy aquí. Aunque conceptos distintos hayan impedido que yo fuese un hijo más en esta casa, usted no dudará que la he respetado siempre como a la de mis padres, que he tenido por ustedes el mejor recuerdo, y respecto a Felicia..., la misma emoción con que hablo de ella le demostrará que el tiempo no ha borrado nada de lo que fué para mí.

ERNESTO.—Lo sé. Los hombres como usted, que no cambian de ideas cuando a ello los fuerza un gran cariño, mal pueden cambiar de opinión sobre los que fueron y son sus amigos.

CARLOS.—No sabe usted la alegría que me da con sus palabras, porque con ellas desautoriza todo lo que la indignidad de un hombre ha vertido en este pasquín. *(Mostrando un diario que trae.)*

ERNESTO.—¿Qué es?

CARLOS.—Pero... ¿usted no ha leído?

ERNESTO. No.

CARLOS.—Lamento ser el primero que trae esta mala noticia, pero... la dignidad de ustedes y la mía exigían dar este paso. *(Dándole el diario.)* Lea. *(Señalando un artículo.)* Ahí.

ERNESTO.—*(Poniéndose los anteojos y leyendo.)* "Un gran contrabando pasado en auto con chapa oficial. Una impudicia más del famoso "hombre derecho", como él se intitula." *(Sigue leyendo en voz baja un momento.)* Pero ¡esto es indigno! ¡Y nos envuelve a todos en esta canallada! ¡Mi crédito de hombre honrado, mi trabajo de tantos años, perdido por culpa de ese sinvergüenza sin escrúpulos ni dignidad! *(Transición.)* Lo que no me explico es qué relación pueda tener esto con usted, ni su interés en...

CARLOS.—Lea el final, don Ernesto. *(Señalándole.)* Ahí.

ERNESTO.—*(Leyendo.)* "Y la boda no se realizó porque ese político, que también las va de honesto, y según declaraciones de él mismo pudo conocer a tiempo la catadura moral de la novia y de su aprovechada familia..."

CARLOS.—¿Comprende usted ahora? Quiere envolvernos a nosotros en toda esa miseria. Me parece grotesco hasta rectificar. Por eso he venido, para tener la seguridad de que ni ustedes ni Felicia puedan creer que yo...

ERNESTO.—¡En esta casa no puede creerlo nadie! ¡Nadie! Pero fuera... ¡En la calle, donde esperan el escándalo con más ansias que el pan...! No me importa que rectifique. ¿Para qué? *(Hablando como consigo mismo.)* Pero ¿es posible que tantos años de vida honesta, de trabajo honrado, de saber ganar el respeto y la consideración de la gente, no valgan nada? ¿Es tan fácil para un hombre sin escrúpulos poder llenar de inmundicia una reputación, lograda en tanto tiempo, con escribir unas líneas en un diario? ¿Es posible esto? ¡Y ese canalla! ¡Ese canalla! *(Se dirige hacia la izquierda.)* ¡Discúlpeme! ¡Vengo! ¡Vengo!

CARLOS.—Calma, don Ernesto. Calma.

ERNESTO.—¡Déjeme! ¡Déjeme! *(Al hacer mutis se encuentra con* FELICIA, *que entra.)*

FELICIA.—Papá, ¿qué le ocurre?

ERNESTO.—*(Tironeando el vestido de seda que lleva puesto* FELICIA.) ¡Sacate ese vestido! ¡Rompelo! ¡Quemalo!

FELICIA.—*(Asustada.)* ¡Papá...!

ERNESTO.—¡Es robado! ¡Robado! ¡Os ha hecho pasear con ellos por la calle ese canalla! ¡Miserable! *(Mutis por la izquierda.)*

FELICIA.—*(Al ver a* CARLOS.) ¡Vos! ¿Usted? ¿Qué ocurre? ¿A qué ha venido?

CARLOS.—*(Mostrándole el diario que ha tirado al suelo* ERNESTO *e indicándole con el dedo.)* Lee esas líneas y ellas te explicarán mejor que mis palabras.

FELICIA.—*(Después de leer.)* ¿Y usted ha sido capaz de...?

CARLOS.—¡Felicia! ¿Cómo podés suponer...? ¿Tan poco valgo ya en tu concepto que me crees capaz de mentir así, de mentir en lo que para mí ha sido y es más que mi propia vida?

FELICIA.—No hablemos de lo que pasó.

CARLOS.—No hablemos si ése es tu deseo; pero has de decirme que no crees en esto, que sabes que soy incapaz de haber dicho esta infamia. Para eso he venido, para oírlo de tus labios.

FELICIA.—*(Con dolor.)* ¿Y qué interés puede tener para vos el que yo crea o no?

CARLOS.—¡Felicia!...

FELICIA.—*(Con emoción creciente.)* ¿Qué interés tuvo entonces para él que yo creyese, si vos no creías, y por no creer, no te importó lo que había de ser mi vida, que tantas veces me habías jurado que era para ti más que tu propia vida? Por una imposición de tus ideas, no te importó ahogar nuestra felicidad; y ahora, después de tantos años *(Casi con lágrimas.),* cuando ya mi vida está deshecha irremisiblemente, sin esperanza alguna, vienes a pedirme que crea para tu tranquilidad. *(Cortada la voz por las lágrimas.)* También yo te pedí, por lo que más quisieras, que creyeses entonces, porque en que vos creyeses estaba la felicidad de toda mi vida..., y no transaste. ¡No transaste! ¡Eras hombre! (CARLOS, *que se ha sentado, inclina la cabeza con enorme piedad.)* ¡Yo soy mujer... y transo en creer en ti como creía entonces; transo... porque mi corazón se apena sólo de verte así, como está ahora, y porque mi corazón dolido me dice que nunca podrás invocar mi nombre más que como yo invoco siempre el tuyo!...

CARLOS.—*(Tomándole una mano y besándosela.)* ¡Felicia! ¡Felicia!...

FELICIA.—Déjame... Ya no es posible. Sigue tu vida..., y si alguna vez, cuando los años te vayan acercando a Dios, crees, como he creído yo siempre en El y en ti..., podremos hablar sin dolor de todo lo que debió ser nuestra vida y que no fué... porque El no quiso. *(Hay una gran emoción en los dos.* FELICIA *ha quedado de espaldas a* CARLOS, *llorando.* CARLOS *la contempla un momento con angustia y quiere hablar, sin poderlo hacer hasta que, con la voz cortada por la emoción, dice:)*

CARLOS.—Despídeme de tus padres. Yo ahora no podría hacerlo. *(Mutis por la ochava.* FELICIA *se acerca lentamente a la ventana, levanta la cortina y simula seguir con la vista a* CARLOS, *que se supone que salió. Vuelve a dejar caer la cortina y lentamente hace mutis por la izquierda. Pequeña pausa. Por la ochava,* ERNESTO.)

ERNESTO.—*(Hablando hacia adentro.)* ¡Entrá! ¡Vení! *(Aparece* ALBERTO *por la ochava.* ERNESTO *cierra las puertas.)*

ALBERTO.—Pero ¿qué pasa, che?

ERNESTO.—*(Encarándole violentamente.)* ¡Pasa que hasta ahora tus chanchullos, tus coimas, tus... "negocios", si negocios pueden llamarse a los asuntos turbios en que te metés...!

ALBERTO.—*(Interrumpiéndolo.)* Che, che, che...

ERNESTO.—*(Violento.)* ¡Dejame hablar!

ALBERTO.—*(Levantándose.)* Es que yo no te voy a tolerar que hables de negocios turbios tratándose de mí, porque yo soy...

ERNESTO.—¡Sí! ¡Ya sé! ¡Un hombre derecho! Lo dice ahí ese diario hablando del contrabando de sedas, de esas sedas con las que has tenido la poca vergüenza de hacer pasear a tus sobrinas. ¡A mis hijas! ¡A mis hijas! *(Despreciativo.)* Pero... ¿qué entendés vos con el daño que con ello les has causado, si no tenés dignidad ni vergüenza, ni has sabido nunca lo que es ganar un peso honestamente?

ALBERTO.—Si vas a seguir hablando en ese tono, me retiro. Yo no puedo tolerar que...

ERNESTO.—¿Conmigo vas a emplear esos desplantes de hombre digno? ¡Mejor sería que los empleases con toda esa canalla con la que te mezclás y vivís!

ALBERTO.—*(Intentando irse.)* ¡Bah!

ERNESTO.—*(Cortándole el paso.)* ¡No! ¡Si no te vas a ir! ¡No te vas a ir porque estoy decidido a que me oigás! ¡A que me oigás por las buenas o por las malas!

ALBERTO.—*(Conteniéndose.)* Bueno. Evitaremos el escándalo. *(Se sienta y enciende un cigarro.)* Hablá.

ERNESTO.—Hasta ahora tus asuntos, siempre tortuosos, no habían salpicado el buen nombre de esta casa. Te limpiaron el comedero de los votos fraudulentos con el sistema del voto secreto, y acostumbrado a la vida fácil, nos has dudado en meterte en este otro asunto que nos envuelve a todos. Sos un hombre que hacés tu vida, y no voy a aconsejarte. Allá vos con tu conciencia..., si es que la tenés. Pero escuchame bien; escuchame bien, porque ya sabés que no soy hombre de decir dos veces las cosas: o conseguís que el diario de mañana rectifique todo cuanto dice hoy, o yo te juro, por mis hijos, que vos no hacés una canallada más. ¿Me has entendido? Pues andate. Y si es posible que no te veamos más por esta casa, nos harás un gran favor.

ALBERTO.—*(Con mucha calma.)* Está bien. Yo esperaba de vos esto; lo esperaba, creeme que lo esperaba; y esperaba más, mucho más. Esperaba el escándalo, los gritos, los desmayos de mi hermana y de las sobrinas, una grave recaída de tu dolencia al hígado... En fin, un día de luto en la casa.

ERNESTO.—Pues ya ves que no ha ocurrido nada de eso.

ALBERTO.—Y yo me felicito por ello. Ahora, permitime que te diga que si yo no tuviese la seguridad de que sos nacido en el sesenta y siete, creería que eras del cuarenta y cinco, porque tenés un concepto del honor y de la vida del tiempo de ñaupa.

ERNESTO.—Pero, che, ¿es que vas a tomar a broma la cosa?

ALBERTO.—¡Qué esperanza! Te digo esto porque hacés

una tragedia de lo que es simplemente una información falsa.

ERNESTO.—Pero ¿es que vas a tener la poca vergüenza de querer engañarme? ¿No has traído las sedas a casa?

ALBERTO.—¿Y qué es eso? Las sedas las he comprado. *(Sacando unas facturas.)* Ahí tenés las facturas. *(Se las entrega.)* Armás una tempestad en un vaso de agua. Ese pasquín rectificará, no mañana, como querés vos, sino en su próxima edición, porque yo soy mucho más exigente que vos en cuestiones que atañen al honor. Rectificará diciendo la verdad, ¡toda la verdad! Que ha sido una falsa información, que esta familia es un dechado de virtud y que yo soy un hombre que se sacrifica por la patria y que jamás me he mezclado en asuntos que pudieran echar la más ligera sombra sobre mi honestidad impoluta. ¿Qué me decís ahora?

ERNESTO.—¡Que me parecés más sinvergüenza que antes! ¡Estas facturas son falsas!

ALBERTO.—Vamos a suponer que lo sean.

ERNESTO.—Los testigos para probar que tu "chauffeur" ha estado en tal sitio o en otro, también serán falsos.

ALBERTO.—Supongámoslo también.

ERNESTO.—Y, además, tengo la seguridad de que has pasado el contrabando.

ALBERTO.—Bueno, demos por verdad que he hecho pasar un contrabando de sedas por valor de..., de lo que sea, y que me gano trescientos mil pesos sin riesgo alguno, porque yo no he intervenido directamente. ¿Qué más?

ERNESTO.—¡Y que siendo todo verdad, este diario no querrá rectificar! ¡Y si no rectifica, yo te juro que...!

ALBERTO.—*(Levantándose y riendo.)* ¡Ja, ja, ja! ¡Que no rectificará! Tengo yo unos documentos muy curiosos de ciertos negocios del director; se lo fuí a decir en cuanto leí el diario, porque, a pesar de militar en sectores políticos contrarios, en estas cosas nos entendemos muy bien.

Me aseguró que la noticia había salido sin su consentimiento. Delante de mí se escribió la rectificación y se envió a la linotipia. He visto las pruebas. Un suelto ditirámbico, con mi retrato a dos columnas, hablando de mis valores..., de mi limpia historia política... ¡Una gran propaganda, cuñado! ¡Una gran propaganda y una gran victoria!

ERNESTO.—Pero ¡sos un cínico!

ALBERTO.—Sí, cuñado; pero la palabra cínico no es tan injuriosa como vos creés. Cínico es un individuo perteneciente a una filosófica que...

ERNESTO.—¡Mirá! ¡No estoy para historias!

ALBERTO.—Pero ¿qué querés, cuñado? ¿Que en una época en que los hombres se están matando porque unos fabricantes puedan vender, en determinados mercados, sus mercaderías podridas a mejor precio; en una época en que mucha prensa es aliadófila o germanófila, según lo que le paguen; en que la moral ha hecho quiebra y la Humanidad no tiene más norte que el peso, vaya a ser tan ingenua que luche con armas desiguales? ¡Vamos, cuñado! Seguís viviendo en la época de la diligencia, y hoy... ya se viaja en auto. Pensalo. Pensalo un poco. Rectificará el diario y yo me iré de esta casa si vos lo mandás. *(Con emoción sincera.)* Pero tené en cuenta que cínico o no, sinvergüenza u honesto, para ustedes tengo un cariño allá... en lo más hondo, donde no llegan todas estas miserias de la vida, y si apagases esa lucesita que me alumbra, cuñado, me quitás la vida; la única vida que vale la pena de vivir. Pensalo... Pensalo un poco... *(Mutis por la ochava. Por la izquierda, como si hubiera estado espiando,* ELOÍSA.*)*

ELOÍSA.—¿Qué le dijiste? ¿Qué te contestó?

ERNESTO.—Y... ya sabés. Lo dejás hablar y te convence de que es un inocente.

ELOÍSA.—Si él es bueno. Son esas malas compañías de la política que...

ERNESTO.—Por las dudas, mejor será que se vaya. *(Por la derecha,* FELIPA, *y por la izquierda,* FELICIA; *entre ellas y* ELOÍSA *van poniendo la mesa para ocho cubiertos.* ELOÍSA *coloca la silla alta de la nena, y con una gran emoción la acaricia y la contempla.* ERNESTO *se pasea de un lado a otro de la sala, preocupado. Se oye el tictac del reloj. Cuando está la mesa puesta, dice* ELOÍSA *a* FELIPA:)

ELOÍSA.—Trae la cena. (FELIPA *hace mutis por la ochava.)* Sentate, viejo. (ERNESTO *se sienta en una de las cabeceras de la mesa.)* Voy a avisar a los muchachos. *(Hace mutis por la izquierda.* FELICIA *se sienta al otro extremo de la mesa. Los dos se quedan pensativos.* FELIPA *aparece por la ochava trayendo una sopera que coloca sobre la mesa, y se retira. Por la izquierda,* ELOÍSA.)

ERNESTO.—¿Y los muchachos?

ELOÍSA.—Y... Dardito se ha encerrado en su pieza; dice que no tiene ganas de cenar.

ERNESTO.—¿Y Adela y Luis?

ELOÍSA.—Están arreglando los baúles; como vienen a buscarlos mañana a primera hora... La nena, encantada con hacer que ayuda, tampoco quiere venir. (ELOÍSA, *mientras ha hablado, ha servido sopa a los tres y se sienta también distanciada de ellos; ninguno come. Pausa.)* Comé, viejo.

ERNESTO.—*(Tomando una cucharada de sopa de mala gana y dejando la cuchara en el plato.)* Ya estoy comiendo. *(Pasea la mirada por los sitios vacíos. Con emoción.)* Va a haber que achicar la mesa.

FELICIA.—¡Papá!...

ERNESTO.—Vengan. Vengan más cerca. *(Señalando los dos sitios a su lado.)* Acá, vieja. Acá vos, m'hija. *(Vuelve a mirar la mesa después que las dos se han sentado a su lado.)* ¡Hay que achicar la mesa!... *(Con lágrimas en la voz.)* ¡Hay que achicarla! ¡Van volando todos con sus alegrías y sus ilusiones!... *(A* FELICIA, *con una gran amar-*

gura.) ¡Sólo vos quedás, porque te cortamos las alas!...
¡Perdónanos, m'hija!... ¡Perdónanos!...

FELICIA.—¡Papá!... No diga eso... Fué por mi felicidad... *(Llora inclinando la cabeza sobre la mesa.* ELOÍSA
llora también en silencio.)

ERNESTO.—*(Acariciando la cabeza de* FELICIA *y con
una honda amargura.)* ¡Sí, m'hija, sí!... ¡Por su felicidad!...
¡Por su felicidad!...

TELÓN

ACTO TERCERO

La misma decoración del acto anterior; los muebles, que también son los mismos, tienen marcadas visiblemente las huellas del tiempo. La mesa ha sido achicada; de la pared cuelga una fotografía grande de Eloísa, y en uno de los ángulos hay una radio. Verano. De mañana.

Al levantarse el telón se oyen en la calle los gritos característicos de los chicos jugando al "foot-ball" y una campana de tranvía que suena insistentemente.

CHICO 1.º—*(Dentro.)* ¡Asperese, no sea marmota! ¿No ve que estamos en una jugada difícil? ¡Metela, Pecoso, metele!

CHICO 2.º—*(Dentro.)* ¡Pasá pa acá, disgraciao! ¡Pasá pa acá! *(Por la izquierda, FELIPA, con melena, muy pintada y pollera corta.)*

FELIPA.—*(Cantando.)* ¡Negra!... Negra consentida... *(Pega un pelotazo en la celosía.)*

CHICOS.—*(Dentro.)* ¡Gol! ¡Gol!...

FELIPA.—*(Abriendo la celosía.)* ¡Che, aspamentosos! ¿No tienen otro sitio ande ir a patear?

CHICO 1.º—*(Dentro.)* ¡Guarda, que te cacha la tormenta!

FELIPA.—¡Yo les vi a dar tormenta, mocosos atorrantes! *(Por la ochava, VICENTE, "chauffeur" compadrito, que al ver que está FELIPA sola, se le acerca y la agarra por la cintura.)*

VICENTE.—¡Qué genio había tenido la viudita más linda del barrio!

FELIPA.—¡Cuidao! ¡No sea loco! ¡A ver si lo pescan! *(Cierra la celosía y la ventana.)*

VICENTE.—¡Qué van a pescar!

FELIPA.—Y menos confianza, que yo soy una viuda seria. ¿Eh? ¡Estése quieto con las manos!... ¡Cha, que había sido atropellador!

VICENTE.—¡Como pa no atropellarla, si es más linda que la Greta Garbo!...

FELIPA.—¡Salga de ahí con la "comparanza", si la Garbo parece una lombriz vestida!... ¡Si entuavía me comparase con la "Maldonal"!...

VICENTE.—¡Negra linda!... (Acercándosele bajito.) ¿Vamos el domingo al cine?

FELIPA.—No sé.

VICENTE.—¿Por?...

FELIPA.—Porque de salir juntos le pediría me llevase a otro lao.

VICENTE.—¿A otro lao? Donde quiera, mi alma.

FELIPA.—A ver a Boca y River, que juegan la final del campeonato.

VICENTE.—¡Ah la negra hincha!

FELIPA.—Pero si vamos, a la oficial, ¿eh? No como la otra vez, que me llevó a las populares, y cuando se armó la bronca, por poco me desnudan...

VICENTE.—Ya veremos.

FELIPA.—¿Por qué veremos?

VICENTE.—Porque pa la oficial ando muy pato.

FELIPA.—¿Y acaso no pago siempre yo?

VICENTE.—Es que me da calor... Y más no habiéndole entuavía devuelto los cincuenta mangos que me prestó el mes pasao.

FELIPA.—¿Y quién se los riclama?

VICENTE.—Nadie... Pero los puede necesitar.

FELIPA.—¡Qué vi a necesitar, si tengo cinco mil en el Banco!

VICENTE.—¿Cinco mil? ¡Mi negra!... (La quiere besar.)

FELIPA.—¡Cuidao, que oigo pasos!

Vicente.—¡¡Cinco mil!!...

Felipa.—Sí, pero... no se le haga agua la boca, porque no los puedo sacar sin la firma del patrón.

Vicente.—*(Aparte.)* ¡Sonaste, Varela!

Felipa.—¡Vayase, que viene la niña! ¡Que no le vea acá! *(Le obliga a hacer mutis por la ochava, y transición cantando un "fox" moderno. Por la izquierda aparece Felicia, trayendo un frasco y un cuchara.)*

Felicia.—¡Felipa!

Felipa.—¿Niña?

Felicia.—Por lo alegre que estás, me doy cuenta que no sabes qué día es hoy.

Felipa.—¿Qué día, niña?

Felicia.—Y... hoy hacen nueve años que murió tu marido.

Felipa.—*(Sin darle importancia.)* ¡Ah, cierto!... ¡No me acordaba!... *(Transición.)* ¡Diez años que se mamó bien mamao y no se dispertó más!...

Felicia.—Así es...

Felipa.—*(Transición.)* ¡Qué gran favor me hizo Dios en llevárselo!

Felicia.—Felipa, no me agrada que hables así. *(Llamando.)* ¡Papá!... ¡Papá!... Es inútil. En cuanto llega la hora de tomar la bebida, se esconde y no le encuentro por ninguna parte.

Felipa.—Yo lo vide en la cocina.

Felicia.—¿En la cocina?

Felipa.—Sí, niña; se encaprichó en que él quería hacer el churrasco pa el perro.

Felicia.—¡Hum! ¡El churrasco para el perro! Lo que va a hacer es comérselo él. Como el médico le ha prohibido la carne y no le damos... Pero ¡qué barbaridad! ¡Parece un chiquilín! *(En el momento que se dirige a la ochava, aparece Ernesto, limpiándose la boca.)* Mirá, papá, después no te vengas quejando que tenés dolores y no te sientes bien del hígado. (*Mutis de* FELIPA.)

ERNESTO.—(*Asombrado.*) Pero... ¿a..., a qué decis eso?

FELICIA.—Porque estoy segura que le has comido el churrasco al perro.

ERNESTO.—Pero ¡vos sos loca! Yo se lo corté y él se lo comió.

FELICIA.—Sí, ¿verdad? ¿Se lo mandaste por correo el churrasco?

ERNESTO.—¿Cómo por correo?

FELICIA.—¡Si hace dos días que el perro no está en casa! Está en la quinta de Ciudadela. (ERNESTO *tose, sin saber qué contestar.*) ¡Cómo sos, papá, cómo sos! Bueno, vení, tomá la bebida.

ERNESTO.—¿Otra vez? ¡Si hace diez minutos que acabo de tomarla!

FELICIA.—¿Sí? ¿Y dónde estaba el frasco?

ERNESTO.—¡Donde está siempre: en el aparador!

FELICIA.—No, papá; lo tenía yo escondido en mi cuarto. Esa trampa tuya también la conozco. Me haces creer que tomas las bebidas y la tirás.

ERNESTO.—¡Qué barbaridad! ¡Hoy me fallan todas! Y bueno, qué le vamos a hacer. Como decía el finado Rosendo cuando veía un vaso de agua: "¡Pa sufrir son los varones...!" (FELICIA *le sirve una cucharada y* ERNESTO *la toma haciendo gestos como si tomase veneno.*) ¡Qué porquería!... (*Suena el teléfono; lo atiende* FELICIA.)

FELICIA.—Sí, sí está, señor... ¿De parte de quién? ¡Ah! Muy bien. Un momentito, que voy a avisarle. (*Deja el tubo descolgado.*)

ERNESTO.—¿Quién es, che?

FELICIA.—El senador Galíndez, que quiere hablar con tío. (*En la izquierda.*) ¡Tío!

ALBERTO.—(*Dentro.*) ¿Qué querés? (*Aparece por la izquierda.*)

FELICIA.—El senador Galíndez lo llama por teléfono.

ALBERTO.—¡Qué barbaridad! *(Va al teléfono.)* ¡Hola! ¡Sí! ¿Cómo te va? Sí. Sí. Estoy en eso, m'hijo… Bueno… Entonces será hasta luego. *(Cuelga.)* ¡No me dejan un momento libre! Estoy estudiando el proyecto de legislación del trabajo. ¡Me han nombrado miembro informante y me tienen loco! *(Mutis de* FELICIA *por la ochava.)*

ERNESTO.—¡Je, je, je! ¡Qué formidable! Vos, que no has trabajado en tu vida, estudiando legislación del trabajo para los demás. Es cómico, ¿eh? *(Ríe.)*

ALBERTO.—*(Sentándose.)* ¡A mí, maldita la gracia que me hace! *(Por la ochava,* LIBERTI, *enojado.)*

LIBERTI.—*(Diciendo todo en el mismo tono.)* ¡Senvergüenzas! ¡Atorrantes! ¡¡Salute, mal educados…!!

ERNESTO.—Pero, ¡che!, ¿qué letanía es ésa? ¿Qué te pasa?

LIBERTI.—¡Los torrantitos esos del conventillo de la media cuadras, que me encacan un pelotazo, e cuando los voy a retar, el más chocotito, que está haciendo de "referií", se pone la mano así a la boca *(Lo hace.)* e… me larga un roidito…!

ALBERTO.—¡Ah, no te preocupés, gringo! ¡Está muy de moda eso!…

ERNESTO.—Lo aprenden en el cine. No hay película donde no hagan eso tres o cuatro veces. ¡No, si el cine es muy educativo! ¡Muy educativo!

LIBERTI.—E ben. ¿No vino carta per me?

ERNESTO.—¿Y quién te va escribir a vos? ¿Las novias?

LIBERTI.—¡Eh! ¡Quién sabe! No estoy tan foleros; per lo meno, yo puedo comer de todo, no come le pasa a alguno, que la van de buenos mozos e se alimentan co yuyos e cucharaditas de medicamentos.

ALBERTO.—¡Atajate esa serpentina!

LIBERTI.—*(Transición.)* Ben, ahora en serio: ¿no vino carta per me?

Ernesto.—No, no vino más que una de m'hija Margarita.

Liberti.—¡Eh! ¿De Marga? ¿E cosa dice la veuda?

Alberto.—Que la vida en Chile se le hace difícil porque aquello está malo...

Liberti.—¡Pobre mochacha!

Ernesto. Y que si no tengo inconveniente, que se vendrá con los nietos a vivir acá.

Liberti.—¿E cosa le vas a cuntestar?

Ernesto.—¿Y qué querés que le conteste? ¡Que venga! ¡Hum! *(Haciéndose el enojado.)* ¡Los hijos! ¡No se acuerdan de la casa de los viejos más que cuando están enfermos o necesitan amparo!

Liberti.—*(Haciéndole guiñadas a* Alberto, *con intención.)* ¡Cherto! Per eso e mecor no tener hicos, ¿verdad? ¿Vos has tenido tantos e de qué te sirven?

Ernesto.—*(Enojado.)* ¡De qué me sirven! Pero ¿vos te creés que los hijos se traen al mundo para que nos sean útiles, como una cosa, como un terreno, como una cuenta en el Banco? ¡Qué sabés vos lo que es un hijo! ¡De qué me sirven...! Para tener la alegría de saberlos fuertes, sanos, creando una familia y un hogar; para que los nietos hablen del abuelo y besen su retrato viejo que se guarda en la casa como una reliquia. ¡De qué me sirven!... ¡Ya me sirvieron, viejo zonzo! ¡Ya me dieron la alegría de verlos crecer, la pena de verlos enfermos, y esas alegrías y esas penas fueron otra vida que iban viviendo dentro de la nuestra y que sigue viviendo aún! ¡De qué me sirven, preguntás! ¿No lo estás viendo? Cuando dan manotones de ahogado se acuerdan de que acá está el viejo, el viejo que los puede amparar... ¡Que los va a amparar nomás, porque amparándolos me siento más joven, más fuerte, como cuando eran chiquilines!...

Liberti.—¡Ahjá! ¡Acá te quería agarar, conequitos; per eso te puse la trampera e cayiste! ¡Cada vez que yo defien-

do a los hicos, me sacodís con que son unos ingratos, e
ya me tenías seco co esto! ¡Ahora cantaste flor e truco
derecho, vieco nomás!

ALBERTO.—¡Je! ¡Te agarró bien el gringo!, ¿eh? ¡Je,
je! ¡Y tiene razón! ¿Para qué te hacés el cabrero, si se te
está cayendo la baba sólo de pensar que vas a tener acá
a la hija y a los nietos...?

ERNESTO.—¡Qué se me va a caer la baba!

LIBERTI.—¡No, qué esperanza! Come recién nos conocemos, nos pedés engañar. Salí, salí. E da gracia a Dío de
que se acuerden de so casa, de esta casa... ¡Quién podiera
decir lo mismo! (Transición.) Yo tengo muchas casas...,
muchas... ¡E sen embargo, no tengo me casa, la mía!...
Que e tenerlo todo, perque allá está el cariños, el refugios
de las penas, la mano que te han de acariciar la bianca
testa... (Con emoción.) ¡Qué importa haber comprado la
cuatro paredes de ina casa, se adentro de ella no hay el
bien y de ahí el "jazz", el cubismo. ¡Los versos sin metro
ni ritmo, cariño que le da calor...! ¡Que no sé lo que es
un hico, decís! ¡Ah! ¡De tanto pensar a él, puede que lo
sepa mecor que vos, que has tenido tantos...!

ERNESTO.—Pero, che, gringo, los años te están convirtiendo en una vieja llorona...

ALBERTO.—¡Que no se diga!

LIBERTI.—¿E cosa querés? ¡Este senvergüenza me ha-
bia de los hicos, e él sabe que no me puede hablar de
esto! ¡Hasta me da la fatigas...! (Por la ochava a la segunda izquierda cruza MUCAMA, que es fea como una mona.
ALBERTO y LIBERTI la miran asombrados; cuando ha hecho mutis la MUCAMA, ALBERTO dice:)

ALBERTO.—Che, ¿ésa es la nueva mucama?

ERNESTO.—Sí, ¿qué hay?

ALBERTO.—¡Qué loro! ¡No hay derecho! Esta sobrina
parece que las elige en el zoológico.

LIBERTI.—¡Cherto! Esta se ha escapado de la caula de los orangutanes.

ERNESTO.—Y... Ustedes tienen la culpa. Las lindas no quedan dos días en casa...

LIBERTI.—Per culpa de éste, que es un atropellador. *(Por* ALBERTO.)

ERNESTO.—Y tuya también. Que las hacés subir la escalera para limpiar todos los días la banderola de tu pieza, y mientras ellas están arriba, vos andás a cuatro patas diciendo que has perdido un botón.

LIBERTI.—Che, yo no tengo nechesidad de tener cumpromisos a la casa, e más habléndome hecho el favor de tenerme come de la familia. Yo tengo más programitas fuera...

ERNESTO.—¡Mírelo al caburé! Y una vez que hizo una conquista en un cine..., le robaron la cartera.

ALBERTO.—¡Ah! Pero ¿este gringo asmático va a buscar conquistas al cine?

LIBERTI.—Sí, como que vos no haberás ido nunca...

ALBERTO.—Yo no he necesitado ir a buscar conquistas, porque las conquistas me han venido a buscar a mí.

ERNESTO.—¡Miralo al gallo de espolones...!

ALBERTO.—No, si no es que quiera darme corte delante de ustedes; es que como siempre he tenido la facilidad de poder conseguir empleos, venían las viuditas y las pibas a pedírmelo, diciéndome que ya me lo sabrían agradecer, y..., efectivamente, las pobrecitas sabían agradecérmelo.

ERNESTO.—Sí, pero es historia de hace muchos años. Ahora, cuando viene una mujercita a pedirte un empleo, no se lo conseguís; no por falta de voluntad, sino por miedo al agradecimiento. *(Ríen los dos.)*

ALBERTO.—¡Salí, qué voy a tener miedo! ¡Le doy ocho cuerpos de ventaja a cualquiera de los dos!

ERNESTO.—¡Mirá!

LIBERTI.—¡Ocho cuerpos, e no sale de noche perque lo afoga el asma!

ALBERTO.—No salgo porque Buenos Aires es un opio. Antes daba gusto. Lo de Hansen, lo de Harguindegui, el Aués Keller... Ahora todos son "buats". ¡Buá! ¡Hasta el nombre parece de una cosa que repugna! La muchachada, para divertirse, se pone gorrito de papel de color, y andan con una cornetita *(Imitando que toca.)* "Tu, tu, tu." ¡Si en mis tiempos cae a lo de Hansen un tipo con gorrito de papel y una cornetita, no quedan ni los botines!

LIBERTI.—*(Que se ha acercado a la ventana y levantado un poco el visillo.)* ¡Miren! ¡Miren quién va por enfrente! *(Los otros se acercan.)* ¡La carbonera! ¡Qué rica está!

ALBERTO.—¡Salí de ahí, qué querés si tiene como cuarenta años!

ERNESTO.—¡Mirá el pibe! ¿De cuántos querés que te las traigan? ¿De dieciséis?

ALBERTO.—Esa que va a pasar ahora, ésa sí que está bien.

ERNESTO.—¡Mucha carne pa dentadura postiza!

LIBERTI.—¡Linda!, ¿eh? E la hica del procurador ese, que vive a la media cuadra.

ERNESTO.—Pues ella, por lo ligerita de ropas y por el movimiento, parece que va procurando también.

LIBERTI.—¡Dío! Se a nuestro tiempos saliera una muchacha así a la calle...

ERNESTO.—Y... qué querés, gringo, son cosas del tiempo. Todo cambia. Ahora estamos en el siglo de la estridencia y de la "reclame" escandalosa. Las generaciones nuevas lo saben muy bien, y de ahí el "jazz", el cubismo, los versos sin metro ni ritmo, la propaganda de un laxante entre un verso de Rubén Darío y una sonata de Beethoven... Estamos en el siglo de la radio, y la mujer, metiéndole "rouge" a los labios, rímel a los ojos y usando esos

trajes anatómicos que lo marcan todo, no hace más que
ir con la época. Le ponen altoparlante a sus encantos...

LIBERTI.—Ma e una vergüenza.

ALBERTO.—¡Qué sé yo, che! Le damos mucha importancia a nuestra conducta en la vida. Quizá si los hombres
nos despojásemos de todas esas leyes morales que amasadas constituyen la conciencia, seríamos más felices.

ERNESTO.—¡No digas macanas! Sin conciencia, la vida
sería imposible.

ALBERTO.—¡Qué pavada! Los sinvergüenzas no la tienen, y ya ves que viven con toda tranquilidad.

ERNESTO.—¡Lindo concepto!

ALBERTO.—¡El concepto exacto, cuñado! Aquí mismo...
nosotros. Ustedes han sido todo lo honesto que se puede
ser en la vida. Yo busqué la plata donde la había y el
placer donde lo encontré; no me detuvo ningún prejuicio
ni me torturó ningún remordimiento, y aquí estamos al
final de la vida. ¿Qué nos diferencia? ¿El concepto público? Los ha olvidado a ustedes por completo; del único
que se acuerda es de mí, para decir: "No tenía escrúpulos, pero... ¡qué energía, qué visión de la vida!" (Transición.) ¡Hasta puede que algún día tenga una estatua en
alguna plaza...!

ERNESTO.—¡Todo es posible, tal como va el mundo...!

LIBERTI.—Sí, acá va bien; ma ¿a la otra vidas?

ALBERTO.—En la otra, si la hay, puede que también
sepa acomodarme. Por lo pronto, llevo la práctica de ésta,
cosa de que ustedes carecen. ¡Giles! Y me voy a seguir estudiando la legislación del trabajo... para los demás. (Mutis por la primera izquierda.)

ERNESTO.—A éste, cuando se muera, no va a hacer falta embalsamarlo. De puro fresco, se va a conservar como
en "Frigidaire"... (Suena el teléfono y va a atenderlo LI-
BERTI.)

LIBERTI.—¡Hola! Sí... Sí... (Mira recelosamente para

ERNESTO.) Entonces, ¿fracasó aquello? ¡Eh! ¡Qué le vamos a hacer! No hay que desesperarse por eso. *(Muy bajo.)* ¿E cuánto nechesitas? Ben. Yo mismo te llevaré el cheque. *(Viendo que se le acerca* ERNESTO.*)* Sí, señora, sí.

ERNESTO.—¡Yo te voy a dar señora a vos!

LIBERTI.—¿Eh? ¿Cosa...?

ERNESTO.—Decile que venga.

LIBERTI.—¿A quién?

ERNESTO.—¡A Eduardo! ¿Te creés que no sé que estás hablando con él?

LIBERTI.—¡Te curo que...!

ERNESTO.—¡Dame el tubo!

LIBERTI.—Ma te digo que...

ERNESTO.—*(Quitándole el tubo de la mano y hablando.)* Eduardo, cuando salgás del escritorio, venite para acá. *(Pequeña pausa.)* ¿Te crees que tu padre es un ogro? ¡Venite para acá te digo; ya vamos a hablar! *(Cuelga.)*

LIBERTI.—¿E por qué lo hacés venir? ¿Per gusto de avergonzar al muchacho?

ERNESTO.—¡Soy su padre!

LIBERTI.—*(En tren de pelea.)* ¡E yo soy su padrino! ¡Qué corobar!

ERNESTO.—*(Idem.)* ¡¡Vos serás lo que te dé la gana; pero mientras yo viva no voy a permitir que mis hijos tengan necesidad de pedirle nada a nadie!!

LIBERTI.—¡Eh! ¡Merá con la compadrada que me sale! ¡Desde que volvió de Francia te ha pedido como tre o cuatro veces, e siempre lo largaste parado! ¿Qué querés? ¿Que se muera de hambre él, la muquer e los chicos?

ERNESTO.—¡Quiero que aprenda a ser hombre, que a pesar de los años aún no lo sabe ser! Cuando le dió la locura de marcharse a Francia, dejando la carrera, doliéndome mucho, tenía una íntima satisfacción porque decía: "Y... bueno, ¡qué embromar! ¡Es de hombre poner pecho a la vida!" Después, cuando los negocios se vinieron abajo y lo agarraron mal, hipotequé esta casa, también con gusto, porque meterse en empresas grandes también es de hombre y más de hombres jóvenes. ¡Pero ahora no! ¡Ahora no! Porque acobardarse delante de la vida cuando hay hijos detrás, no es de hombre. Si yo me hubiera acobardado como él, ahora no tendría una casa adonde venir a pedir amparo.

LIBERTI.—*(Cada vez más enojado.)* ¡E qué nechesidá tiene mi ahicado de hacer el limosnero, a venir acá a escochar tos sermones, vieco gruñón, se me tiene a mí, que soy su padrinos e tengo ma plata que vos, e si me da la gana de romperle la cara a todo lo pesos se la rompo, ¡e basta!, perque e mía!

ERNESTO.— *(A gritos.)* ¡Así es como lo has echado a perder! ¡No se preocupa porque sabe que en cualquier situación difícil está el gil del padrino, que va a largar la plata!

LIBERTI.—¡Che, che, che! ¡Eso de "quil" no te lo voy a permitir!

ERNESTO.—¡Qué no vas a permitir! ¡Qué no vas a permitir! ¡Te lo digo aquí y en cualquier parte! (FELICIA, *que aparece por la ochava, asombrada ante el griterío.)*

FELICIA.—Pero ¿qué pasa?

LIBERTI.—*(Ahogado por el asma.)* ¡Salí a la calle se sos hombre!

ERNESTO.—*(Echándose mano al hígado.)* ¡Y claro que..., y claro que salgo! ¡Que... sal... go! ¡Es..., es... te gringo me va a matar! *(Los dos se dejan caer en sendos sillones:* ERNESTO, *quejándose del hígado, y* LIBERTI, *semiahogado.)*

FELICIA.—Pero, ¡papá! ¡Liberti! ¿Están locos? *(Por la izquierda,* ALBERTO.)

ALBERTO.—Pero, che, ¡qué escándalo! ¡Parecen dos viejos conventilleros!

ERNESTO.—¡Andate un poco al cuerno vos también! ¡Coimero!

ALBERTO.—*(Enojado.)* ¡Che, che, che! ¡No te lo permito!

ERNESTO.—¡Qué me importa que me permitás o no me permitás! Tanto compadrear de honesto, cuando todos sabemos que en plena Cámara, cuando te pedían tu voto para un asunto, se te escapó decir al levantarte: "¿Cuánto voy tirando?"

ALBERTO.—*(Desesperado y con tos.)* ¡Eso es una calumnia! ¡Una calumnia! ¡Vas a retractarte ahora mismo, o...! *(Le da un fuerte golpe de tos que lo sienta en una butaca.)*

FELICIA.—Pero, ¡tío!, ¡papá!, ¿se han enloquecido? ¡Vamos! *(Tomando cosas del aparador y haciendo lo que dice.)* Tome sus píldoras, tío. Y vos el jarabe, papá. Tome usted el inhalador. *(Pequeña pausa en la que van reaccionando.)*

ERNESTO.—*(Que va reaccionando poco a poco, mirando rencoroso a* LIBERTI.*)* Siempre se han de meter en los asuntos de familia los extraños... ¡Así es como agradecés la hospitalidad que te doy en mi casa...!

LIBERTI.—*(Sin dejar de usar el inhalador de cuando en cuando.)* ¡Oh! ¡Qué tanto corobar con la hospetaledá!... ¡Se estorbo, me voy e chao!

ERNESTO.—¡Y andate de una vez!

LIBERTI.—¡Ah! ¿Me echás? ¡Ben! ¡Ahora no me da la gana! ¡No me voy!

FELICIA.—Pero bueno, bueno. Tranquilícense. Tranquilícense. ¿Por qué se han enojado? ¿Qué pasó?

LIBERTI.—Este vieco amarrete allá, que perque yo he ayudado a Eduardo alguna vez con unos pesos, se me viene come leche hervida diciéndome que yo le estoy echando a perder el hicos.

ALBERTO.—¡No le hagás caso, gringo! ¡Qué sabe este infeliz lo que es la vida!

ERNESTO.—¡Claro! ¡Vos encontrás muy lógico que ande mangando a los extraños!

LIBERTI.—¡Eh, che, che, che! ¡Que yo no soy extraño! ¡Soy so padrinos! ¡Que e más que padre, perque e un padre per cariño, no per ley de vida!

FELICIA.—¡Bueno, bueno! ¡No griten, no griten! ¡No vayan a comenzar de nuevo! Total, ¿qué pasa? ¿Que usted le ha dado unos pesos a Eduardo porque el pobre está en una mala situación? Eso no es para enojarse, papá, sino para agradecerle.

LIBERTI.—¡Qué agradecer, agradecer! ¡Merá co lo que sale! ¡Van a venirme co agradecimientos a mí, que los he visto nacer a todos...! ¡Agradecer! No tengo parientes, no tengo hicos... ¿Per quién va a ser la plata mía?

ERNESTO.—Sea para quien sea, yo no critico tu generosidad; critico que me lo hagas flojo para la vida, que no sepa él mismo resolver sus problemas.

ALBERTO.—¡Ahí te doy la razón, cuñado! El hombre debe ser hombre siempre. ¡Hombre derecho, porque...!

ERNESTO.—¡Mirá, dejate de macanas!

ALBERTO.—Pero, che, ¿es que tampoco voy a poder opinar en esta casa? ¡Está bien! ¡No te extrañe que mañana venga a buscar un carro todos mis enseres! *(Mutis a su pieza dando un portazo.)*

FELICIA.—Pero, papá, ¿por qué le dice...? A lo mejor se marcha.

ERNESTO.—¡Qué se va a ir, si hace veinte años que está diciendo lo mismo y nunca se va!... ¡Y si se va, que se vaya, qué embromar!

FELICIA.—Bueno, cálmese, cálmese.

ERNESTO.—¡Hoy me van a oír las verdades todos! ¡Verás las que le voy a cantar a Eduardo cuando venga!

FELICIA.—Pero ¿va a venir?

LIBERTI.—Lo llamó él per teléfono per darse el gusto de avergonzarlo acá.

FELICIA.—No... No crea. ¿Verdad, papá, que no lo va a retar?

ERNESTO.—Y... Si te parece, que venga él a retarme a mí.

FELICIA.—No, papá; ya sé que no. Usted no lo merece, ni él se atrevería a hacerlo por el respeto que le tiene. Pero sea razonable. Si en la vida no supiéramos perdonar los errores de los demás, ¿qué sería de nosotros? Todos tenemos algo que perdonar... ¡Sea bueno una vez más! Cuando venga Eduardo no le diga nada, que demasiada amargura tendrá él con lo que le pasa. ¡Aquí puede rehacer su vida! Teniéndole usted a su lado, podrá aconsejarlo directamente y, además, tendrá acá a los nietos, y mire por dónde su sueño de siempre se va a realizar. Si Marga se decide a venir y Eduardo se instala aquí, vamos a estar todos reunidos otra vez. Todos... *(Mirando el retrato de* ELOÍSA.) menos ella, que seguramente ha de bendecirnos por ser buena con los que quiso tanto en vida. ¡Pobre mamita! *(Transición.)* ¿Verdad que no lo va a retar a Eduardo?

ERNESTO.—*(Que está mirando el retrato.)* No, m'hija.

FELICIA.—Bueno. Pues a no enojarse más, que le hace mal.

LIBERTI.—Yo no me enoco, grito, ma no me enoco.

ERNESTO.—Ni yo tampoco. ¿Te he tratado groseramente a vos?

LIBERTI.—¡No! ¡Qué esperanza!

FELICIA.—Bueno, mejor así. *(Mutis por la ochava.)*

LIBERTI.—*(Viéndola marcharse.)* ¡E una santa! E pensar que se yo hubiera dicho una palabra... *(Reflexionando un momento.)* Ma... Decime un poco. Se vienen todos, come van a venir, ¿dónde voy parar yo? Piezas por todos no hay. *(Con cierto temor.)* ¿Me voy a tener que ir?

ERNESTO.—Y...

LIBERTI.—¡Cume! ¿Me voy a tener que ir ahora que vienen todos? ¿Me vas a decar sen casa? ¿Vas a tener corazón per eso? ¿Decime? *(Emocionado.)*

ERNESTO.—¡No, gringo, no! *(Palmeándole.)* ¡Faltaría más! A vos te guió siempre el desinterés. Has dado amistad, cariño, plata, sin pedir nada. ¡Tenés bien ganado tu sitio en esta casa! ¡Bien ganado!

LIBERTI.—¡Callate, zonzo! ¡Qué desinterés ñe qué macanas! Fué el egoísmo; no se lo digás a nadie, ma fué el egoísmo.

ERNESTO.—¡Salí de ahí!

LIBERTI.—¡Te curo! El egoísmo de toner una familia que no supe hacer, el egoísmo de sentir un poco de calorcito de nido... ¡Egoísmo puro, vieco! ¡Egoísmo puro! *(Por la ochava, FELICIA y TOTA, que es una niña ultramoderna que viste a la moda, sin medias, y trae una pequeña valija de mano.)*

FELICIA.—¿De modo que has venido sola?

TOTA.—Sí, tía, ya les contaré.

FELICIA.—¡Papá! ¡Tío! ¡Miren qué sorpresa!

TOTA.—¡Abuelito!

ERNESTO.—¡Tota! ¡Totita! *(Se abrazan. Por la izquierda, ALBERTO.)*

ALBERTO.—¿Qué? ¿Qué hay?

TOTA.—*(Abrazándolo.)* ¡Tío abuelo!

ALBERTO.—¡Ah! Pero suprimime lo de abuelo, sobrina. Decime tío nomás.

TOTA.—¡Qué rico tipo! ¡Se quiere hacer pasar por joven; pero a pesar de la biaba, se ve que está bastante grogui!

ALBERTO.—No creas, m'hija, no creas.

ERNESTO.—¿No conocés al señor? Es Liberti.

Tota.—De nombre, mucho; he oído hablar tanto de él en casa, que es como otro abuelito.

Liberti.—*(Encantado.)* ¡Come otro abuelito, dice! ¡Eh! ¡Qué sempáteca! Ma, Dío, qué grande ha venido, ¿eh?

Ernesto.—¡Y linda!

Alberto.—¡Y fuerte!

Tota.—El ejercicio, tío; hago mucho "sport". Tengo unos músculos en las piernas... Mire..., mire... *(Levanta las polleras y enseña las piernas hasta medio muslo.)*

Ernesto.—*(Un poco molesto.)* Sí, mi hija, sí. Ya vemos. Ya vemos.

Tota.—¡Mire al tío abuelo, cómo se le van los ojos por las piernas! ¡Ah, si yo no fuera su sobrina, no le digo niente!

Alberto.—No, mi hija, yo siempre he sido...

Tota.—*(Cortándole la frase.)* Sí, ya sé: ¡un hombre derecho! *(Ríen todos.)*

Liberti.—¡Qué rica tipa!

Ernesto.—¡Cómo te embromó, che!

Alberto.—*(Aparte, molesto.)* ¡Esta sobrina es más fresca que una lechuga!

Tota.—*(Mirándolo todo.)* ¡Qué viejo está todo! ¿Por qué no comprás muebles nuevos, abuelito? Todo esto está ya para jubilarlo.

Ernesto.—Así es. ¡Todo viejo: la casa, los muebles, nosotros..., nuestros recuerdos...! ¡Todo viejo, todo desteñido, todo apolillado..., callados...! *(Señalando las cosas según las va nombrando.)* En esa butaca me sentaba a tomar el sol cuando la convalecencia, en ella me fuí poniendo fuerte otra vez. Esta es tu silla, tu silla de cuando eras nena. ¡Si vieras con la pena con que la acercó a la mesa la abuelita la noche antes que te fueras a Francia con tus viejos!... Esta es la cuchara con la que tomaron la primera sopa todos los hijos; tu mamá también.

TOTA.—*(Con emoción.)* A ver, abuelito. *(Se queda con la cuchara entre las manos.)*

ERNESTO.—En este sofá dormía yo cuando la vieja enfermó y no había esperanza de salvarla. En ese brazo ha de estar el amargor de muchas lágrimas que lloré en silencio. ¿Ves cómo todo tiene su historia? ¿Qué podría recordarme los muebles nuevos? Serían como unos extraños en la casa.

TOTA.—Perdóneme, abuelito. Comprendo..., comprendo. Si me quedo aquí, ¿me dejarás tomar la sopa con esta cuchara?

ERNESTO.—¡Ajá! Ya veo que comprendés el valor de las cosas viejas y me alegra, ¿eh? ¡Me alegra! ¡Vení, sentate acá! *(Indicándole.)* Contame, que aún no sabemos a qué se debe este milagro.

LIBERTI.—¿Dónde quedaron los viecos?

TOTA.—En Rosario.

FELICIA.—¿En Rosario?

ALBERTO.—Pero, ¡cómo!, ¿no han venido tus padres contigo?

TOTA.—No. Vine yo sola.

ERNESTO.—¿Sola?

TOTA.—Sí, abuelito. Me escapé de casa.

TODOS.—*(Asombrados.)* ¿Eh?

TOTA.—Sí, no se asombren. Me escapé con mi novio. Papá y mamá se oponen a que tenga relaciones con él, y como yo lo quiero...

ERNESTO.—Pero ¡eso es una locura! ¿Cómo te has atrevido a venir a mi casa? ¿Te crees que voy a autorizar semejante disparate?

TOTA.—¡Sí, abuelito! Si no lo creyera, no hubiera venido.

ERNESTO.—Pues estás equivocada.

FELICIA.—Pero, criatura, ¡fugarse...!

LIBERTI.—¡Dío cheleste!

ALBERTO.—Pero ¿cómo se te puede haber ocurrido que nosotros…?

TOTA.—Mirá, tío: vos no hablés, porque vos tenés tu historia. Además, aún no saben de qué se trata. Primero escuchen y después opinen.

ERNESTO.—Pero ¡qué querés que opinemos, si ya cometiste la locura de…!

TOTA.—No te apresurés a opinar, abuelo, no prejuzgués. Yo vine sola y Roberto vendrá luego acá donde nos hemos citado. ¿Qué mal hay en esto?

LIBERTI.—Ma la quente no pensará que las cosas pasaron así.

TOTA.—¡Ah! ¡A mí me importa un pito lo que pueda pensar la gente; yo tengo mi conciencia tranquila, y eso basta! *(Saca de una cigarrera un cigarrillo.)* ¿Les molesta que fume? *(Lo enciende entre el asombro de todos.)*

FELIPA.—*(Que aparece por la ochava con un mate, asombrada al verla fumar.)* ¡Jesús!

FELICIA.—*(Ofreciéndole el mate.)* ¿Querés?

TOTA.—No. Prefiero un copetín.

ERNESTO.—¿Un copetín?

ALBERTO.—En eso te parecés a mí.

TOTA.—Dejá, yo misma lo preparo. *(Abre el aparador, mezcla en una coctelera y bebe.)*

FELIPA.—*(Haciendo mutis con el mate.)* ¡Y yo que le rezongaba a mi Rosendo porque tomaba una cañita, y ésta mezcla de todo…! *(Mutis.)*

TOTA.—*(Después de beber.)* Pues sí, abuelito; la vida se nos hacía imposible. Una cosa tan alegre como es la vida, y nos la amargaban. Por eso decidí fugarme.

ERNESTO.—Pues has cometido una gran locura.

LIBERTI.—¡Claro que sí! (ALBERTO *va a opinar, pero se contiene.)*

TOTA.—Si nos hubiéramos venido acá así nomás, sería una locura. Pero antes de fugarnos conseguimos dos em-

pleos aquí en Buenos Aires: él en un negocio de un tío
y yo de mecanógrafa. Mañana empezamos a trabajar y
a ganar nuestra vida. Como vivir sola no me parecía bien,
me dije: "Si abuelito es razonable y me acepta en su casa,
viviré en ella hasta que nos casemos; si el abuelo no es
razonable..., nos iremos a vivir juntos desde ya."

ERNESTO.—¡Tota!

TOTA.—A la misma casa, abuelo... No te escandalices
sin motivo.

ERNESTO.—Pues ¿sabés lo que te digo, nena? ¡Que yo
no puedo autorizar lo que tus padres no autorizan!

TOTA.—¿No me aceptás en tu casa? ¡Qué lástima! Pero,
en fin, ¡tan amigos! Nos iremos a una pensión.

ERNESTO.—Usted no saldrá de esta casa hasta que sus
padres vengan a buscarla.

TOTA.—*(Muy tranquila.)* Mirá, abuelito: tragedias, no.
Ya pasó esa época. Soy mayor de edad... Sé mis derechos...

FELICIA.—Pero no importa que seas mayor de edad,
Tota...

LIBERTI.—Cuando tus padres no aceptan esas relaciones, por algo será.

ALBERTO.—¡Claro! ¡Ellos no pueden desear más que
tu felicidad!

TOTA.—Mirá, tío: la felicidad es una cosa que nace en
el corazón y no en el cerebro. ¿Qué pueden saber de mi
felicidad los demás? Yo respeto mucho a mis padres en
todo lo razonable; en esto, no. Tengo criterio suficiente
para juzgar mis actos, tengo independencia en mi vida,
puesto que sé ganármela. Si yo aceptase la imposición de
mis padres y fuese desgraciada para toda mi vida, ¿quién
me compensaría de ese error de ellos?

ERNESTO.—¿Y si lo sos por no obedecerlos?

TOTA.—¡Ah! ¡Es un acto mío, abuelito, y en mi propia
voluntad encontraré la compensación...!

ERNESTO.—¡Qué vas a encontrar! ¡Qué sabés vos de la vida!

TOTA.—De mi vida, más que nadie, abuelito.

ERNESTO.—Pues a pesar de todo, debes volver a tu casa, aceptar el consejo de tus padres, dejar a ese mocito.

FELICIA.—*(Casi en un grito.)* ¡No! ¡Eso, no!

ERNESTO.—¡Felicia!

FELICIA.—*(Sin atenderlo.)* ¡Eso, no! ¡Sigue tu vida, que te guíe el corazón en ella!

ERNESTO.—Pero, Felicia, ¿qué decís?

FELICIA.—Perdóname, papá; pero en un momento he visto toda mi vida deshecha, toda la amargura de no haber tenido el valor de rebelarme como ella. *(A* TOTA.) ¿Lo querés? Pues lucha por tu amor, salta sobre todos los prejuicios... Huye con él lejos, que yo sé lo que es la amargura que los demás se empeñaron en matar y que vive y crece cada vez más en nuestro corazón. No cedas a ningún consejo... ¡Ni al de tus padres! *(A* ERNESTO, *abatida y llorosa.)* Y... perdóname, papá..., perdóname..., porque yo sé la que te causo con esto, pero no he podido callar. *(Se reclina en él, llorando.)*

ERNESTO.—*(Con gran emoción.)* Lo comprendo, m'hija. Es como un dique que se rompe. *(A* TOTA.) Quedate. Yo les escribiré a tus padres. *(A* FELICIA.) No llorés vos, m'hija, que no tengo nada que perdonarte, sino vos a mí. Vayan. Vayan. Lleve a su sobrina, que se arregle. Prepárale la pieza. Usted la cuidará como una mamita, ¿no, m'hija? Vayan, vayan. *(Mutis* FELICIA *y* TOTA *por la ochava, abrazadas. Pequeña pausa.)* Con tanto repetirnos las cosas la vida, no queremos aprender nunca. Tenía razón Alberto: nos clavan, de muchachos, un concepto moral en el alma y nos resistimos toda la vida a desprendernos de él.

LIBERTI.—E que la vida adelanta en las cosas materiales mucho más rápido que a las cosas de la conciencia.

ALBERTO.—Y ahí está el desequilibrio que notamos los viejos; en la época del aeroplano queremos que la moral siga usando el miriñaque del tiempo de nuestros abuelos, y eso no es posible. *(Por la ochava, FELICIA, y tras ella, EDUARDO.)*

FELICIA.—Papá, aquí está Eduardo.

EDUARDO.—*(Acobardado, inclinando la cabeza.)* ¡Viejo!

ERNESTO.—*(Después de mirarlo un momento con emoción, moviendo la cabeza.)* Así, como estás ahora, me recordás una vez que en el patio te sorprendí queriendo ser hombre. ¿Te acordás? Estabas todo avergonzado, sin saber qué decir.

FELICIA.—Papá, usted me prometió que...

ERNESTO.—Si no es retarlo, m'hija, es recordar... Aquella tarde misma se puso usted los pantalones largos. ¿Recuerda lo que le dije abrazándolo?

EDUARDO.—Sí, papá.

ERNESTO.—Y... bueno *(Acercándose más a él.)*. Levante la cabeza. ¡Míreme! ¡Ahora que tiene ya canas, su viejo le vuelve a decir lo mismo *(Muy emocionado.)* y con el mismo cariño, m'hijo, con el mismo cariño. *(Lo abraza ahogándolo las lágrimas.)*

FELICIA.—Papá, que le va a hacer mal.

LIBERTI.—*(Con la voz cortada por las lágrimas.)* Che, vieco, que te va a doler el hígado.

ERNESTO.—Estás más flaco, m'hijo.

EDUARDO.—Y... viejo. Las preocupaciones. Si fuera solo, vaya..., pero ¡los hijos!

FELICIA.—No te apenés, que todo se va a arreglar, ¿verdad, papá?

ERNESTO.—¡Claro que sí! Por lo pronto, ya hemos pensado que se venga acá a casa. Me darán una gran alegría.

LIBERTI.—¡E cómo no! Acá está el padre, acá está el padrino, que le vamos decar todo bien areglado. ¡Ma areglado a la antiguas!, ¿no, vieco?

ERNESTO.—Así es. A la antigua. Porque la felicidad de hoy no es como la de antes, que estaba en el deber cumplido, en la conciencia tranquila, en la paz del hogar; ahora, como todo anda revuelto, está en la apariencia, está en el auto, en las alhajas, en la camisa de seda, en el talonario de cheques que se saca pomposamente para extender uno por dos pesos setenta... y sin fondos. Nos acostumbró mal la guerra, m'hijo; queremos sostener el tren de lujo que aquella locura nos proporcionó, y nos resistimos a volver a los tiempos normales. Pero hay que volver. ¡Hay que vender el auto! ¡Acostarse en un catre de tijera, que en ese catre, m'hijo, vas a dormir muy bien si has caminado todo el día a pie, si has ganado el pan, no con el desgaste de las cubiertas, sino como manda Dios, con el sudor de tu frente!

EDUARDO.—Así lo haré, viejo.

ERNESTO.—Y, bueno, m'hijo. ¡Vaya a buscar a los suyos! ¡Vaya rápido! ¡Que ya es tarde y quiero que coman todos en casa! *(Inicia el mutis* EDUARDO *con* FELICIA.)

FELICIA.—*(A* EDUARDO, *al mutis.)* Está como chiquilín con botines nuevos. *(Mutis por la ochava los dos.)*

ERNESTO.—Vos, Alberto, y vos, Liberti, ayúdenme a poner las tablas de la mesa. *(Empiezan a sacar las tablas de detrás del aparador.)* ¡Hay que agrandarla!... *(Mirando el retrato de* ELOÍSA.) ¡Hay que agrandar la mesa, vieja! ¡Lástima que vos no estés aquí para ocupar tu puesto! ¡Mi vieja linda! ¡Mi vieja linda! *(Telón.)*

FIN DE
"ASÍ ES LA VIDA"

CONRADO NALÉ ROXLO

LA COLA DE LA SIRENA

COMEDIA EN TRES ACTOS Y SIETE CUADROS

CONRADO NALÉ ROXLO

A
ENRIQUE GUSTAVINO

Esta obra fué estrenada el 20 de mayo de 1941, en el teatro Marconi, de Buenos Aires, con el siguiente

REPARTO

ALGA LA SIRENA	Delfina Jaufret.
PATRICIO	Américo Vargas.
GLORIA	Olga Hidalgo.
EL CAPITÁN	Francisco López Silva.
LÍA	Elsa Martínez.
PIETRO	Arturo Bamio.
MARCELO	Eduardo Riveira.
TÍA JOVITA	Rosa Cata.
MARGARITA	Lilian Ocampo.
MADRE DE GLORIA	Carmen Heredia.
EL NEGRO	Vicente Alvarez.
DON BELARMINO	Rafael Diserio.
PADRE CUSTODIO	Reinaldo Navarro.
DOCTOR NÚÑEZ	Juan Fajardo.
LUCAS	Juan Kreunier.
EL JAPONÉS	Guillermo Costera.
LANGARONE	Arturo Bamio.
MARTIRENA	Horacio Lezama.
Una MUCAMA	Clara Grum.
UN MOZO	Juan Kreunier.
Un OBRERO	Rafael Diserio.
Otro OBRERO	Carlos Bianquet.
Un VIEJO MARINO	Domingo Pantanela.
MIGUEL	Carlos Bianquet.
EL COCINERO	Vicente Sassone.
ACORDEONISTA	Gregorio Gigan.

ACTO PRIMERO

CUADRO PRIMERO

La cubierta de un velero. La proa se supone a la izquierda. A popa, una caseta con puerta al centro y a un pasaje que debe quedar entre ella y el público. Otro igual del lado del mar. Al centro, gran mástil cuyo tope se pierde en la altura, con cuerdas y una escala. Hacia proa, una escotilla y otra caseta, muy baja, delante de la cual habrá plantas en tarros y macetas. En la pared, un acordeón y una jaula con un canario. Entre el mástil y los camarotes de proa, una mesa y dos sillones de paja. Junto a los camarotes, una larga reposera de caña de la India con vistosa colchoneta. En primer término, un gran rollo de sogas y un ancla.

Al fondo, el mar en calma y un hermoso crepúsculo tropical.

Al levantarse el telón, MIGUEL, sentado contra la borda del foro, compone una red. PIETRO riega las plantas. LUCAS, en primer término, trajina con unos viejos faroles; a su lado, EL NEGRO, que lleva por todo traje un pantalón azul remangado hasta las rodillas.

El barco se llama "Stella Maris".

PIETRO.—Son guapas mis plantas, ¿eh?... Con el aire del mar y tan poco riego, no sé cómo aguantan. *(Arranca una hoja seca. Al canario:)* "Caruso" también es guapo, ¿eh?...

MIGUEL.—*(Sin levantar la cabeza de su trabajo.)* Todos somos guapos aquí... (EL NEGRO *ríe con risa infantil.*)

LUCAS.—La próxima vez no me embarco si no hay electricidad... ¡Mugre de lámparas!

PIETRO.—*(Con sorna.)* ¿No quieres también aire acondicionado? *(Todos ríen francamente.)*

LUCAS.—*(Sonríe, encogiéndose de hombros. Termina de encender un farol y lo alarga al negro.)* ¡Listo! (EL NEGRO *lo toma y comienza a subir por la escala.* TAO, *con chaquetilla blanca y una bandeja con una botella y dos vasos, sale por la escotilla de proa y se dirige a la mesa, pero a mitad del camino, en medio de un paso, se detiene en actitud de escuchar.* MIGUEL *levanta la cabeza de la red y queda con un hilo en la mano, escuchando él también.* EL NEGRO, *en mitad de la escala, en actitud de quien escucha.* LUCAS, *que acaba de encender una lámpara, se queda lo mismo que los demás con el fósforo encendido hasta que se quema los dedos, soltándolo entonces, pero sin darle importancia: tan abstraído está en lo que escucha.* PIETRO, *que estaba regando una maceta, levanta la cabeza bruscamente para escuchar y el agua le cae en los pies, cosa que no advierte.* EL COCINERO, *con gorro y un gran cuchillo en la mano, asoma, un instante después de iniciado el silencio, por la escotilla de proa y queda escuchando con medio cuerpo afuera, los codos apoyados en la cubierta. El éxtasis debe prolongarse alrededor de medio minuto. Después se rompe bruscamente y todos vuelven a la realidad, como quienes acaban de asistir a un prodigio.* EL NEGRO *lanza una breve exclamación de júbilo infantil y trepa rápidamente la escala, perdiéndose en la altura.)*

PIETRO.—¡Oh, bravo, bravísimo! (MIGUEL *deja escapar un profundo suspiro y vuelve a su trabajo.* TAO *endereza la bandeja, que durante la escena anterior se le ha ido inclinando, y coloca la botella y los vasos sobre la mesa, sonriendo.)*

LUCAS.—*(Volviendo a las lámparas.)* ¡Maravilloso!

COCINERO.—*(Acabando de salir y acercándose a* PIETRO.*)* Mucho más lindo que ayer, ¿eh, Pietro?

PIETRO.—¡Oh!... ¡Esta vez la saco! (*Descuelga el acordeón y, sentándose en el rollo de cuerdas que hay junto al palo, trastea el instrumento. Todos lo rodean, incluso* EL NEGRO, *que ha bajado por la escala sin la lámpara.)* A ver... ¿Era así?... (*Comienza a tocar suavísimamente. Gran* atención. Pero de repente El Cocinero, que está a su espalda, le da un manotazo que arroja el acordeón al medio de la escena y dice:)

Cocinero.—¡Estás loco, Pietro..., con tu acordeón!... (El Negro, de un salto, recoge el instrumento y lo cuelga en su lugar, mientras Pietro se seca el sudor de la frente y dice con resignación:)

Pietro.—¡Eh, sí, soy un viejo loco!... ¡Ni con mi acordeón ni con un piano de cola! (Se levanta. El grupo se deshace. El Cocinero baja por la escotilla. Tao lo sigue con la bandeja vacía, Lucas y El Negro se llevan las lámparas restantes, uno hacia proa y otro hacia popa. Miguel vuelve a la red, e, inclinado, la revisa. El canario rompe a cantar.)

Pietro.—(Acercándose.) ¿Eh? ¿Usted también está loco?... ¿Usted también quiere aprenderla?... ¡Pobre "Caruso"!...

Capitán.—(Saliendo de la puerta central del camarote de popa.) ¿Cómo andan tus redes, Miguel?

Miguel.—(Volviéndose.) Ya están listas, mi capitán.

Pietro.—La hemos oído otra vez, capitán... ¿Usted la oyó?

Capitán.—Sí, Pietro, siempre la oigo.

Pietro.—(Supersticioso.) ¿No será que nos vamos a morir?...

Miguel.—(Tímidamente.) ¿Y las ratas?... Si fuéramos a naufragar, habrían desembarcado en Valparaíso. ¿No es cierto, señor, que las condenadas tienen un olfato que no falla para los naufragios?...

Capitán.—(Con leve jovialidad.) No siempre. ¿Te acuerdas, Pietro, cuando naufragó el "Albatros" en el Caribe? Se ahogaron todas las ratas, y nosotros aquí estamos, fuertes y con buen apetito, como dos grumetes... ¿Cuántos años me llevas, viejo pirata?

Pietro.—(Sonriendo.) ¡Eh!, antes le llevaba diez, pero

desde que se hizo recortar la barba, creo que le llevo veinte.

CAPITÁN.—Y siempre juntos...

PIETRO.—¡Siempre! *(Con entusiasmo, volviendo al tema.)* Y es el primer viaje en que la oímos... Cuando era grumete me pasaba las noches escuchando, escuchando, a ver si la oía... A veces, cuando las noches eran muy serenas, en las calmas chichas de las Antillas, cuando esperábamos un poco de viento, de pronto me parecía oír una voz lejana. Pero era inútil que escuchara con toda mi alma, hasta dolerme los oídos... No era más que el silencio, que, de tan profundo, parecía cantar... Y ahora, en este viaje, siendo ya tan viejo que ni pensaba en ella, va una noche y rompe a cantar, clarito, como en un teatro, y todos la oímos.

MIGUEL.—Todos menos don Patricio.

PIETRO.—Si don Patricio no la oye, él sabrá por qué. La oyen hasta las gaviotas, que cuando ella canta, dejan de chillar.

CAPITÁN.—¿Tú crees que siempre es la misma?

PIETRO.—¡Eh, sí, capitán!... Soy músico y no puedo equivocarme. Es la misma que nos sigue desde que salimos de Corfú... Algo quiere...

LUCAS.—¿Y qué puede querer?

PIETRO.—Y... anunciarnos la muerte, quizá.

CAPITÁN.—Si la muerte se anunciara con tan linda voz, no habría por qué tenerle miedo. ¿Tú le tienes miedo ahora, Pietro?

PIETRO.—¡Eh!, miedo no, pero... uno quiere a la familia...

CAPITÁN.—¡La familia! ¿Y desde cuándo tienes familia, Pietro? *(Jovial.)* Así que alguna muchacha en algún puerto... ¡A tus años, Pietro! ¿No te da vergüenza? (MIGUEL *ríe.)*

PIETRO.—*(Con desesperación, avergonzado.)* ¡Eh, no,

capitán, por favor! Es un modo de decir... la familia...
(Mirando al canario.) "Caruso"..., los muchachos..., el
barco... *(Pudoroso.)* El capitán... ¡Lo que se llama la familia!

CAPITÁN.—*(Cordialmente.)* Vamos, Pietro. *(Le golpea
el hombro a* MIGUEL.*)* Si está lista tu red, échala. *(Se dirige hacia la mesa,* PIETRO *recoge su regadera y se va por
la izquierda.* MIGUEL *arrastra la red hacia la derecha y
hace mutis lentamente.)*

PATRICIO.—*(Que ha salido del camarote de popa, puerta que da al pasaje, a tiempo de oír la orden del* CAPI-
TÁN.*)* ¿Echar la red aquí? ¿Para qué?

CAPITÁN.—*(Volviéndose.)* ¡Ah!, estaba usted ahí...
¿Cómo para qué?

PATRICIO.—*(Sentándose a la mesa.)* ¿No me dijo usted
esta mañana que por estos mares y en esta época no se encontraba un solo pez comestible?

CAPITÁN.—*(Distraído.)* Sí, es verdad...

PATRICIO.—¿Entonces?...

CAPITÁN.—Entonces, mando echar la red por si han
cambiado las costumbres de los peces.

PATRICIO.—¿Lo dice usted en serio?

CAPITÁN.—No mucho. Pero... *(Muda interrogación de*
PATRICIO.*)* Pero siempre es más probable que caiga algo
en una red tendida en el mar, aunque se trate de un mar
que siempre estuvo vacío, que en una red amontonada en
la cubierta.

PATRICIO.—Entonces, las observaciones, la experiencia,
¿no sirven de nada?

CAPITÁN.—¡Oh!, sí. La experiencia me ha enseñado a
no tomar demasiado en serio mi propia experiencia. Además... Ya sé que usted cree que estoy un poco chiflado.
Pero cuando se ha viajado toda la vida en estos viejos
barcos, en los que se vive un poco de milagro, lo más

sensato es esperar siempre que se produzca alguno. ¿Tomamos una copa?

Patricio.—*(Sonriendo.)* ¿Una?

Capitán.—Para empezar. *(Sirve dos copas.)*

Patricio.—A usted es difícil seguirle el tren. Yo me tenía por un bebedor discreto, hasta en Chile; pero a su lado no valgo nada. *(El Capitán toma su copa y la vacía lentamente, pero de una sola vez.)*

Capitán.—*(Secándose los labios.)* Es que bebemos por diferentes razones, y eso da, naturalmente, capacidades distintas. Usted, don Patricio, ha bebido siempre por placer, y todos los placeres fatigan pronto, mientras que los marinos de mi tiempo aprendimos a tomar en cumplimiento de nuestro deber, ¡y el deber de un marino no admite desfallecimientos! De la capacidad alcohólica de la oficialidad dependía muchas veces la suerte de un barco y la vida de la tripulación.

Patricio.—¡Capitán! *(Como quien dice "no disparate".)*

Capitán.—Sí, señor; en aquellos tiempos sólo los grandes navíos de lujo comenzaban a tener telégrafo, y ni se soñaba aún con la radiotelefonía, y no quedaba otro remedio que beber concienzudamente para asegurar una buena provisión de botellas vacías en las que enviar los pedidos de socorro en caso de peligro... *(Patricio ríe.)* Ría usted todo lo que quiera, pero aquéllos eran otros tiempos.

Patricio.—*(Serio, pausa.)* Es probable que entonces hubiera en el mar más ocasiones de aventura, mientras que hoy... Bueno, hasta cuando creímos haber descubierto una isla que no figuraba en las cartas de navegación, resultó que la acababan de construir para filmar una película yanqui.

Capitán.—No me negará que fué una aventura maravillosa cuando vimos a la princesa rubia con la espada en la mano, danzando entre las tortugas doradas... Claro que lo echó usted todo a perder descubriendo al "cameraman" con su supercatalejo, y es que los milagros de Dios están hechos a la medida de los ojos naturales del hombre y no para los aparatos de óptica.

PATRICIO.—En todo ve usted la mano de Dios.

CAPITÁN.—Es un buen ejercicio para acostumbrar los ojos y poderla encontrar cuando se la necesita. *(Le sirve una copa.)* Beba, don Patricio. Es la única compensación que puedo ofrecerle. Cuando usted fletó este barco para recorrer los mares, al azar, en busca de aventuras, yo debí decirle la verdad: lo maravilloso no se encuentra en la tierra, ni en el mar, ni siquiera en el cielo...

PATRICIO.—Lo sé; no se encuentra en ninguna parte.

CAPITÁN.—Sí, se encuentra, pero es una flor cuyas raíces están en nuestro corazón. Moje usted bien sus raíces a ver si florecen... Puede que la aventura se esconda en el fondo de esa botella *(Acariciándola.),* de esta santa botella.

PATRICIO.—*(Bebe.)* Yo debo de haber nacido con las raíces secas. De niño descubrí, mucho antes que mis hermanos mayores, la verdadera identidad de los Reyes Magos. Sonreía escéptico cuando se hablaba del ángel de la guarda, hasta que una mañana, al despertar, encontré sobra la almohada una pluma blanca caída de sus alas. Fué un momento maravilloso. Pero antes del almuerzo encontré el sombrero de donde mi madre la había arrancado. Y siempre así... En mis viajes por islas y tierras extrañas nunca he dejado de prosternarme con esperanza ante los dioses más extravagantes, a ver si alguno era el mío, pero nunca me hicieron la más leve seña..., es decir, sí, me la hicieron muchas veces, pero era fácil ver la manga del sacerdote.

CAPITÁN.—Sí, sí, comprendo. Pero la cosa está en poder sentir la fuerza del brazo de Dios dentro de la manga del más sucio y ladrón de los derviches. Hay que tener pies, que el camino está en todas partes.

PATRICIO.—Aquí mismo, sobre este barco, todos dicen oír el canto de una sirena donde yo no oigo más que el ruido del viento y del mar. ¿Quién está en la razón: ustedes o yo?

CAPITÁN.—¡La razón!, ¡la razón!… Hay muchas clases de razón; el secreto de la fe consiste en perder la razón de todos los días para encontrar la razón del día del prodigio. Poder sumar dos y dos y no sorprenderse de que el resultado no sea cuatro.

PATRICIO.—*(Alargando el vaso, ya borracho.)* Déme riego, entonces, para mis secas raíces; ya que no tengo fe, quiero perder también la razón.

CAPITÁN.—*(Sirviéndole.)* Beba, Patricio, que Dios ama a los borrachos, como lo demostró eligiendo a Noé, inventor del vino y primer ebrio prontuariado en la Biblia, para perpetuar nuestra especie.

PATRICIO.—*(Ya ebrio, se levanta con la copa en la mano.)* Dos y dos son siete, ¿no, capitán?… Y yo remonto la corriente que sale del cuello de esta botella, de esta santa botella… *(Transición. En pie en medio de la escena, mira a su alrededor.)* Y este barco es mío *(Se acerca al palo y mira hacia arriba.),* y este palo mayor es mío, y también la gaviota…, y el fuego de Santelmo que había anoche también era mío. *(Se separa del palo y con un dedo extendido hacia el foro traza, con un amplio y lento ademán, una línea ideal en el horizonte.)* Pero la gaviota se fué…, se fué sin decirme nada…, porque yo soy un tonto que sé que dos y dos no son más que cuatro, ¿eh, capitán?… Y el fuego de Santelmo se apagó y no tengo más luz… *(Llegando junto a la mesa y empuñando la botella.)* que la que sale de esta botella… ¿Cómo era?… ¡Ah!, sí, de esta santa y digna botella. *(Se sirve un vaso torpemente y lo bebe de un trago.)* ¡Y todo es mío!… La bandera también..., y el ancla..., y la gaviota con el fuego en el pico...; pero ustedes oyen cantar a la sirena y yo no...; la oyen los marineros porque son sencillos, y mi gran capitán porque se agarró a la mano de Dios en un naufragio... Y yo la quiero oír porque dos y dos son una gaviota con fuego en el pecho..., y puedo ver el fondo del mar mirando por el ojo de esta santa botella. *(Mira por el gollete.)* Y dos y dos..., sumados con fe, son una sirena. *(De golpe, queda con las manos apoyadas en la mesa, la cabeza levantada en actitud de escuchar. EL CAPITÁN hace también un gesto y escucha. PIETRO, que venía de proa, se detiene a escuchar también.)* ¡Capitán! ¡La oigo! ¡Sí, es ella, la sirena! *(Se sienta lentamente. En voz baja:)* ¡Oh Dios mío!... *(Cae dormido con la cabeza entre los brazos apoyados en la mesa.)*

UN GRITO A POPA.—¡Sirena en la red!

OTRO GRITO.—¡La sirena! ¡La sirena ha caído en la red!

UNA VOZ.—¡Hala, hala!

OTRA VOZ.—¡Cuidado con el timón!

CAPITÁN.—*(Se levanta de un salto y queda un momento indeciso. Después sacude a PATRICIO.)* ¡Patricio, la sirena! *(Pero PATRICIO está demasiado borracho y su cabeza vuelve a caer pesadamente sobre la mesa. EL CAPITÁN lo abandona y corre hacia popa, pero se detiene a medio camino, pues ya llega EL NEGRO, seguido y rodeado por los demás tripulantes, que a los primeros gritos han salido de todas partes y corrido a popa, trayendo a la sirena desvanecida en brazos.)* ¡Dios mío, es verdad!

EL NEGRO.—¡Yo la saqué! ¡Yo la saqué!

PIETRO.—¡Cayó en la red!

MIGUEL.—Se golpeó con el timón. Creo que está muerta.

PIETRO.—¡No; muerta, no! Debe de estar desmayada. *(Toma una de las manos colgantes de la sirena y trata de calentársela con las suyas.)*

LUCAS.—¡Parece mentira! ¡Tan linda!

CAPITÁN.—(AL NEGRO.) Ponla aquí, Domingo. *(El mismo corre la reposera hasta cerca del palo.* EL NEGRO *la deposita con todo cuidado.)* Cuidado, cuidado... *(Queda la sirena tendida en la reposera y los tripulantes colocados detrás, expectantes e inquietos.* PIETRO, *arrodillado a la cabecera, se quita la gorra.* EL CAPITÁN *pone una rodilla en tierra y levanta y deja caer los párpados de la sirena—reina en la tripulación un silencio profundo—, le toma después el pulso.)*

PIETRO.—*(Que no puede más.)* ¿Está muerta, señor?

CAPITÁN.—No lo sé, Pietro... Confiemos en El, que nos ha permitido ver este prodigio. (PIETRO *se persigna.)*

T E L Ó N

CUADRO SEGUNDO

El mismo escenario que en el cuadro anterior, sólo que junto al mástil y en primer término se ha levantado, con remos y una lona, una tienda, debajo de la cual yace ALGA, tendida en la reposera y cubierta por una rica tela de colores vivos. Dentro de la tienda cuelgan dos lámparas de bronce encendidas, cuya luz, mezclándose con la dudosa claridad del alba, da a la escena un aspecto fantástico. Algunas macetas han sido traídas junto a la tienda. Lejos, en el horizonte, la silueta vaga de Buenos Aires. La escena se irá aclarando lentamente. A telón bajado se oirá, como si viniera de muy lejos, la canción que los tripulantes cantarán después, subiendo lentamente de tono, lo mismo que el acordeón, para dar la sensación de que el barco se va acercando.

Al levantarse el telón, PIETRO, en cuclillas delante de la tienda, tocará el acordeón y con un signo de la cabeza indicará a la tripulación, distribuída en dos alas irregulares a los lados de la tienda, el momento de cantar:

> Despierta, niña del agua,
> a la luz de la mañana;
> despierta, flor de la espuma;
> despierta, flor de las algas.
> Despierta, niña del agua.

Los almirantes dorados
tiran sus gorras al agua
al ver tus cabellos de oro,
niña de la mar amarga.
Despierta, rosa marina;
despierta, niña del agua.

La tierra se vuelve arena
para acercarse a tu casa,
y quien te vió ya no quiere
mirar pájaros ni plantas,
dorada luna del agua.
Despierta, niña, despierta
a la luz de la mañana;
despierta, niña del agua.

CAPITÁN.— *(Sale del camarote de popa al terminarse la canción, y, acercándose a* AIGA, *le pone la mano en la frente, le toma el pulso y la contempla atentamente. El grupo de los tripulantes se ha acercado, expectante y curioso. Después,* EL CAPITÁN *se vuelve hacia el público y dice, avanzando seguido por los marineros.)* Todo es inútil.

PIETRO.—Hemos rezado toda la noche, sin que Dios nos oyera... Ahora cantábamos...

EL NEGRO.—Si estuviéramos cerca de Santo Domingo...

PIETRO. ¿Qué pasaría?

EL NEGRO.—Mi abuela sabe hacer revivir los muertos pegándoles con una cola de diablo bendita... Y sabe también las palabras.

MIGUEL.—Pero ella no está muerta. ¿No es cierto, señor, que no está muerta?

CAPITÁN.—No, hijo; no está muerta, pero ya lleva más de doce horas así. He agotado todos los recursos del botiquín y de mi experiencia.

LUCAS.—*(Que ha quedado cerca de la* SIRENA *contemplándola.)* Y es linda como los ángeles... Ahora sonríe... (EL CAPITÁN, *sentado en el rollo de cuerdas, enciende la pipa.)*

Pietro.—*(Va hacia la caseta de proa y viene con la jaula del canario.)* Capitán, si me da permiso, voy a ponerle cerca mi canario. Canta tan bien...

Capitán.—Haz lo que quieras. *(Mientras* Pietro *cuelga la jaula sobre la cabeza de la* Sirena.*)* Y apaga esas luces. (Pietro *lo hace.)*

Pietro.—*(Regresando al grupo de tripulantes que rodea al* Capitán.*)* Ahora parece que está muy triste.

Capitán.—Sí, toda la noche he estado observándola. Había momentos en que parecía sufrir tanto, que yo esperaba que el dolor la despertara. Otras veces su sonrisa revelaba una dicha tan intensa, que parecía imposible que un ser vivo pudiera soportarla. Era cuando más me inquietaba.

El Negro.—Cuando me quedé solo, a eso de las tres, le toqué la mano...

Pietro.—*(Con contenida indignación.)* ¡Le tocaste la mano! ¿Cómo te atreviste?

El Negro.—*(Tímidamente, mirando al* Capitán.*)* Sí, no pude resistir. *(Arrobado.)* Era tan blanca... Le toqué la mano así, con la punta de un dedo, y estaba tan fría que tuve miedo de volver a mirarla hasta que usted volvió, señor. *(Pausa.)*

Miguel.—¡Esos llantos! *(Se estremece.)* Toda la noche han llorado alrededor del buque... *(Pausa larga.)*

Pietro.—¿Usted cree que fué el golpe del timón, capitán?

Capitán.—No; no tiene ningún golpe visible, y un golpe interno daría un cuadro muy distinto. De eso entiendo algo, ¡he visto a tantos compañeros caer de las vergas en días de tormenta!... Claro que estamos ante un ser de otra naturaleza. *(Transición, a* Tao.*)* Tao, ve a ver si despertó don Patricio. También él me tiene inquieto. *(Mutis de* Tao *por la popa.)*

Lucas.—Si no fué por un golpe, no puedo imaginarme

cómo se desvaneció. Mientras estaba en la red se movía, ágil, inquieta. Ella misma ayudó con las manos a desenredarse. Parecía muy contenta, y me sonrió.

MIGUEL.—¡Fué a mí a quien sonrió!

PIETRO.—¡Eh, qué les va a sonreír a ustedes! Fué a mí, y levantó las cejas..., así. (Hace el gesto.)

CAPITÁN.—(Paternal.) Bueno, les habrá sonreído a todos. No se peleen.

EL NEGRO.—Cuando la alcé en brazos estaba tan viva como usted y como yo, y hasta me pareció que iba a decir algo. De pronto se quedó como muerta... Le juro, señor capitán, que yo no la apreté; la tenía así, como a un niño recién nacido...

CAPITÁN.—No te inquietes; ya sabemos todos que eres un buen muchacho..., aunque tu abuela sea bruja.

EL NEGRO.—Bruja, pero muy buena cristiana, señor.

CAPITÁN.—(Levantándose.) Bueno, vayan y que el cocinero les dé un buen trago, que todos hemos pasado muy mala noche. (Todos se van hacia la escotilla de proa y descienden en fila. Unos se llevan la mano a la gorra, otros dicen: "Gracias, señor.")

PIETRO.—(Que se ha quedado.) Quisiera hacerle una pregunta: ¿Ha pensado qué haremos con ella si no se despierta? (Gesto vago del CAPITÁN.) Yo creo, si me permite, que deberíamos llevarla al puerto y hacerla ver por un buen médico.

CAPITÁN.—No sé que haya especialistas en sirenas... Lo mejor será devolverla al mar. (Mirando hacia la popa.) Pero quiero que antes la vea don Patricio. (A TAO, que viene del camarote.) ¿Qué hay, Tao?

TAO.—Ya viene, señor. (Vase TAO por la escotilla.)

PIETRO.—¡Devolverla al mar! Eso sería perderla para siempre. No verla nunca más... ¡Tan linda!

CAPITÁN.—No veo otro medio. (Ante un gesto de des-

agrado de Pietro.) ¿No comprendes, viejo, que aquí puede morirse?

Pietro.—¡Cómo se va a morir, si la queremos tanto! *(Vase por la escotilla, deteniéndose antes a contemplar a la* Sirena.)

Patricio.—*(Sale del camarote de popa, puerta que da al público. Se pasa las manos por la frente, como quien trata de despejarse. Está pálido y demacrado. Ve al* Capitán *y se dirige a él.)* ¡Ah, qué noche, qué sueño tan extraño!...

Capitán.—Por fin resucitó usted. ¿Cómo se siente?

Patricio.—Usted lo ha dicho: como un resucitado. Tengo la sensación de que hasta hoy he estado muerto..., y que recién ahora... *(Fijándose en la tienda.)* ¡Ah! *(Toma al* Capitán *de un brazo.)* ¡Capitán!

Capitán.—Sí, hijo, sí; no ha soñado..., o el barco entero es la sombra de un sueño. *(*Patricio *corre hacia la carpa y queda un instante suspenso contemplando a la* Sirena *yacente. Después, pone una rodilla en tierra. Lentamente, le toma la mano y se la besa.* Alga *suspira, mueve la cabeza, abre los ojos y se queda mirando a* Patricio *con esa sonrisa dulce y cansada de las mujeres después de un parto.)*

Patricio.—¡Ah!...

Capitán.—*(Que ha ido a colocarse a los pies de* Alga. *Se acerca por detrás y la ayuda a incorporarse.)* ¡Ah!, eso esperaba para despertarse..., y yo afligiéndome toda la noche, creyendo a veces que estaba muerta...

Alga.—*(Apoyada sobre un codo, con la barbilla en la palma.)* Y lo he estado, capitán. Era como si mi vida dependiera de un dios *(Mirada a* Patricio.) que me creara y me borrara a su capricho... Era como un rodar sin término dentro de una gran ola oscura que de pronto se abría y me levantaba hasta el cielo y de pronto volvía a cerrarse y a hundirme en la nada... Hubo momentos en que aquella vida fluctuante que se me daba y se me quitaba era tan intensa que mi pobre cuerpo no podía contenerla, y de no haberse vuelto a cerrar la ola negra, me habrían nacido nuevos brazos y nuevos pechos. *(Transición, tendiendo la mano al* CAPITÁN, *que él retiene.)* Usted, capitán, velaba a mi lado, como un padre junto a un niño enfermo..., pero no era de usted de quien debía venirme la vida. (EL CAPITÁN *le suelta la mano, que ha estado acariciando paternalmente. Ella vuelve la mirada amorosa a* PATRICIO.) ¡Cuánto he sufrido!...

PATRICIO.—*(Apasionadamente.)* ¡Y todo por culpa nuestra! De no haber echado esa dichosa red, no la habríamos pescado... No acierto a decirle hasta qué extremo su presencia aquí me maravilla y me hace feliz y cuánto daría por poder retenerla. Pero si usted lo quiere, ahora mismo la devolvemos al mar...

ALGA.—No, no debe tratárseme como a un pez, sino como a una mujer. Y cuando una mujer cae, ya sea en un lecho o en una red, es porque quiso caer, y ningún hombre, por fuerte que sea, debe atribuirse la responsabilidad de la caída... ¿Les sorprende mi modo de hablar? Es que tengo un gran conocimiento del mundo, una gran experiencia de la vida terrestre y del corazón humano..., adquirido en las novelas, que nunca faltan en el equipaje de los náufragos...

PATRICIO.—¡Oh!, perdón, no he querido... (PIETRO *viene de la izquierda, y, al ver la escena, levanta los brazos y va a lanzar un grito, pero se contiene ante un gesto de silencio del* CAPITÁN, *quien sale de la tienda sin ser notado por la pareja, que está tan absorta contemplándose, y pasando el brazo por el hombro de* PIETRO, *le dice:)*

CAPITÁN.—Vamos, viejo. *(Mutis de ambos por derecha mientras le explica algo que no se oye.)*

ALGA.—*(Después de cerciorarse con una mirada.)* Patricio, estamos solos.

Patricio.—¿Cómo sabes mi nombre?

Alga.—Hace mucho tiempo que te sigo, y en las noches de calma, cuando apoyado a la borda hablabas con el capitán, yo los escuchaba. Me reía un poco de tu eterno lamentarte por no encontrar aventuras, cuando la gran aventura de tu vida suspiraba por ti, a la sombra de tu propio barco. Pero te confieso que lo que ustedes decían no me interesaba mucho. ¡He oído a tantos hombres apoyados a tantas bordas decir las mismas cosas!... Pero lo que yo quería oír, y por lo que me hubiera quedado allí una eternidad, sin cansarme nunca, porque siempre me resultaba nuevo, era tu nombre. *(Soñadora.)* Patricio... Patricio... ¡Lo que quiero a ese viejo capitán, por ser el primero a quien se lo oí!... Nadie puede decir que ha sido feliz si no ha oído a otra persona pronunciar el nombre querido..., y si no ha oído el suyo propio quebrado por el estremecimiento del amor...

Patricio.—¿Cómo te llamas?

Alga.—Llámame Alga... *(Desprende las manos y se cubre el rostro. Se la oye sollozar.)*

Patricio.—¡Alga, querida! ¿Qué tienes? (Alga *se rehace y sonríe.)*

Alga.—Nada..., cosas sin importancia. Las mujeres somos así, lloramos por nada... Hablemos de otra cosa.

Patricio.—No, Alga. Quiero que me digas por qué llorabas.

Alga.—Bueno, si te empeñas... Al subir voluntariamente a este barco, cometí para con los míos una traición, una traición que merece un severo castigo. Pero una sirena que revela un secreto del mar, aunque no sea más que su propio nombre, comete un horrible sacrilegio. Para ello ya no hay perdón posible... Por eso han llorado mis hermanas toda la noche. Las leyes del mar son mucho más antiguas que las de la tierra, y por eso son más terribles. Si cayera al mar... *(Se estremece.)* Pero sólo podré caer de tus brazos, cuando dejes de quererme, y entonces cualquier castigo me parecerá leve comparado con la pérdida de tu amor.

PATRICIO.—¡Oh, no temas! Ayer, cuando te oí por primera vez, sentí que me nacía un alma nueva, y esa alma es tuya, Alga querida. *(Pausa.)* ¿Por qué tardaste tanto en hacerte reconocer?

ALGA.—Eras tú que no podías oírme porque te faltaba fe. En cuanto creíste en mí, me arrojé en la red para venir a tu lado... No soy más que un reflejo tuyo. Por eso, cuando caíste en el sueño sin visiones del alcohol, cuando dejaste de pensarme, me desvanecí..., y así toda la noche...; cuando soñabas conmigo, yo subía a la superficie de la vida, dichosa como nadie lo fué nunca, y cuando volvías a la inconsciencia y me borrabas, me hundía en tu olvido como en una muerte espantosa... Toda la noche he estado naciendo y muriendo, Patricio.

PATRICIO.—Ya pasó la mala noche, Alga. Ya estás para siempre a mi lado... Haremos de este viejo barco la isla errante de la felicidad, viviremos siempre en el mar, lejos de todo lo que no sea nuestro amor.

ALGA.—*(Con sobresalto.)* ¡No, en el mar no!... *(Se aprieta contra él.)* Tengo miedo... *(Mira con recelo al mar.)*

PATRICIO.—No temas nada mientras yo esté a tu lado. Pero si lo prefieres, hoy mismo desembarcaremos. *(Señalando.)* ¿Ves aquella ciudad? Es la mía; allá te recibirá el cariño de los que me quieren, y estoy seguro de que serás feliz.

ALGA.—Yo no quiero ser feliz. Sólo quiero quererte, Patricio.

TELÓN

ACTO SEGUNDO

CUADRO PRIMERO

Gran "hall" en casa de Patricio. Puertas a derecha e izquierda, la de la derecha se supone que da a la salida. Muebles antiguos y sólidos. Mapas, tapices indios, sarapes mejicanos, armas exóticas, sobre algún mueble la reproducción de un barco de vela, y en general objetos raros traídos por el dueño de casa de sus viajes. Entre estos objetos, una panoplia con flechas en la pared del foro y al alcance de la mano. En primer término, hacia la derecha, sofá y dos sillones con una mesita de fumar. A la izquierda, una mesa con libros y papeles.

Tao entra por la derecha y deja una carta sobre la mesita. Mutis por la derecha.

PATRICIO.—*(Entrando con* GLORIA *por la izquierda.)* Alga es encantadora, ¿verdad?

GLORIA.—Y muy hermosa. *(Se acerca a la panoplia del foro, y, de espaldas, toca la punta de las flechas.)* Estas flechas, ¿están envenenadas?

PATRICIO.—Sí, no las toques... *(Sentándose a medias en la mesa y volviendo al tema.)* Y es tan buena mi pobre Alga... Ayer se paró debajo de la ventana un organillero, y como no tenía una moneda a mano, le tiró el reloj que fué de mi madre, una verdadera joya de museo. Se hizo añicos contra las piedras de la calle... *(Explicando.)* Como al caer los objetos en el mar no se rompen... Hace tan poco que vive en la tierra, que a menudo se olvida de sus leyes y comete toda clase de divertidas locuras. Los sirvientes están escandalizados, pero a mí me resulta delicioso... ¿No me escuchas?

GLORIA.—*(Dándose vuelta y ocultando el pañuelo con*

el que se ha secado los ojos.) Sí, sí... ¡Esa mamá que no termina de despedirse! *(Mirada a la puerta de la izquierda.)*

PATRICIO.—*(Dándose cuenta, la toma de los brazos y la mira a los ojos, que ella trata de desviar.)* ¡Gloria!... ¿Tú?... *(Ella se suelta suavemente y se aleja un poco.)* ¡Es claro..., sí...!; pero ¡cómo iba a pensarlo, si entre nosotros nunca ha pasado nada!... Nunca nos hemos dicho una palabra...

GLORIA.—Es verdad, Patricio; nunca ha pasado nada. Cuando éramos niños, nuestras quintas de San Isidro estaban separadas por un simple alambre tejido. De tu casa pasaban a la mía las ramas de un granado, y, desde chiquita, mi gran ilusión era que llegara el verano para robarte las granadas; ¡los sustos que me habré llevado y los delantales que habré roto!... Tú, seguramente que ni me veías. Yo era esa cosa sin importancia y hasta despreciable que es una chiquilina para un muchacho varón que puede cazar pájaros con rifle y fumar a escondidas. Me dabas un gran miedo y me parecías muy alto..., y así fué como, cuando ya tenía trece años y me sorprendiste una siesta robando las granadas y me amenazaste con contárselo a mamá si no te daba un beso, te alargué los labios como quien alarga el cuello al verdugo... Y aquella noche no dormí. Y ahora comprendo que fué la noche más importante de mi vida. Después volví todas las siestas a sentarme a la sombra de tus ramas, pero no toqué las granadas; ya todo lo que no fuera el recuerdo de aquel beso me resultaba insípido. Pero tú no volviste a aparecer por aquel lado del jardín, y tu rifle y tus gritos de júbilo, cuando habías volteado un pobre pájaro, retumbaban del otro lado de la quinta, y yo estaba allí, prisionera de la sombra de tu árbol y herida para siempre... Pero entre nosotros no había pasado nada...

TEATRO ARGENTINO.—8

PATRICIO.—Gloria, yo... te juro que nunca pensé... No puedes imaginarte cuánto me apena.

GLORIA.—Lo creo, Patricio, pero no te apenará mucho tiempo, no sería humano. Estás enamorado, y todo lo que cae fuera del círculo de tu amor es como si no existiera... Lo sé por experiencia. *(Pausa.)* Al año siguiente, yo ya era una mujer, y tú, muy galante, saqueabas el granado para convidarnos a mí y a mis primas, pero creo que nunca supiste con seguridad cuál era la ladrona castigada, ¡y tan castigada!... Después vinieron tus viajes, tus largos viajes, y en el corro curioso de chicas que escuchaban tus aventuras lejanas había una que hubiera dado el alma porque todo aquel inmenso mundo de que nos hablabas se hubiera reducido al pedazo de jardín que cabe en la sombra de un granado... Ya ves, Patricio, qué bien puedes decir que entre nosotros no ha pasado nada...

PATRICIO.—*(Con tristeza.)* Gloria...

GLORIA.—Perdóname, Patricio, por haberte dicho todo esto. Ha sido más fuerte que mi voluntad. Ha sido el gesto inútil, pero inevitable, del que siente que se hunde y levanta las manos para agarrarse de la sombra de un pájaro... Patricio, deseo con toda la fuerza de mi amor que seas feliz y olvides lo que sin querer he dicho, pues en verdad entre nosotros nunca ha pasado nada.

LA MAMÁ.—*(Entrando por la izquierda.)* Vamos, Gloria, que es tardísimo. Es monísima tu novia, Patricio, y de lo más entretenida. Y has tenido suerte al pescarla en el mar, porque lo que es en tierra, con esas ideas tan raras que tienes, no habrías encontrado una lo bastante loca como para casarse contigo. ¿No es verdad, Gloria? *(Dice esto a tiempo de salir precedida por* GLORIA *y acompañada por* PATRICIO. *La escena queda un instante sola, y después vuelve* PATRICIO *y se pasa las manos por la frente, como quien desecha un pensamiento importuno; se dirige a la mesa y, tomando la carta y un gran cortapapel*

en forma de cuchillo, se sienta en un sillón y abre la car-
ta, la lee detenidamente y por fin se levanta y la arroja,
después de estrujarla, a tiempo que dice, de espaldas a la
puerta de la derecha:)

PATRICIO.—¡Imbéciles! ¡Cretinos! (LÍA y MARGARITA
dan un tímido paso en la habitación por la derecha, y que-
dan un instante a sus espaldas sin ser vistas por él.)

LÍA.—*(En voz baja, pero como para ser oída.)* Lo debe
de haber matado ya; ¿no ves que todavía tiene el puñal
ensangrentado en la mano? ¡Qué horror!

PATRICIO.—*(Dándose vuelta.)* ¡Oh!, queridas primas...

LÍA.—*(Haciendo como que no ha reparado en él.)* El
cadáver debe de estar todavía detrás del sofá. No nos
vaya a salpicar la sangre. *(Se recoge exageradamente la*
pollera.)

PATRICIO.—No, no hay ningún muerto. Hablaba solo.
(Por la pollera que LÍA mantiene levantada.) Puedes dejar
caer el telón: no hay público digno del espectáculo.

LÍA.—*(Sentándose en el borde de la mesa.)* Es natural:
el señor no tiene ojos más que para su sirena. ¡Y yo que
me había hecho tantas ilusiones! *(Los tres ríen.)*

MARGARITA.—¿Y Alga?

PATRICIO.—Muy bien, pero impaciente esperándolas a
ustedes.

LÍA.—*(Bajándose de la mesa.)* Vamos a verla, Margarita.

MARGARITA.—Sí, vamos. Le hicimos todos los encar-
gos. *(Sacando un estuche de la cartera y mostrándoselo*
abierto.) ¿Ves? Le cambiamos las perlas por estos brillantes.

LÍA.—*(Acercándose para mirar.)* Son magníficos, pero
las perlas me gustan más para ella. ¡Iban tan bien con
el tono de su piel!... Pero dice que no quiere nada que
le recuerde el mar...

PATRICIO.—Es natural; de niña jugaba con perlas como nosotros con carozos de durazno. ¿Qué interés pueden tener para ella?

LÍA.—*(Con fingida conmiseración.)* Querido primo, eres un tonto. No hay como ser hombre para no entender de mujeres. La verdad es que Alga no quiere nada del mar porque es un elemento extraño a ti. Quiere olvidarlo para ser fiel a su nueva patria, que no es la tierra precisamente, sino tú... Yo sé todo esto porque soy una mujer muy inteligente..., y porque ella misma me lo ha dicho.

MARGARITA.—A mí me hace que le cuente cosas de cuando era chica. Quiere inventarse recuerdos de infancia como los nuestros para hacerse la ilusión de que cuando jugaba de niña, tú jugabas a los mismos juegos y pensabas en las mismas cosas... Y crecían juntos, respirando el mismo aire, cruzándose tal vez en la calle hasta el momento en que debían reconocerse para siempre... ¡Pobre Alga, cómo te quiere!

PATRICIO.—*(Emocionado.)* ¡Y yo!... Soy tan feliz... *(Mira soñador hacia la distancia sin ver, siguiendo sus recuerdos.)* Es un sueño del que nada podrá despertarme. *(LÍA hace a su hermana un signo de silencio con el dedo en los labios y ambas se van de puntillas por la puerta de la izquierda.)*

TAO.—*(Por derecha.)* Dos señores que ya vinieron otra vez.

PATRICIO.—¿Quiénes son?... Bueno, que pasen; así terminaremos de una vez. *(TAO sale por la derecha y vuelve precediendo a TEÓTIMO LANGARONE y MARTIRENA. TAO hace mutis por la derecha, y PATRICIO, en pie en medio de la escena, espera que los recién llegados hablen.)*

LANGARONE.—*(Le estrecha la mano con las dos suyas y dice, sin soltarlo, muy efusivo:)* ¡Oh señor, no puede usted imaginar lo que significa este momento para mí! ¡Estrechar su mano! ¡La mano de la proeza!... ¡Oh, permítame! *(Le abre la mano y le mira la palma.)* Soy un poco

quiromante, un simple aficionado, nada más... ¡Oh, qué
línea! *(A su compañero.)* Mire, mire usted mismo, señor
vicepresidente. La línea del éxito deportivo. *(Soltándole
la mano.)* En confianza, le diré que ni míster Roosevelt, a
quien tuve el honor de examinar cuando nos visitó, tenía
una línea como la suya, y eso que es un punto muy alto...
No quiero insinuar nada en contra de la línea de míster
Roosevelt, ¡oh, eso no!, pero le falta esa precisión, esa
grandeza, esa profundidad que veo en la suya... Claro está
que sus ocupaciones políticas lo han debido apartar de su
verdadera vocación... ¡Hay tantos destinos frustrados!...
Pero a lo que venía... (MARTIRENA *le tira del saco.)* ¡Ah!,
perdón. El entusiasmo me hace olvidar los más elementa-
les deberes de cortesía. *(Presentando.)* Nuestro vicepresidente, el ínclito Martirena, alma y nervio de nuestra institución.

MARTIRENA.—*(Le estrecha la mano.)* Caballero, la emoción de este instante... *(Parece que va a derretirse.)*

PATRICIO.—*(Que durante la escena anterior ha perma-
necido entre curioso y sorprendido y que poco a poco ha
ido perdiendo la paciencia, aguantándose.)* Muy agradecido... Pero háganme el favor de sentarse a ver si nos entendemos. *(Les indica asientos.)*

LANGARONE.—*(Mirando regocijado al otro.)* ¡Entendernos! ¿Oye usted, señor vicepresidente? ¡Pero si hemos nacido el uno para el otro!... Modestia aparte. *(Ambos sentados.* PATRICIO *en pie.)*

PATRICIO.—¿Puedo saber a quién tengo el honor...?

LANGARONE.—*(Como quien da la solución de una adi-
vinanza, levantando las cejas y esperando que su nombre
produzca efecto.)* Langarone, Langarone, Teótimo Langarone. *(Viendo que* PATRICIO *se queda frío.)* Ya estará usted harto de ver mi retrato en las revistas del ramo...

MARTIRENA. Algunas veces publican también el mío,
en ausencia del presidente.

LANGARONE.—Y bien que se lo merece usted. *(Gesto modesto de* MARTIRENA.)

PATRICIO.—*(Gesto como diciendo: "¡Dios me dé paciencia!")* Pero, en definitiva, señores: ¿a qué debo...?

LANGARONE.—*(Solemne y poniéndose en pie.)* Lo debe usted a sus propios méritos. Nuestra institución, fundada en el año mil novecientos cinco, y con personería jurídica desde la presidencia de don Victorino de la Plaza, ha resuelto en la última reunión de su Comisión directiva, que tengo el honor de presidir, y que vicepreside mi estimado amigo aquí presente, ha resuelto nombrarlo a usted presidente honorario.

PATRICIO.—Permítame, por favor...

LANGARONE.—*(Como el que se sabe un discurso de memoria y quiere soltarlo.)* El acto de su recepción será solemne. Un gran banquete en el Alvear Palace, para el que me he permitido trazar unas breves líneas *(Saca un rollo y se dispone a leer),* que quiero anticiparle para su respuesta.

PATRICIO.—*(Le saca el papel.)* Pero... ¿usted quién es?

LANGARONE.—¡Pero, señor, todo el mundo me conoce: el presidente del Club de pescadores!

PATRICIO.—*(Sin comprender.)* ¿Y yo qué tengo que ver con ese club?

LANGARONE.—*(Enternecido.)* Modesto, como los grandes de verdad. ¡No todos los días se pesca una sirena!

MARTIRENA.—¡Ni todos los años!... ¿Cuánto pesa?

PATRICIO.—*(Se deja caer en un sillón con la cabeza entre las manos, cosa que aprovecha* LANGARONE *para tratar de leer su discurso. Se compone la voz, saca el pecho, inicia un ademán, mientras* MARTIRENA *lo mira con la boca abierta. Pero* PATRICIO *levanta la cabeza y lo ve y le quita los papeles. Este juego de quitarse los papeles debe repetirse tantas veces como resulte bien, pero, naturalmente y sin violencia.)* Señores, yo debería... *(Los mira como pen-*

sando "darles de patadas"), pero prefiero darles una explicación... Están ustedes en un error; la señorita Alga es mi prometida. Vamos a casarnos.

LANGARONE.—¡Oh, comprendo, comprendo!... ¡Adónde nos lleva el entusiasmo deportivo! ¡Yo, sin ir más lejos, cuando pesqué la corvina negra en Mar del Plata, la besé, señor!... ¡Y en presencia de mi esposa!

PATRICIO.—*(Violento.)* Caballeros: ésa es la puerta. *(Toma a cada uno de un brazo y los empuja hasta arrojarlos fuera de la escena por donde vinieron. Los otros, sorprendidos, no atinan a nada.)* ¡Fuera! *(Les arroja el discurso, que se deshoja, llenando la escena de papeles.)*

MARCELO.—*(Que durante la escena anterior ha asomado dos o tres veces la cabeza por la puerta de la derecha.)* Lo he oído todo. Ten paciencia y sé valiente. Si es difícil llevar por la vida un humilde amor sin que los manchen los que pasan, cuánto más difícil no será defender un sueño del hocico de los pobres cerdos, que no tienen la culpa de no comprender; porque amar a una sirena, querido Patricio, es amar un sueño.

PATRICIO.—Un sueño que es realidad.

MARCELO.—Nada más real que los sueños, mientras soñamos.

PATRICIO.—*(Pausa.)* Es que parece que toda la estupidez del mundo se hubiera conjurado contra mí, contra Alga, contra nuestro amor. Todos ven en ella al prodigio marino, y nadie tiene respeto por su condición de mujer.

MARCELO.—Y no debes culparlos demasiado. Mujeres hay muchas; sirenas, una sola, y lo que ella tiene de extraordinario aleja de sí los simples sentimientos humanos. La pobre Alga es, por más que te duela..., una curiosidad. Los hombres estamos hechos de tal manera, que si alguien encontrara en una noche de invierno a la luna muerta de frío sobre el umbral de una puerta, en lugar de llevarla a la Asistencia Pública, la conduciría al observatorio astronómico.

PATRICIO.—*(Con amarga resignación, recoge el papel que tiró al principio del cuadro y se lo alarga.)* Entérate de la proposición que recibí hace un rato.

MARCELO.—*(Leyendo.)* "Gran Empresa de Espectáculos... Muy señor nuestro: Deseando ofrecer al público de esta ciudad un espectáculo altamente moral para familias, hemos creído poder llegar a un acuerdo con usted, siempre que sus exigencias sean razonables, para presentar a la sirena en libertad dentro de una gran piscina de cristal, construída especialmente en el Luna Park. La sirena se comprometería a cantar ocho canciones de su repertorio por función, acompañada por orquesta. Para dar mayor animación al espectáculo, entre número y número de canto, actuaría el conjunto de focas amaestradas del capitán Harris..."

PATRICIO.—*(Interrumpiéndole muy indignado.)* ¿Qué te parece? ¿No es grotesco?

MARCELO.—Sí, y muy desagradable.

PATRICIO.—Pero ¿no te indigna, no te exaspera... a ti, al poeta?

MARCELO.—No sería poeta si no fuera capaz de comprenderte a ti y a ellos. Tú estás enamorado de Alga, es decir, vives en una atmósfera de milagro constante, de perpetua maravilla. Amas a una sirena y eres amado por ella. Eres parte del prodigio, y por eso lo encuentras natural. Pero los demás, los que ven desde afuera, miran la cola de la sirena con el mismo asombro con que se mira la cola de un cometa.

PATRICIO.—¿Así que tú encuentras justo que estos idiotas...?

MARCELO.—Ni justo ni injusto: lo encuentro natural.

(MARGARITA y LÍA entran por la izquierda.)

LÍA.—¡Ah!, ¿era usted, Marcelo? Oímos hablar y creí-

mos que era la tía Jovita que venía a buscarnos. *(Lo aca-
para en primer término.* MARGARITA *y* PATRICIO *conver-
san en otro lado.)*

MARCELO.—La confusión me honra, porque tengo entendido que su tía Jovita es una santa.

LÍA.—Por lo menos, no pierde novena.

MARCELO.—Yo, en cambio, he perdido tantas...

LÍA.—Lo que va a perder es mi amistad. ¿Cuánto tiempo hace que me prometió escribirme un madrigal en el
abanico?

MARCELO.—Debió de ser para el Centenario, que era
cuando se usaban los abanicos... y los madrigales.

LÍA.—Para entonces yo no había nacido, y usted no
creo que supiera hacer más que palotes. Ahora vuelven
a usarse los abanicos, y a mí me gustan tanto los madrigales... ¿Por qué no me escribe aunque sea uno de su
último libro? Yo se lo puedo dictar. Me los sé todos de
memoria.

MARCELO.—*(Sonriendo, ahora con ternura.)* No, Lía;
usted merece mucho más que un poema usado... Hace
tiempo que quería decirle..., pero no he encontrado la
ocasión..., el lugar propicio...

LÍA.—Aquella ventana me parece bastante propicia.
(Van hacia la ventana. LÍA, *aparte, con un suspiro.)* ¡Por
fin! *(Se acomodan en la ventana y hablan en voz baja.)*

MARGARITA.—Alga insiste en la operación.

PATRICIO.—Pero ¿sabe ella lo que puede resultar? ¿Lo
sabe alguien acaso?... Piensa en que si el doctor Núñez
estuviera equivocado, si su cauda no ocultara las piernas...
Sería horrible.

MARGARITA.—No sé qué decirte... ¡Pero da tanta pena
verla desear ser una mujer como todas! ¿Sabes lo que me
ha pedido que le compre en secreto?

PATRICIO.—¿Qué?

MARGARITA.—Un par de zapatos para tenerlos debajo

de la cama y hacerse la ilusión de que va a levantarse y a ponérselos. Hoy nos hizo bailar a Lía y a mí, y en una de las vueltas vi que se secaba una lágrima.

PATRICIO.—¡Pobre Alga!... Pero es absurdo; es como si un pájaro quisiera arrancarse las alas.

MARGARITA.—Si un pájaro estuviera enamorado de un ser sin alas, no dudes, Patricio, que se las arrancaría.

PATRICIO.—Pero si yo la quiero así, si yo la quise precisamente porque era distinta, porque era ella. No puedo imaginarla de otra manera.

MARGARITA.—Sí, te comprendo... La verdad es que cuanto más pienso, menos sé qué pensar... *(Entran por la derecha el* DOCTOR NÚÑEZ *y el* PADRE CUSTODIO.)

DOCTOR NÚÑEZ.—Pase usted, padre.

PADRE CUSTODIO.—Gracias, doctor. *(Todos se acercan a saludar.)*

LÍA.—*(Trayendo una silla de madera para el* PADRE.) Una silla dura, de las que a usted le gustan, padre. *(Aparte, al* PADRE.) ¡Se decidió Marcelo!

PADRE CUSTODIO.—Pues tendrás que venir a confesarte más a menudo.

DOCTOR NÚÑEZ.—*(Explicando.)* Nos encontramos en la puerta con el padre Custodio. Y es la primera vez que entramos juntos a una casa. Siempre cuando él llega, yo tengo que retirarme. Y es un consuelo para mí dejar a mis clientes en tan buenas manos.

PADRE CUSTODIO.—Gracias, doctor, pero sospecho que ellos preferirían continuar sufriendo en las suyas. *(A* PATRICIO.) Querido hijo, tengo que darte una mala noticia.

PATRICIO.—¡Cómo! ¿No consiguió la licencia?

PADRE CUSTODIO.—No; el obispo piensa que es un caso demasiado delicado para resolverlo él. ¡Bautizar y casar a una sirena! Creo que al principio dudó de que yo estuviera en mis cabales. Tuve que llevarle este diario para que se convenciera. *(Saca un diario, que* MARCELO *toma y lee:)*

MARCELO.—"La sirena es como las ballenas."

VARIOS.—¿Qué? ¿Cómo?

MARCELO.—*(Que ha seguido leyendo y luego hace una pelota con el diario y lo tira.)* Nada, que es un mamífero y su respiración es pulmonar y no branquial.

PATRICIO.—¡Qué estupidez, Dios santo!

PADRE CUSTODIO.—Pero no debes perder la esperanza, Patricio. Monseñor me ha prometido escribir hoy mismo a Roma consultando el caso. El destino de esa niña está ahora en manos de Su Santidad, y de ellas no puede venir más que el bien. *(Entra muy apurada la* TÍA JOVITA, *por la derecha. Movimiento general para recibirla.)*

PATRICIO.—*(Levantándose.)* Es tía Jovita.

TÍA JOVITA.—Por favor, no se mueva nadie. Recién termina la novena. Vengo apuradísima; como quien dice, con la última cuenta del rosario en la boca.

PADRE CUSTODIO.—¡Por favor, hija!

TÍA JOVITA.—¡Ay, perdón! *(Se persigna rápidamente.)* Jesús, María y José. ¿Qué?... ¿Hay consejo de familia?

PATRICIO.—Hablábamos de Alga...

TÍA JOVITA.—Pobre chica... ¡Cómo ha de extrañar el agua!... Cuando Lía era chiquita, se le ocurrió criar un patito marrueco en la azotea. Era una monada con su cabecita tornasol, y hasta comía en la mano y todo. Pero como no podía nadar a sus anchas, se puso triste y se enfermó. Entonces lo llevamos al zoológico. El mismo director con sus propias manos lo echó al lago, y había que verlo mover la colita y sacudirse de alegría.

MARGARITA.—¡Tía, por favor!

TÍA JOVITA.—*(Viendo la cara seria y dolorida de* PATRICIO.*)* ¡No, si ya me callo, hija! Desde que empecé a hablar estaba pensando en callarme.

PATRICIO.—*(Con resignación.)* Alga está dispuesta a

pasar por esa operación, doctor. ¿Usted sigue creyendo...?

Doctor Núñez.—En el rápido examen que hice de la paciente, creí comprobar la teoría que había formulado "a priori". La cauda no es más que un tegumento escamoso que recubre las extremidades inferiores privándolas del movimiento normal. Es posible que dichas extremidades se encuentren atrofiadas, pero el ejercicio les devolverá su flexibilidad y resistencia. Se trata de un caso teratológico, que ha adquirido un aspecto verdaderamente sorprendente, lo admito, por el medio propicio en que se ha desarrollado. Pero no hay tal sirena, propiamente dicha. Esas son fantasías, muy poéticas, muy bonitas, pero reñidas con la realidad científica.

Tía Jovita.—Eso decía yo. Las sirenas no existen. Viene a ser como un antojo que tuvo la mamá, ¿no, doctor?

Doctor Núñez.—No precisamente, señorita... *(A Patricio.)* El examen de rayos desvanecerá las dudas que pudiera haber en contra de mi teoría. Cumplido este requisito, podemos ir a la intervención seguros del éxito.

Padre Custodio.—Eso lo resolvería todo...

Margarita.—Alga sería tan feliz entonces...

Patricio.—*(Se levanta y se pasea tomándose la frente con las manos.)* ¡Todos, todos están en contra! La religión tiene dudas respecto a la condición humana de Alga; la ciencia no ve en ella más que un caso de mesa operatoria... Los demás, un motivo de curiosidad y de escándalo... Ella misma... Bien, doctor: disponga usted lo necesario. En usted confío.

Padre Custodio.—Y en El. *(Señalando al cielo. Con las últimas palabras se habrán ido levantando, de modo que queden solos en primer término* Patricio y Marcelo.)

Patricio.—*(Desolado.)* Tú ves, Marcelo: he tenido que transigir con esta bárbara mutilación.

MARCELO.—(*Cariñosamente, poniéndole una mano en el hombro.*) Es triste, pero es así, Patricio. Los sueños no pueden vivir entre nosotros sino a costa de lamentables mutilaciones.

TELÓN

CUADRO SEGUNDO

Salita íntima de Alga. Decoración de tonos claros de gusto femenino. A la izquierda, consola de espejo antiguo con marco de porcelana de colores. Al foro, gran ventana abierta por la que se ve la copa de un árbol dorado por el otoño y el cielo de un día suave a las tres de la tarde, y a la derecha de la ventana, un armonio con candelabros también de porcelana antigua. Butacas bajas "capitonnées", una "chaise-longue". A derecha é izquierda, puertas bajas, y donde no estorbe, una victrola. A la izquierda, y en primer término, un caballete de pintor en que está clavada la cola de la sirena, recortada en "lamé" de plata.

En medio de la escena, dentro de un amplio círculo formado por pares de zapatos de todos colores, ALGA, sentada en el suelo, con los pies invisibles bajo el largo y vaporoso vestido de casa, con la barbilla apoyada en el puño, pasea una mirada perpleja por el círculo de zapatos, no sabiendo por cuáles decidirse, hasta que, señalando con el dedo a medida que habla, y separando las sílabas como hacen los niños para echar suertes en el juego, dice:

ALGA.

> Iba la luna descalza
> corriendo detrás del sol.
> Los cristales de la escarcha
> le daban mucho dolor.
> ¿Qué zapatito me pongo
> para seguir a mi amor?
> ¿El de cristal, el de oro
> o este de negro charol?
> ¿Uno de seda morada,
> o de raso tornasol?
> ¿O este de color de rosa
> y hebillas de corazón?

Salga el que la suerte quiera
y ése me calzaré yo,
que mis pies tan sólo valen
porque siguen a mi amor.

(Toma el par en que recayó la suerte y, siempre sentada, se calza. Después se pone en pie y da unas vueltas en redondo en medio del círculo, y luego, subiéndose sobre una banqueta, se contempla arrobada el pie y la pierna en el espejo.)

MUCAMA.—*(Apareciendo en la puerta de la derecha, hace, al verla, un movimiento de cabeza, como diciendo "¡Hay que ver!", y luego anuncia.)* Señora, está don Belarmino, el zapatero.

ALGA.—*(Bajando de un salto, con pueril alegría.)* ¿Don Belarmino? ¡Que pase, que pase!

DON BELARMINO.—*(Entrando.)* Buenas tardes, señora. *(Reparando en los zapatos del suelo.)* Tiene usted más zapatos que yo. Ni aunque viviera cien años, que se lo deseo, tendría tiempo de gastarlos todos.

ALGA.—Pues ya lo ve, lo he mandado a llamar, don Belarmino, porque quiero que me haga otro par.

DON BELARMINO.—Precisamente he recibido unos de cuero de Rusia, tan suaves y perfumados, que es como calzarse dos rosas. Pero cuero de Rusia del bueno, del tiempo de los zares, porque el que viene ahora, ¿sabe usted?, tiene un color rojizo muy desagradable.

ALGA.—Mañana mismo iré a probármelos. Deben de ser muy lindos.

DON BELARMINO.—¿Lindos? ¡Una joya, señora, una obra de arte! Pero no necesita molestarse la señora. Yo se los mandaré.

ALGA.—No, don Belarmino; a mí me gusta ir a la zapatería. ¡Se está tan bien entre todas aquellas cajas!...

Ahora quería que viera si se podrían hacer unos zapatos con esta piel. *(Indicando la de su cauda.)*

DON BELARMINO.—*(Pasa los dedos con voluptuosidad de artista y de conocedor por la piel.)* ¡Qué maravilla! ¿De qué es?

ALGA.—*(Con indiferencia.)* De sirena.

PATRICIO.—*(Que ha entrado, deja un paquete sobre una silla y sorprende el final del diálogo.)* Es un regalo, don Belarmino. *(Seña a ALGA para que se calle.)*

DON BELARMINO.—Buenas tardes, señor. La señora me mandó llamar...

PATRICIO.—Sí, sí, ya sé. La señora irá mañana por su casa.

DON BELARMINO.—Bueno, me retiro; siempre a sus órdenes, señora. Buenas tardes, señor. *(Se va muy reverencioso.)*

ALGA.—*(Le echa los brazos al cuello y lo besa. Con mimo.)* ¿Por qué lo echaste? ¿Estás celoso de don Belarmino?

PATRICIO.—*(Riendo.)* Debería estarlo. Estoy seguro de que si alguna vez me engañas, será con un zapatero. Pero dime: ¿no sabes que después de tu operación tuve que luchar contra toda la Facultad de Medicina para salvar esto de la curiosidad científica y del museo? Esto es parte de ti misma, Alga, y un recuerdo tan valioso para mí... Es el testimonio del milagro que eres tú, algo así como tu título de sirena.

ALGA.—*(Con resentimiento.)* Parece que te preocupan mucho las sirenas.

PATRICIO.—¡Alga!

ALGA.—No te hagas el escandalizado. Yo sé muy bien lo que quiero decir. La quieres más a ella, a la que fuí, que a mí, a la que soy ahora.

PATRICIO.—No sé cómo podría separar a la una de la otra.

ALGA.—Pues ya ves, el doctor Núñez, con un simple tajo, separó en mí a la mujer del monstruo, convirtiéndome en un ser normal.

PATRICIO.—¡Oh la normalidad de los médicos! Si por ellos fuera, le habrían cambiado el cerebro a Rubén Darío por el de Perogrullo en nombre de la normalidad. Pero, por suerte, tú nunca serás una mujer corriente. El filo del bisturí no pudo llegarte al alma; en el fondo, eres tan sirena como antes. Al menos para mí serás siempre la hija del mar, la ondina prodigiosa, mi Alga querida. *(La besa con pasión.)*

ALGA.—La hija del mar... No, Patricio; la hija del mar es sólo un fantasma que se desvaneció en una mesa de operaciones, donde nací a la vida sobre estos pies que tanto quiero, porque me acercan a ti. *(Transición.)* No puedes imaginarte tú, que los tienes desde que naciste, lo que significa para mí tener pies, poder caminar, subir escaleras, correr, bailar. Los pies son para mí un prodigio tan maravilloso como lo era para ustedes mi cauda de sirena... A veces, cuando nadie me ve, me paso horas muertas contemplándolos, contándome los dedos, mirando los juegos de la luz en el rosado de las uñas... Muchas mañanas, mientras tú duermes, me escapo al jardín y paseo descalza por los caminos húmedos de rocío, y siento que las fuerzas oscuras de la tierra me penetran lentamente, subiéndome por las piernas la savia terrestre de que tú te has nutrido, haciéndome más de los tuyos, más de tu raza, y cada día mi piel es más parecida a la tuya. Después, cuando vuelvo a tu lado y te despiertas y me posees, siento que cada vez estoy más cerca de ti, que soy más tuya. Amo a mis pies, Patricio, porque ellos me permiten caminar a tu lado, empinarme sobre sus puntas para alcanzar tu boca. *(Lo besa.)*

PATRICIO.—¡Oh Alga, cuánto te quiero!

ALGA.—*(Con coquetería.)* ¿A mí o a la sirena?

PATRICIO.—A ti, Alga. Y para que veas, te he traído un regalo que a la otra no le serviría de nada. *(Toma la caja que ha dejado sobre la silla y se la entrega.)* Adivina lo que es.

ALGA.—*(Con alegría infantil.)* ¡Ya sé: un par de zapatos! *(Los saca, y quitándose los que lleva, se los pone y da unos pasos, mirándose las puntas de los pies.)* ¡Qué lindo es caminar mirándose las puntas de los zapatos nuevos! ¿A ti no te gusta?

PATRICIO.—*(Riendo.)* Me gustaba mucho cuando era chico...

ALGA.—*(Corre a la victrola y pone un vals de Strauss.)* Ven, vamos a bautizarlos. *(Bailan. Cuando está por terminar el vals, entra LÍA, puerta de la derecha, y, volviéndose al exterior de donde vino, dice:)*

LÍA.—Puedes entrar, no estaban más que bailando. ¡Y yo que me esperaba sorprender una escena de amor!... *(MARCELO entra y la pareja suspende el baile.)*

ALGA.—¡Lía, querida!... Marcelo, ¿cómo está?

MARCELO.—Encantado. *(A PATRICIO.)* ¿Dando una lección de baile?

PATRICIO.—Tomándola, mejor dicho. Alga es ya una bailarina consumada. Es sorprendente, en seis meses...

LÍA.—¡Seis meses ya de matrimonio y de amor!... Nosotros, en cambio, recién estamos en los anillos... Eso pasa por enamorarse de un poeta. Necesita para casarse que le den el premio nacional. ¡Ah!, pero ya lo tengo resuelto: me arrojaré a los pies de los jurados y les diré que si no quieren ver morir soltera a una musa argentina, tienen que darle el premio. *(Todos ríen.)* Claro, que él no tiene apuro, porque se toma grandes anticipos... Y a propósito, Alga, acompáñame a peinarme, porque hemos venido solos en el auto. *(Todos ríen.)*

ALGA.—*(Tomándola cariñosamente de la cintura.)* Vamos, loca. *(Mutis por la izquierda. PATRICIO y MARCELO si-*

guen con la mirada a las dos jóvenes, y una vez que han desaparecido:)

PATRICIO.—Dime, Marcelo, la verdad: ¿cómo encuentras a Alga?

MARCELO.—*(Encendiendo un cigarrillo, distraído.)* Encantadora, como siempre.

PATRICIO.—Sí, claro... Pero... ¿no notas en ella nada que te choque?

MARCELO.—*(Prestando ahora gran atención.)* ¿Que me choque?... No... Me parece, eso sí, que está un poco más delgada, un poco más pálida este último tiempo.

PATRICIO.—*(Preocupado.)* No, no es eso lo que me preocupa. Ya la ha visto el doctor Núñez, e insiste en que el cambio ha sido demasiado brusco y que Alga necesita baños de mar. Resulta un poco grotesco, ¿verdad?, prescribir baños de mar a una sirena.

MARCELO.—Es que Alga ya no es una sirena...

PATRICIO.—*(Con angustia.)* ¡Ah! ¿Lo habías notado tú también?

MARCELO.—Patricio, no te entiendo..., o te entiendo demasiado...

PATRICIO.—Sí, Marcelo. Alga ya no es la misma. Ustedes no lo notan; pero yo, que vivo pendiente de sus menores gestos, de sus medias palabras, compruebo cada día, y es inútil que trate de engañarme, que a medida que pasa el tiempo y se afirma en la tierra, se va borrando el alma de la sirena y va naciendo en ella otra alma, un alma..., ¿cómo te diré?..., parecida a las demás..., un alma...

MARCELO.—Un alma que te quiere tanto como la otra.

PATRICIO.—Sí, pero ya no es aquélla... ¿Comprendes?

MARCELO.—*(Que puede ver la puerta de la izquierda, por la que vuelven ALGA y LÍA, hace un gesto de silencio.)* ¡Calla!

ALGA.—*(Recelosa.)* ¿De qué hablaban?

PATRICIO.—Le contaba a Marcelo que ya está de regreso el capitán, y que ha prometido venir a verte. *(Ojeada al reloj de pulsera.)* Ya no debe tardar.

LÍA.—¡Ah! ¿Saben quién ha vuelto también? Gloria. Esta noche le hacen una recepción triunfal en el centro aeronáutico. Parece que ese vuelo por encima del Tibet ha sido algo extraordinario. ¡Quién lo hubiera pensado! Ella, tan tímida, que temblaba como una hoja cuando yo apretaba un poco el acelerador del automóvil, volando sola por encima de las montañas más altas del mundo. De golpe se le despertó esa vocación suicida por la aviación de alto vuelo.

PATRICIO.—*(A pesar suyo, con inquietud.)* ¿Suicida?

LÍA.—Es un decir... *(Por la ventana abierta asoma la cabeza alegre y barbuda del* CAPITÁN.)

CAPITÁN.—¿Hay una copa de ron para un viejo pirata en desgracia?

PATRICIO.—*(Con gran efusión le tiende los brazos.)* ¡Oh capitán! *(Corriendo a la ventana.)*

ALGA.—*(Dando un paso.)* Capitán... *(Lía le sonríe y* MARCELO *también. Pero* EL CAPITÁN *ha desaparecido de la ventana y aparece en seguida en la puerta de la derecha y entra. Trae en la mano una sombrilla envuelta en papel de seda.)*

CAPITÁN.—*(Abrazando a* PATRICIO.) Mis felicitaciones, aunque un poco tarde. *(Se desprende y toma las manos de* ALGA. *Le habla con gran ternura.)* ¡Hija mía!

ALGA.—*(Emocionada.)* ¡Capitán!...

PATRICIO.—Está de más que lo presente, capitán, pues usted es uno de mis temas de conversación... Mi prima Lía... *(Apretón cordial.)* Marcelo Lerena, un gran poeta... *(Franco apretón.)*

CAPITÁN.—*(Desenvolviendo la sombrilla y presentándosela abierta a* ALGA.) Robada para usted en el Yoshiwara.

ALGA.—¡Es preciosa! Gracias, capitán. (*La hace girar ante sus ojos.*)

CAPITÁN.—(*Galante, a* LÍA.) De haber sabido que estaba usted aquí...

LÍA.—¡Oh!, muchas gracias. Pero yo no necesito sombrillas..., dicen que tengo muy buena sombra... A ver, Alga. (*Se apodera de la sombrilla y coquetea con ella ante el espejo.*)

CAPITÁN.—Tengo otra sorpresa. (*Mira con cara de pícaro a la ventana. En el jardín se oye cantar al son del acordeón:*)

VOZ.

> Despierta, niña del agua,
> a la luz de la mañana;
> despierta, flor de la espuma;
> despierta, flor de las algas.
> Despierta, niña del agua.

(*Los tripulantes, con* PIETRO *a la cabeza tocando el acordeón, pasarán cantando por debajo de la ventana, y precedidos por* TAO, *que canta también, entrarán por la puerta de la derecha. Repetirán dos veces la copla: una en la forma dicha y otra ya en escena.*)

PATRICIO.—¡Cuánto les agradezco! ¡Qué alegría! (*Da la mano a unos, palmea a otros.*)

ALGA.—(*Con una mirada significativa, a* PATRICIO.) ¿Me reconocen?... Espero que ustedes no encuentren muy desagradable el cambio..., ¿verdad?

LUCAS.—(*Admirativamente.*) ¡Oh señora!... (*Murmullos de admiración entre los demás.*)

CAPITÁN.—Yo soy el responsable de este abordaje... Tenían tantas ganas de verla...

EL NEGRO.—(*Adelantándose tímidamente y sacando de debajo del saco una botella como de medio litro envuelta en papel verde.*) Señora, le he traído este regalo... (*Le alarga la botella a* ALGA, *quien la toma y desenvuelve.)*

ALGA.—*(Alegremente.)* A ver, a ver. ¿Tiene un barco dentro? *(Con sorpresa.)* ¡Está vacía! *(Todos fijan las miradas interrogativas en* EL NEGRO.)

EL NEGRO.—No está vacía. Adentro hay un diablo del mar... Mi abuela de la Martinica lo cazó en una noche de tormenta sobre la cresta de una ola, y lo encerró en la botella. Mientras el diablo esté prisionero, a la persona que lo tenga no le podrá venir ningún daño del mar. Mi abuela me lo regaló contra los naufragios, y mire, niña, con esta botella en la mano se puede pasear entre los tiburones como si fueran gatitos..., y no ahogarse nunca...

LÍA.—¿Y si se escapa?

EL NEGRO —No puede escaparse, niña; está bien tapada... *(A* PATRICIO, MARCELO *y* EL CAPITÁN, *que miran la botella al trasluz.)* No se lo puede ver... Sólo cuando está muy enojado hay como una niebla. Pero no hay que hacerle caso, porque no puede salir.

LÍA.—*(Aprensiva.)* ¿Tú crees, Alga?

ALGA.—*(Aparte, encogiéndose de hombros.)* Tonterías de gente supersticiosa...

LÍA.—*(A* PATRICIO, *que con aire preocupado va a poner la botella sobre la consola y pasa por su lado.)* ¿Y tú crees, Patricio?

PATRICIO.—Quién sabe...

LÍA.— ¡Qué cambio el de tu marido! Antes de conocerte no creía ni en Dios, y ahora cree hasta en diablos embotellados!

CAPITÁN.—*(Al* NEGRO.) Debiste pedirme permiso para traer eso. *(*EL NEGRO *baja la cabeza.)*

PIETRO.—*(Dando vueltas a la gorra.)* Señora Alga, nosotros queríamos pedirle un favor...

ALGA.—Sí, lo que sea, Pietro.

PIETRO.—*(Tímidamente.)* Queríamos pedirle que cantara. *(Voces de los tripulantes.)* Sí, señora. Sea buena.

ALGA.—¡No, no! *(Con horror. Después se rehace y cambia de tono.)* Hace tiempo que no canto... Desde que me operaron...

PATRICIO.—Alga, tú sabes cuánto he deseado volverte a oír, pero no quería forzarte con mi insistencia... Pero ahora que te lo piden estos amigos...

CAPITÁN.—*(A* ALGA.) Yo les había prometido durante el viaje...

LÍA.—Sí, Alga.

MARCELO.—Sí, Alga.

ALGA.—*(Pasa por los presentes una mirada de angustia y, como quien se arroja al agua en un naufragio, cruza la escena y se sienta al armonio. Comienza a tocar suavemente, levanta la cabeza como para cantar y de pronto, con un grito desgarrador.)* ¡No puedo, Patricio, no puedo! *(Con la cabeza entre los brazos sobre el armonio solloza espasmódicamente.)*

PATRICIO.—¡Oh!, no te preocupes, no llores... Hace tanto que no cantas, que es natural que ahora...

ALGA.—*(Abrazándose desesperadamente a* PATRICIO.) No, no es eso... Hace tiempo que lo sospechaba y no quería hacer la prueba para no convencerme. ¡Patricio! Es como si en la operación me hubieran cortado la raíz del canto. *(Rompe a llorar sobre el pecho de* PATRICIO.)

TELÓN RÁPIDO

ACTO TERCERO

CUADRO PRIMERO

Terraza de un hotel en una ciudad balnearia. A la derecha, fachada del edificio, formada por una rotonda de cristales de colores y puerta que entra unos dos o tres metros en la escena, y a la que se llega por tres escalones. Al foro la escena está limitada en toda su extensión por un murallón de un metro al que se sube por tres gradas que lo recorren en toda su extensión, pudiendo bajarse del mismo modo a lo que se supone el mar. Cubriendo las tres cuartas partes de la escena, frente al edificio, un toldo de anchas franjas de colores. Algunas mesitas y sillones de paja bajo el toldo, y en primer término otra con un sofá y dos sillones. Al fondo, cielo y mar en un hermoso día de verano a las once de la mañana. Violento contraste de sombra y sol.
Sentados a la mesa del primer término, MARCELO y EL CAPITÁN.

MARCELO.—*(Haciendo ademán de llamar a un mozo que cruza la escena.)* ¿Tomamos otro, capitán?

CAPITÁN.—Yo, no, gracias. En tierra bebo muy poco. No es mi elemento y no me siento en caja; me marean los pisos que no se mueven.

MARCELO.—Pues pronto va a tener usted piso movible para rato, según creo. ¿Siempre parten mañana?

CAPITÁN.—Y a primera hora. Los sabios que han fletado mi viejo cascarón están impacientes por encontrar la oruga de sus sueños. Se trata de un curioso bicharraco, un gusano de seda, que, según parece, vive en ciertas islas de la Polinesia y que produce seda del color de la luz bajo la que se encuentra. Si está bajo una luz azul, hila seda azul; si bajo una luz roja, seda roja... Mis sabios llevan cien faroles de colores para los experimentos.

MARCELO.—Será un hermoso viaje, y deseo que sus entomólogos tengan éxito en la cacería.

CAPITÁN.—*(Con vaga melancolía.)* Lo tengan o no, los gusanos de seda, al menos, no serán para mí un motivo de remordimiento... He venido a despedirme de Alga, y quiera Dios que a mi regreso...

MARCELO.—¡Oh capitán!... No sea usted pesimista. Hemos ganado la primera batalla consiguiendo que viniera a tomar los baños de mar.

CAPITÁN.—¿Confía usted sinceramente en la eficacia de las sales de yodo para el mal de Alga? ¿Sabe usted cuál es ese mal?

MARCELO.—Sí, y no confío en el mar como el doctor Núñez, sino por otras razones... En este ambiente es posible que Patricio encuentre en su esposa a la sirena que cree haber perdido; el mar que se la dió una vez se la puede devolver.

CAPITÁN.—El mar, amigo mío, sólo devuelve los restos de los naufragios... Quiera Dios que por esta vez sea de otro modo. (LÍA y ALGA *aparecen en la escalinata del hotel y vienen hacia ellos. Vienen en malla, cubiertas por elegantes capas de playa.* ALGA *trae la sombrilla que le regaló* EL CAPITÁN. *Ambos se levantan.* EL CAPITÁN, *a* ALGA.) ¿Cómo estás, hija mía?

ALGA.—Muy bien. *(Sonríe sin alegría.)*

CAPITÁN.—A usted, señora, no se lo pregunto, porque basta verla.

LÍA.—Gracias, capitán. Si me divorcio, ya sabe usted que tiene el primer turno. Usted es un lobo galante..., no como otros. *(Por* MARCELO.)

MARCELO.—*(Ríe)* ¡Pero, Lía, si te he dejado hace cinco minutos!...

LÍA.—Pero me he cambiado de vestido. *(Da una vuelta en redondo abriendo la capa.)* Y una luna de miel tiene que ser una luna de miel sostenida, o no es nada. (MAR-

CELO *le pasa el brazo por la cintura y conversando en voz baja se alejan hacia el fondo de la escena.)*

ALGA.—Siento tanto que se vaya mañana, capitán...

CAPITÁN.—Hija, qué le hemos de hacer... Yo también siento dejarte, más de lo que tú crees.

ALGA.—Estoy tan sola... A su lado, en cambio, me siento acompañada, protegida...

CAPITÁN.—*(Emocionado, pero tratando de echarlo a broma.)* Naturalmente. Tú eres una hija del mar aclimatada en la tierra y yo un hijo de la tierra criado en el mar, y así venimos a ser un poco parientes... Pero no seas tonta, en la vida pasan cosas..., hay pequeños desencuentros... La tierra es así, pero no es mala; nos permite hasta que bailemos encima. ¡Animo, muchacha! ¡Un poco de alegría!

ALGA.—Nadie pisó la tierra con pies más alegres que yo..., y ya ve adónde me han llevado.

CAPITÁN.—*(Muy emocionado, pero fingiendo, mintiendo.)* Recuerda, Alga, que cuando subiste por primera vez a mi barco nos revelaste que tenías un gran conocimiento del mundo y del corazón humano, adquirido en las novelas de los naufragios. Tú sabes muy bien que las novelas son el reflejo fiel de la vida. ¿Y qué pasa en las buenas novelas?... Pasa que cuando la niña abandonada va a entrar de monja o a casarse con el repugnante banquero, llega el príncipe enamorado y se arroja a sus pies.

ALGA.—*(Con triste sonrisa.)* Pero el príncipe no llega esta vez. *(Mira hacia el hotel. Transición. Impaciente.)* ¡Lía!

LÍA.—*(Que está muy amartelada y hasta besándose con* MARCELO *en el fondo de la escena.)* ¡Hija, me has asustado! *(Viene corriendo, seguida a paso normal por* MARCELO.) ¿Qué hay?

ALGA.—Vamos al mar.

LÍA.—Pero...

ALGA.—Vamos, Lía, se hace tarde.

LÍA.—Pero ¿no estabas tan empeñada en que te acompañara Patricio la primera vez que entraras en el mar?

ALGA.—*(Mirando desesperada hacia la casa.)* No hablemos más de eso. Patricio tiene cosas más importantes que hacer. *(Ultima mirada y echa a andar hacia la playa.)* ¿Vienes?

LÍA.—Naturalmente que voy en cuanto me despida. *(A* MARCELO, *bajo el toldo.)* Dame un beso, ligero. (MARCELO *la besa.)* ¡Ay, qué frío sale a la sombra! *(Tomándolo de la mano y arrastrándolo fuera de la protección del toldo.)* Dame uno como la gente, al sol. *(La besa.* LÍA *echa a correr detrás de* ALGA, *que ya ha salido por la izquierda.)* ¡Alga, Alga, espérame! (MARCELO *regresa a reunirse con* EL CAPITÁN, *quien, en pie junto a la mesa, golpea con los nudillos en la tabla, mirando hacia el hotel con ceño fruncido.* MARCELO *se cruza en el camino con* GLORIA, *que viene del hotel vestida también como para el baño.)*

GLORIA.—*(Agradablemente sorprendida.)* ¡Oh Marcelo! No esperaba encontrarlo aquí. *(Le da la mano.)*

MARCELO.—Ni yo tampoco a usted. ¿Cuándo ha llegado?

GLORIA.—Al amanecer. Vinimos en auto con mamá. ¿Y Lía?

MARCELO.—¡Oh!, siempre muy bien. Pronto regresará del baño y va a tener un alegrón al verla. *(Se han ido acercando a la mesa.)*

GLORIA.—Todos los días estaba por escribirle para agradecerle los versos que me dedicó por mi último vuelo. ¡Son magníficos!

MARCELO.—Eso quisiera yo, para estar a la altura a que usted vuela. ¿Conoce usted al capitán?

GLORIA.—Nos conocimos en casa de Patricio. Encantada de verlo, capitán. ¿Cómo está su ahijada? *(Se ha sentado como para charlar largo rato.)*

Capitán.—Alga y Patricio están aquí.

Gloria.—*(Con disimulado sobresalto.)* ¿Aquí?

Capitán.—Por eso me encuentra usted: he venido a despedirme.

Marcelo.—*(Por* Patricio, *que desciende la escalinata con un envoltorio en la mano y vestido de playa, pero no de baño.)* Ahí lo tenemos a Patricio.

Capitán.—*(Volviéndose bruscamente.)* Patricio, Alga se ha ido al mar sin usted.

Patricio.—¡Ah!, sí; ya voy. *(Reparando en* Gloria.) ¡Gloria, tú aquí!

Gloria.—*(Sin responder a su efusividad.)* Me despedía en este momento.

Patricio.—No, ni sueñes que te voy a dejar ir así, después de tanto tiempo. *(Al* Capitán.) Usted se embarca mañana, capitán, ¿no es así?

Capitán.—Así es.

Patricio.—¿Siempre está el negro a bordo?

Capitán.—Sí, ¿por qué?

Patricio.—Quería pedirle un favor. *(Dejando la botella envuelta sobre la mesa.)* Llévele su demonio de mar. Dígale cualquier cosa, pero que se lo quede. Es una ridiculez, ¿verdad?, pero prefiero no tenerlo... Alga misma, que aparenta ser tan desaprensiva, creyó la otra noche ver dentro la famosa niebla. Naturalmente que después ella misma lanzó la teoría de que era el humo de mi cigarrillo... Pero yo no fumaba en ese momento, y también lo vi..., o creí verlo, que para el caso es lo mismo.

Gloria.—Curiosa historia. Aunque uno no crea, no puede dejar de sentir cierta aprensión y cierta atracción. *(Tomando la botella y mirándola al trasluz.)* Yo no veo nada...

Patricio.—Ni verás. *(Tiende la mano para tomar la botella y entre los dos la dejan caer al suelo, donde se hace añicos. Impresionado.)* ¡Caramba! (EL CAPITÁN *hace un gesto de disgusto.)*

GLORIA.—*(Mirando consternada los pedazos en el suelo.)* Fué mía la culpa.

CAPITÁN.—No se lo diga a Alga. Se impresionaría.

MARCELO.—*(Llamando a un* MOZO *que anda en las otras mesas.)* Mozo, ¿quiere hacer el favor de barrer aquí?

MOZO.—Sí, señor, en seguida. *(Se va y vuelve rápidamente con un pequeño escobillón y una pala y recoge con cuidado los vidrios rotos. Durante la operación todos quedan en silencio y preocupados. Desaparece el* MOZO *por la derecha. De la izquierda, lejana, llega la voz de* LÍA.*)*

LÍA.—¡Socorro! ¡Socorro!

TODOS CON UN SOLO GRITO.—¡Alga! ¡Alga! *(Corren hacia la izquierda, y del hotel salen el* MOZO *y alguna otra persona que corre detrás de ellos. Mutis.)*

T E L Ó N

CUADRO SEGUNDO

La misma decoración del cuadro anterior. Pero ahora el toldo está descorrido y apenas si queda un poco de sol en el mar.

MARCELO, sentado a la misma mesa y vestido como para la tarde, fuma aburrido frente a un aperitivo, mirando de cuando en cuando hacia la puerta del hotel. Discreto movimiento de veraneantes que entran o salen. En alguna mesa apartada puede haber gente.

LÍA sale del hotel y viene a reunirse con MARCELO. Trae en la mano una sombrilla cerrada.

MARCELO.—¿Cómo se encuentra Alga?

LÍA.—Perfectamente bien, vistiéndose para la noche. La he dejado un momento para venir a preguntarte una cosa importante. ¿Me quieres todavía?

MARCELO.—*(Afectando grandes dudas.)* Espera, déjame pensarlo.

LÍA.—Pensado no vale.

MARCELO.—*(Con ternura.)* ¡Tonta! *(La toma de la mano y la hace sentar a su lado en el mismo sofá.)* ¿Quieres tomar un cóctel?

LÍA.—No, todavía me duran los nervios del susto de esta mañana... No puedes imaginarte lo horrible que fué... Ibamos de la mano corriendo hacia una ola enorme; cuando la teníamos encima, agaché la cabeza y cerré los ojos, como hago siempre, y cuando los volví a abrir y busqué a Alga, la vi con una cara espantosa de angustia, agitando los brazos. Nunca podré olvidar... Si hubiera habido gente en la playa, estoy segura de que habría reaccionado y la habría podido ayudar, pero la playa estaba tan horriblemente sola y me dió tanto miedo, que no atiné más que a gritar... Si no es por ustedes...

MARCELO.—Nosotros no hicimos nada; cuando nos dimos cuenta de lo que ocurría, ya Gloria regresaba trayéndola en brazos.

LÍA.—Y yo, que estaba tan cerca, no atiné a tenderle la mano... ¿Sabes?... Me pasó una cosa muy extraña. Aunque lo estaba viendo, no podía figurarme que Alga no supiera nadar... Resulta tan absurdo... Pensé en un monstruo marino..., en algo misterioso..., y *(Se estremece.)* todavía me dura el susto... Dame un beso, que me voy.

MARCELO.—*(Rápida mirada hacia atrás.)* Nos van a ver, Lía.

LÍA.—*(Abriendo la sombrilla e interponiéndola entre ellos y los que están atrás.)* Todo está previsto. *(Se besan.)*

MARCELO.—*(Por* PATRICIO, *que llega en ese momento por la izquierda y los ve.)* Menos lo imprevisto. *(Ríen. A* PATRICIO.)* ¿Se fué ya el capitán?

PATRICIO.—Sí, acabo de dejarlo en la estación. *(Se sienta y mira hacia el hotel.)*

LÍA.—*(Levantándose.)* Me vuelvo con Alga... ¿No vienes a verla, Patricio?

PATRICIO.—Sí..., dentro de un momento.

LÍA.—Bueno, hasta luego. *(Inicia la ida, pero se da vuelta.)* No hablen mucho, miren que esta noche son los fuegos artificiales y hay que tener la voz descansada para poder hacer correctamente ¡ahaaaah!... *(Se va corriendo alegremente.)*

PATRICIO.—*(Después de una pausa en la que mira con gran interés hacia el hotel, y con afectada indiferencia.)* ¿No anduvo Gloria por aquí?

MARCELO.—*(Con sorpresa.)* ¿Gloria? No, no la he visto.

PATRICIO.—¿Por qué empleas ese tono para contestarme? Te hago una pregunta sencilla y te asombras. ¿Qué piensas?

MARCELO.—Nada... Pensaba en Alga, que ha estado a punto de morir ahogada..., y oír el nombre de Gloria me sorprendió..., así, al pronto.

PATRICIO.—Pues no debía sorprenderte. Nada más natural que si Gloria le salvó la vida exponiendo la suya, quiera agradecérselo... ¡Y en qué forma lo hizo!... Fué magnífico cuando, mientras todos estábamos aturdidos, sin atinar a nada, se lanzó al mar desde el murallón... Parecía un rayo de oro cayendo en el agua. Jamás he visto nadar tan ligero; cortaba el agua como un nautilus..., y cuando ya había conseguido poner a la pobre Alga a flote y, levantando el pecho y el brazo, nos gritó: "¡Salvada!", parecía la dueña del mar..., una sirena triunfante.

MARCELO.—¡Una sirena, Patricio! *(Con extrañeza.)*

PATRICIO.—*(Dándose cuenta de que se ha vendido.)* ¡Qué quieres, Marcelo! No me atormentes tú también. *(Queda un momento con la cabeza entre las manos.)*

MARCELO.—*(Poniéndole una mano en el hombro.)* Vuelve en ti, Patricio.

PATRICIO.—*(Con amargura.)* ¡Que vuelva en mí!... ¿Y

sabes tú lo que encontraría? (*Transición.*) Yo quise a Alga
tal como era, tal como la conocí, diferente a todas, única
y maravillosa, y era feliz con mi locura y la amé contra
todo, defendiendo su sueño y el mío de los que querían
despertarnos... Tú eres testigo... Pero las voces de todos
llegaban suaves y sinuosas como serpientes y decían: "Sé
razonable, vuelve en ti. Déjanos hacer; nosotros haremos
de un mito viviente una mujer con la que puedas casarte
como Dios manda y a la que puedas llevar del brazo por
la calle... Ella misma, deslumbrada por las luces de la
tierra, quiso ser como las demás mujeres..., y fui débil y
cedí..., y la he perdido... ¿Sabes tú lo que queda de Alga?

MARCELO.—No te olvides, Patricio, que fué por ti por
quien renunció a ser lo que era.

PATRICIO.—¡Oh, no temas!, mi agradecimiento está in-
tacto... Pero es lo único que puedo darle... Una mala farsa, una parodia fría del amor... Si yo te contara... (*Pausa.*)
De noche, cuando, apasionada y temblorosa, se me ofrece,
limpia y pura en la naturalidad del amor, por más esfuerzos que hago para ver en ella a la otra, a la que fué
y a la que quería con igual pasión e igual limpieza, no lo
consigo, y la siento como a una mujer desconocida, como
a una mujerzuela que el acaso arrojó a mi cama. Es horrible, Marcelo, es degradante... Sin ella saberlo, cada uno
de mis besos es una ofensa. (*Se oprime la frente con las
manos. Pausa.*) ¿Comprendes ahora?

MARCELO.—(*Gravemente.*) Sí, comprendo.

PATRICIO.—(*Con un arranque desesperado.*) ¿Sabes lo
que sentí esta mañana, cuando estuvo a punto de morir
ahogada?... Es monstruoso: sentí lo grotesco de la situación, lo ridículo de una sirena que no sabe nadar... Y así,
poco a poco, día a día, hoy un detalle, mañana otro, es
como he visto caer a pedazos mi gran sueño... Y he luchado, ¡oh!, cuánto he luchado por defenderlo contra ella
misma, que se empeñaba, ciega, sin comprender lo que

pasaba dentro de mí, en acercárseme por un camino que no era el suyo, y cada paso que daba por ese camino la alejaba más de mí... Ahora, hasta el nombre de Alga me parece que no le corresponde... Ya ves adónde hemos venido a parar.

MARCELO.—¡Pobre Alga!...

PATRICIO.—Sí, ¡pobre Alga! Es también lo único que puedo decir..., ¡y es tan poca cosa!...

TELÓN

CUADRO TERCERO

El mismo escenario. Del edificio del hotel, brillantemente iluminado, llega la música de una orquesta. Al fondo, el cielo, muy oscuro, y en la terraza, pocas luces.
Al levantarse el telón están OBRERO 1.º *y* OBRERO 2.º, *el primero en las gradas que conducen al mar, de espaldas, y el otro sentado con visible desenfado en un sillón en primer término y fumando un cigarro de hoja con gran ostentación.*

OBRERO 1.º—¡Qué bravo que está el mar!... Y qué noche más oscura... Parece como si quisiera llover.

OBRERO 2.º—Mal negocio. *(Mirando al cielo.)* ¿A qué hora te dijeron que había que prender los fuegos?

OBRERO 1.º A las doce, más o menos, en el primer descanso del baile... Con tal que el agua nos dé tiempo. *(Se acerca. Suena lejanísimo un trueno, vago y sordo.)* ¿Oíste?

OBRERO 2.º—Y a vos ¿qué te importa? Total, ya están pagos.

OBRERO 1.º—Eso sí... Pero siempre es mejor que las cosas resulten bien... Me acuerdo de una vez que fuí a llevar unos fuegos para la víspera de un Veinticinco de Mayo a San Fernando. Habíamos preparado un escudo argentino como de cuatro metros, y en lo mejor que empezó a arder, va y llueve y se quedaron justo las dos manos sin quemar. Y al otro día, el intendente largó una oración patriótica, que le llaman, y comentando dijo que era tal la unión del pueblo argentino, que ni el fuego podía destruir las manos que se están dando, y en eso van y le tapan un ojo de una pedrada. ¡Se armó una de patadas!

OBRERO 2.º—Está bueno. *(Ríe.)*

OBRERO 1.º—*(Preocupado.)* ¿Fuiste a ver, como te dije, si todo estaba bien?

OBRERO 2.º—Sí, al cisne se le había torcido un ala, pero ya la arreglé... Lo que me parece es que pusiste la sirena muy cerca del agua, y si llega a salpicar fuerte...

OBRERO 1.º—No te aflijas... Andando bien la rueda final, se quedan contentos.

OBRERO 2.º—Naturalmente. *(Como quien acepta un axioma.)*

MOZO.—*(Saliendo del hotel.)* Oigan, dice el gerente que se vayan preparando para encender los fuegos, que ya es la hora.

OBRERO 1.º—Está muy bien. ¿Vamos?

OBRERO 2.º—*(Al* MOZO.*)* Che, ¿no tenés otro de éstos? *(Por el cigarro.)*

MOZO.—No, y que no lo vaya a pillar el gerente.

OBRERO 2.º—*(Encogiéndose de hombros.)* ¿Y a mí qué me va a hacer?... *(Mutis de* OBREROS *por la izquierda. Y del* MOZO *por la derecha. Salen del hotel, en animado grupo,* ALGA, LÍA, PATRICIO, MARCELO *y la* MAMÁ *de* GLORIA. *Las mujeres, con vestido de baile; los hombres, de "smoking" negro.* ALGA, *la* MAMÁ *y* PATRICIO *llegan los primeros y quedan alrededor de los sillones, en pie. La señora se sienta.)*

ALGA.—Es una lástima que Gloria no pueda gozar del espectáculo... Van a quemar una sirena.

LA MAMÁ.—Dice que le duele la cabeza... (PATRICIO *permanece callado, fumando.)*

LÍA.—*(Pellizcándole el brazo a* MARCELO.) ¡Como vuelvas a bailar con esa negra! ¡Vas a ver si soy Lía o lío! ¡A mí con vampiresas de cine nacional! ¡Habría que verlo!

MARCELO.—¡Pero, hija, no podía ser grosero!...

LÍA.—Un hombre enamorado es naturalmente grosero con todas las demás mujeres. *(Se reúnen al grupo.)*

MOZO.—*(Saliendo del hotel.)* Si los señores no tienen inconveniente, vamos a apagar las luces para que se vean mejor los fuegos. Ya van a empezar...

LÍA.—¡Vamos, vamos, que no quiero perder ni una chispa!

PATRICIO.—Alga, ¿de verdad no tienes frío? ¿No quieres que te vaya a buscar un abrigo?

ALGA.—No, me siento muy bien así. Dame el brazo. *(Triste y cariñosa.)*

PATRICIO.—Bueno, siempre tendré tiempo para venírtelo a buscar si refresca. *(Mutis de todos por la izquierda. Cuando todos hayan salido se apagarán las luces de la terraza, quedando la escena iluminada por la que sale del hotel, que iluminará sólo el medio de la escena, dejando lo demás en penumbra. Un instante la escena sola, y poco después aparece* GLORIA, *sencillamente vestida de modo que se vea que no ha estado en el baile. Mira como para cerciorarse de que no hay nadie, y después se dirige a la escalinata del mar, sube y se queda un momento mirando a la lejanía, después viene hacia el primer término y se sienta en el sofá. Aspecto de gran preocupación. Apoya la frente en la mano. Poco después,* PATRICIO *aparece por la izquierda y se le acerca sin que lo note.)* ¡Gloria!

GLORIA.—*(Sobresaltada.)* ¡Ah!...

PATRICIO.—Desde esta mañana que quiero hablarte...

GLORIA.—*(Visiblemente incómoda.)* ¿Por qué no lo has

hecho? Dos veces hemos estado juntos, antes y después del accidente.

PATRICIO.—Sí, delante de todos... Y lo que yo quería decirte...

GLORIA.—(Interrumpiéndole.) Nada puedes decirme que no puedan oír los demás. Dispensa, pero tengo que irme. (Hace ademán de irse.)

PATRICIO.—(Con energía.) ¡No, no te irás sin escucharme! Todo el día me has huído. Inventaste un pretexto para no venir a la mesa. No lo niegues. ¿Crees que soy ciego?

GLORIA.—No lo niego. Sé lo que me vas a decir y no quiero oírlo. Eso es todo.

PATRICIO.—No, no es eso todo; no quieres oírme porque no podrías responderme más que una cosa. (La toma de las muñecas.)

GLORIA.—(Desesperada.) ¡No, no, es mentira! ¡No te quiero, Patricio! ¡Déjame, déjame! (Logra desasirse.) Ya lo has oído. (Pugnando por aguantar los sollozos.) ¿Ves qué fácil era de decir?

PATRICIO.—No, Gloria, no ha sido nada fácil: has gritado una mentira para que no se te escape la verdad, la que sabemos los dos. Te quiero, y me quieres... Cuando me lo confesaste aquel día en mi casa, no le di importancia, fué como si me cayera en el alma una hoja de rosa, pero poco a poco se fué convirtiendo en una brasa.

GLORIA.—Mi confesión fué involuntaria: tú lo sabes. Me salió como salen las lágrimas.

PATRICIO.—¿Y crees tú que es mi voluntad la que habla ahora? ¿Crees tú que yo también no he luchado?

GLORIA.—Sigamos luchando, Patricio. (Con desfallecimiento.)

PATRICIO.—¿Para qué? ¿A quién beneficiaría nuestro sacrificio?... Ya sé lo que vas a decirme... Por ella no siento más que compasión, y no quiero seguir ofendiéndola y humillándola con mi lástima. *(Pausa larga.* Gloria *solloza.* Patricio *queda un instante con la cabeza entre las manos. Se oye, a lo lejos, el estampido amortiguado de los fuegos artificiales. Un cohete de luces pálidas cae por el fondo de la escena, en el mar.)* ¿Sabes adónde fuí el otro día? A la quinta de San Isidro; allí está el granado: las frutas entreabiertas parecen bocas que te llaman: ¡Gloria, ven, ven! *(Le aparta las manos de los ojos y la besa en la boca con pasión. Ella, ya vencida, le echa los brazos al cuello y le devuelve el beso.)*

Gloria.—¡Oh, Patricio! *(Después queda con la cabeza escondida en el pecho de él.)*

Patricio.—*(Manteniéndola abrazada.)* No puedes imaginarte lo que he sufrido en estos últimos tiempos... Cuando se hablaba de tus locos vuelos, pensaba con angustia en que mi ceguera y mi incomprensión eran las que te habían arrojado al aire peligroso... Y hasta llegué a temer que voluntariamente...

Gloria.—Y pensaste bien... Muchas veces sola y perdida en la altura, miraba la tierra y me decía: "¿Qué tengo que hacer yo allí?" ¡Si toda la tierra no es más que un apeadero para mi tristeza!... Y lo pensaba con la mano en la palanca; bastaba un movimiento, un leve movimiento, hecho como sin querer, cerrar los ojos..., y todo habría terminado en un montón de hierros destrozados... No sé cómo no lo hice... Creo que la mano del ángel de la guarda estuvo siempre aferrada a mi muñeca.

Patricio.—Mi pobre Gloria... Júrame que no volverás a volar.

Gloria.—Ahora ya no hay peligro. Por alto que suba, tu cariño me sostendrá como el tallo sostiene a la flor que crece... Pero te juro no volar más. ¿Qué necesidad tengo de otra altura que no seas tú? *(Vuelve a echarle los brazos al cuello y se besan en la boca.* Alga, *llegando por la izquierda, lanza un grito al verlos y se tapa los ojos* con las manos. GLORIA y PATRICIO *se desprenden e instintivamente se separan un par de pasos.* GLORIA, *sobrecogida.)* ¡Alga!

PATRICIO.—*(Igual.)* ¡Tú!

ALGA.—*(Da unos pasos, desorientada, pasándose los dedos por la frente y apoyándose en las mesas y el respaldo de las sillas. Hablará lentamente, como si las palabras le fueran llegando de muy lejos.)* No sé por qué me sorprendo..., esto tenía que suceder... *(A* GLORIA.) Tú u otra, lo mismo da... *(Reaccionando de su pasividad y como dándose cuenta de algo.)* ¡Oh, tú, tú! ¿Por qué me salvaste esta mañana? ¿Por qué no me dejaste morir engañada, al menos?... Sí, comprendo por qué lo hiciste. Eres noble, tienes un corazón generoso, y así eres más digna de ser amada... ¿O es que le disputaste al mar su presa porque necesitabas este dolor mío para ser feliz?

GLORIA.—Escúchame, Alga. Lo amo tanto como tú, más que tú, porque supe guardar ese amor sin esperanza durante muchos años. Y te juro por su vida que yo no he querido esto. En cuanto supe que estaban ustedes aquí, decidí volver a la ciudad; por no encontrarme a solas con él me he pasado la tarde y la noche encerrada en mi habitación. Hace un momento, cuando la fatalidad nos reunió, quise huir... He cumplido con mi deber hasta donde me han alcanzado las fuerzas... Tú eres mujer y puedes comprenderlo.

ALGA.—Sí, y cuanto más larga es la resistencia, cuantos más méritos se hacen ante la conciencia, se entra después con más tranquilidad en la traición. ¡Ya se ha cumplido!...

PATRICIO.—*(Quiere ir hacia ella, pero un gesto de* ALGA *lo contiene.)* Alga, lo que dice Gloria es verdad; yo te explicaré...

ALGA.—No, Patricio, darle una explicación a quien ha

perdido un gran amor es como conformar con una manzana al que esperaba que le dieran la luna... No me expliques nada, todo me lo he explicado hace tiempo, mientras dormías a mi lado y te sentía tan lejos como si estuvieras en el fondo del mar... Yo abandoné mi mundo por el tuyo, renuncié a ser sirena por ti; a un ser extraordinario y brillante que te deslumbraba preferí ser a tu lado una pequeña sombra amante, una sombra que crecía o se achicaba según la luz que tú le prestases..., y no debo quejarme de lo que hoy me pasa; nadie se cuida de no pisotear su sombra... Tarde he comprendido que lo que amabas en mí era mi cauda de plata, mi prestigio de mito marino... Fuí para ti como esos fuegos de artificio; ya estoy apagada y vuelves los ojos hacia otras luces. *(A* GLORIA, *que llora silenciosamente.)* Y tú no llores, que ya tendrás que llorar después, cuando te hayas cortado las alas para estar a su altura, como hice yo con mi cauda, y entonces le des lástima porque seas tan pequeña como él...

PATRICIO.—Es muy posible que sea verdad lo que dices. Pero no olvides que fuiste tú quien lo quiso, no olvides que yo me opuse, que nunca quise que dejaras de ser como eras.

ALGA.—*(Con profunda tristeza.)* Sí, Patricio, lo sé, pero... ¿no comprendes qué humillante era para mí que me amaras por unas escamas de plata y no por mi alma de mujer?... ¡Jugué mi partida y la he perdido! Sólo me resta pagar ahora. Y el pago es bien duro, pero mucho menos que esta desilusión... *(Corre hacia el mar tres o cuatro pasos.)* ¡Padre, padre, perdóname! *(Cae de rodillas con la cara entre las manos. Levantándose como somnámbula.)* Y en la tierra no hay sitio para mí, mi tierra eres tú, Patricio... Y el cielo está vacío...; el agua del bautismo resbaló por mi alma de sirena como resbalaba el agua del mar por mi piel... *(Se ha ido acercando a las gra-*

das y subido un escalón. Trueno lejano, sopla el viento del mar.) ¡Padre, padre, perdóname! ¡Ya he sido terriblemente castigada! *(Sigue subiendo y dirá las últimas palabras, ya sobre el murallón, descendiendo rápidamente por el lado del mar.)* ¡Padre, padre, perdóname! *(Telón rápido.)*

FIN DE
"LA COLA DE LA SIRENA"

MÚSICA

*de la "Canción de los marineros" del primer acto,
compuesta por el maestro Merico.*

pier - ta ni - ña des- pier - ta — a la luz de la ma - ña - na, — des -

pier - ta ni - ña del a - gua —

JUAN OSCAR PONFERRADA

EL CARNAVAL DEL DIABLO

TRAGICOMEDIA EN UN PRÓLOGO
Y CUATRO ACTOS

JUAN ÓSCAR PONFERRADA

LA CHAYA

"La Chaya" es el nombre del carnaval en los
valles calchaquíes. Comienza con las ceremonias
llamadas "topamientos" y concluye con el entierro
de "Pucllay", suerte de Momo indígena cuya imagen aparece en todos los festejos como presidién-
dolos. Inspirador de la embriaguez y el gozo, el
"Pucllay" recuerda un poco al Dionisos griego,
a Baco en sus últimas transformaciones. Pero como
éste, implica también en cierto modo al diablo de
la noción cristiana. "La Chaya" tiene formas ri-
tuales que parecen haber quedado de la fiesta del
"Chiqui", antiguo dios infausto, mito de lo fatal,
cuyo culto ya ha desaparecido. Puede conjeturarse
que el "Chiqui" supervive en el "Pucllay", como
si se dijera la tristeza en el fondo de la alegría.
Así se explicaría el acento dolorido y trágico de la
"vidala chayera", que es la canción de carnaval.

Esta obra fué estrenada el 25 de marzo de 1943 en el teatro Politeama Argentino, de Buenos Aires, por la compañía Eva Franco y Miguel Faust, con el siguiente

REPARTO

MARÍA SELVA	Eva Franco.
EL FORASTERO	Miguel Faust Rocha.
DON CRUZ	Carlos Perelli.
ENCARNACIÓN	Milagros de la Vega.
ISABEL	María Rosa Gallo.
ROSENDO	Pedro Quartucci.
DOÑA FUNESTA	Pilar Gómez.
DON SERVANDO	José Franco.
LA COMADRE	Nela Oses.
LAMBERTO	Alberto Candeau.
LUCINDA	Iris Portillo.
EL PUCLLAY .... } Un CONVIDADO .... }	Víctor Barrueco.
EL CHIQUI .... } EL COMPADRE .... '	Luis A. Otero.
ROSALINDO	Hugo Pimentel.
CASIANO	José Churquina.
MAMERTO	Vicente Thomas.

MOZAS

Maruja d'Alba, Rosa Palermo, Zara Terzi, Celina Tell, Marga de los Llanos, Betsy Maza.

MOZOS

Pablo Varma, Roberto Vidal, Miguel Medina, Vicente Thomas, José Churquina, H. Pimentel.

INTÉRPRETES DEL BALLET

María Rosa Gallo, Eva Carlés, Eva Quintana.

La dirección general fué ejercida por ORESTES CAVIGLIA, con quien colaboraron en el montaje LÍA CIMAGLIA ESPINOSA, creadora de las ilustraciones musicales y directora de los coros; MERCEDES QUINTANA, en la dirección coreográfica, y ANTONIO BERNI, autor de la escenografía y de los figurines.

PROLOGO

Días antes de comenzar el carnaval se hace la recolección de la algarroba. En medio del afán de la cosecha, los chayeros (gente carnavalera) ensayan sus vidalas. Generalmente el "Pucllay" es invocado ya desde este instante, porque él es la alegría que se avecina, el "genio" que se adelanta a esperar, en la vendimia, el comienzo de su reinado.

Campo de algarrobales. Se verá una explanada a la entrada del bosque que se extiende a la izquierda. Arriba, por los claros de las ramas, el resplandor dorado de la tarde en deceso irá cambiándose por una claridad color berilo y—después—azul índigo. Luego saldrá la luna y tejerá entre el follaje su telaraña de plata. En la luz espectral los troncos y las ramas se verán como torsos y brazos de sátiros. A la derecha se elevará un tunal. Y habrá algún grueso tronco de árbol derribado. Y en el suelo estarán esparcidas las vainas de algarroba madura. Al fondo, la sombría línea de las montañas que la noche borrará lentamente. Esto ocurre en los días en que se cosecha la algarroba, al son de las vidalas. El Coro de los algarroberos cantará, acercándose (1).

Coro.

> Algarrobo, algarrobal:
> ¡qué gusto me dan tus ramas
> cuando empiezan a brotar!
> Cuando empiezan a brotar,
> señal que viene llegando
> el tiempo del carnaval.

ESCENA PRIMERA

Y se verá a los cosechadores—mozas, mozos y chicos—recogiendo el fruto caído sobre la tierra, con el cual llenarán alforjas y árganas. Durante su actuación este conjunto evolucionará en forma de "ballet", otorgando un carácter ritual a la cosecha.

(1) Véase Apéndice, tema melódico núm. 1.

Dos Semicoros estarán delante, a derecha e izquierda. Serán grupos de ancianos y de ancianas, respectivamente, y sus voces se oirán como el eco tardío de la experiencia y de la reflexión. Las partes de los dichos Semicoros han de ser siempre habladas. En cambio, el Coro tendrá invariablemente una función cantante (que es la del cancioneio popular; porque en el cancionero popular —si la vida es teatro—parece haber quedado relegado lo que era el Coro en la Tragedia antigua). Se verá, finalmente, en primer plano, la figura del Pucllay—suerte de Momo indígena, gran mascarón de risa en cuerpo humano—sentado junto a un árbol; y en una rama de éste se verá, además, la imagen dura y trágica del Chiqui, el genio infausto, con su aspecto de buho.

Mozo 1.º

   ¡Bienhayga el árbol macho!
   ¡Tronco y raíces firmes...!

Moza 1.ª

   ¡Busco un querer que tenga
   su fuerza y sus raíces...!

Semicoro 1.º

   Amor dulce y seguro,
   lo mismo que sus ramas
   con el fruto maduro.

Mozo 2.º

   ¡Arbol de tantos años
   y con brotes tan tiernos!

Moza 2.ª

   Así quisiera verte,
   corazón, con el tiempo.

Semicoro 2.º

   Corazoncito alegre,
   como sus vainas de oro;
   como sus ramas verdes...

EL CORO (1).
>   Algarrobo, algarrobal:
>   cuando cantan los coyuyos
>   me dan ganas de llorar;
>   me dan ganas de llorar
>   de puro gusto, mi vida,
>   porque llega el carnaval.

MOZA 3.ª
>   Un coyuyo en las ramas
>   canta su trova...

MOZO 3.º
>   Acuérdate, mi prenda,
>   de la algarroba.

SEMICORO 1.º
>   De la algarroba
>   salen beso y cariño,
>   baile y aloja.

MOZO 4.º
>   Te llevé a la sombra...
>   Te echaste a llorar...

MOZA 4.ª
>   ¡La culpa la tuvo
>   don Juan Carnaval!...

SEMICORO 2.º
>   ¡Ay, Juan Carnaval,
>   cuando me llevabas
>   al algarrobal!

---

(1) Véase Apéndice, tema melódico núm. 1.

Coro (1)

> Algarrobo, algarrobal:
> la vidala por la noche
> sale a cantar y llorar;
> sale a cantar y llorar
> con el tambor de la luna
> y el amor del carnaval.
> *(La luna habrá salido. Mozos y mozas se arri-*
> *marán al* Pucllay *y le increparán y le hablarán*
> *en tono de conjuro.)*

Moza 1.ª

> ¡Carnavalcito
> de mi corazón!

Moza 2.ª

> ¡Por tus malas mañas
> perdí la razón!

Mozo 1.º

> ¡Velay, Carnaval:
> con chica y aloja
> me querís matar!

Mozo 2.º

> ¡Velay, Carnaval:
> vaina de algarroba
> tiene tu puñal!

Coro.

> Algarrobo, algarrobal:
> qué gusto me dan tus ramas
> cuando empiezan a brotar;
> cuando empiezan a brotar,

---

(1) Véase Apéndice, tema melódico núm. 1.

señal que viene llegando
el tiempo del carnaval.

*(La comparsa coral se internará en el bosque
seguida por ambos* SEMICOROS. *Quedarán en escena el* PUCLLAY, *como dormido, y el* CHIQUI *en
su actitud de pájaro disecado. Y habrá una mutación de luces, al cabo de la cual este último
saltará de la rama desplegando su poncho color
pluma de halcón, decorado con guardas negras,
ocres y rojas. Todo será, en el* CHIQUI, *de una
ridiculez solemne. Y hablará con profunda y ca-
vernosa voz, como desde ultratumba. Se acercará al* PUCLLAY *y lo despertará a sacudones. Lejos, se irá apagando el canto de los cosechadores.)*

ESCENA II

CHIQUI.
Compadre Pucllay...

PUCLLAY.
¿Quién anda?

CHIQUI.
Yo, pues.

PUCLLAY.
¿Y quién es?

CHIQUI.
Parece
que usté también fuera de esos
que no quieren conocerme.

PUCLLAY.
Si no me dice su nombre...

CHIQUI.

> ¡No, no puedo! Nadie puede
> oír mi nombre, porque
> mi nombre es como una peste.

PUCLLAY.

> Ah, entonces no me lo diga;
> pero dejemé que piense...

CHIQUI.

> Yo soy el nunca esperado,
> soy el que nunca conviene...

PUCLLAY.

> Ah, ya sé. Ya lo conozco...
> Maver, deje que me acuerde...
> ¡Usté es la fatalidá!

CHIQUI.

> Sí, pues, desgraciadamente.

PUCLLAY.

> ¡Qué mala suerte! Bueno, y digamé:
> ¿qué anda queriendo, po?... ¿Qué se le ofrece?

CHIQUI.

> Pasaba por aquí, lo vi dormido
> y me dije: "El compadre se ha aburrido;
> se ha aburrido de ser..., ¿cómo diré?,
> de ser alegre sin saber por qué..."

PUCLLAY.

> Algo de eso hay. Cierto es. Esta alegría
> suele cansar a veces. Pero el mundo
> dice que es mi deber estar alegre,
> y soy alegre, aun sin motivo alguno.

Ah, si pudiera darme alguna vez
el lujo de decir: "¡Estoy de luto!"
                    (Se reirá con todas sus ganas.)

CHIQUI.

Yo, en cambio, mi compadre Pucllaycito,
qué no daría por reírme un poco.
Esto de ser el infeliz de siempre
también es algo de volverse loco.
Y por eso pensé que, con buen tino,
entre los dos podríamos buscar
la manera mejor de descansar,
de amenizar, diré, nuestro destino.

PUCLLAY.

¿Sabe que sería lindo?

CHIQUI.

                    ¡Lindo, pues!

PUCLLAY.

Tiene razón, compadre, es aburrido
vivir así. Y ya se me ha ocurrido
que poniendo las cosas al revés
va a ser más divertido.
Digamé: si cambiara su tristeza
por lo que todos dicen que es mi gozo,
¿se sentiría feliz?

CHIQUI.

                    ¡Velay, dichoso
como ir de la miseria a la riqueza!

PUCLLAY.

Bueno, le cedo mi felicidá;
y para mí será lo pertinente

verme así, convertido de repente
en el señor de la Fatalidá...
> *(Volverá a reír sonoramente, celebrando su idea con fruición.)*

CHIQUI.
¿Sabe que no está mal?

PUCLLAY.
             ¡Qué va a estar mal!
¡Si al menos tiene un poco más de gracia
que sea usté, tan luego, el carnaval
y yo quien les reparta la desgracia...!
>   (Ja..., ja..., ja...)

CHIQUI.
¡Eso es vida!

PUCLLAY.
        Pero hay que darse prisa;
hay que cambiar de aspecto agora mismo.
Pongasé usté mi mascarón de risa,
demé su cara de... ¡de fatalismo!
> *(Reirán ambos ahora. Y comenzarán a mudar sus máscaras y prendas.)*

CHIQUI.
Parece un sueño, pero...

PUCLLAY.
          Pero ¿qué?

CHIQUI.
¿Y si yo no supiera conducirme?
Yo nunca he sido alegre. Ni siquiera
sé qué tengo que hacer para reírme.

PUCLLAY.

No hace falta. La vida es tan graciosa,
que se puede reír de cualquier cosa
en la seguridá de que la gente
se va a reír también bárbaramente (je..., je..., je...).
(Terminarán de cambiar sus máscaras. PUC-
LLAY *recibirá por último el poncho del* CHIQUI
y se lo pondrá, exhibiéndolo ufanamente.)
¿Listos?

CHIQUI.

¡Listos!

PUCLLAY.

¡Caray, qué bien lo queda
mi persona, compadre! ¡Qué parada!

CHIQUI.

¿Y usté? Yo no creí que usté pudiera
ser una fatalidad tan bien plantada...

PUCLLAY.

Bueno, me voy. Que tenga buena suerte...

CHIQUI.

¿Y ande se va tan pronto?

PUCLLAY.

A la ocasión...
Quiero empezar con una buena muerte;
es lo más sano de su profesión...
(Reirá una vez más, apartándose.)
¡Adiós, mi dicha!

CHIQUI.

¡Adiós, Fatalidá!

PUCLLAY.
¡Que se divierta!...

CHIQUI.

¡Que le vaya mal!...
Ah, ¿y cuándo volveremos a encontrarnos?

PUCLLAY.
No sé... ¡Cuando se muera el Carnaval!...

(Ahogándose de risa desaparecerá entre las sombras. El CHIQUI, *como un mal actor, se echará a reír él también, a manera de ensayo. Su risa resonará en el bosque y de su eco brotará la risa de las mozas del* CORO, *que vuelven perseguidas por sus enamorados. Y las muchachas correrán, entre claros y sombras, por la escena, hasta caer en brazos de sus perseguidores. El* CHIQUI, *en tanto, se desplomará, despatarrado como un muñeco, junto a un árbol. Y los cosechadores reaparecerán, con sus árganas y alforjas al hombro, cantando. Y el bosque se llenará de las voces de la tierra.)*

ACTO PRIMERO

Con la debida anticipación, manos diligentes preparan un gran arco de ramas bajo el cual se toparán los compadres. Este arco, del que penden figuras de niños (guaguas) o de animales, parece ser una representación simbólica del árbol en la fiesta del Chiqui, suspendiendo en sus ramas cabezas de animales o de niños inmolados al dios funesto.

El patio de la casa de Don Cruz, en las altas montañas. Techos de teja, paredes blanqueadas; galerías con pilares cuadrados y arcos de medio punto. Los muros serán bajos y macizos y las puertas pequeñas y moradas. En la infinita soledad del paisaje, estos muros de cal, arcos y galerías darán una impresión fría de claustro. Se verá, hacia el fondo, una pequeña gradería de lajas para subir al camino real que pasa por allí bordeado por una escasa pirca. Sobre la misma línea, a la derecha, se verá un sector del edificio con dos puertas bajo la galería. Y junto a algún pilar de dicho corredor estará la tinaja del agua con su tapa y el "virque" pequeño que usan para beber. Al costado derecho, en primer término, asomará otro cuerpo de edificio, en ochava, dejando ver, también bajo la galería, una puerta tallada en algarrobo y empotrada en el muro como un nicho. Allí estará la habitación de María Selva. Entre ambas construcciones se perderá el gran patio. Y en el patio habrá un árbol de sombra (algarrobo o nogal) extendiendo sus ramas por sobre los tejados. Al lado izquierdo se verá un galpón con su techo de paja y de barro, apuntalado con horcones. Y bajo este galpón, en primer término, un antiguo telar con la urdimbre tendida. Y de los soportales penderán los husos para hilar, entre torzales y riendas. Habrá sillas de tiento y un mortero tallado en tronco de quebracho, con su mano de piedra repulida. Apoyado en el árbol se verá el gran arco de ramas —a medio componer— que se destina para el "topamiento".

Será una luminosa mañana de febrero. Más allá del camino, en la vasta extensión, la montaña desnuda tendrá tonalidades cobrizas y aceradas. Al levantarse el telón estará ENCARNACIÓN, enjuta y arrugada como una momia indígena, sentada en el telar.

Por el camino llegará Lamberto, seguido de Rosendo, y ambos se anunciarán golpeando las manos. Lamberto es un peoncito movedizo y despierto, suelto de lengua como de ademanes. Su amo, Rosendo, algo más joven que él, es una cosa de nada, modelo de hijo único crecido entre las faldas maternales.

Lamberto.—¿Se puede?

Encarnación.—¡Adelante! *(Bajarán hasta el patio. Lamberto dará muestras de soltura y confianza haciendo más sensible la timidez de su amo.)*

Lamberto.—¿Siempre tejiendo, doña Encarnación?

Encarnación.—Así es, hijo. En eso me parezco a las arañas.

Lamberto.—¡Vean la comparanza!

Encarnación.—Pero no soy ponzoñosa; de no, ya me hubieran pisoteado. ¿Y qué viento los trae?

Lamberto.—Aquí el niño Rosendo anda queriendo hablar con la señora..., con doña María Selva.

Rosendo.—Si no es molestia, ¿no?...

Encarnación.—¿Qué puede molestarla, si entre ustedes no cabe haber cumplidos? Entrá nomás, está en el comedor.

Rosendo.—Con su permiso, entonces... *(Se irá dentro, según la indicación, por la segunda galería. Encarnación volverá a su labor. Luego, cediendo a la curiosidad, preguntará con aire distraído:)*

Encarnación.—¿En qué afanes anda ése?

Lamberto.—¿Na' y que no ha maliciao? ¡Por la niña Isabel! Ha venío a pedir consentimiento.

Encarnación.—¿A la madre?

Lamberto.—Sí, pues.

Encarnación.—¿Y por qué no a mi hermano, que es el padre?

Lamberto.—No quedrá que se entere antes de tiempo. Como hasta agora nadies sabe nada...

ENCARNACIÓN.—La Isabel ya tendrá que haberles dicho...

LAMBERTO.—¡Y de ande! Si ella tampoco sabe.

ENCARNACIÓN.—No acabo de entender.

LAMBERTO.—Es que el niño es así, medio encogido. Quiere arrastrarle l'ala sin que ella se dé cuenta...

ENCARNACIÓN.—¡Sus, el gallito!

LAMBERTO.—...Y por eso ha venío a ver si la señora María Selva le da el primer envión. Y a usté, ¿qué le parece?

ENCARNACIÓN.—¿Qué me parece a mí? Que el día que se entere la madre de Rosendo se va a acabar el cuento. ¡La gracia que le haría tenernos de parientes!

LAMBERTO.—¿Y por qué no, velay? ¿No diz que la señora María Selva es gente muy de arriba?

ENCARNACIÓN.—Pero yo y mi hermano somos gente de abajo...

LAMBERTO.—¡Guá! Usté y la señora María Selva son la misma familia...

ENCARNACIÓN.—Eso es lo que parece; pero no. Ella es criada en cuna. Yo soy de las criadas en el suelo. Aquí somos dos bandos: ella y nosotros; o, mejor dicho, mi cuñada y yo. En fin, te estoy diciendo cosas que no debo decir... No me hagas caso.

> (MARÍA SELVA, *seguida de* ROSENDO, *aparecerá por el lado derecho, bajo la galería.* LAMBERTO, *apercibiéndose de ello, se acercará a* ENCARNACIÓN, *hablando por lo bajo.*)

LAMBERTO.—Si pues, será mejor...

ESCENA II

MARÍA SELVA.—*(Es alta, sana, madura; ensombrecida apenas por un ligero aire de desdén o de hastío. Viste arbitrariamente—dentro de los recuerdos de comienzo de siglo—un traje de montar que por momentos tiene apariencias de hábito monjil. Es un vestido en paño largo y amplio, caído, que se ciñe por un cordón de lana al talle. Mangas abuchonadas y ajustadas en las muñecas; cuello cerrado y alto, con golilla de randas como único adorno. Usa un peinado sobrio, de rodete, en el cual ha de verse a la mujer al mismo tiempo fina y puritana. Calza botinas. Es una figura extraña al medio.)* ¿Dónde está la Isabel?

ENCARNACIÓN.—Salió con la Lucinda a buscar flores.

MARÍA SELVA.—¡Con el bendito carnaval, ésa anda trastornada! No piensa en otra cosa. *(Advertirá la presencia del arco apoyado en el árbol. Su desdén subirá como una llama a su rostro.)* Y el padre le fomenta esas tonterías armando topamientos de comadres en casa.

ENCARNACIÓN.—No es el padre. Yo soy. Si tanto te molesta, que no se haga. Y sanseacabó. Aquí, lo que yo pienso o se me ocurre, siempre ha de ser inconveniencia y trastorno.

MARÍA SELVA.—¡No quise decir eso! ¿Quieres pasar, Rosendo? *(Entrará con ROSENDO a la habitación de primer término. Habrá una larga pausa.)*

ESCENA III

LAMBERTO.—Nunca le ha cáido en gracia el carnaval a doña María Selva...

ENCARNACIÓN.—Nada ande estén los pobres le hace gracia. En los años que van desde que llegó aquí, ni una vez el orgullo se ha podido abrazar con la pobreza.

LAMBERTO.—¡Qué doña Encarnación! ¿Parece que no está de güenos humos?

ENCARNACIÓN.—Tal vez tengás razón. Estaré medio agriada por los años. Pero vos, que de chico has visto lo que yo era en esta casa, dirás si no hay motivo para tener el alma hecha salmuera.

LAMBERTO.—No se avinagre, doña. Los malos ratos son como las pulgas: hay en todas las casas...

ENCARNACIÓN.—La que a mí me ha tocado, me va acabar la sangre.

LAMBERTO.—Pero y don Cruz, ¿no la hace respetar?

ENCARNACIÓN.—¡Bah! Si está engualichado. Cruz ya no es "el de cuanta". Esa le ha puesto la coyunda..., ¡y ara! (LAMBERTO *se ha aburrido de la chismografía. Comenzará a mirar los rincones, las cosas, como buscando algún pretexto pueril para cambiar de tema. Lo encontrará en el arco de ramas y de flores apoyado en el árbol.*)

LAMBERTO.—¿Así que hacen nomás el compadrazgo, aquí?

ENCARNACIÓN.—Ya te habrán invitado. Servando se encargó de buscar los compadres y convidar la gente.

LAMBERTO.—¡Ayjuna el carnaval! ¡Pero, entonces, ña Encarna, deje las malas pulgas, po! ¿Cómo va a recibirlo al carnaval con la sangre revuelta? (*Dos carcajadas cristalinas, gozosas, anunciarán a la* ISABEL, *quien aparecerá con la* LUCINDA *en lo alto del camino cargadas ambas con brazadas de flores. Y bajarán al patio, tomarán el gran arco y le irán colocando flores, hojas y helechos, sin dejar un instante de parlar y reír.*)

ESCENA IV

ISABEL.   ¡Dicen que tata cura...! ¡Buenas, Lamberto!... (LAMBERTO *responderá al saludo.*) ...¡ha sermoneao, el domingo, de lo lindo! Que el carnaval por aquí, que el carnaval por allá... Y que como suceda lo del año pasao, todos se vamos derechito al infierno...

LUCINDA.—¡Uf, ayer ha andao por casa; me puso de consejos hasta aquí!

LAMBERTO.—¡El tiempo que ha perdío!

LUCINDA.—Todos los años lo mismo. Pero llega la

"chaya"... y ni un solo inocente que se quede en su casa. Alcanzame la albahaca...

Isabel.—Tomá. *(Por el gajo de albahaca.)* También ¿qué de malo hay en divertirse un poco? Alcanzame el ovillo.

Lucinda.—Yo no sé... Ahí va. *(Por el ovillo.)* El padre siempre dice que ésta es la fiesta 'el diablo. ¿No queda más laurel?

Isabel.—El último. *(Le pasará un gajo.)* Yo nunca lo hi visto al diablo, pa ser franca. Pasame la tijera.

Lucinda.—Tomá... *(Le dará la tijera.)* Yo tampoco lo hi visto, pero cuando él lo dice..., ¡tuy! *(Se llevará el dedo, herido por la espina, a los labios.)*

Isabel.—¡Cuidao, mujer! *(Insistiendo en el tema.)* Será, nomás, gusto de sermoniar...

Lucinda.—O para que la gente no ande tomando más de lo debido. (Don Servando *entrará, bajando del camino, mientras escucha la conversación.)*

Isabel.—Yo digo: ¿es pecao el tomar y bailar?

ESCENA V

Lucinda.—Tomar no es un pecao. Pero con la bebida vienen los desatinos...

Isabel.—¡Guay! ¡El que peca "manchao" no peca de intención!...

Don Servando.—Si pues, por eso yo me digo: "Tu salvación, Servando, está en el vino."

Lucinda.—¡Ande no...!

Don Servando.—Ande sí, porque ande no hay vinito, no hay distraición. Y ande no hay distraición, saltan los malos pensamientos. Ya me tiene de vuelta, doña Encarna...

Encarnación.—¿Has visto a los "compadres"? ¿Quiénes serán, al fin?

Don Servando.—Dos, ¡y gracias! "Cuanta", nada cos-

taba armar un "topamiento" de cuatro y más parejas. Agora está la gente muy tilinga. ¡Con decirles que la viuda
'i Navarro me ha preguntao qué era eso de "toparse"!
¡Hay cada viuda, amigo!

ENCARNACIÓN.—¡Esa es la gente fina!

LUCINDA.—¿Y la madre 'e Rosendo?

ENCARNACIÓN.—Otra que tal...

DON SERVANDO.—Ayer salió p'al valle...

LAMBERTO.—¿Y saben qué le ha dejao dicho al capataz? Que se lo cuide al niño Rosendito y que guay si l'en-
sillan un caballo pa' andar carnavaliando.

DON SERVANDO.—El pobre va a tener que arreglárselas
de a pie, si no l'emprestan un sillero por áhi...

ENCARNACIÓN.—Y al fin, ¿qué parejas has visto?

DON SERVANDO.—La Nicétora y yo...

LUCINDA. ¡Flor de yunta!

DON SERVANDO.—Pa juntar pasas de uva. Entre los dos
hacimos como ciento cincuenta quilometros de arrugas.
¡Qué Nicéfora! Juimos novios un tiempo...

ENCARNACIÓN.—¿Y cuáles son los otros?

DON SERVANDO.—Pa la Funesta se lo hi buscao al "moto" Rigoberto.

ISABEL.—¿Y vendrá mucha gente?

DON SERVANDO.—Eso sí. Pa chupar y bailar de arriba
la gente es muy dispuesta. La noticia anda ardiendo como pastito seco por las cumbres. ¡No va a quedar un alma
en esos puestos!

ISABEL.—¡Huy, qué lindo!

ENCARNACIÓN.—De juro que tu madre no va a decir lo
mismo.

DON SERVANDO.—Me ha sacao la palabra de la boca.
(Concluída su tarea, ISABEL *y* LUCINDA *levantarán el arco
y lo pondrán a prueba en el medio del patio. La* ISABEL,
colocándose debajo, hará una reverencia.)

Isabel.

¡Bienhayga l'albahaca!
¡Bienhayga el laurel!
¡Pase al topamiento,
comadre Isabel!

(Se oirá en la galería la voz de María Selva,
quien aparecerá seguida de Rosendo.*)*

ESCENA VI

María Selva.—¡Isabel! *(Se hará un gran silencio. Luego hablará* Rosendo *casi tartamudeando.)*

Rosendo.—No, señora... Aguarde que me vaya... Estas cosas me dan un poco de vergüenza...

María Selva.—A tu edad, otros hombres ya son desvergonzados...

Rosendo.—Pero yo no..., no puedo ser así... ¿Vuelvo mañana por la contestación?

María Selva.—Mejor será que vuelvas esta tarde.

Rosendo.—Sí..., volveré a la tarde... Vamos, Lamberto... Hasta más luego, entonces... Adiós, doña Encarnación.

Encarnación.—Que te vaya bien, hijo. *(Atravesará el patio, presuroso. Pero* Isabel *habrá dispuesto el arco de modo que* Rosendo *pase bajo sus ramas.)*

Isabel.—¡Mire, qué lindo! ¡Como para que pase mi don Juan Carnaval! *(Habrá un coro de risas.* Rosendo *pasará, no sin antes volver su rostro a* María Selva *para decir en tono lastimero:)*

Rosendo.—¿No ve, señora?... *(Subirá hasta el camino y desaparecerá como una luz. Se hará un breve silencio.)*

ESCENA VII

MARÍA SELVA.—¡Podías ocuparte de otra cosa!

ISABEL.—¡Oh, usté siempre en la contra!

MARÍA SELVA.—¡Y vos, siempre tan pronta a contestar! ¡El carnaval, bonita salvajada! ¿Porqué, en lugar de "guaguas" amasadas, no cuelgan de ese arco criaturitas muertas, como hacían los indios en la fiesta del Chiqui? ¿Por qué no se desatan?

ENCARNACIÓN.—Si tanto te avinagra la sangre el carnaval, ya te lo he dicho: no se hace aquí la fiesta; y se acabó.

MARÍA SELVA.—No digo que no se haga. Pero, de cualquier modo, es la verdad. A mí no me hace gracia tener la casa llena de borrachos, y menos ver a mi hija mezclada entre esa gente.

ENCARNACIÓN.—¡Esa gente es mi gente y es la de tu marido! Cruz los conoce bien. Si él los admite aquí, será porque merecen. ¡Y Cruz es el padre de tu hija, qué tantas historias! Además, yo no veo que para ser "más finos" tengamos que vivir como de luto.

MARÍA SELVA.—¿Vivir como de luto? Sólo exijo respeto. Y estoy en mi derecho. Yo velo por mi hija, nada más. De lo que ustedes hagan, si prefieren hacerlo, yo no me ocuparé. Pero que alguien le falte a la Isabel y no guarde el respeto que se debe a mi casa, no voy a tolerarlo. Eso deben saberlo todos sus convidados. (*Entrará a su aposento. Y habrá una pausa de miradas en la escena, un silencio de aquellos que sólo los espíritus simples pueden romper con naturalidad.*)

ESCENA VIII

DON SERVANDO.—¿Por qué será tan rara, digo yo?

ENCARNACIÓN.—Ella es así. Quiere tranquilidá... ¡Que

nadie aquí se ría, ni cante, ni hable fuerte! Uh, si por ella fuera, esta casa tendría que ser como un sepulcro: mucha cal por afuera; y por adentro, que la gente se pudra como carne de muerto.

DON SERVANDO.—¡Ese es orgullo 'i rica, pa qué andar con tapujos!

ENCARNACIÓN.—¡Ella quiere silencio! Y, sobre todo, que la gente "de abajo" no se meta en su casa. ¡Y yo soy de la gente de abajo! Pero como es la mujer de mi hermano, ¡hay que tragárselo!

ISABEL.—¡Bueno, hablen de otra cosa!

ENCARNACIÓN.—Tenés razón. De cualquier modo, ella es tu madre.

DON SERVANDO.—Si pues... *(Habrá una breve pausa que él mismo, reaccionando luego, se apresurará a remediar.)* En cambio, usté, velay *(Por* ISABEL.*)*, no parece hija de ella.

LUCINDA.—Por lo carnavalera, ni que fuera de usté y de la Funesta...

DON SERVANDO.—¡Je..., je..., je...!, ya lo creo. Porque ésa siempre ha sío virtú de mi familia. Otro carnavalero como tata no habrá..., ¡je..., je!... Y de juro que jué p'al carnaval que mi madre quedó de mí. De no, no se explica. Porque todo es venir llegando el carnaval y empezar a sentir como si de repente me creciera la sangre. ¡Como pa no gritar: ayjuaijuna el carnav...! *(Se interrumpirá de pronto, intimidado por la presencia de su mujer,* DOÑA FUNESTA, *que habrá salido de detrás del galpón.)*

ESCENA IX

DOÑA FUNESTA.—¿Recién venís llegando? ¿No te mandé que me limpiaras el horno?

DON SERVANDO.—A eso vengo, mujer...

DOÑA FUNESTA.—¡A guen' hora!

DON SERVANDO.—Qué, ¿ya te lo han limpiao?

DOÑA FUNESTA.—Menos pregunta Dios. Y decime: ¿qué has hecho en todo el santo día?

DON SERVANDO.—En buscar un compadre para vos se me jué la mañana.

DOÑA FUNESTA.—¿Y a quién has visto, al fin?

DON SERVANDO.—Don Bernardino diz que no anda bien, y quién sabe si viene... Don Sinforoano, que le duele el vientre y le han prohibío chupar... A Saturnino le ha salío un urzuelo... Y los demás me han dicho por las claras que no quieren. Así que el único que "sale" es Rigoberto...

DOÑA FUNESTA.—¡El "moto" Rigoberto! (Las muchachas se echarán a reír.)

DON SERVANDO.—¡Na'i, yo no l'hi cortao los dedos que le faltan!

DOÑA FUNESTA.—Ustedes no se rían. Me lo hace adrede, el fariseo. Sabe que con ese hombre no se podimos ver... ¡Que me robó una vaca...!

DON SERVANDO.—¡Esa es historia vieja, mujer!

DOÑA FUNESTA.—El mal acuerdo sabe rebrotar; rebrota siempre, como la mala hierba.

ENCARNACIÓN.—Así es. Eso es muy cierto.

DON SERVANDO.—Menos p'al carnaval. Porque p'al carnaval todo se olvida...

DOÑA FUNESTA.—¡Nadies te ha preguntao! ¡Andá pa dentro, terminá al menos de arreglar ese "Pucllay"!...

DON SERVANDO.—Mujer, el carnaval no es p'andar eligiendo. Se tira la taba y lo que sale, sale. A mí me ha salío suerte. A vos..., ¡tené paciencia! El carnaval es eso... Para algo es alegría... (Comenzará a salir tímidamente por detrás del galpón, perseguido por ella.)

DOÑA FUNESTA.—¡Caminá de una vez!

DON SERVANDO.—¡Que viva el carnaval! ¡Huiiiija! (Desaparecerán una tras otra, mientras la risa de las dos muchachas inundará la escena.)

ESCENA X

LUCINDA.—¡Qué don Servando este!...

ISABEL.

        Tiene razón;
        si no hay fiesta más llena
        de diversión;
        si de mirar el pago
        cómo se alegra
        uno siente en la sangre
        la primavera.
        De ver el verdecito
        del algarrobo
        los "coyuyos" cantando
        se vuelven locos...
        ¡Carnaval de la tierra
        de "Pachamama"!
        ¡Carnavalcito alegre,
        como lo llaman!
        Viene la caballada
        como tormenta:
        pañuelitos al aire,
        bandera suelta...
        Tamboril al galope,
        violín saltando:
        como cabritas sueltas
        andan jugando.
        Ya llegan los compadres
        al "topamiento":
        el aire tiene aromas
        de casamiento...
        Ya ha salido la luna,
        tambor de plata,

y los ojos al verla
lloran y cantan.
Lloran y cantan
y en la noche no se oyen
más que vidalas.
Los compadres se abrazan
con las comadres:
De almidón y de albahaca
se llena el aire...
¡Qué rumor de polleras
almidonadas!
¡Besos se dan los pliegues
de las enaguas!
¡Tiene razón,
si no hay fiesta más llena
de diversión!
¡Si de sólo acordarme
que ya es el tiempo,
me está haciendo cosquillas
el corazón!...

(LUCINDA *reirá, festejando la rara exaltación
de* ISABEL.)

ENCARNACIÓN.

No será para tanto,
chinita loca.
¡Caramba, ni que fueras
una abriboca!
Por el gusto de nada
tanta alegría...
¡Ave, María,
si te saliera un novio,
cómo sería!...

LUCINDA.

¿Si le saliera un novio?

¿Y acaso es otra
la razón que la tiene
perdida, loca?

ENCARNACIÓN.

¡Ajá! ¿Conque algo de eso
te anda pasando?

ISABEL.

Las ganas de tenerlo
de vez en cuando...

ENCARNACIÓN.

Con razón te habías puesto
tan cosquillosa...

ISABEL.

Y a usté, ¿no le sucede
la misma cosa?
¿No ha sentío igualito
que si creciera
la sangre, como un árbol
en primavera?

ENCARNACIÓN.—*(Tras una pausa breve.)*
No. Yo árboles no tengo.

ISABEL.

¡Si será lerda!
Digo, porque es la cosa
que más se acerca...
(Abstrayéndose, como si se mirara por aden-
tro.)
Será el tiempo tan lindo,
pero es el caso
que me siento distinta.

Si hasta me paso
las horas suspirando...

LUCINDA.

No hay que hacer caso...
Eso curan los hombres
con un abrazo...

ISABEL.—*(Ingenuamente.)*
¡Amalhaya me dieran
un entendido!

LUCINDA.

¡Uf, para eso no faltan
los comedidos!...
No precisás ir lejos
si andás buscando...

ENCARNACIÓN.

¡Con echarse en los brazos
de don Servando!...

(LUCINDA *lanzará una carcajada.)*

ISABEL.

Oh, no se estén pensando
que soy tan "lda"
y que digo estas cosas
de "carecida".
Ya pueden ir sabiendo
que más de cuatro
andan por detrás mío
casi llorando...

LUCINDA.

¡Pucha que sos dichosa!

ISABEL.

Lo que sucede
es que nunca se tiene
lo que se quiere...

LUCINDA.

Pero ¿y Gil?

ISABEL.

¡Bah!, es más fiero
que un espantajo...

LUCINDA.

¿Y Mamerto?

ISABEL.

Es un sonso...

LUCINDA.

¿Y el otro?

ISABEL.

¡Un pavo!...

ENCARNACIÓN.

¿Y Rosendo?

ISABEL.

¿Rosendo?
¡Pobre Rosendo!

ENCARNACIÓN.

¿No dicen que anda loco
por vos, de nuevo?

ISABEL.

Ese me gustaría...
Pero ¡es tan flojo!

¡Miráme y no me toques,
que me deshojo!
No dice ni palabra
cuando afilamos...
Todo se va en mirarme
de vez en cuando.
¡Si hasta me causa rabia
verlo tan lerdo!
¡Puro darme florcitas,
jamás un beso...!
            (Nueva risa de LUCINDA.*)*
Yo quisiera que el hombre
con quien me quede
fuera algo como el agua
de las crecientes:
Oscuro... Y oloroso
de ramas verdes...
¡Pa sentirme espumita
cuando me lleve!...

ENCARNACIÓN.
            ¡La pucha, ni que fueras
            una princesa
            pa tener tantos humos
            en la cabeza!

*(Cruzará la escena, con un huso en la mano,
y hará mutis por la derecha, entre la risa de las
muchachas. Se oirá en lo alto del camino la voz
del* FORASTERO. *Y su figura ecuestre aparecerá,
demarcada por el paisaje, como una estampa de
leyenda: cabalgadura negra, grises las pilchas,
rojo el poncho.)*

FORASTERO.
       ¡Ave María purísima!

LUCINDA e ISABEL.—*(A una voz, volviéndose hacia el recién llegado:)*
       ¡Sin pecado original!

FORASTERO.
       ¿No se puede ver al dueño
       de este rosal tan ... rosal?

LUCINDA.—*(Se acercará a la pirca recogiendo el halago:)*
       Pa lisonja es demasiado...

FORASTERO.—*(Mirando a* ISABEL *atentamente.)*
       Pa la verdá, poca cosa;
       la rosa está orgullosa
       de que l'haigan comparado...

ISABEL.
       Gracias...

FORASTERO.
            No hay dé que...

LUCINDA.—*(Recomportándose, lastimada por el despecho.)*
                         ¿Se puede
       saber lo que anda queriendo?

FORASTERO.
       Si no es mucho pretender,
       ya lo dije: ver al dueño...

ISABEL.

El no está, pero si aguarda...

(Intentará subir hacia el camino.)

FORASTERO.

No, no quiero ser molesto.
Vengo a pedir, y al que pide
no le sabe faltar tiempo
pa volver.

ISABEL.

¡Si no es molestia!
¿Qué cuesta un comedimiento?
Al fin y al cabo, es un paso.

FORASTERO.

Deje nomás, yo me avengo.
Lo que sí, ¿me da las señas
pa no andar tan a lo ciego?

ISABEL.—*(Subirá hasta el camino, señalando:)*
Allacito nomás es...
Tras del corralito viejo
que da al camino.

FORASTERO.

Si pues,
desde aquí se lo está viendo.
Entonces, con su permiso;
ya veremos si lo encuentro.
Y... ¡muchas gracias!

ISABEL.

No hay dé que...
Las gracias se dan al Cielo.

(El FORASTERO *espoleará su caballo y desaparecerá en la dirección indicada.* ISABEL *y* LUCIN-

DA, *deslumbradas por este misterioso viajero, se
quedarán en lo alto del camino, mirándolo alejarse.* DON SERVANDO *saldrá de detrás del galpón, con el "Pucllay" a cuestas, al cual dejará
luego junto a un pilar de la galería.)*

ESCENA XII

DON SERVANDO.—*(Descargando el muñeco.)* ¡Cómo
pesa este muerto! Ni que tuviera las entrañas de plomo...
(Contemplará al "Pucllay" como un artista a su obra.)
¿Y vos sois el "Pucllay"? ¿Vos sois el carnaval que nos
alegra a todos? Oíme, a ver si te robáis una hembrita del
pago, como "cuanta"... *(Hablándole al oído.)* Si la que-
rís a mi mujer... ¡Llévatela nomás!... *(Un brazo del muñeco caerá sobre él.)* ¡Erreeeee! *(Se irá, corrido por el
susto pueril, atropellando a* ENCARNACIÓN, *que ha vuelto
a aparecer en escena.)* Disculpe, doña Encarna... Este demonio del "Pucllay"... *(Mutis izquierda.)*

ESCENA XIII

ENCARNACIÓN.—¿No será el vino el "Pucllay? *(Las mu-
chachas habrán bajado del camino. Y al hacerlo,* ISABEL
exclamará, golpeando una mano sobre otra:)
ISABEL.—¡Ese es...!
LUCINDA.—¿Qué?
ISABEL.—Digo que uno como él me gustaría...
ENCARNACIÓN.—¿Quién era ése?... *(Se sentará al telar.)*
LUCINDA.—¡Puff, un forastero! Un vallista...
ISABEL.—¿Quién te ha dicho?
LUCINDA.—Por los ojos. ¿No le has mirao los ojos?
ISABEL.—¡Son como dos remansos!...
ENCARNACIÓN.—¡Fiate de los remansos!...
ISABEL.—¡Qué hombre tan bien plantao! Como un no-

gal, de firme y suavecito. En su caballo, parece el dueño de la tarde...

LUCINDA.—Por mí..., ¡te lo brindo! A mí no me ha llegao tanto el "gualicho".

ISABEL.—Yo no sé si es gualicho, pero sentí, sentí... Todavía me dura... *(Se llevará la mano al corazón.)* Cuando lo tuve cerca, frente mío, me dió yo no sé qué... Un golpe fuerte aquí, como de susto... Como la "tendida" de un caballo... *(LUCINDA se echará a reír de la ocurrencia. Luego se cortará viendo reaparecer a* MARÍA SELVA.*)* ¿Quién será?... ¿Y de dónde vendrá?... *(Vuelve a tomar el arco.)*

ESCENA XIV

MARÍA SELVA.—¿Todavía con eso?

LUCINDA.—*(Escurriéndose.)* Con permiso. *(Se irá por el foro.* ISABEL *intentará seguirla.)*

MARÍA SELVA.—Vos quedate... *(Se detendrá* ISABEL. LUCINDA *habrá hecho mutis.)*

ESCENA XV

ISABEL. ¿Va a seguir la retáhila?

MARÍA SELVA.—Tengo que hablar con vos.

ENCARNACIÓN.—*(Se levantará bruscamente, con marcada intención.)* ¿Precisarán que yo también me vaya?

MARÍA SELVA.—No, ¿por qué?

ENCARNACIÓN.—¿Por qué va a ser? Porque yo siempre estoy demás en esta casa. *(Hará mutis violento, sin dar tiempo a ninguna respuesta. Y habrá una pesada pausa.)*

ESCENA XVI

ISABEL.—Allí tiene lo que gana, por llevarle la contra.

MARÍA SELVA.—¿La contra, yo? ¿En qué?

ISABEL.—Porque ella ha dao la idea de hacer el topamiento.

MARÍA SELVA.—¿Y he dicho que no se haga? Lo que he dicho es que en casa no quiero borracheras ni inmundicias.

ISABEL.—No es ninguna inmundicia.

MARÍA SELVA.—Bueno. ¡Basta de historias, hija! *(Nueva pausa.)* ¿Sabes a qué ha venido Rosendo?

ISABEL.—Si no me lo dice usté...

MARÍA SELVA.—Quiere casarse.

ISABEL.—¡Ahá! ¿Y con quién?

MARÍA SELVA.—¿Con quién va a ser? Con vos.

ISABEL.—¡Vealón al sonso, y no me ha dicho nada!...

MARÍA SELVA.—Porque lo acobardás con tus guasadas. El ha querido hablarte, pero vos, con tu modo, dice que lo espantás...

ISABEL.—Yo soy como soy.

MARÍA SELVA.—Cuando se tiene novio, hay que amoldarse a él. Y Rosendo es así. No quiere bromas, no le gustan las burlas...

ISABEL.—Entonces, que se busque una viuda "de las recién quedadas". Sabe que a mí los novios idos..., ¡no! Y menos si hay que andar como en velorio.

MARÍA SELVA.—Es la única persona con quien podrás casarte en este páramo, donde los que no huelen a boliche, hieden a chiquero...

ISABEL.—Pero él no güele a nada, que es peor. ¡Sin olor y sin gusto, y se queja de mí! Ya estoy viendo que lo que busca ése es que me quede sin bailes. ¡Otro que en carnaval es como pollo mojao!... *(Lejos se oirá una vidala.)*

MARÍA SELVA.—¡Siempre el bendito carnaval!

ISABEL.—¿Y hay cosa mejor? ¡Oiga! ¿No es lindo? *(Cantará ella misma, siguiendo al coro lejano.)* (1).

———

(1)   Véase Apéndice, tema melódico núm. 2.

> Por esta calle a lo largo
> don Juan Carnaval,
> don Juan Carnaval,
> lleva en el viento una flor
> de luna y de sal...

¡Ja..., ja..., ja...! Dígale a Rosendo que no sea tan sonso... Y que si quiere conseguirme a mí, que lo nombre padrino a don Juan Carnaval... ¡Ja..., ja..., ja...! *(Hará mutis derecha, riéndose a carcajadas. La canción, a lo lejos, volverá a oírse:)*

EL CORO (1).

> Dime, vidita, que sí,
> ay no me digas que no;
> por esta calle a lo largo
> al viento prendida
> te llevo, mi amor...

(MARÍA SELVA se habrá quedado escuchando la canción como arrobada. Luego, la voz de su marido en el camino la volverá a la realidad y hará mutis rápidamente por derecha. DON CRUZ, seguido por el FORASTERO, entrará por el foro, en traje de faena, con una azada al hombro.)

ESCENA XVII

DON CRUZ.—Entre, amigo. Está en su casa; tome asiento...

FORASTERO.—Gracias. *(Se sentará en la silla más a mano.)*

DON CRUZ.—Trabajo no ha'i faltar. Brazos se precisan para la plantación de nogales. Pero de eso tendrá que hablar con mi mujer, porque ella es la que maneja aquí las cosas. Gracias a Dios, diré, ya que yo pa patrón no sirvo mucho. Ya la va a ver usté, entendedora como pocas; a

---

(1) Véase Apéndice, tema melódico núm. 2.

veces medio echada para atrás; pero en el fondo es güena y sabe apreciar la gente de trabajo. ¡María Selva! Agora, si no arreglan su conchabo, no le hace. Usté puede quedarse nomás por estos días. El carnaval hace lugar pa todos.

FORASTERO.—Usté dirá, patrón.

DON CRUZ.—¿Y cómo no? La fiesta es grande y cabedora. De leguas a la redonda sabe caer la gente. El carnaval de Yavi, amigo, es como el arrope pa las moscas... ¡Señoraaa, aquí la buscan!

FORASTERO.—Vea, patrón, yo no quisiera ser molesto...

DON CRUZ.—¿Y de ande? Hablar tiene que hablar. Primero, lo primero. Aquí la tiene, pues. (MARÍA SELVA, *en efecto, habrá salido y permanecerá en la galería.)*

ESCENA XVIII

FORASTERO.—*(Entre nervioso y tímido, poniéndose en pie.)* Buenos días, señora.

DON CRUZ.—El mozo es forastero. Hombre de lejos; como usté, de los llanos. Quiere hacerse serrano y trabajar. Yo ya l'hi dicho que trabajo no le ha'i faltar aquí... *(Al* FORASTERO.) Maver, expliquelé su situación cuál es. Yo, mientras, voy a sacarme el barro. *(Recogerá la azada y hará mutis por el lado derecho. Habrá un largo silencio.)*

ESCENA XIX

FORASTERO.—¡Usté...!

MARÍA SELVA.—Ya no. Ahora no. ¿Qué es lo que quiere aquí? ¿Para qué ha venido?

FORASTERO.—Tengo que agradecérselo a mi suerte. Vine a buscar trabajo, pero Dios sabe a quién iba buscando.

MARÍA SELVA.—Tendrá que hacer de cuenta que no me ha visto nunca.

Forastero.—Eso será... conforme...

María Selva.—No hay más que ese camino. Aquí, ¿me entiende?, somos "la señora" y un hombre que pide de comer.

Forastero.—Que quiere trabajar...

María Selva.—¡Que en esta casa no tendrá trabajo!

Forastero. —Antes no se me hablaba de ese modo...

María Selva.—Le ruego que se calle...

Forastero.—Y yo le ruego a la señora que me oiga...

María Selva.—¡Le ordeno que se calle!...

Forastero.—¡No, no puedo callarme! Yo tengo mis derechos y usté lo sabe bien...

María Selva.—*(Perdiendo su altivez.)* Eso fué una locura. Yo era una niña, apenas, y no estaba en mi juicio.

Forastero.—¿Quién estaba en su juicio? Su padre, maldiciéndola y empeñao en secarme a mí en la cárcel, ¿estaba en su juicio?

María Selva.—Oh, cállese, por Dios... ¡Por el amor de Dios!...

Forastero.—Sólo yo tuve juicio. Yo, por meterme a loco, tuve juicio. Y me pasé nomás quince años en la cárcel, con la lengua mordida. ¿Para qué? ¡Para esto!

María Selva.—Pero ¿por qué llevó las cosas a ese extremo?

Forastero.—¿Por qué? ¡Porque toda mi vida era una llaga! *(Largo silencio, en el cual* María Selva *recobrará su friuldad anterior.)*

María Selva.—En fin, eso ha pasado. Ya no tiene remedio.

Forastero.—No, no ha pasado. Y no puede pasar. Mi vida se ha quedado en ese instante. Está aguardándome...

María Selva.—No sé qué piensa hacer. Yo no puedo ni debo hacerme cargo de todas sus desgracias.

Forastero.—Habrá que remediarlas, sin embargo...

María Selva.—De una vez, terminemos con esto. Le daré cuanto pueda, pero tendrá que irse ahora mismo.

Forastero.—¿Que me vaya? ¿Eso ha dicho?

María Selva.—Sí. No puede quedarse.

Forastero.—*(Estallando de pronto, la tomará por los hombros brutalmente.)* ¡Que me vaya! ¡Ah, perra!

María Selva.—¡No! ¿Qué va a hacer? ¡Está loco! *(Se defenderá inútilmente. Como no logrará desasirse de las manos del hombre, gritará:)* ¡Vengan...! ¡Vengan aquí...! ¡Veng...! (Pero un impulso de su propia conciencia la hará llevarse una mano a la boca con el gesto de quien se ha traicionado a sí mismo. Y el* Forastero *se apartará de ella.)*

Forastero.—Está bien... Será mejor que esto termine así. (Encarnación *se asomará por la izquierda.)*

ESCENA ULTIMA

Encarnación.—¿Qué sucede?

María Selva.—*(Tras una pausa embarazosa, en la que su semblante cobrará la expresión de un cinismo increíble.)* Nada... ¿Qué puede suceder? Este hombre va a quedarse a trabajar aquí. Dígale a mi marido que le enseñe cuál es su habitación.

TELÓN

ACTO SEGUNDO

La ceremonia de los "topamientos", que se celebra el Jueves víspera de carnaval, es una ritualización del sentimiento amistoso. Bajo el arco de ramas de que se da noticia en el acto anterior, la pareja elegida se hace una mutua confesión de agravios y se corona recíprocamente, quedando consagrados, de este modo, el compadre y la comadre. Así queda inaugurado el carnaval.

Sucederá en el mismo lugar, a la hora de la tarde cuando los cerros de color cobrizo comienzan a azularse hasta ponerse morados.

DON CRUZ y el FORASTERO matearán bajo el árbol, servidos por ISABEL.

ESCENA PRIMERA

FORASTERO.—Gracias... *(Por el mate.)*

ISABEL.—¿Tres, apenitas?

FORASTERO.—Es mi costumbre, niña. Además, el abuso no conviene a lo bueno.

ISABEL.—¿Y usté, tatita?

DON CRUZ.—También me planto; pero yo soy más franco: está "chuyo" y fiero...

ISABEL.—¡Oh, a usté quién lo conforma! *(Con inocente malhumor fingido levantará la pava y la gabeta y se irá por la galería, provocando la risa de los otros.)*

ESCENA II

DON CRUZ.—¡Ja, ja, ja, ja! Le ha picao el orgullo... ¡Ja..., ja, ja...! Bueno, amigo, ya habrá que ir ensillando, no sea que la fiesta nos agarre de a pie.

Forastero.—Déjelo por mi cuenta, patrón. *(Irá hasta el galpón, descolgará un freno;* Don Cruz *hará lo propio.)* Eso sí, lo voy a molestar por un alambrecito. Se está zafando el freno aquí, en la cabezada, y si no lo sujeto agora mismo...

Don Cruz.—Saque ese torzalito... Ese... ¿Le sirve?

Forastero.—Como mandao a hacer.

Don Cruz.—Arregleló, nomás; yo me encargo de, mientras, arrimar los caballos.

Forastero.—No, patrón...

Don Cruz.—Quedesé quieto. No soy de los patrones de allá abajo. Yo fuí de todo y sigo siendo. El trabajo no mancha. ¡Faltaba más! Agora, lo que termine, se viene al corralito.

Forastero.—Como guste, patrón. (Don Cruz *se irá por el camino, a la izquierda. El* Forastero *quedará en el patio reforzando la cabezada del arnés.* Isabel *volverá a aparecer, como al atisbo.)*

Isabel.—¡Qué empeño en trabajar!

ESCENA III

Forastero.—Oh, cuando esto se zafa, hay que atajarlo a tiempo.

Isabel.—¡Lástima de trenzao!...

Forastero.—La niña tiene buen corazón...

Isabel.—Que de algo sirva. No es buena cosa un corazón ocioso...

Forastero.—Quién sabe. El ocuparlo demasiado, según dicen, es peor.

Isabel.—Usté sabrá... Tendrá muchos motivos...

Forastero.—Como no echo raíces en ninguna parte, la vida me ha enseñado a llevar siempre el corazón liviano.

Isabel.—¿Así que usté también viene de paso?

FORASTERO.—Por mientras haga falta; que ya es incomodar...

ISABEL.—¡Bah!, si es por eso puede estar tranquilo. Claro que el cerro no aquerencia a nadie. Aquí la vida es triste.

FORASTERO.—De eso nunca me ocupo. *(Se hará un breve silencio. Mas la muchacha no reprimirá su curiosa ansiedad.)*

ISABEL.—¿Se puede ser curiosa?

FORASTERO.—¡Y cómo no!

ISABEL.—Quería saber, nomás, de ande es usté

FORASTERO.—Eso... De cualquier parte. Mi pago es mi caballo.

ISABEL.—Pero ¿viene del llano?

FORASTERO.—Del llano. Aunque yo sé que aquí nos tienen muy mal vistos.

ISABEL.—Yo no; en cualquier parte hay gente buena y mala.

FORASTERO.—Así es, niña. Pero parece que nosotros, en las tierras de arriba, somos la mala hierba... (MARÍA SELVA *saldrá por la derecha, bajo la galería.)*

ESCENA IV

MARÍA SELVA.—Isabel..., ¿dónde se fué tu padre?

ISABEL.—Oí que iba a ensillar...

FORASTERO.—*(Poniéndose en pie.)* Así es, señora; fué a arrimar los caballos. Debía haber ido yo...

MARÍA SELVA.—¡Así debía ser!

FORASTERO.—...Pero él no quiso. Si gusta mandar algo...

MARÍA SELVA.—No, no hay apuro. Aguardaré a que vuelva.

FORASTERO.—Con su permiso. *(Recogerá el freno y se irá hacia el camino.)*

ISABEL.—¡Ah, me olvidaba, don...!

Forastero.—Mande, niña.

Isabel.—Le iba a decir que si hay lugar en su caballo esta tarde, lo guarde para mí...

María Selva.—¡Isabel!

Isabel.—...Porque no tengo compañero, ¿sabe?

María Selva.—¡Isabel!

Isabel.—¿Qué le hace? ¿O me voy a quedar como una sonsa?

María Selva.—¿Quieres callarte?

Isabel.—¡Oh, está bien! *(Se irá hacia el interior, por la derecha, como empujada por la impaciencia y el rubor. Habrá un breve silencio.)*

ESCENA V

María Selva.—No le haga caso. Vaya, nomás.

Forastero.—*(Dará unos pasos. Cerca de las granadas se volverá entre tímido y audaz.)* Señora... *(Pero ella fingirá no haber oído, o no querer oír. Y entablarán entrambos un silencio penoso y a la vez obstinado. Y cada cual cultivará su orgullo con terquedad infantil y voluptuosa. El, finalmente, volverá las espaldas para irse y ella cederá un poco, aunque dando a su voz un timbre indiferente:)*

María Selva.—¿Qué iba a decir?...

Forastero.—*(Encubriendo el propósito, como si en ese instante se hubiera dado cuenta de que su confesión carecía de importancia.)* Nada, señora. Nada más que pedirle disculpas por lo de esta mañana. Soy medio bruto, es cierto, y hay cosas que uno no entiende fácilmente. Ahora caigo en la cuenta que todo "eso" pasó en el carnaval. Debe haber sido, nomás, cosa del diablo. *(Tras una breve pausa, con fingida humildad.)* Lo que yo no quisiera es que usté, la señora, me guarde ese recelo... Y me crea capaz... Porque, dentro de todo, yo no soy tan malvado... *(Otra pausa.)* Eso es todo, señora... *(Se quedará esperando*

torpemente una palabra o un gesto de reconocimiento. Ella
no los otorgará porque habrá recobrado su altivez, y dirá
fríamente:)

MARÍA SELVA.—Está bien. *(El* FORASTERO *subirá al ca-*
mino y desaparecerá por el costado izquierdo. Unas voces
pasarán cantando:) (1).

VOCES.

> Carnaval alegre
> ay vidalitay,
> lindo carnaval:
> Ya se ha puesto verde
> ay vidalitay
> el algarrobal...

> *(*MARÍA SELVA *se quedará absorta, apoyada, de*
> *espaldas, contra el muro. Y dejará hablar a sus*
> *recuerdos. Y sus palabras caerán desde su pen-*
> *samiento como hojas sobre un lago:)*

MARÍA SELVA.

> Carnaval alegre,
> ay vidalitay...
> Todo lo que cantas
> tendrás que llorar.
> Ojos relumbrantes
> lo verás llegar:
> Caballo de sombra,
> sueño de nogal...
> Verde estará el campo,
> blanco el arenal;
> tus labios muriendo
> sin poder besar.
> Dejará el caballo
> viéndote llorar;

---

(1)   Véase Apéndice, tema melódico núm. 3.

se pondrá a tu lado
y un olor de lluvia
te hará suspirar.
Se irán a la sombra,
ay vidalitay...
Como un golpe de agua
te acariciará.
Pero cuando el alba
comience a clarear,
sola como el alba
te habrá de dejar.
Y en balde la luna
volverá a alumbrar
y el viento en la noche
te despertará...
Sólo en tus recuerdos,
ay vidalitay,
lo verás cruzar.
Caballo de sombra,
caballo de sombra,
sueño de nogal...

(En el camino irrumpirá ROSENDO, *golpeando las manos.* MARÍA SELVA, *como si despertara bruscamente de un sueño, borrará la expresión de pena y de dulzura que tenía en su rostro.)*

ESCENA VI

ROSENDO.—Buenas tardes.
MARÍA SELVA.—Adelante.
ROSENDO.—¿Vengo temprano?
MARÍA SELVA.—El primero.
ROSENDO.—¿Y la Isabel?
MARÍA SELVA.—En su cuarto. Ahora vendrá.
ROSENDO.—¿Le ha hablado ya?

María Selva.—No. Mejor es que se entiendan entre ustedes primero.

Rosendo.—Es que... no tengo ese coraje, ¿sabe?... No sé cómo... ¡No puedo!

María Selva.—¡No pensarás casarte sin decírselo antes!

Rosendo.—Tiene razón, pero la quiero demasiado, señora. Si no fuera eso, ¡qué me importaría!... Pero la quiero mucho... Y el querer anuda la lengua.

María Selva.—También desata las manos. *(Con un tono, a la vez, de lástima y fastidio.)* Andá, dale un abrazo. Después ya tendrás algo que decir...

Rosendo.—¿No lo tomará a mal?

María Selva.—Tanto mejor. Si se enoja, será porque te quiere...

Rosendo.—¿Cómo?

María Selva.—No está bien que sea yo quien te lo diga, pero es así; casi siempre es así. ¡Ya debías estar enterado de estas cosas!

Rosendo.— Tiene razón... Entonces... ¡Voy a ver...! *(Irá a la galería. Al pasar junto al cántaro levantará el pequeño "virque", lo llenará de agua y beberá un gran sorbo, como para entonarse. Luego hará mutis decididamente.* María Selva *observará con ternura todos sus movimientos.* Lucinda, *apareciendo en el camino, saludará con gritos jubilosos a unos carnavaleros, que, al parecer, se acercan por la carretera. Después, descenderá a la casa, atropelladamente, pero, encontrándose con* María Selva, *se quedará cortada.)*

ESCENA VII

Lucinda.—¡Adiooos!,.. ¡Adiooos!... ¡Adiooos! *(Bajando al patio.)* ¡Isabel, Isabel! ¡Ya vienen, Isabel!

María Selva.—¿Es mucha gente?

Lucinda.—Sí sí... Así parece... Quiero decir... No es

tanta... Pero es mucha... *(Dentro resonará la risa de* ISA-
BEL *como una fuente desgranada en cristales. Y ella,* ISA-
BEL, *aparecerá por la derecha deshilando su contagiosa
carcajada.)*

ESCENA VIII

LUCINDA.—*(A* ISABEL.) ¡Qué te pasa, mujer! ¿Qué te
hace tanta gracia?

ISABEL.—¡Ja..., ja...! ¡No me lo vas a creer! ¡Ja..., ja...,
ja...!

LUCINDA.—Pero ¿qué?

ISABEL.—Oí... *(Le deslizará el secreto al oído; y será
como una cosquilla de pluma, porque también* LUCINDA
*se echará a reír golosamente. Y entre los puntos suspensi-
vos de su risa saludará a* ROSENDO, *que habrá reapareci-
do por derecha muy cariacontecido.)*

LUCINDA.—Buenas, Rosendito... *(*ISABEL *estallará en
otra carcajada.)*

MARÍA SELVA.—¡Hija, basta! ¿Qué es lo que sucede?

ISABEL.—Pregúnteselo a él... ¡Ja..., ja..., ja...!

ROSENDO.—No haga caso, señora. La Isabel está loca.
(Nueva explosión de risas. Por el camino llegará DON
CRUZ.)

ESCENA IX

DON CRUZ.—*(Vuelta la cara al camino, hablando al*
FORASTERO, *que viene detrás de él:)* Ahí nomás déjelos...
Eso es... *(Bajando al patio, reparará en el traje que* LU-
CINDA *se ha puesto para la fiesta.)* ¡Ah, china de mi flor!

LUCINDA.—¿Y usté? ¡Qué me dice!... ¡Si parece un
novio!

DON CRUZ.—¡Je..., je...! Está güeno... Tu madre ¿no
viene?

LUCINDA.—¡Y de no! Ahorita nomás llega.

DON CRUZ.—*(A* ROSENDO.) ¿Cómo le va yendo, amigo?

Rosendo.—Ya me ve... Bien, será... *(La risa de Lu-cinda e Isabel volverá a salpicar su timidez. Las mucha-chas lo abordarán en un rincón, poniendo él una cara de animalito acorralado.)*

Don Cruz.—Más vale así. *(Volviéndose a María Sel-va, con tímida confianza.)* Y usté, señora, ¿qué espera pa ponerse los percales?

María Selva.—¿No estoy bien como estoy?

Don Cruz.—Sí, claro; pero no me ha entendido. Quería decirle si no pensaba acompañarme en la fiesta.

María Selva.—*(Notando al Forastero parado en el camino.)* Ya se lo he dicho: desde nuestro lugar.

ESCENA X

Forastero.—*(A Lucinda.)* Buenas tardes.

Lucinda.—Buenas las tenga usté. *(Volviéndose a Isa-bel.)* ¿De modo que se queda? ¡Ahora estarás contenta!

Isabel.—Ahora siento como un poco de miedo... No sé... *(Lucinda reirá, yendo hacia el foro, y subirá las gra-das para mirar el camino.)*

Don Cruz.—*(A Rosendo.)* Y ustedes ¿cuándo marcan la hacienda?

Rosendo.—A fin de mes, parece. Mi madre se fué ayer.

Don Cruz.—Y aguardarán que vuelva, ¿no?

Rosendo.—Si pues, señor. Sin ella nada se hace.

Lucinda.—¡Ahora viene lo lindo!

Isabel.—¿Quién? ¿Quién es?

Lucinda.—Mamerto, con Rosalindo y con Casiano...

Isabel.—¡Sus, qué tropa!

Lucinda.—Aquí los tienen. *(Los tres "tilingos" del lu-gar, todos de punta en blanco, pero tiesos en la apretura de las ropas, entrarán entre grandes aspavientos. María Selva hará mutis por derecha.)*

ESCENA XI

MAMERTO.—¡Linda fiesta!

DON CRUZ.—Eso decimos. *(Los recién llegados recorrerán el patio saludando a la gente.)*

MAMERTO.—*(A* ISABEL.) ¿Y cómo le va yendo?

ISABEL.—Bien, nomás. ¿Y a usté?

MAMERTO.—Ya me ve..., ¡je..., je..., je...! Como santo recién pintao.

CASIANO.—*(A* DON CRUZ, *extendiéndole la mano.)* Al fin llega el carnaval, ¿no?

DON CRUZ.—Ha llegado.

CASIANO.—Está güeno... ¡Chey, Rosalindo, qué no lo saludáis a don Cruz?

ROSALINDO.—¡Si seré elevao! Disculpe, don Cruz, y güenas tardes...

DON CRUZ.—Siempre distráido el mozo. ¿Cómo dice que le va?

ROSALINDO.—Irme bien, me va bien; pero irme bien, bien, no me va bien...

DON CRUZ.—Ya lo entiendo.

LUCINDA.—*(A* MAMERTO.) ¡Tanto tiempo "chicanqui"! ¿Qué me dice de nuevo?

MAMERTO.—Ya me ve. ¡Je..., je..., je...!

CASIANO.—...¡Como santo recién pintao! *(Risa general.)*

ISABEL.—*(Temerosa y audaz al mismo tiempo, se acercará al* FORASTERO.) ¿Qué es que está tan callao?

FORASTERO.—No soy de mucha labia. Y además, aquí me siento como bicho raro. *(Por izquierda aparecerán FUNESTA y DON SERVANDO, muy pintiparados, en tanto van llegando convidados de fuera que saludan y toman ubicación conveniente. DON SERVANDO traerá un cántaro de aloja.)*

ESCENA XII

Doña Funesta.—¡Que viva la fiesta!

Voces.—¡Que vivaaaa!

Doña Funesta.—*(A Don Servando, por el cántaro.)* ¡A ver si se te cae y redamás...!

Mamerto.—*(A Don Cruz, por el traje.)* Todo me ha quedao bien, patrón.

Don Cruz.—Me alegro, pues, andá sirviendo un trago.

Don Servando. ¡A mi juego! Vayan sacando, pues...

Doña Funesta.—¿Y qué les pasa a todos, que están tan achucharraos? ¡Hayga más alegría, válgame Dios!

Don Cruz.—*(Probando la aloja.)* ¡Buena está! ¡Arrímense a la aloja!

Doña Funesta.—Maver, principiaremos... *(Sacará un jarro. Comenzará el reparto de la aloja a los otros. Isabel y Lucinda harán los honores de la casa con los convidados que llegan.)* ¡Salú, patrón!

Don Cruz.—¡Salú! *(María Selva reaparecerá con el semblante pálido, llena de odio, resuelta a irrumpir en la fiesta, pero reprimirá cierto propósito oculto.)*

Doña Funesta.—¿Que no es don Rosendito el que estoy viendo? ¡Así me gusta, que se dé con los pobres!

Rosendo.—Y con las buenamozas. ¿Cómo le va, señora?

Doña Funesta.—Mal sin verlo y bien para quererlo. *(Circulará la aloja. La reunión se animará de pronto y el patio estará lleno de invitados. Un contrapunto de coplas subrayará los brindis.)*

Convidado 1.º

"¡Ayjuna—dijo un difunto
al llegar el carnaval—.
Démen un trago de aloja,
que quiero resucitar!

CONVIDADO 2.º—*(Paladeando la aloja.)*
    ¡Dulce y asperita...,
    fresca y picantita...
    Gusto a mujercita...!

CONVIDADO 3.º
    De arriba vengo
    y adentro voy;
    vicio me llaman
    aloja soy... *(Bebe.)*

DOÑA FUNESTA.—*(Probando un trago.)*
    ¡Tuy, veranito de aloja,
    la boca se me reseca
    y el corazón se me moja...!

MAMERTO.—*(A* LUCINDA.*)*
    Déme alojita,
    quiero "macharme"
    con usté, negrita...

DON SERVANDO.—*(A* DOÑA FUNESTA.*)*
    Déme alojita
    le dice el pulgo
    a la pulguita...

DOÑA FUNESTA.
    Tomá la aloja
    le contesta al
    piojo la pioja...
    (Le derramará aloja en la cara.)

ROSALINDO.—*(A* ISABEL.*)*
    Qué lindo es tener un jarro
    pa conversar entre dos:
    el jarro pone la oreja,
    la boca la ponís vos...

DON SERVANDO.

    ¿Será el amor o la aloja,

    que siento las piernas flojas?

CONVIDADO 2.º

    ¡Amigos, aloja o muerte;

    y el flojo... que se haga juerte!

MARÍA SELVA.—*(Desde la galería.)* ¡Eso! ¡Que se haga fuerte! ¡Ja..., ja..., ja...! ¡Salud! ¡Salud, vecinos! ¡Ja..., ja..., ja...! *(Ante el estupor general, habrá levantado un jarro, lo beberá ávida y groseramente, con la torpeza con que la mujer fina cree imitar lo plebeyo. Luego bajará las gradas de la galería. Y tendrá algo de fiera que sale de su cueva. Intentará mezclarse con la gente, pero los convidados, tomados de sorpresa, se apartarán en un movimiento instintivo. Ella prorrumpirá en una risa histérica.)* ¿Nadie brinda conmigo? *(Gritando.)* ¡Salud, he dicho...!

VOCES.—*(Tímidamente.)* ¡Salud!... ¡Salud!...

MARÍA SELVA.—Así... Así... Y ahora, ¡que viva la fiesta!

TODOS.—*(Animándose.)* ¡Que vivaaaa!

MARÍA SELVA.—¡Ja..., ja..., ja! ¡Salud, marido! ¡A la salud de todos!

TODOS.—¡Salud! ¡A la salud de la señora!...

ENCARNACIÓN.—*(Se acercará a* DON CRUZ, *mientras se oye la risa de* MARÍA SELVA *en medio de la gente, y le hablará en primer plano.)* Decime, ¿qué le pasa a tu mujer?

DON CRUZ.—Dejala, ¡que tome, que se alegre!

ENCARNACIÓN.—¡Por lo menos debía estar al lado tuyo!

LUCINDA.—*(Desde lo alto del camino.)* ¡Ya han empezado a varear los caballos!

MOZA 1.ª—¡Válgame Dios, qué carreras!

LUCINDA.—¡Pasan que ni se los conoce!

MARÍA SELVA.—¿Que no se los conoce? ¡Ja..., ja..., ja...!

ENCARNACIÓN.—*(A* DON CRUZ, *como un tábano.)* ¿La oís? ¿La oís?

DON CRUZ.—¡Al fin la oigo reírse!

MARÍA SELVA.—*(Tras una nueva carcajada histérica, ahogándose de risa, irá de un lado para otro entre la gente. Esta concluirá por intimidarse.)* Y qué..., ¿no están contentos? ¿No les gusta la fiesta? ¡Que viva la fiesta!

VARIOS.—*(Tímidamente.)* ¡Que vivaaaa!

MARÍA SELVA.—¡Que viva!... ¡Pero no, aquí no están contentos...! ¡Ríanse!... Esto es un cementerio... A ver, usted. *(A* CASIANO.) ¿Qué dice? ¿No le hace gracia nada? ¡Vamos, ríase un poco!

CASIANO.—*(Atolondrado.)* ¡Je..., je..., je...! *(Todos ríen ahora, contagiados por la risa del pobre.)*

MARÍA SELVA.—¡Eso es! ¡Eso es! ¡Hay que reírse un poco! *(Toma otro jarro de la mesa y bebe.)* ¡Salud! ¡Salud, señoras y señores! ¡Ja..., ja..., ja...!

ENCARNACIÓN.—*(Siempre a* DON CRUZ.) ¡Ahí la tienes! ¡Esa es tu mujer!

DON CRUZ.—Mejor, así la quiero. ¿Por qué no ha de tomar?

ENCARNACIÓN.—¡Lo está haciendo a propósito!

MARÍA SELVA.—*(Advirtiendo el aparte.)* ¡Salud, cuñada!

ENCARNACIÓN.—*(Enfrentándola.)* ¿Qué quiere decir esto?

MARÍA SELVA.—Nada... Que estoy contenta... ¿No querían tenerme con ustedes?

DON CRUZ.—¡Claro, claro que sí...!

MARÍA SELVA.—¡Y aquí estoy! ¡Con ustedes!... Ya no podrán decir que alguna de nosotras está sobrando aquí. *(A* ENCARNACIÓN.)

ENCARNACIÓN.—¡Siempre es mejor estar a la altura de todos!

MARÍA SELVA.—De todos, no. Pero no quiero que la

hermana de mi marido tome por ella lo que digo por otros... Ya es hora de acabar con las historias.

ENCARNACIÓN.—¡Mejor así!

MARÍA SELVA.—Entonces... ¡Salud! *(Volviéndose a los otros.)* ¡Salud!

VARIOS.—Salud... Salud, señora... *(La reunión volverá a animarse.)*

ENCARNACIÓN.—*(A* DON CRUZ.) ¡Y te dejas estar!

DON CRUZ.—*(Molesto ya.)* ¡Y por qué no, velay!

LUCINDA.—*(En el camino.)* ¡Viene la caballada como tormenta!

MOZA 1.ª—*(Idem.)* ¡Pañuelitos al aire!

MOZA 2.ª—*(Idem.)* ¡Bandera suelta!

ROSENDO.—¡Pobres animales!

DOÑA FUNESTA.—Y usté, niño Rosendo, ¿halló al fin parejero?

ROSENDO.—Y soy de a pie, señora. Mi madre cuida mucho sus caballos.

MARÍA SELVA.—¡Más que a vos! *(Risa general.)* ¡Eso es, así me gusta, hay que reírse! ¿Y la música? ¿Van a pasarse el carnaval sin música?... A ver, Servando...

DON SERVANDO.—Mande, señora.

MARÍA SELVA.—No, no mando. Les pido que se pongan alegres. ¿Por qué no canta nadie? ¡Cante usted, don Servando...! ¡Canten todos conmigo! *(Tomará un tamboril e irá marcando el ritmo de la vidalita. Cantará:)* (1).

> Carnaval alegre,
> ay vidalitay,
> lindo carnaval...
> Ya se ha puesto verde,
> ay vidalitay
> el algarrobal...

¡Ahora usted! *(A* DON SERVANDO.)

(1) Véase Apéndice, tema melódico núm. 3.

DON SERVANDO (1).

> El algarrobal,
> ay vidalitay,
> nos quiere matar.
> En vainitas de oro,
> ay vidalitay,
> tiene su puñal.

MARÍA SELVA.—¡Eso! ¡Y ahora, todos...!

CORO.

> Tiene su puñal,
> ay vidalitay,
> esta condición:
> Que donde se clava,
> ay vidalitay...

MARÍA SELVA.—*(Gritando, enloquecida.)* ¡No!... ¡Basta!... ¡Cállense! ¡Cállense! *(Transición.)* ¡Ja..., ja..., ja...! ¡Eso no era así!... ¡Ja..., ja..., ja...! ¡No saben cantar!

LUCINDA.—¡Ya vienen para aquí! ¡Señor, qué gentío!

MARÍA SELVA.—¡Eso es el carnaval! ¡Gente, más gente; gente que se conoce y la que nadie sabe por qué viene!

DON CRUZ.—Mejor. Que vengan los que gusten. Esta casa no se cierra para nadies...

MARÍA SELVA.—Bien dicho. Para nadie. Ni para los que se aprovechan y te roban. *(Por el* FORASTERO.)

DON CRUZ.—¡Mujer!

MARÍA SELVA.—Ni para los abridores de portillo. ¡Ja..., ja..., ja...!

ENCARNACIÓN.—*(A* DON CRUZ.) ¡Ya es demasiado! ¿No la harás callar?

MARÍA SELVA.—Porque esta casa se abre para todos. Oiganme bien, lo dice la mujer de Cruz Moreno. Todos

---

(1) Véase Apéndice, tema melódico núm. 3.

los Moreno somos de puerta abierta... Ahora más que
nunca... Para algo es carnaval... ¡Que viva el carnaval!
(Silencio.) ¡Contesten! ¡Que viva el carnaval!...

Varios.—¡Que vivaaaa!

María Selva.—¡Eso es, así me gusta! Y ahora, a cantar de nuevo, a cantar y bailar y emborracharse. Y luego
revolcarse. Eso es el carnaval. Para ustedes eso es el carnaval... Cantar, emborracharse y revolcarse. ¡Ahj, qué
asco! Todo esto me da asco, ¿no comprenden? No. No
pueden comprender. ¿Por qué están como idiotas? ¡Alé-
grense...! ¡Revuélquense...! ¡O váyanse de aquí! ¡Que se
vayan, he dicho! ¡En mi casa no quiero gente extraña!...
¡Váyanse todos!... ¡Todos! *(Caerá en un acceso de llanto
y desesperación ante el asombro de los convidados. Rosendo se acercará a ella, conmovido.)*

Rosendo.—Señora...

Don Cruz.—*(Interponiéndose.)* ¡Déjela! ¡Ella es la que
no entiende...! ¡La que no nos entiende! ¡Siempre fué
igual...!

Doña Funesta.—*(Al* Forastero.*)* ¡Siempre ha sío or-
gullosa! *(Los convidados habrán iniciado un mutis cauteloso.* Don Cruz *irá hasta ellos a atajarles el paso.)*

Don Cruz.—Y ustedes no hagan caso. Nadie se mueva de aquí. *(Pausa.)*

María Selva.—*(Reaccionando.)* Tiene razón. No me
hagan caso... No he querido ofenderlos. *(Yéndose hacia
su cuarto.)* No sé qué me ha pasado... Pero sigan ustedes... Sigan ustedes, por favor, con la fiesta... *(Entrará a
su habitación. Habrá un silencio largo.)*

ESCENA XIII

Doña Funesta.—*(A* Don Servando.*)* Ya decía yo que
algo tenía que suceder. ¡Cuando vos estrenáis traje...!
(Risa general, seguida de otra pausa.)

ISABEL.—Tienen que dispensarla. Ha tomao y la bebida le hace mal.

DON SERVANDO.—Nunca le ha gustao el carnaval a la señora...

DON CRUZ.—Pero a mí, sí. A todos nos gusta la chaya. Entonces, que siga la fiesta. *(Se oirá una vidala coreada en el camino. La reunión volverá a animarse.* LUCINDA *volverá a subir por las gradas del foro.)*

LUCINDA.—¡Ya se apiaron! ¡Uf, qué polvareda! *(La comparsa se acercará cantando.)* (1).

CORO.
        Por esta calle a lo largo
        don Juan Carnaval,
        lleva en el aire una flor
        de luna y de sal.
        Dime vidita que sí,
        ¡ay!, no me digas que no.
        Por esta calle a lo largo
        al viento prendida
        te llevo, mi amor.

        (Llegarán los cantores, encabezados por el COMPADRE *y la* COMADRE, *quienes desde la entrada dirán ceremoniosamente su salutación:)*

COMPADRE.
        ¡Bienhayga el árbol que da sombra
        y las manos del que lo riega!

COMADRE.
        ¡Bienhayga el rancho del amigo
        y el corazón que no lo niega!

---

(1) Véase Apéndice, tema melódico núm. 2.

Don Servando.
> ¡Bienhayga la buena visita
> y la amistá que los espera!

Doña Funesta.
> ¡Y bienhayga el jarro de aloja
> que nunca falta en esta tierra!
>
> *(Ofrecerá sendos jarros a la pareja de compadres.)*

Don Cruz.—¡Bienhayga todo! La compaña de ustedes y la alegría que traen a la casa.

Doña Funesta.—Porque hay que estar alegres...

Compadre.— Si pues. Que no de vicio se viene el carnaval.

Don Servando.—*(Que habrá sacado al "Pucllay", levantándolo por sobre sus hombros.)* Aquí viene llegando, para que se topen los compadres. *(Los "cajeros" marcarán con sus tamboriles el ritmo de la vidalita, que cantarán todos los concurrentes (1).*

Coro.
> Carnaval alegre,
> ay vidalitay,
> lindo carnaval;
> ya se ha puesto verde,
> ay vidalitay,
> el algarrobal.

Cantores.
> El algarrobal,
> ay vidalitay,
> nos quiere matar;
> en vainita de oro,
> ay vidalitay,
> tiene su puñal.

---

(1)   Véase Apéndice, tema melódico núm. 3.

Coro.
> Tiene su puñal,
> ay vidalitay,
> esta condición:
> que donde se clava,
> ay vidalitay,
> brota una canción.

Cantores.
> Brota una canción,
> ay vidalitay,
> del algarrobal;
> para que la canten,
> ay vidalitay,
> por el carnaval.

Coro.
> Por el carnaval,
> ay vidalitay,
> debajo un nogal;
> compadre y comadre,
> ay vidalitay,
> se van a topar.

(Durante este canto, los convidados habrán formado un corredor, poniéndose en hilera, unos frente a los otros. Y los compadres se ubicarán en medio, bajo el arco de flores que dos mozos, a medio arrodillar, sostendrán enmarcando todo el grupo.)

Comadre.—*(Al terminar la canción, adelantándose hacia* Don Servando, *con quien se topará.)*
> La rosa que yo tenía
> se secó sin florecer.

Don Servando.

> La culpa fué suya y mía;
> tarde se vino a saber.

Comadre.

> Era en mis tiempos mejores,
> yo empezaba a ser mujer
> y apenas debía tener
> la edad que tienen las flores.
> La acequia de unos amores
> junto a mi rosa corría;
> y el agua al pasar decía
> cosas de tanta alabanza,
> que crecía sin tardanza
> la rosa que yo tenía...

Don Servando.

> Qué tiempo avaro y perdido
> el que con nada se aviene;
> por desear lo que no tiene
> pierde hasta lo que ha tenido.
> Y esto fué lo sucedido
> entre agua y rosa a mi ver:
> Toda no me has de beber,
> le dijo el agua a la rosa;
> y la rosa, de orgullosa,
> se secó sin florecer.

Comadre.

> Nadies dió el brazo a torcer
> y, tirando y aflojando,
> sin saber cómo ni cuándo
> viejos llegamos a ser.
> Y recién podemos ver
> lo que antes no se podía...

> ¡Ay, qué ceguera la mía!
> Y la de usted, ¡qué ceguera!
> Se nos fué la primavera...
> La culpa fué suya y mía.

DON SERVANDO.

> Yo pude ser su marido
> y usté pudo ser mi esposa;
> porque su querer fué rosa
> y agua mi amor resentido.
> La suerte no lo ha querido
> y, en vez de esposo y mujer,
> al fin venimos a ser
> compadre y comadre, apenas;
> pues la causa de las penas
> tarde se vino a saber.

> *(Habrá un largo silencio, en que compadre y comadre, coronados por sendas roscas de masa confitada, cambiarán sus coronas poniéndose al efecto de rodillas cada cual a su turno, en actitud ritual. Grandes exclamaciones celebrarán la consumación del compadrazgo. La segunda pareja repetirá la escena como sigue:)*

COMPADRE.

> Por una vaca, una vez
> se pusimos en querella...

DOÑA FUNESTA.

> La llevamos ante el juez...

COMPADRE.

> ¡Y vea lo que jué de ella!

DOÑA FUNESTA.

> Juntamos su vaca overa
> con mi torito barcino:

Le dieron gusto al destino...
Sacamos una ternera.
En del principio, todo era
puro hablar de l'honradez:
"Tengalá usté pa después...
No, mejor que usté la tenga..."
Tome, traiga, vaya y venga
por una vaca una vez.

COMPADRE.

Quedamos en que sería
para el dueño de la madre
por la razón de que el padre
darle' i mamar no podría.
Pero sucedió que un día,
ya crecida la doncella,
con trampas de leguleya
usté vino a quitarmela,
y entre gallo y pucho 'i vela
se pusimos en querella.

DOÑA FUNESTA.

A los parientes buscamos
y consejo les pedimos:
En mala hora los tuvimos
y de ellos nos acordamos.
Dende ese día quedamos
como alforjas al revés:
Cada cual por su interés
para su lado tiraba,
y como nadie aflojaba,
la llevamos ante el juez.

COMPADRE.

Falló..., como Salomón,
diciendo que, en el asunto,

cada cual desde su punto
de vista, tenía razón;
pero que tal situación,
para nuestra buena estrella,
a ninguno le hacía mella
por ser una vaca flaca.
Y mandó traer la vaca...
Y el juez se quedó con ella.

(Risas y exclamaciones festejarán el desagravio. Luego, la pareja se coronará recíprocamente, como la anterior. Esto cumplido, mozos y mozas se abalanzarán sobre el arco y lo despojarán de sus adornos pendientes mientras se arrojan entre sí gajos de albahaca y polvo de almidón.)

ROSALINDO.—*(Exhibiendo en lo alto el muñeco de confitura que ha arrancado del arco.)*
Aquí tengo una "guagua"
para una moza:
La vendo por un beso,
¿quién me la compra?

LUCINDA.
¡Caramba con el churo,
qué interesao;
yo me animo a comprarla,
pero al fiao!...
(La aloja volverá a circular. DON SERVANDO tomará un jarro.)

DON SERVANDO.
Unos para los besos
tienen la boca.
Yo prefiero tenerla
para la aloja...

Don Cruz.—*(Pondrá al "Pucllay" sobre un asno ador-*
nado con flores y ramas, que los mozos llevarán hacia el
camino.) ¡Vamos a bautizarlo al pucllaycito!

Compadre.—¡En mi rancho lo esperan p'al bautizo!

Don Cruz.—Vamos a tu rancho, pero aquí volveremos
a bailar, porque yo quiero el carnaval en mi casa.

Doña Funesta.—¡Eso es hablar! ¡Que viva el patrón!

Todos.—¡Vivaaa!

Don Cruz.—Y agora, a montar los jinetes. *(Subirá al*
camino detrás de los mozos que sujetan al asno y sostie-
nen al "Pucllay".)

ESCENA XIV

Mozo 1.º

> Por las quebradas de mi pena
> anda difunto el carnaval:
> le llevaré esta curandera
> pa que lo haga resucitar...

(Levantará en brazos a Lucinda, gritando ella
jubilosamente y subirán al camino.)

Mozo 2.º

> ¡Vamos, ñata, en mi yegua,
> que está de plata
> desde las orejitas
> hasta las patas!

(Hará mutis como el anterior levantando a
otra moza.)

Mozo 3.º

> ¡Florcita' i romero:
> la llevo en las ancas
> de mi parejero!

(Tomará otra muchacha en brazos y saldrá al
camino. Tras él subirán atropelladamente los de-
más convidados.)

Don Servando.—*(A Doña Funesta.)*
    ¡Flor de cardón:
    Vamos en las ancas
    de tu mancarrón!

(Se ofrecerá para llevarla "a la cuncuna" (a babucha). Ella lo correrá cómicamente, y así saldrán seguidos por los últimos "chayeros". Quedarán en escena únicamente el Forastero, Rosendo, Casiano *y* Mamerto. *El* Coro, *fuera, cantará, alejándose.* María Selva *se asomará a la galería en el momento en que* Isabel, *separándose del grupo, se dirige al* Forastero.)*

ESCENA XV

Isabel.—*(Al* Forastero, *desde el camino.)* Y usté, ¿no viene? ¡Lo estoy aguardando! ¡Vamos!

Forastero.—*(Vacilará mirando a* María Selva; *pero como alumbrado por una idea súbita, se volverá diciendo:)* ¡Vamos! *(Y subirá al camino, para alejarse con* Isabel *detrás de la comparsa.* Rosendo, *en un impulso instintivo, intentará seguirlos, pero un gran desaliento caerá sobre él.)*

María Selva.—¡Rosendo! ¿Por qué no vas con ella?

Rosendo.—*(Como en un desgarramiento.)* ¡No tengo caballo!

María Selva.—*(Correrá hasta el galpón, descolgará un freno que pende de uno de los horcones.)* ¡Ensillarás el mío! *(Hará mutis seguida por detrás del galpón hacia la derecha.* Rosendo *irá tras ella.* Mamerto *y* Casiano *se mirarán, atónitos.)*

TELÓN

ACTO TERCERO

"La Chaya" se celebra un día en una casa
y otro en otra. Los carnavaleros las recorren
en bulliciosas cabalgatas, deteniéndose en cada
rancho para beber y bailar o asistir a nuevos
topamientos. Entre tanto, el "Pucllay", mon-
tado en un asno, preside las correrías. Y su
figura se va humanizando a medida que suben
los humores de la bebida. El es ya la encar-
nación traviesa y sensual del carnaval. Go-
bierna los sentidos, emborracha a las mozas
para facilitar al hombre su conquista o em-
borracha a los hombres para robarles el amor
de sus elegidas.

El mismo día, a la noche, en una casa humilde del lugar. Se verá
a la izquierda un paredón de construcción colonial con una puerta
pequeña. Detrás de esta pared que pertenece al modesto edificio
de los dueños de la casa, y que será de adobe blanqueado, supó-
nese un patio amplio destinado a la fiesta. Al fondo—hacia el
camino—, tapial con el vano de la puerta de entrada. A la derecha y primer término, en ángulo, un cañaveral tupido que rodea
la huerta. Una parra sostenida por horcones formará techo a la
escena. Y habrá una lámpara de kerosene pendiente de un sarmiento del parral. La noche estará en torno, rodeando la fiesta
en su apogeo. Se oirá una vidala (1):

> Mira esa flor dolorida
> que has pisado en el camino.
> Vamos, vidita,
> debajo el nogal...
> Ese camino es tu vida
> y esa flor es tu destino.
> Nadies me priva,
> soy dueño de amar.

---

(1) Véase Apéndice, tema melódico núm. 4.

Ay vidalita,
dame alojita.
Quiero macharme
con una negrita;
mañana al alba
se va el carnaval.

Un coro de rumores celebrará el canto mientras se alza el telón.
La escena estará sola. Junto a la puerta habrá una mesa rústica,
varios jarros y un cántaro. Y cerca de la mesa estará el "Pucllay",
al cual habrán dejado en una silla olvidado. Sobre el rumor del
baile ascenderá un grito salvaje, penetrante.

¡Ayjuayjuna el carnaval,
Ya me has volteao y te has ido!

ESCENA PRIMERA

Por foro izquierda—entre la tapia y el muro—aparecerá DON CRUZ,
seguido por el FORASTERO. Vendrá hasta la mesa, llenará dos jarros
con vino, que sacará del cántaro, obsequiará con uno al FORASTERO
y buscará un lugar para sentarse. Durante todo el acto se escucha-
rán intermitentemente la música y las voces de la fiesta.

DON CRUZ.—Siempre ha sío rara mi mujer, amigo. Men-
tiría si le dijera que alguna vez la hi visto alegre... No se
queja de nada, cierto es; pero ¿alegre?, ¡en la vida!... En
fin, dejemos ese asunto. ¡A la salú!

FORASTERO.—¡Salú, patrón!

DON CRUZ.—¿Le gusta el carnaval aquí?

FORASTERO.—Sí, pues; se ve que saben ser alegres.

DON CRUZ.—Lo que yo le decía; sabimos ser alegres.
Y allá, en sus pagos, ¿también son divertidos?

FORASTERO.—De vez en cuando, sí.

DON CRUZ.—Mi mujer es de allá; pero ella... Ella no
cuenta nada...

FORASTERO.—¿No era que usté ya anduvo por allá?

DON CRUZ.—¿Por sus pagos? Si pues. Pero nunca p'al
tiempo' el carnaval.

FORASTERO.—¿Habrá sido... cuando se casó con la señora?

DON CRUZ.—Cuando la conocí... *(Bebe.)* Tenía que hacer entrega de una novillada que me compró su padre. Y vea lo que es la suerte de uno...

FORASTERO.—¡Todo es casualidá!

DON CRUZ.—¡Ni más ni menos! Resulta que ese día no estaba el comprador y me atendió "la niña", digo, mi mujer. ¡Nunca me olvidaré de l'impresión que m'hizo! ¡Como si hubiera sido la primera mujer que yo veía! *(Pausa, que aprovechará para volcar otro trago.)* De allá volví encandilao por dentro... *(Nueva pausa.)*

FORASTERO.—¿Y... cómo fué que se llegó a casar? Si no es curiosidá, ¿no?

DON CRUZ.—¡La providencia, amigo! Al poco tiempo de eso, ella mismita apareció por aquí. Venía por alú, según supo decirme, y se hospedó en mi casa. Después, entre una cosa y otra y sin saber ni cómo—porque no le di tiempo pa pensarlo siquiera—, nos casamos. *(Pausa.)* Pero luego empezaron las rarezas. La Encarnación, mi hermana, casi se va de casa... Y cuando esperábamos a la Isabel, le dió por tenerme asco... ¡Con decirle que ni dormíamos juntos! Pero ¿qué me importaba? ¡Me conformaba con saber que era mía! ¡A la salú!

FORASTERO.—No tome más, patrón...

DON CRUZ.—¿Que no tome? ¡Ja..., ja...! ¡El carnaval sin esto no es carnaval! Además, yo tomo porque tomo, ¿sabe, don? ¡Yo no me quejo de mi suerte, amigo..., pero esto me hace falta, porque tengo clavada aquí una espina! ¡Ah, sí, sí...! ¿Sabe por qué es tan rara mi mujer?... Los hombres somos sonsos, amigazo. Ya me habían prevenío... Pero yo no hice caso... En fin, dejemos ese asunto...

FORASTERO.—*(Tras una breve pausa, poniéndose en pie.)* ¿No quiere que volvamos a la rueda?

DON CRUZ.—¡No, no señor! Yo prefiero estar solo...

¡No, tampoco! Quiero estar con usté, que es buen amigo. *(Lo hará sentar de nuevo.)* Estar solo, en mi caso, es cosa fiera... No hay vez que quede solo que no se me figure que me deja... ¡Y me entra miedo, amigo! *(Bebe.)*

FORASTERO.—¡Vea, don Cruz, que el vino le hace mal!

DON CRUZ.—¡Bah, qué me va a hacer mal! A mí más daño me hace no tomar. Yo no soy chupador... Pero éste es tiempo de alegrarse, ¿sabe? ¡Por eso estoy alegre! ¡Y usté también tiene que estar alegre!... ¡Tome, chupe, amigazo!... ¡A la salú!... *(El* FORASTERO *aceptará el "obligo" y echará un buen trago.* ISABEL *aparecerá por la izquierda.)*

ESCENA II

ISABEL.—¡Ya decía yo! ¡Usté tenía que ser el aguafiestas!

DON CRUZ.—*(Tambaleándose.)* ¿Cómo dice, m'hijita?

ISABEL.—Que usté no deja divertirse a nadies...

FORASTERO.—No. Eso no es justo, no...

DON CRUZ.—¡Ja..., ja..., ja...! *(Abrazando a la hija.)* ¡Ah, muchacha! ¡Je..., je...! *(Al* FORASTERO.) Esta es mi hija, ¿ve?... ¡Tiene la misma cara de la madre! Ella era así, velay, cuando la conocí... *(Volviendo a su obsesión.)* Pero en el fondo se parece a mí... Tiene mi corazón...

ISABEL.—*(Sosteniéndolo.)* ¡Está que no puede tenerse!

DON CRUZ.—Vea, hijita, este mozo será pobre... Pero es honrao y todo lo demás... Hay que tratarlo como se lo merece... No haga lo que su madre... No mire a nadies por encim'el hombro... ¡Porque el ser pobre no desdora a nadies!... ¿Me ha entendío?

ISABEL.—¡Ni usté se entiende, tata!... *(Riéndose ingenuamente.)*

DON CRUZ.—Yo sí... Yo sí me entiendo... *(Ensombreciéndose, de nuevo, bajo su idea fija.)* ¡O cree que yo no sé

de ande le vienen las rarezas! ¡Está bueno, sí, sí...! Pero
mejor, dejemos ese asunto...

ISABEL.—*(Al* FORASTERO, *tomándole la mano.)* Vamos,
venga a bailar. No va a pasarse aquí, de mosquetero, toda
la santa noche.

FORASTERO.—Con licencia, patrón...

DON CRUZ.—Vaya nomás... ¡Y péguele el talón, que el
baile alegra!

ISABEL.—Y usté no tome más. Ya es demasiao. *(Hará
mutis por donde apareciera, llevando al* FORASTERO *de la
mano.* DON CRUZ, *viéndose solo frente al "Pucllay", des-
atará todos sus pensamientos. Se acercará al ídolo, y le
dirá la imprecación dolorosa, como si renacieran en su
sangre todas las fuerzas del ancestro pagano.)*

ESCENA III

DON CRUZ.—El baile alegra, sí. Por eso están alegres...
Todos están alegres... Y yo también, velay... ¡Que me lo
diga el "Pucllay"! ¡Ah, churo! ¡Vos sí que sois alegre,
brujo lindo! *(Derramándole vino en la cabeza.)* Tomá, un
trago a tu salú... Porque vos sois la alegría de los pobres
y yo también soy pobre... ¡Pobre, sí...! ¡Siempre pobre!...
Se nace pobre y hay que morir pobre, aunque se tenga
las talegas llenas... ¡Sí, señor..., los pobres somos pobres
aunque tengamos plata!... *(Tomará otro trago.)* No, no,
yo de eso no me quejo... ¡No me importa, velay! ¿No lo
vengo pensando y pensando? Yo de eso no me quejo... Si
me casé con ella es porque nada de eso me importaba...
Al fin y al cabo, si eso no hubiera sucedío, ella no sería
mía... Sí, señor... Yo de eso no me quejo... Pero lo que
me duele es que los pobres siempre sean los pobres, aunque tengan la plata de los ricos... ¡Eso me duele, "Pucllay", porque ella nació rica..., y en vez, yo nací pobre!

(Caerá arrodillado junto al ídolo llorando amargamente.
Por la izquierda se asomarán DON SERVANDO *y* DOÑA FU-
NESTA.)

DOÑA FUNESTA.—*(Sosteniendo del brazo a* DON SER-
VANDO, *también ella borracha.)* ¿Lo oís? El también se ha
"machao". Este vino no sirve más que pa emborracharnos.
(Se apoyará en el brazo de su marido.)

DON SERVANDO.—¡No me tiréis, mujer, que andoy muy
débil!

DOÑA FUNESTA.—Oiga, don Cruz..., ¿qué me lo ha estao retando al pucllaycito?

DON CRUZ.—*(Reaccionando bruscamente.)* ¿Qué? ¡Qué
le importa a la gente! ¡Yo hablo con él lo que me da la
gana!

DON SERVANDO.—¿Qué te metéis a preguntar, mujer?
Es de mala bebida.

DOÑA FUNESTA.—No ha sío por ofender. Las mujeres
de Yavi no ofendimos a nadies...

DON CRUZ.—Eso es cierto... Cierto es... Son pobres y
no ofenden. *(Transición.)* ¡Y también son alegres!... ¡Como yo!... *(Gritando hacia el costado izquierdo, desde el*
foro:) ¡Maver, maver, buenas mozas de Yavi!... ¿Ande
hay una que quiera compañarme?... ¡Venga la que me
quiera!... ¡Busco una compañera pa alegrarme!

DOÑA FUNESTA.—¡Como si no estuviera yo, velay! *(En-*
trarán por izquierda tres jovencitas llenas de alegría, pero
algo recelosas; se acercarán al viejo, que, apoyado en un
tronco de la viña, logrará mantenerse a duras penas en pie.
De pronto, las muchachas estallarán en una carcajada.)

ESCENA V

Moza 1.ª—*(Acercándose a* Don Cruz.)
      ¡Viva el carnaval...
      No me priva nadies,
      soy dueña de amar!

Don Cruz. *(Tomándola del brazo.)* ¡Eso, eso me gusta, Domitila!

Moza 1.ª—*(Aguantando la risa.)* No soy la Domitila...

Don Cruz.—¿No sois la Domitila? ¿Cuyo es tu nombre, enton...?

Moza 1.ª—¡Neófita, po! ¿Ya no se acuerda más?

Don Cruz.—Sí, sí..., agora sí... *(Volviéndose a la Moza 2.ª)* Maver, vos... Allegate... Diz que pa los que tienen más de cincuenta... no hay como las que tienen menos de treinta... *(Ríen las muchachas.)*

Moza 2.ª—*(Dejándose abrazar a medias por el viejo.)*
      ¡Me gustan los viejos...
      porque me divierten...
      dándome consejos!

                              (Nuevas risas.)

Don Cruz.—¡Ya ven, estamos alegres!... ¿Quién dice que no nos alegramos los pobres?

Moza 3.ª—*(Insinuándosele.)* ¡Ya lo creo que sí!...

Don Cruz.—No me quejo de nada... Si ella es así, ¡que sea! ¡Yo con mi gente y ella con su orgullo!

Moza 2.ª

      ¡Vamos al baile,
      que quiero bailar!
          (El intenta abrazarla fuertemente.)
      ¡No! El baile primero...
      Después lo demás...

                              (Risa de todos.)

Don Cruz.—¡Maver, esos músicos!

Moza 2.ª

> ¡Toquen un bailecito;
> toquen un gato!
> Va a bailar esta ñata
> con este... ñato...

(Se oirá un coro de risas adentro y estallará el rasguido de las guitarras. Don Cruz, abrazado a su compañera, avanzará hasta el patio, desapareciendo tras el muro. Lo seguirán las otras dos muchachas. En escena quedarán Don Servando y Doña Funesta.)

ESCENA VI

Don Servando.—¡Pobre don Cruz!

Doña Funesta.—¿Pobre? ¿Qué harías vos en su caso, quiero ver?

Don Servando.—Ese es otro cantar.

Doña Funesta.—Pero no ha'i ser, no ha'i ser. Vos no podís quejarte. Tenís una mujer que ya quisieran muchos... (Dándole de beber.) ¡Tomá, palomo!

Don Servando.—(Vaciando el jarro de un trago.) ¡Salú!...

Doña Funesta.—Agora... llevame...

Don Servando.—¿Que te lleve? ¿Y ande?

Doña Funesta.—Ande se te antoje...

Don Servando.—¡Guá! Ya se te ha subío el carnaval...

Doña Funesta.—¿Y por qué no, velay?

Don Servando.—¡Somos viejos, mujer!

Doña Funesta.—¿Me despreciáis, enton...?

Don Servando.—¡Tené juicio, Funesta, que nos están "ispiando"!...

Doña Funesta.—(Imperativamente.) ¿Sois o no mi marido?

DON SERVANDO.—Sí, pues, claro que soy... Pero vamos al baile, que yo quiero bailar. Venga el baile primero, y dispués lo demás...

> *(La abrazará y saldrán por la derecha. El rumor de la fiesta crecerá. Tras un intervalo, entrarán por el foro* ROSENDO *y* MARÍA SELVA, *aquél con un talero.)*

ESCENA VII

ROSENDO.—¿Un vallista? ¡Se quiebra más fácil que una caña!

MARÍA SELVA. Siempre lo mismo. Ustedes sólo piensan en matarse.

ROSENDO.—¿Qué más se puede hacer por las mujeres?

MARÍA SELVA.—Ser hombres. Con las mujeres antes que con los hombres. A él lo podrás quebrar como a una caña, pero ¿y a ella? Ni siquiera mirarla. ¿Ese es tu coraje?

ROSENDO.—¡Eso es querer!... *(Transición.)* Míralos, allá están.

MARÍA SELVA.—Andá, entonces; decile que lo mando llamar. Pero, otra vez te pido, no quiero oír peleas. *(Quitándole el talero.)* Vos quedate con ella. Bailá con ella. Distraela al menos...

ROSENDO.—Voy a ver... *(Se irá por la izquierda, hacia la fiesta. Habrá una larga pausa en que se oirá la voz de dos cantores "llorando" una vidala.* MARÍA SELVA *andará, nerviosamente, de un lado para otro. Se detendrá por fin, en primer término al oír al* FORASTERO, *que entrará por derecha y hablará desde el foro.)*

ESCENA VIII

FORASTERO.—Señora...

MARÍA SELVA.—Acérquese.

FORASTERO.—Me dicen que quería hablar conmigo...

María Selva.—Le he dicho que se acerque.

Forastero.—(*Obedeciendo*.) Aquí me tiene, pues.

María Selva.—Lo he mandado llamar porque acabo de verlo de nuevo con mi hija. Quiero advertirle que no puede usted seguir equivocando su condición aquí.

Forastero.—¿Mi condición?

María Selva.—En suma, que molestan sus atenciones con la niña Isabel.

Forastero.—Conforme se las mire. Cuando ella se ha mezclao en esta fiesta es que no tiene a menos la amistá de nosotros...

María Selva.—Ella no hace distingos porque a su edad se ignoran muchas cosas.

Forastero.—Y ojalá no pasara de esa edá, si la mudanza del tiempo es lo que cambia tanto a las personas... (*Breve pausa.*)

María Selva.—Pero ¿qué se propone? ¿No se da cuenta que sería inicuo? ¿Que yo tendría que arrancarme los ojos y quemarme la lengua?

Forastero.—¿Usté? ¡Usté no haría nada de eso!...

María Selva.—Pero ¿quién es usted, por Dios? ¿De qué está hecho?

Forastero.—Habla como si no me conociera...

María Selva.—No puedo conocerlo. Nunca pude. ¡Siempre hubo como un monte entre nosotros!

Forastero.—¡Como un monte! Tal vez...

María Selva.—Pero tendremos que entendernos, al fin, porque voy a decírselo todo claramente. Y porque usted también tendrá que hablar, sacar ese veneno (o lo que sea) que tiene allí encerrado. ¿Qué es lo que quiere usted? ¿Qué es lo que se propone? ¡Le he ofrecido dinero, con tal de verlo lejos, y usted no lo ha querido!...

Forastero.—Señora, ése es asunto rematado. Usted misma lo ha dicho.

María Selva.—No, todavía no. Mientras no se haya ido

usted de aquí, mientras siga rondando como un lobo sin presa, eso no acabará...

FORASTERO.—Fué la señora, si no recuerdo mal, quien decidió que me quedara...

MARÍA SELVA.—Lo hacía únicamente para que no lo echaran como a un perro. Pero usted no comprende, no quiso comprender...

FORASTERO.—Después de todo, creo que la señora no se puede quejar. No he vuelto a molestarla. No le he faltado en nada.

MARÍA SELVA.—Le hubiera agradecido que lo hiciera. Que se atreviera de una vez por todas; porque así, por lo menos...

FORASTERO.—No lo va a conseguir. Si eso es lo que buscaba, si lo que busca es darme la ocasión para que me hunda más, siento decirle que no va a conseguirlo.

MARÍA SELVA.—Tampoco usted conseguirá que mi hija le sirva de señuelo en lo que está tramando. Porque no es otra cosa la intención que lleva...

FORASTERO.—¡Dispénseme...!

MARÍA SELVA.—¡No me puede mentir! No lo intente siquiera. Usted por la Isabel no siente nada... ¡No puede sentir nada!... ¡Dígame que no es cierto! ¡Dígame que la quiere!... *(Pausa.)* Ya ve, se ha descubierto. Entonces, si es así, y si no pide nada, ¿por qué se queda aquí? ¿No se da cuenta que su presencia me ahoga?

FORASTERO.—¡Esa es la paga que yo busco! ¡No es con plata, es con eso con lo que yo me cobro todo el mal que me hicieron!...

MARÍA SELVA.—¡Todo el mal que le hicieron! Hágase cargo, al menos, de sus actos. Yo no podía imaginar que usted fuera capaz...

FORASTERO.—¡Sí, pues, qué iba a imaginarse! La niña sólo quiso divertirse. Quería jugar un rato, entretenerse con un cuzco faldero. Pero no había cuzcos de esa clase en la estancia, y tuvo que buscar a un infeliz, incapaz de decir una sola palabra...

MARÍA SELVA.—Bueno. Basta. No quiero oírlo más...

FORASTERO.—Ahora tendrá que oírme. ¿No me pidió que hablara de una vez? A mí me buscaron, me echaron, me sacaron de donde yo jamás pensé salir. Yo era un hombre tranquilo, de conciencia tranquila. ¿Por qué me fué a elegir? Yo vivía conforme con mi vida, en paz con mi alma y con mi gente...

MARÍA SELVA.—Eso no es cierto, no... ¡Usted también lo quiso!

FORASTERO.—¿Qué más podía pedir? Pero un día a la niña caprichosa se le ocurre ordenarme que la bese...

MARÍA SELVA.—(Suplicante.) ¡No siga, no...!

FORASTERO.—...Me obliga a pisotear todo el respeto buscándome a deshoras de la noche allá, en mi propio cuarto...

MARÍA SELVA.—¡Cállese...! ¡Cállese...!

FORASTERO.—...Y, enloquecido, tengo que matar para que el nombre de ella, de la niña, no se llene de barro...

MARÍA SELVA.—¡Tenga piedad!...

FORASTERO.—...¡Y no me han hecho mal alguno!... ¡Ja..., ja..., ja...! ¡Ella no quiso hacerlo!... ¡Ja..., ja..., ja...! (Pausa.) Después, la cárcel, los quince años contados hora por hora, minuto por minuto... ¿Para qué? ¡Para nada! Para encontrar que todo está lo mismo, con esta sola diferencia apenas: que antes, el capataz de Los Cardales era un muchacho fuerte, honrado, alegre, y ella, una niña demasiado curiosa, empeñada en saber cómo abrazaban y besaban los hombres criados en el suelo; y, en cambio, agora...

MARÍA SELVA.—(Sin poder ya contenerse.) ¡Ahora, como entonces, estoy loca, ¿me entiende?, loca y enceguecida! He estado mordiéndome los labios, estrangulando mi respiración para no traicionarme. ¡Pero todo es inútil! ¡No

puedo más...! Esto quiere decir que estoy perdida..., que
estaba ya perdida desde que oí su voz...

FORASTERO.—¡Usted!

MARÍA SELVA.—Yo, sí, la misma desventurada de antes... Quise ser fuerte, honrada. Estaba decidida a no ceder..., a dejar que mi vida desgajada fuera pudriéndose
poco a poco en mi pecho. Pero todo fué oírlo y echar brotes de nuevo, porque lo odio y lo quiero sin remedio y
estoy atada a usted sin salvación...

FORASTERO.—¡María Selva!

MARÍA SELVA.—Pero no puede ser. No debe ser así. Ahora tengo una hija, soy la mujer de un hombre a quien hay
que querer por encima de todo... Y por eso le pido que
se vaya... Se lo suplico yo... (Llorará amargamente.)

FORASTERO.—Sí, me iré, ahora me voy, pero no solo...
¡Ya no puedo dejarte! (La tomará entre sus brazos. Ella,
apenas tratará de escurrirse.)

MARÍA SELVA.—No... Eso no... Eso no...

FORASTERO.—Solos no somos nada, María Selva. Como
el agua y la tierra, solos no somos nada... (La abrazará
fuertemente.)

MARÍA SELVA —(Luchando consigo misma, más que
con los brazos del hombre.) Déjeme... Déjeme, por favor... (Pero se dejará besar y ella misma lo abrazará, se
aferrará a él. DON CRUZ, que habrá salido en ese instante, se detendrá apoyado en un tronco de la viña, como
idiotizado, la mirada brumosa por el alcohol y el estupor
a la vez. De pronto, MARÍA SELVA, recuperándose, se apartará del FORASTERO.) ¡No!... ¡No quiero!... ¡No quiero!...
¡Oh, qué he hecho, Señor! ¿Por qué he vuelto a arrastrar-
me? ¡Tenía razón mi padre!... ¡La mala sangre! ¡Mi mala sangre!... (Saldrá por primer término derecha, cubriéndose la cara con las manos, como si huyera de su propia
conciencia. El FORASTERO, tomado de sorpresa, no atina-
rá a moverse, pero en última instancia se dejará llevar por

el impulso instintivo y saldrá detrás de ella repitiendo su nombre.)

FORASTERO.—¡María Selvaaa! ¡María Selvaaaaa! (DON CRUZ *se quedará abrazado al horcón de la viña, como petrificado. Lejos, se oirá la voz áspera y desgarrada de un borracho:)*

UNA VOZ.—¡Ayjuayjuna el carnaval! ¡Ya me has volteao y te has ido!

T E L Ó N

ACTO CUARTO

Con el último día de carnaval concluye el reinado de "Pucllay", a cuyo entierro se comide la gente llevando la figura del ídolo en planidera procesión, por el campo. Allí será enterrado, a la sombra del "tacu" tutelar, esto es, el árbol por antonomasia (el algarrobo). Entonces la "vidala", más que canto, es un lamento desgarrado. Así van los "chayeros" tras este "Pucllay" que recuerda ahora al Baco transformado en Zagreo de la leyenda cretense (Baco-Zagreo muerto y asociado a las vicisitudes de la Naturaleza), porque su espíritu brotará de nuevo con los primeros frutos del estío. Pero, entre tanto, el alma de la raza inmola su tristeza, y la vidala con que los carnavaleros lloran el fin de la alegría fugaz es un áspero llanto en las quebradas.

Seis días después, en el patio de la casa de Don Cruz. Alta noche. Bajo las galerías y el galpón habrá faroles encendidos. Al alzarse el telón, un coro de voces ásperas y lúgubres cantará (1):

CORO.

> Alegre como has llegado,
> triste como te has ido
> —Vamos, vidita,
> debajo del nogal—,
> carnaval, ya te has cobrado
> lo que hi gozado y sufrido
> —Nadies me priva,
> soy dueño de amar—
>   ¡Ay vidalita
>   dame alojita!
>   Quiero marcharme
>   con una negrita.

---

(1) Véase Apéndice, tema melódico núm. 4.

Mañana al alba
se va el carnaval.

*(Se levantará el telón dejando ver en primer
término izquierda a* DON SERVANDO, ROSENDO
*y cuatro convidados, todos ebrios, sentados en
el suelo, alrededor del "Pucllay". Cantarán la
vidala señalando el compás con un monótono
vaivén de torsos y cabezas. Uno de ellos golpea-
rá la "caja".)*

ESCENA PRIMERA

El FORASTERO aparecerá por la derecha, segundo término, llevando unas alforjas en la mano y sobre el hombro el poncho. Los
hombres, casi vencidos por el sueño, cantarán todavía:

CORO.

Dicen que por ser honrada
desprecias a quien más quieres;
—Vamos, vidita,
debajo el nogal—
tu honradez no vale nada
cuando por verlo te mueres...
—Nadies me priva,
soy dueño de amar—.

*(*MARÍA SELVA, *saliendo de su pieza, seguirá
al* FORASTERO—*que habrá desaparecido por la
izquierda—, mientras siguen cantando los borrachos) (1).*

¡Ay vidalita
dame alojita!

_____

(1)   Véase Apéndice, tema melódico núm. 4.

Quiero marcharme
con una negrita.
Mañana al alba
se va el carnaval.

(Las últimas palabras de la copla serán casi
ininteligibles. Uno después del otro, los canto-
res se quedarán dormidos. Luego se oirá dentro
una música simple de quenas, tamboriles y gui-
tarras, dando a la melodía del canto precedente
un animado movimiento de danza. Se apagarán
las luces gradualmente.)

ESCENA II

Ballet. Con el preludio (introducción de la danza), un condensado
resplandor lunar caerá sobre el camino donde aparecerán ISABEL
y ROSENDO en atavíos nupciales, seguidos de un alegre cortejo.
Varias muchachas rodearán a ISABEL, felicitándola, y los hombres
harán lo propio con ROSENDO. Este se acercará a su recién des-
posada para invitarla a bailar. La danza empezará con una vuelta
de zamba dos veces repetida, al cabo de la cual todos los invitados se habrán puesto la máscara de "Pucllay" y rodearán a la
pareja, asustándola. Luego se quitarán uno a uno la careta y el
baile proseguirá alegremente. De pronto—remarcado el movimiento por golpe de timbales—, PUCLLAY, el verdadero, saltará de su
sitio, interponiéndose entre los bailarines. Imitará grotescamente
al hombre mientras corteja a la novia. A partir de este instante
la danza desarrollará el tema del amor en su doble sentido, espi-
ritual y carnal (representados respectivamente por el hombre y
el personaje mítico), asediando a Isabel y disputándola. En la co-
reografía se verán alternar figuras de las danzas populares del
Norte, de manera especial "El palito" y "El malambo". El "Pucllay" vencerá, raptando a ISABEL, en un giro violento, mientras
ROSENDO intentará buscarla, inútilmente. Caerá al fin, en medio
de su gran soledad, con las notas finales de la orquesta.

ESCENA III

Ahora una nueva mutación de luces transformará la escena, de-
jándola como al comienzo del acto. Se verá a ROSENDO, DON SAL-
VANDO y los cuatro convidados donde quedaran en la escena inicial.

Aquél estará aún bajo el efecto de la pesadilla; se le verá moverse
y musitar palabras incoherentes.

ROSENDO.—No... No... Eso no, Pucllay... No... No...
(MARÍA SELVA *entrará por el costado izquierdo y se dirigirá a su aposento, nerviosa, trabajada por su lucha interior. La voz de* ROSENDO *la hará reparar en los borrachos.
Se acercará al grupo, despertará al muchacho sacudién-
dolo.* ENCARNACIÓN *cruzará de izquierda a derecha, como
la sombra de un cuervo.)*

MARÍA SELVA.—Rosendo. ¡Vos también!

ROSENDO.—No... No fué culpa mía... *(Despertando.)*
Era el "Pucllay"... Ese diablo del "Pucllay"... Por él nos
alegramos... Por él tomamos todos... Pero el maldito carnaval, Señor, estaba engualichando a las mujeres... Riéndose de nosotros...

MARÍA SELVA.—¡Vos también, como todos!

ROSENDO.—Como todos..., cierto es... Porque nadie se
libra de ese "Pucllay". *(Incorporándose.)* Es como Dios...
Hace y deshace aquí... ¡El manda y todos le obedecen!...

MARÍA SELVA.—Estás para morirte... ¡Vamos, vamos
allá!... *(Lo ayuda a tenerse en pie.)* Y ustedes también
(A los borrachos.), ¡levántense de ahí! ¡Ah, qué asco!

CONVIDADO 1.º—*(Incorporándose.)* ¡Que viva el carnaval!

ROSENDO.—Es como Dios... El manda y todos le obedecen...

MARÍA SELVA.—¡Váyanse!... ¡Que se vayan, les digo!

DON SERVANDO.—*(Levantándose.)* ¡Eh!... ¿No oyen lo
que les mandan?... ¡Vamos, vamos!

CONVIDADO 2.º—*(Idem.)* Sí..., ya vamos..., ya vamos...

CONVIDADO 1.º—*(Al "Pucllay".)* ¡Brujo lindo! *(Se va
por la derecha.)*

CONVIDADO 2.º—¡Viva el carnaval! ¡No me priva nadies, soy dueño de amar! *(Vase por el mismo lado.* CON-

VIDADOS *3.º y 4.º y* DON SERVANDO *harán mutis también por la derecha. Quedarán en escena* MARÍA SELVA *y* RO-SENDO.)

ESCENA IV

MARÍA SELVA.—Andá, tirate en una cama, pobre muchacho...

ROSENDO.—No... Déjeme, señora... Yo tengo que buscarlo... Lo tengo que encontrar al carnaval. *(Saldrá por la derecha.* MARÍA SELVA *entrará a su habitación. Por la otra galería reaparecerá* ENCARNACIÓN, *seguida de* DON CRUZ, *como dispuesta a sorprender la fuga de* MARÍA SELVA.)

ESCENA V

ENCARNACIÓN.
Yo los he visto, con mis propios ojos;
un solo cuerpo y una sola sombra...
¡Tenía que suceder, porque está dicho:
la mala sangre siempre se traiciona!

DON CRUZ.
¡Callate!...

ENCARNACIÓN.
Lo que he dicho...

DON CRUZ.
¡Estás mintiendo!...

ENCARNACIÓN.
¡Que me tragué la tierra, si no es cierto!
¡Ella, la gran señora, la princesa,
embarrando su nombre por el suelo!...

DON CRUZ.
¡No sigás! ¡No sigás, lengua de víbora!...

ENCARNACIÓN.
¿Porque defiendo la honra de la casa?

DON CRUZ.
¡No necesito esa honra! ¡No me importa!...
¡No se mide con honras mi desgracia!

ENCARNACIÓN.
Entonces..., ¿lo sabías?...

DON CRUZ.
En mal'hora
vieron mis propios ojos lo que vieron...
Porque quiero matarla... ¡Y no consigo!
Y esto es andar... como quebrao por dentro.

ENCARNACIÓN.
¡Y qué pensás!...

DON CRUZ.
No sé... No pienso nada...
O mejor dicho, en balde pienso tanto.
Estoy como vacío... ¡Andá, dejame!...
¡Ya me dirá la suerte lo que valgo!...

(ENCARNACIÓN *obedecerá, retrocediendo hasta la galería y haciendo mutis hacia el lado derecho.* DON CRUZ *descolgará de la pared una escopeta, examinará la carga, dará unos pasos hacia la habitación de* MARÍA SELVA; *pero, desalentado, desistirá de su siniestro propósito y, abandonando el arma, hará mutis detrás de* EN-CARNACIÓN.)

ESCENA VI

La escena quedará desierta unos instantes, al cabo de los cuales MARÍA SELVA, arrebozada con una pañoleta, saldrá de su habitación y se dirigirá hacia la izquierda (segundo término). La voz de ISABEL (que habrá aparecido por la segunda galería, derecha) la detendrá en medio de la escena.

ISABEL.—Mama...

MARÍA SELVA.—¿Qué quieres?

ISABEL.—¿Ande se iba?

MARÍA SELVA.—¡Qué sé yo...! A andar un poco... *(Se oirán voces adentro.)* ¿Esos no piensan irse?

ISABEL.—Pocos son los que quedan, fuera de la familia.

MARÍA SELVA.—*(Caminando hasta el foro.)* Ya es casi el alba. ¡Seis días y seis noches en lo mismo! ¡Ya no soporto más!... *(Breve pausa.)*

ISABEL. *(Animándose.)* Si le pido un favor... No sé cómo decirle... El ha estao preparando ya sus cosas... Dentro de un rato, al parecer, se va...

MARÍA SELVA.—¿De quién me estás hablando?

ISABEL.—¿De quién va a ser? De él... *(Abstrayéndose.)* ¡Ni sé cómo se llama!... ¡Es tan lindo querer sin saber nada!... Pero usté ya se puede dar idea... ¿Por qué lo dejan ir?

MARÍA SELVA.—¿Yo?

ISABEL.—Sí. Usté tiene la culpa de que se vaya así... Su mala voluntá...

MARÍA SELVA. ¿Mi mala voluntad? Ese hombre vino en busca de trabajo... Se entendió con tu padre...

ISABEL.—No, si no es eso lo que quiero decir. Quiero decir que él no es menos que nosotros. Será peón, está bien... Por la necesidá. Pero es como nosotros. En cambio, usté desde el principio parecía empeñada en rebajarlo. Velay, ¿por qué, Señor?

María Selva.—Yo soy tu madre y sé muy bien lo que hago...

Isabel.—¿Y cómo tata no ha pensao lo mismo?

María Selva.—Puedes decirle, entonces, a tu padre que hable con él de nuevo...

Isabel.—No, no. Si usted no se lo dice, él no se quedará...

María Selva.—Yo no puedo obligarlo a que se quede...

Isabel.—¿Obligarlo? Eso no...

María Selva.—¿Qué me quieres decir? ¿Que vaya a suplicárselo?

Isabel.—Está bien; si no quiere rebajarse, yo me rebajaré... Tal vez sea mejor.

María Selva.—¿Y qué piensas hacer?

Isabel.—Irme. Me voy con él.

María Selva.—¡Estás loca! *(Pausa.)* ¿El te ha propuesto eso? *(Otra pausa.)* ¿Por qué no me contestas? ¡El!...

Isabel.—No, él no me ha dicho nada. Pero me ha de llevar...

María Selva.—Pero ¿has perdido el juicio?

Isabel.—*(Rebelándose poco a poco.)* Y si usté está en su juicio, ¿por qué me empuja a irme? ¿Por qué lo dejan ir? ¿No se puede querer a un hombre honrao?

María Selva.—Ese hombre no te quiere, Isabel; vos no puedes quererlo...

Isabel.—Pero ¿por qué, velay? ¿Qué me quiere decir? ¿Ande está la razón para que no me quiera ni lo quiera?

María Selva.—Hay razones que no se pueden dar, y menos a los hijos. Pero yo soy tu madre y sé lo que te digo. Eso no puede ser.

Isabel.—¡Lo de siempre! ¿No ve? ¡Que no se puede porque no se puede! Pero no. ¡No! Ya todo es en balde, mama. Yo también sé lo que hago. *(Iniciará el mutis hacia el foro.)* Y óigame bien: yo no tengo la culpa... Ustedes lo han querido. *(Intentará salir, pero la madre correrá a*

detenerla. ISABEL *luchará por desasirse como una fiereci-*
lla embravecida.)

MARÍA SELVA.—¿Adónde vas? ¡Te he dicho que no puedes!...

ISABEL.—Déjeme... Déjeme...

MARÍA SELVA.—¡Escúchame, Isabel!

ISABEL.—¡Le digo que me deje...!

MARÍA SELVA.—¿Quieres oírme, o no?

ISABEL.—¡No quiero oírla! ¡No quiero oírla! *(Desprendida por fin de las manos que quieren aferrarla, subirá al
camino.* MARÍA SELVA, *en el colmo del despecho materno,
apelará al extremo recurso, gritándole:)*

MARÍA SELVA.—¡Isabel... Isabel...! ¡No puedes irte
así...! ¡Ese hombre es tu padre!

ISABEL.—*(Como herida por un dardo en la espalda se
detendrá en la primera grada, girará sobre sus pasos, demudada la cara, hecho un nudo su garganta. Al fin, cubriéndose el rostro con las manos en un gesto de horror,
gemirá.)* ¡No!... ¡No!...

MARÍA SELVA.—¡No quería decírtelo...!

ISABEL.—¡Eso no!... ¡Eso no...! *(Dirigiéndose hacia la
derecha.)* ¡Tatitaaa! ¡Mi tatitaaaa! *(Pero sus piernas no la
sostendrán y caerá de rodillas, en un llanto convulso.)* ¡Oh
Dios mío...! ¡Dios mío...! (DON CRUZ *aparecerá de inme-
diato por la derecha.)*

ESCENA VII

DON CRUZ.—¿Qué está pasando aquí? ¡Mi Isabel! *(Le-
vantándola.)* ¿Qué sucede, criatura?

ISABEL.—*(Cobijada en el pecho de* DON CRUZ.) ¡Tatita!
¡Mi tatita!

DON CRUZ.—Pero ¿qué le ha pasao? ¿Qué me le han
hecho, hijita?

MARÍA SELVA.—Le he dicho...

ISABEL.—¡No me ha dicho nada!

MARÍA SELVA.—Le he dicho la verdad... Le he dicho que ese con quien pensaba irse es su padre...

ISABEL.—*(Mientras habla su madre, tratando de cubrir la confesión.)* ¡No..., no...! ¡Dios mío...!

DON CRUZ.—*(Habrá adquirido la expresión de quien ve desplomarse una casa sobre sus hijos sin poder socorrerlos. Al fin, concentrará todas sus fuerzas físicas y morales y se desahogará en una carcajada.)* ¡Ja..., ja..., ja...! Pero ¿se han vuelto locas? ¡Ja..., ja..., ja...! Y usté, señora, ¿cómo ha sío capaz de engañármela así? ¡Ja..., ja..., ja...! Hijita, no sea sonsa..., ¿no ve que era jugando? ¡Ja..., ja..., ja...! ¡Tan luego mi mujer! ¡Ya quisiera la madre más honrada ser como mi mujer! ¡Ja..., ja..., ja...! No llore, hija, no llore... Lo que hay es que su madre no se aviene a la idea de que puedan llevarte de su lao... ¡Je..., je..., je...! *(A MARÍA SELVA.)* ¡Vamos, señora, dígale la verdá!... No me la asuste más. Con esas cosas no se debe jugar... ¿Por qué ha mentío así? ¡Usté, tan luego, el orgullo en persona! ¡Ja..., ja..., ja...! ¡Maver, confiésele que la hi pillao en la trampa!... Dígale de una vez que era pura invención... ¡Vamos, señora..., diga la verdá!

MARÍA SELVA.—*(Apiadada de ambos.)* Cierto es... No me hagan caso... Te he mentido...

ISABEL.—¡Tatita! *(Lo abrazará desahogando su angustia.)*

DON CRUZ.—Ya ve... Su tata no le sabe mentir... Aunque para ello tenga que desautorizar a su santa mujer... *(Disimuladamente se enjugará una lágrima con el dorso de la mano.)* Bueno, bueno... Esto ya se ha acabao... Vamos, vaya a su cuarto y tiéndase a dormir, que le hace falta. *(Advirtiendo en la galería la presencia de ENCARNACIÓN, que habrá salido poco antes.)* Maver, Encarnación, comedite y llevala... Yo tengo que seguir divirtiendo a mi gente...

ENCARNACIÓN.—*(Se acercará, tomará a* ISABEL *en un abrazo frío.)* Ya ves cómo los celos por los hijos pueden más que el orgullo... *(Hará mutis con* ISABEL *por una de las puertas que hay en la galería de segundo término.* DON CRUZ *habrá quedado apoyado, de espaldas, en un pilar.* MARÍA SELVA, *con la cabeza baja, permanecerá en silencio. Por la derecha entrarán* ROSENDO, LAMBERTO *y dos de los convidados.)*

ESCENA VIII

CONVIDADO 1.º—¡Pero don Cruz! ¿Ande se había metío? ¡Lo estamos aguardando!

DON CRUZ.—Sí... Vamos a la rueda... *(Al* CONVIDADO 2.º, *que trae un jarro en la mano.)* Y vos, dame ese jarro'i vino... ¡No sé por qué se me ha secao el alma!... *(Hará mutis por derecha con los dos convidados.* MARÍA SELVA, *en el colmo de la vergüenza y de la humillación, dejará caer la pañoleta en el suelo, irá hacia la izquierda y hará mutis tras una brusca determinación. Quedarán en escena, sin haber reparado en este movimiento,* ROSENDO *y* LAMBERTO.)

ESCENA IX

ROSENDO.—¿Tenés un cuchillo?

LAMBERTO.—¿Qué piensa hacer?

ROSENDO.—Matarlo al carnaval...

LAMBERTO.—¡Eso se acaba solo!... Y dígame: ¿qué l'hecho el carnaval, si se puede saber?

ROSENDO.—El me la ha engualichado a la Isabel... Y yo me cobro la deuda... Eso es todo... ¡Prestame tu cuchillo!

LAMBERTO.—¡Bah..., no sea loco, niño!... Con el "Pucllay" no hay güelta... Nadies puede con él... Y no hay arma que valga... ¿No ve que es brujo diablo?

ROSENDO.—Será... Será... Pero yo sé lo que hago. ¡Dame el cuchillo de una vez! *(Se acercará a la galería, y sus ojos brumosos descubrirán el arma que ha dejado* DON CRUZ.) Pero no..., dejá, nomás. Esto es mucho mejor... *(Tomando la escopeta.)* Con ésta, a mí no se me escapa nadie... Porque yo soy de buena puntería... Mi madre me decía: "Serás buen tirador..." Y yo aprendí a tirar... Ya ves, ahora me sirven sus consejos... *(Abriendo el arma y examinando la carga.)* Dos balas... ¡No hace falta más!

LAMBERTO.—¿Y ande lo va a topar?

ROSENDO.—No sé... Eso va en suerte... Yo lo voy a esperar en el camino... Vení, acompañame...

LAMBERTO.—*(Por el arma.)* ¡Tenga cuidao con eso!...

ROSENDO.—¿Ya te está entrando miedo? ¡Vení, no seas cochino!

LAMBERTO.—No, si no tengo miedo. Lo que pasa es que estoy "machimachao"... Pero, vamos... Yo no le tengo miedo...

ROSENDO.—Necesito un caballo. ¿Vos me prestás el tuyo?

LAMBERTO.—Yo andoy en el oscuro, que está medio despiao, pero igual se lo presto.

ROSENDO.—¡Linda noche, mirá!

LAMBERTO.—Linda es. Lástima que se acabe. *(Desaparecerán entre las sombras. En la segunda galería se verá a* ENCARNACIÓN *saliendo de una pieza en actitud cautelosa. Tras ella aparecerá* ISABEL.)

ESCENA X

ENCARNACIÓN.—*(Conduciendo a* ISABEL *hacia el camino.)* Andá, quedate en el camino y aguardalo...

ISABEL.—Ahora tengo miedo. Vaya usté, tía Encarna. Dígale que se quede.

ENCARNACIÓN.—No, no se quedará. Ya te lo han dicho, no se puede quedar.

ISABEL.—¿No se puede quedar? Y de mí... ¿Qué va a ser? *(Pausa.)* Dígame alguna cosa, no se quede callada...

ENCARNACIÓN.—*(Como alumbrada por la idea diabólica.)* Mirá, Isabel; hace treinta años yo era como vos. Quería a un hombre a quien mi tata odiaba. También él inventó, como tu madre ahora, no sé qué cosa para alejármelo. ¡Y yo lo dejé ir! *(Breve pausa.)* Esa fué mi desgracia. No pude querer más. Me quedé como seca por adentro. *(Otra pausa.)* Yo no debía decirte nada de esto, pero la vida tiene un solo cruce, y te digo: si pudiera volverme a aquel momento, ya no vacilaría. Esto es lo que te digo.

ISABEL.—¡Pobre tía! Tiene mucha razón. Ahora ya sé cuál es mi enderecera... Dígales usté, tía, que ésta es la suerte que yo elijo, sea lo que sea, y que no me malquieran... Dígale a mi tatita... *(Con un nudo en la garganta.)* ¡Adiós, tía...! ¡Adiosito...! *(Se irá por el camino, entre las sombras.* ENCARNACIÓN *intentará volverse, pero la voz del* FORASTERO, *que sale por la izquierda, de detrás del galpón, la obligará a ocultarse. Entrará* MARÍA SELVA *por izquierda seguida por el* FORASTERO.)

ESCENA XI

FORASTERO.—*(Nervioso, imperativo.)*
　　　Aquí, por última vez,
　　　con su capricho o el mío...
　　　Con ese interés que la ata
　　　o atada con mi destino.
　　　De una vez y como un tajo:
　　　sola con él, o conmigo;
　　　ya tengo el poncho en el brazo
　　　y el caballo en el camino.

MARÍA SELVA.—*(Hablando para sí.)*
　　　¡Qué me piden sus palabras
　　　si saben que nada es mío!

¡Que ya ni sueños me quedan
porque a sus ojos se han ido!
Y me mandan que lo siga
y me abren un precipicio
como si no les bastara
esta agonía en que vivo.

(Volviéndose a él.)

Que me oigan todos los montes
y me sirvan de testigos;
y que la tierra se parta
si miento cuando le digo
que de ser verdad todo esto,
lo que siento y lo que miro,
así nos dieran la muerte
a dos pasos del camino,
a la muerte, sin lamentos,
ciega, lo hubiera seguido.
Pero algo que no comprendo,
mezcla de fuego y de frío,
se me cruza en la conciencia
como un ataja caminos;
y se me remacha el alma;
y una voz me dice a gritos
que estoy presa del demonio
y éste es un juego maldito.

FORASTERO.

¡Juego del diablo o de Dios!
¿Qué valen ya esos distingos?
Aquí interesa la vida,
que es lo que nos tiene unidos.
Lo cierto es que sólo somos
lo que en el fondo sentimos:
veranos que piden sombra,
pájaros que claman nido,

agua que cae en la tierra
para que amanezca el trigo.
Eso es todo y eso somos
y vamos tras de lo mismo;
pero si la están atando
su orgullo y esos vestidos...

MARÍA SELVA.
    ¡Eso no!...

FORASTERO.
                Puede que no,
    pero habrá que decidirlo.

MARÍA SELVA.
    ¡Este es mi deber!

FORASTERO.
                    ¡No hay otro
    deber, ni mejor cumplido,
    que el de ser lo que se siente
    y hacer uno su destino!
    Más honrada es la deshonra,
    cuando va donde ha querido,
    que la honra que se arrepiente
    en la mitad del camino.
    ¿Quiere o no quiere seguirme?;
    ¡por última vez lo digo,
    porque va a clarear el alba
    y el alba es plazo vencido!

MARÍA SELVA.
    No... No puede ser... ¡No debo!...

FORASTERO.
    ¡Que quiera, es lo que le pido!

MARÍA SELVA.

¡Y eso es lo que ya no puedo,
eso lo que no consigo!
¡Ay, Señor, qué embrujo es este
de vivir, como yo vivo,
muerta de sed en el agua
y ardiendo en medio del frío!
Porque yo soy a la vez
mi perdón y mi castigo
y estoy con alas de plomo
sobre tizones prendidos...
(Pausa en que se oirán apenas sus sollozos.)

¡Váyase usted, por favor...
porque es fatal y está visto
que nadie puede llegar
más allá de su destino!
¡Váyase usted, se lo ruego,
yo ya no puedo seguirlo;
aunque se lleve mi vida
desgarrada en los estribos...!

FORASTERO.

Está bien. No queda más
por decir. Todo está dicho.
              (Dirigiéndose al foro.)

¡Eche cada cual su suerte
a los perros del olvido!

(Hará mutis decididamente por el camino, hacia la izquierda. MARÍA SELVA se quedará mirándolo, como una enajenada. Luego romperá a llorar en silencio. ENCARNACIÓN bajará del camino.)

ESCENA XII

ENCARNACIÓN.
No hay peor mal que el que se va aplazando...

MARÍA SELVA.
¡Usted! ¿Qué quiere aquí? ¿Quién la ha llamado?

ENCARNACIÓN.
Te lo dije una vez, cuando era tiempo,
cuando la suerte estaba de tu lado...

MARÍA SELVA.
¡Cállese, por favor! ¡No puedo oírla!...

ENCARNACIÓN.
...Quise ayudarte, para bien de todos...

MARÍA SELVA.
¡Quiso ayudarme, dice. y nunca tuvo
otra intención que la del odio!

ENCARNACIÓN.
Pero tenía mi razón, al cabo...
Tenía mi razón y al fin se prueba...

MARÍA SELVA.
¡Razón! ¡El odio crece sin razones,
brota lo mismo que la mala hierba!

ENCARNACIÓN.
¡Eso! Pero la culpa no es del odio:
Yo estaba aquí, donde mi vida estaba,
donde mojé para ablandar la tierra,
con mi sudor el suelo que regaba;
y fuí brazo de ese hombre, que es mi sangre,
y él fué por mí lo que es, ni más ni menos.

¡Que lo diga esta luz que nos alumbra
si sus sueños no fueron mis desvelos!
Y éramos, él y yo, sobre la tierra,
como una sola yunta bajo el cielo;
sin un sí, sin un no, pero conformes,
pero tranquilamente envejeciendo.
Hasta que vino ¡quién! a separarnos
con su mentira viva y con su astucia;
con esa donosura al fin de cuentas,
limpia por fuera y por adentro ¡sucia!...
¡Pero llega el momento del desquite,
del orgullo achatado y la vergüenza;
y estamos los de abajo por encima,
porque no hay daño que no tenga vuelta!

MARÍA SELVA.
¡Quiere vender mi humillación!

ENCARNACIÓN.
Lo justo.
Y en la misma balanza. Y en su peso.

MARÍA SELVA.
Puede estarse tranquila. No me cuesta.
No llevaré ni un alfiler ajeno.
(*Recogerá la pañoleta del suelo.*)

ENCARNACIÓN.
¿Y adónde vas?...

MARÍA SELVA.
¡Con él, donde él me lleve...!

ENCARNACIÓN.—(*Echándose a reír.*)
¡Ya es demasiado tarde! ¡Ya se han ido!
¡La hija de mala madre, como siempre,
tirando su honradez por los caminos!

MARÍA SELVA.
  ¡Cállese!...

ENCARNACIÓN.
                ¡Yo los vi... con estos ojos...!

MARÍA SELVA.
  ¡Miente! *(Gritando hacia el camino.)*
  ¡Juaaan! *(Pausa.)* ¡Isabeeel!

ENCARNACIÓN.
                        Ya los has oído:
  Te contesta el galope de un caballo;
  el corazón de dos en un latido... ¡Ja..., ja..., Ja!...

MARÍA SELVA.
  ¡No...! ¡Ella, no...!

ENCARNACIÓN.
                ¡Ese es el fruto...!

MARÍA SELVA.
                                ¡Cállese!

ENCARNACIÓN.
  La siembra del pecado en el orgullo:
  Abono fácil y abundante tierra...
  ¡Buena cosecha, pero trigo sucio!

      (Reirá nuevamente, pero su carcajada será in-
      terrumpida por dos detonaciones. LAMBERTO
      aparecerá en lo alto del camino. De las habita-
      ciones saldrán DON CRUZ, DON SERVANDO, DO-
      ÑA FUNESTA, LUCINDA *y* CONVIDADOS.)

ESCENA XIII

LAMBERTO.

¡Ya lo ha matao!

MARÍA SELVA.

¡No! ¡No!

DON CRUZ.

¿Qué ha sucedío?

LAMBERTO.

Nada... El niño Rosendo...
Dijo que iba a matarlo al carnaval,
y ya lo han visto: ¡ni le ha dao resuello!

MARÍA SELVA.

¿Quién era el carnaval?

LAMBERTO.

¡Cómo!, ¿quién era?...
¿Quién va a ser? ¡El de siempre!
El que vino a macharnos a los hombres
y a engualichar a todas las mujeres...
Nadies lo vido bien... Nadies lo trujo...
Nadies sabe siquiera de ande vino...
¡Pero él andaba aquí, como en su casa,
entreverando vidas y destinos...!
El era la alegría de los pobres...
El vino que se sube a la cabeza...
El baile enredador... Y los pañuelos...
Y el olorcito a pasto, de las hembras...

(Breve pausa.)

¡Las hembras lo perdieron...! ¡Por una hembra
lo tendieron en una encrucijada!

¡Lloren, que ya se ha muerto la alegría...!
¡Lloren su triste lloro las vidalas...!

(Pausa. Comenzará a aclarar, y a la luz de
la hora pondrá en todos los rostros una blancura
espectral.)

¡Oigan...! ¿No es el galope de mi oscuro?

(Saltará al camino.)

Sí, pues... Ahí vuelve el niño... ¡Churo guapo!...
¡Se dió el gusto, nomás!... Pero ¿qué veo?
¡Con la niña Isabel!...

(MARÍA SELVA ahogará un grito.)

¡Y la ha matao...!

(Todos acudirán donde LAMBERTO. Aparece-
rá ROSENDO, demudado, trayendo en brazos a
ISABEL, inerte. DON CRUZ recogerá el cadáver
en sus brazos y lo conducirá a la primera habi-
tación de la galería de segundo término, segui-
do por LUCINDA, DOÑA FUNESTA, DON SERVAN-
DO y algunos convidados. Quedarán en el patio
MARÍA SELVA, ENCARNACIÓN, LAMBERTO, CON-
VIDADOS 1.º y 2.º y ROSENDO, que bajará por
las gradas del foro y caerá de rodillas, sollozan-
do, a los pies de MARÍA SELVA.)

ESCENA XIV

ROSENDO.

¡No la quise matar...! ¡Juro que no...!
¡Por mi madre...! ¡Por Dios...! ¡Yo estaba ciego!
Apenas vi la sombra de un jinete...
¡Fué la fatalidad la que hizo fuego...!

LAMBERTO.

Yo se lo dije, niño... Se lo dije...

(Volviéndose a los otros.)

¡Está embrujao! ¡Lo han embrujao, de fijo...!

Encarnación.
   ¡Tenía que ser así! Mirá tu obra.
                                     (A María Selva.*)*
   Esto no es otra cosa que un castigo.

María Selva.
   Tiene razón. Es mi castigo. El último...
   ¡Yo he matado a mi hija...!
   ¡Sombra de malquerencia sin sosiego,
   sombra perseguidora y perseguida...!
   ¡Maldita sea la áspera semilla
   del primer hombre que sembró mi vida,
   y la entraña que dió su fuerza ciega
   para que germinara en cosa viva...!
   ¡Maldita sea la sangre de mi sangre,
   río de sufrimientos, triste río...!
   ¡Maldita el agua oscura y dolorosa
   derramada en la tierra de los hijos...!
         (Se volverá a Rosendo, *con dolorida ternura.)*
   ¡Muchacho!... ¡Pobre niño atolondrado!...
   Todo lo que ha pasado es mi destino;
   tu desgracia no es más que mi desgracia;
   hijo de mi desvío, tu desvío...
   Pero no tengas miedo ni te apenes.
   Si hay una culpa en tu locura ciega,
   este río de penas que es mi culpa
   te lava de tu culpa y de tu pena...
         (Confortada, y cobrando una entereza distin-
         ta, se volverá a los hombres, que la miran ató-
         nitos y, a la vez, compadecidos.)

   ¡Llévenme al juez!...

Rosendo.—*(Incorporándose.)*
                        ¡Señora...!

MARÍA SELVA.

Esto es lo justo.
¿Quién tiene un buen caballo y a la puerta
para llevarse al pueblo como carga
el peso de mi cuerpo y mi vergüenza?

(Pausa.)

¡Vamos! ¡Un hombre que me lleve al pueblo!

(Al CONVIDADO 1.º)

Usted...

CONVIDADO 1.º

Señora..., yo...

MARÍA SELVA.

No haga cumplidos.
No quiero compasión. Pido un baqueano
y un hombre que me sirva de testigo.

CONVIDADO 1.º
Si usté lo manda...

MARÍA SELVA.

Yo lo mando, vamos...
Todo lo que hay que hacer es muy sencillo.

(Subirá al camino, con la majestad de una reina que asciende al cadalso, levantará la cabeza,
reconocerá el cielo del alba:)

¡Qué lindo amanecer!

(Caminará hacia la izquierda, seguida por el
hombre, y desaparecerá. Lejos se oirá al coro,
que se acerca cantando una baguala) (1).

_____

(1) Véase Apéndice. Tema melódico núm. 5.

ESCENA ULTIMA

Don Cruz saldrá de la habitación en que yace Isabel, se detendrá debajo de la arcada de la galería. También habrán salido Doña Funesta y Don Servando tras él. Encarnación se acercará a Don Cruz y le dirá con su agria voz suavizada:

ENCARNACIÓN.
    ¡Dios lo ha querido!...

DOÑA FUNESTA.—*(Se oirá el canto del coro en el camino.)*
    No, no era Dios... Ya estaba maldecida...
    Se la ha llevao el carnaval, el "Pucllay"...
    El se la trajo y agora se la quita...

CORO.
    Carnaval, carnavalcito;
    ya me has voltiao y te has ido.
    ¡Por un poquito de gozo
    lo que hi de tener sufrido!

DON SERVANDO.
    Pero él también se va... Ya se lo llevan...
    Ya se van a enterrarlo, como siempre,
    pa que la madre tierra lo devuelva
    en la alegría de los brotes verdes...

DON CRUZ.—*(Enajenado y como quien acaba de encontrar la verdad.)*
    ¡El carnaval!... ¡Se ha muerto el carnaval!...
    ¡Se ha muerto ya...! ¡Lo mismo que mi vida...!
    ¡Por eso van llorando las vidalas!
    ¡Van a enterrarlo junto a mi alegría!...

        (Comenzará a amanecer. Se verá una lenta procesión subir y descender por el camino de la quebrada próxima. Delante irá un hombre car-

gando la figura del "Pucllay", al cual van a en-
terrar. Le seguirá un cantor dando golpes de "ca-
ja", y, por último, el CORO, *cuyas mujeres, cur-*
vadas sobre el suelo, con los velos del luto, pa-
recerán un friso de antiguas penitentes. La voz
áspera, amarga y desgarrada del CANTOR *se hará*
oír, como un llanto de muerte traído por el
viento.)

CANTOR.

Todo en esta vida pasa (1)
para dejarnos penando:
¡El carnaval ya se ha ido!...
¡Y nosotros nos quedamos!...

(ENCARNACIÓN *apagará la débil llama de los*
faroles que hay en la galería. Luego, con su ac-
titud hierática de siempre, se sentará al telar. Y
al contraluz de aquel amanecer, su figura tendrá
el contorno trágico de un cuervo disecado.
Telón.)

(1) Véase Apéndice, Tema melódico núm. 6.

FIN DE
"EL CARNAVAL DEL DIABLO"

APENDICE

VOCES REGIONALES

USADAS EN LA OBRA

ALOJA.—Bebida fermentada que se obtiene de los frutos del molle o del algarrobo.

AMALHAYA. —¡Ojalá!

ANDE.—Apócope de "adonde".

BAGUALA.—Género de canción popular indígena que cantan en el norte casi exclusivamente los coyas, los troperos, la gente trashumante, y que parece librada a la improvisación por sus alteraciones de rítmica y de métrica.

CAJA.—Instrumento de percusión. Tamboril indígena.

CAJERO.—El tañedor de "caja".

COYUYO.—Cigarra.

CUANTA.—En otros tiempos, antes, antiguamente.

CUNCUNA (A la).—A babucha.

CHAYA.—Fiesta del carnaval.

CHAYERO.—Carnavalero.

CHINCANQUI.—"Tanto tiempo". Tanto tiempo sin verlo.

CHURO.—Lindo, apuesto, compadrito.

DESPIAÓ.—Despeado.

ENGUALICHADO.—Hechizado.

¡GUÁ!.—Interjección equivalente a ¡bah!

GUAGUA.—Niño de pecho. También se llama guaguas a las figuraciones de criaturas hechas de harina amasada o de frutas.

GUALICHO.—Filtro de amor o embrujo.

MACHAO.—Borracho. "Machimachao", muy borracho.

MALAMBO.—Danza regional de varones. Especie de contrapunto del zapateo.

MAYER.—Probable parasíntesis elíptica de "Miremos, a ver".

MOTO.—Falto de uno o más dedos.

OBLIGO.—Invitación conminatoria a beber. "Tomo y obligo".

PACHAMAMA.—De "pacha" (universo, mundo, lugar) y "mama" (madre). La interpretación más aquerenciada en la noción común es "madre tierra". Algunos montañeses dicen "madre de los cerros". Es el mito de mayor supervivencia entre los de las viejas creencias paganas de la región calchaquí; quizá por ser el numen del lugar o "genius loci", como escribe Lafone Quevedo.

PUCLLAY.—Genio jocundo. Invención mítica semejante a Baco; y también equiparable a Momo por su específica perduración como numen del carnaval. También es pucllay, o pujllay, como escriben otros, el icono, la imagen de bulto que preside la chaya.

TACU.—Arbol. Por antonomasia, el algarrobo.

TATA.—Padre.

VELAY.—"He aquí". También se emplea, y más generalmente con mero sentido interjectivo, para reforzar una oración exclamativa o interrogativa. "Velay, ¿por qué me pega?" "¡Velay, sépalo!"

VIDALA.—Género de canción indígena.

VIRQUE.—Pequeño cántaro o vasija, generalmente de barro cocido.

TEMAS MELODICOS

Algarrobo Algarrobal — Tema Nº 1

Allegro rítmico

Al-ga-rro-bo dga-rro-bal que gus-to me dan tus ra-mas cuando empie-zan a bro-tar. Cuando empie-zan a bro-tar se-ñal que vie-ne lle-gando el tiem-po del car-na-val.

Vidala — Tema Nº 2

Moderatamente lento

Por es-ta ca-llecito lar-go Don Juan Carna-val lle-va en el viento una flor de lu-na y de sal, de lu-na y de sal. Di-me vi-dita que sí ¡ay no me di-gas que no! por esta calle a lo largo al viento pren-di-da te lle-vo mi amor te lle-vo mi amor.

ppp

JOSE LEON PAGANO

EL SECRETO

COMEDIA EN TRES ACTOS

*Esta obra fué estrenada el 16 de marzo de 1921,
en el teatro Liceo, de Buenos Aires, por la compañía española de Ana Lassalle, con el siguiente*

REPARTO

(Por orden de aparición de los personajes)

ROSA	Carmen González.
FRANCISCO	José Luis Navarro.
TERESA DÍAZ	Mirtha Reid.
ALICIA GÓMEZ DEL VALLE.	Josefina Taboada.
MARTA VARGAS DE AGUI-	
LAR	Ana Lassalle.
JULIÁN SERTANES	Vicente Ariño.
ALBERTO FIGUEREDO SER-	
TANES	Enrique San Miguel.
PEDRO MONTES OLIVARES	
(hijo)	Félix Navarro.
CONSTANZA SERTANES DE	
AGUILAR	Herminia Mas.
JORGE AGUILAR SERTANES.	Pedro Codina.
LAZAGA	Lorenzo Mendoza.

JOSÉ LEÓN PAGANO

ACTO PRIMERO

"Hall" en casa del doctor Jorge Aguilar Serantes. Una puerta a la derecha, primer término. Algo más atrás, una breve gradería curva de cuatro peldaños conduce, por una puerta acristalada, a un saloncillo. Al foro, un amplio vano, con dos columnas laterales, y más al fondo, un ventanal, a través de cuyos cristales se ve parte del jardín, inundado de sol. A la izquierda, en segundo término, una puerta por donde entran las personas que vienen de la calle. En el ángulo de la izquierda, una pequeña salita iluminada por un "vitrau", de colores suaves, en el muro frontal. Este rincón es de tonalidad baja, dorada, y tiene algo de oratorio, sin serlo en realidad. Debajo del "vitrau" se ve, colgado de la pared, un crucifijo esmaltado. Sobre un mueble de época hay objetos de arte, un candelabro y dos floreros pequeños con flores. A la izquierda, segundo término, algo sesgada, una mesita-escritorio, y frente a ella un pequeño sofá de líneas esbeltas; dos sillas del mismo estilo a la derecha e izquierda de la mesita. A la derecha, apoyado al muro, entre la puerta y la gradería, un sofá, y, junto a él, un sillón. Un "chiffonnier" adosado a la pared frontal, hacia la derecha. Sobre éste una escultura: un busto en bronce. Todo de sobria elegancia. El mismo decorado para los tres actos.

Al levantarse el telón, FRANCISCO quita el polvo con un plumerillo a los objetos de la mesita-escritorio. Viste chaqueta corta listada de amarillo. Entra ROSA por la izquierda. Viene de la calle.

ROSA.—No tardarán las señoras.

FRANCISCO.—*(Continuando en su tarea.)* Pronto has vuelto, Rosita. ¿Acabó la fiesta ya?

ROSA.—*(Deteniéndose, sorprendida.)* ¿La fiesta?

FRANCISCO.—¡Digo!

ROSA.—¿Llama usted fiesta a eso de poner un busto en el Hospital Central, en recordación de nuestro difunto amo?

FRANCISCO. Ya, ya. Tú sólo ves fiesta allí donde hay música y baile.

Rosa.—¡No diga usted disparates! ¿Fiesta honrar la memoria de un médico tan apreciado como fué nuestro amo, alabar sus muchos méritos y arrancar lágrimas a los que estábamos allí escuchando los discursos? ¿Fiesta eso?

Francisco.—Pues ¿cómo la llamas tú? Veamos.

Rosa.—¡No me llame usted tú, que yo no se lo llamo a usted!

Francisco.—Porque no quieres.

Rosa.—¡Eso digo: porque no quiero! Mal agradecido. Bien sabe usted que el amo le salvó la vida. No puede usted haberse olvidado.

Francisco.—No lo olvidé, no. Por agradecido estoy yo en esta casa. Mas porque no soy olvidadizo no se me quita de la memoria que el amo se haya ido como se fué y acabara como acabó, dejando tanta pena en el corazón de las señoras. ¿Te enteras?

Rosa.—¡Que no me llame usted de tú, le digo!

Francisco.—Te daré tratamiento de vuesencia, si lo prefieres. *(Vienen* Alicia *y* Teresa *por la izquierda.)*

Rosa.—*(Dominándose.)* ¿Mandan algo las señoritas?

Alicia.—No, Rosa, gracias.

Rosa.—Con el permiso de las señoritas. *(Vase por la derecha.)*

Teresa.—Francisco, no haga usted cumplidos con nosotras.

Francisco.—*(Con la risa del conejo.)* Son ustedes muy bondadosas. Con la venia de ustedes. *(Vase por el foro, izquierda.)*

Teresa.—Estos criados siempre empiezan así: a empellones. Moretón que va y moretón que viene. Ternezas baturras.

Alicia.—Diderot no era baturro, y, sin embargo, no fueron pocas las magulladuras con que engalanó los imperiales brazos de Catalina de Rusia.

Teresa.—¡Ya apareció la catedrática!

ALICIA.—Te ilustro, gancita, que buena falta te hace. *(Vienen por la izquierda* MARTA, JULIÁN *y* ALBERTO. ALI-CIA, *aparte, a* MARTA.) Nos adelantamos para saludarte aquí. No quisimos hacerlo en el hospital, entre el gentío.

MARTA.—Gracias. *(Se quita el sombrero.)* Voy a dejar esto y soy con ustedes en seguida. *(Vase por la gradería de la derecha.)*

TERESA.—¡Pobre Marta!

JULIÁN.—*(Malhumorado.)* Sí, pobre Marta. Buena la dejaron hoy durante el homenaje a su marido.

ALICIA.—¿Y doña Constanza?

JULIÁN.—Mi hermana se quedó rezando en la capilla del hospital.

ALICIA.—*(En voz baja.)* ¿Un pretexto para no venir con Marta?

JULIÁN.—*(Sorprendido.)* Quizá...

ALICIA.—¿He cometido una indiscreción?

JULIÁN.—Usted quiere a Marta de verdad.

TERESA.—El acto de hoy importa una distinción excepcional.

JULIÁN.—Muy bien el homenaje, muy bien todo; pero es el caso que estos honores vienen a remover las cenizas de un fuego que ya estaba casi extinguido.

TERESA.—Vienen ustedes contrariados.

ALBERTO.—*(Que se había dejado caer en un sillón, se incorpora nervioso.)* Como para no estarlo. ¡Majaderos!

JULIÁN.—¡Ah! ¿También tú?

ALICIA.—No comprendo.

TERESA.—El homenaje ha sido muy hermoso.

ALICIA.—Un acto bien inspirado.

JULIÁN.—Y bien intencionado también la insolente curiosidad de las preguntonas, ¿no es así?

ALICIA.—Me sorprende, porque la concurrencia fué de lo más distinguida. Asistieron las autoridades: el intendente municipal, el presidente de la Academia de Medicina, médicos de actuación notoria, muchos amigos del pobre Jorge, gente de la mejor sociedad.

JULIÁN.—No toque esa tecla, porque desafina.

ALBERTO.—A la "mejor sociedad" pertenece el insolente que se libró de recibir un guantazo porque me lo impidió el lugar y el momento.

ALICIA.—No vuelvo de mi asombro,

JULIÁN.—Pero ¿no oyó usted el cuchicheo, inclusive mientras el director del hospital pronunciaba su discurso, después de descubrir el busto de Jorge?

TERESA.—Nosotros seguimos el desarrollo del programa, sin atender a más.

ALBERTO.—Ustedes, bueno; pero las otras, y algunos "otros", que debieran vestir polleras.

JULIÁN.—¡Cuánto veneno ponían en sus frases! *(Imitando a las aludidas.)* ¡Pobrecita! ¡Qué situación la de Marta! ¡Ni viuda, ni casada, ni soltera! *(Imitando como antes.)* ¿No opinan que en todo esto hay un misterio? ¿Si en la causa que motivó el alejamiento del doctor Aguilar, en el abandono de su familia? Y era de ver con qué deleite destilaba su ponzoña esa vieja de aquelarre.

ALBERTO.—Ahora también digo yo: ¡Pobre Marta!

ALICIA.—Tan sufrida.

JULIÁN.—Algo debió de leer ella en la mirada de los maldicientes, porque más de una vez se le nublaron los ojos.

ALICIA.—Otra que no fuese Marta no podría sobrellevar tanto infortunio. Verdad que a ella la sostiene una ilusión cada vez más inquietante.

JULIÁN.—La trabaja una idea fija: una "lucecita interior", dice ella.

ALICIA.—Marta sufre porque no participamos de su ilusión.

ALBERTO.—Va para tres años que Jorge partió de aquí.

TERESA.—Tres años que no se volvió a saber de él.

ALBERTO.—Sabemos lo peor: que no volverá.

ALICIA.—Marta cree lo contrario.

JULIÁN.—Ella sí; pero los que conocen la región de semejante aventura, no opinan lo mismo. Igual suerte corrieron otros exploradores, que tampoco regresaron.

TERESA.—Aquí está Marta. *(En efecto,* MARTA *viene por la derecha y desciende con lentitud los peldaños de la breve escalinata que conduce a sus habitaciones.)*

ALBERTO.—Comentábamos el homenaje tributado hoy a Jorge.

ALICIA.—Con qué respeto se le evocó en los discursos.

TERESA.—La concurrencia fué de lo más calificada... *(Mira a* JULIÁN *y se atraganta.)*

ALICIA.—Hubo, sobre todo, un matiz muy delicado. Ninguno de los oradores aludió para nada a la desaparición de tu marido.

MARTA.—Es verdad.

ALICIA.—Se limitaron a enaltecer al médico probo, al profesional de conciencia. Y, mira lo que puede la sugestión, mientras se pronunciaban los discursos, me pareció que la imagen de Jorge sonreía complacida al escuchar a quienes lo ensalzaban.

MARTA.—*(Transportada.)* Y sonreía, no lo dudes. Yo también lo he visto. Sonreía porque lo evocaron como está: vivo... en mi corazón, en mi fe. *(Un silencio.* MARTA *se recobra y dice con un tono suave y una expresión humilde.)* Yo sé qué creen ustedes. Si mi esperar es locura, dejadme con ella, que a nadie daña y a mí me da fuerzas para seguir esperando.

JULIÁN.—*(Tratando de dominar la situación.)* No fué poca suerte que un escultor como Riganelli alcanzara a modelar el busto de Jorge.

ALBERTO.—¡Qué potencia constructiva y qué profundidad de expresión hay en ese bronce admirable!

JULIÁN.—Como en todas las efigies creadas por ese artista genial.

MARTA.—Jorge lo tuvo en gran estima. Solía decir: "Después de este bronce no permitiré que otro escultor haga mi retrato."

JULIÁN.—Y tenía razón.

MARTA.—*(A* ALICIA *y a* TERESA.*)* ¿Quieren subir a mis habitaciones?

ALICIA.—Te lo iba a pedir.

MARTA.—Vamos.

TERESA.—*(A* JULIÁN *y a* ALBERTO.*)* Y no sean ustedes demasiado severos en... *(Hace ademán en cortar con tijeras y se marcha con* ALICIA *y* MARTA, *mientras dice* JULIÁN:*)*

JULIÁN.—Para eso esperaremos que usted vuelva. *(A* ALBERTO.*)* Bien, ¿qué piensas tú de las murmuraciones escuchadas en el hospital?

ALBERTO.—Lo que Jorge hizo no lo comprendo ni lo juzgo.

JULIÁN.—Pero ¿tú crees, como yo...?

ALBERTO.—¿Que hay algo inexplicable en la aventura de Jorge?

JULIÁN.—Ese algo que se nos escapa fluía hoy en el aire mientras se honraba la memoria de Jorge. Si tanto me irritó el chismorreo de aquellas cotorras es porque exacerbaba una desazón ya demasiado viva en mis cavilaciones.

ALBERTO.—Si sólo se trata de cavilaciones, deséchalas. Yo te creía un poco alejado de tales recuerdos.

JULIÁN.—Lo estaba. Pero hoy, no sé..., el ambiente del hospital, el busto de Jorge erigido frente a la sala de su jefatura, la presencia de sus colegas... Todo eso, testimonio de tantos afanes, afanes de una vida consagrada a la ciencia, al estudio, al trabajo, con una dedicación que tenía algo de apostolado; todo eso gravita en mí esta mañana, agobiándome con un malestar que no logro explicarme.

ALBERTO.—Acaso sean las majaderías que oíste.

JULIÁN.—Quizá; pero dime: ¿por qué repercuten hoy en forma tan aguda? ¿Por qué llegan a turbar mi ánimo?

ALBERTO.—¿Tanto como eso?

JULIÁN.—¿Te sorprende?

ALBERTO.—Un poco. Te creía más dueño de tus nervios.

JULIÁN.—No se trata de nervios, sino de raciocinio. Recuerda: Jorge fué siempre un hombre reconcentrado. Nunca mostró inclinaciones a salirse de su vida ordenada y metódica. No hubo en él ningún espíritu de aventuras. La medicina lo absorbió por completo. Fuera de su casa, todo era pensar en el hospital, en la cátedra de la Facultad, en los enfermos. Enamorado de Marta como el primer día, conmovido con la ternura de su hijito, devoto hasta la adoración por el cariño de Constanza, madre como pocas, afectuoso contigo, cordial conmigo, delicado siempre como el que más; y poco después decide unirse a unos exploradores y se va, dejándonos en el mayor desconcierto. ¿Es normal esto?

ALBERTO.—Puesto que nada sabemos, es inútil mortificarse.

JULIÁN.—¿Tú estás libre de preocupaciones?

ALBERTO.—¡Quién lo duda!

JULIÁN.—No disimules.

ALBERTO.—¿Yo?

JULIÁN.—Tú, sí. ¿Por qué te fuiste de esta casa, que fué tuya, que es tuya por el cariño de todos?

ALBERTO.—Porque debí hacerlo.

JULIÁN.—Claro está. Por algo que oíste durante el homenaje y que yo también oí. Y nos creemos fuertes, libres, superiores a todos. ¡Pobres ilusos! Una frase, una alusión, y es como si un fantasma se metiese en nosotros, un fantasma que nos lleva y nos trae y turba nuestra conciencia. ¿Podrías negar tú, podría negar nadie en esta casa que el recuerdo de Jorge nos angustia a todos y a todos nos persigue?

ALBERTO.—Si fué su propósito llevarse con la muerte un secreto, respetemos su voluntad.

JULIÁN.—Te veo muy dispuesto a justificarlo.

ALBERTO.—¿Qué pretendes insinuar?

JULIÁN.—Nada, nada.

ALBERTO.—Lamentaría que tú también fueses injusto.

JULIÁN.—¿Contigo?

ALBERTO.—No.

JULIÁN.—¿Con Marta?

ALBERTO.—Con Marta. Ya lo son otros. *(Viene* TERESA *por la derecha. Desciende los peldaños con presteza, y pregunta agitada:)*

TERESA.—¿Es verdad que Marta no puede casarse de nuevo? (ALBERTO y JULIÁN *se miran sorprendidos.)* ¿Es verdad eso?

JULIÁN.—Que conteste el abogado.

ALBERTO.—Según nuestra legislación, no. Marta no puede casarse.

TERESA.—¿Ni pasado un tiempo?

ALBERTO.—Nunca.

TERESA.—Permítame insistir: ¿en el caso de Marta?

ALBERTO.—En el caso de Marta, precisamente, no habiéndose encontrado los restos del marido, la ley no autoriza nuevas nupcias.

TERESA.—¡Es absurdo!

JULIÁN.—Es la ley.

ALBERTO.—En algunos países de Europa, transcurridos treinta años, se da por acaecida la muerte del cónyuge, y el sobreviviente se puede casar de nuevo.

TERESA.—¿Después de treinta años?

ALBERTO.—En nuestro país ni después de cien.

TERESA.—¡Qué horror!

JULIÁN.—Ya lo sabe, Teresita: no se case usted con un explorador.

TERESA.—Se rinden honores póstumos al marido, y la mujer no es viuda. ¿Quién explica esto?

JULIÁN.—Las leyes, Teresita, nuestras leyes, que no hicimos ni usted ni yo.

TERESA.—Pero las padecemos.

JULIÁN.—Usted no, ni yo tampoco.

TERESA.—¡Este hombre!

JULIÁN.—¡Esta mujercita!

TERESA.—Es usted el hombre más contradictorio que he visto. Hace unos instantes quería acabar con media Humanidad; ahora tiene humor para cuchufletas.

JULIÁN.—No he mudado yo; ha cambiado el panorama.

TERESA.—Nunca he de acertar con usted.

JULIÁN.—Yo me lo pierdo. Y no me guarde rencor.

TERESA.—¿Rencor?

JULIÁN.—Para los rencores, como para los amores, tienen las mujeres una memoria implacable.

TERESA.—¿Para los amores, así, en plural?

JULIÁN.—Yo soy generoso.

TERESA.—Pues con respecto a "mis amores", se equivoca usted.

JULIÁN.—¿Está usted segura?

TERESA.—¡Y tanto! Mire usted: yo tuve un novio, al que hasta llegué a querer. Pues hoy ni siquiera me acuerdo de su nombre, y en cuanto a su fisonomía, se me ha borrado por completo.

JULIÁN.—¡Ah!

TERESA.—Como lo oye.

JULIÁN.—¿Se llamaba Bonifacio?

TERESA.—(Dejándose ir tras el recuerdo.) No; Roberto.

JULIÁN.—¿Era rubio, de ojos azules?

Teresa.—No, moreno. Tenía ojos negros, muy grandes.

Julián.—¿Era bajito, un poco gordo, nada elegante?

Teresa.—¡Al contrario! Era alto, esbelto y muy elegante.

Julián.—Convengamos en que por haber olvidado a ese novio tan en absoluto, lo recuerda usted bastante bien.

(Alicia y Marta, *que han venido por la escalera, ríen.)*

Alicia.—*(A* Teresa.) ¡Siempre caes como un chorlito!

Julián.—¿Cae?

Teresa.—*(A* Julián.) Pero no como usted quisiera.

Julián.—Acepto mi derrota, y me voy.

Alicia.—¿Va usted al centro?

Julián.—Sí.

Alicia.—¿Con su auto?

Julián.—Y con el suyo.

Alicia.—¿Me lleva?

Julián.—Siempre.

Teresa.—*(A* Alicia.) ¿Lo ves? Todo lo dice con segunda intención.

Alicia.—*(Bajo.)* ¿Y tú por qué te enteras?

Teresa.—*(Bajo también, sonriendo.)* Porque me gusta.

Julián.—Hasta luego, Marta; hasta luego, Alberto.

Alicia.—*(A* Marta.) Hoy tendrás muchas visitas. Vendremos para aliviarte de algunas.

Marta.—Saludando. Las espero.

Alicia.—Adiós, Alberto. *(Se van por la izquierda, primer término,* Julián, Alicia *y* Teresa.)

Alberto.—¿Sabes por qué se fueron? Para dejarnos solos.

Marta.—¿A ti y a mí? (Alberto *asiente con la cabeza.)* ¿Ellos creen...?

Alberto.—Lo que se figura Constanza y suponen otros.

Marta.—¿Que tú y yo...?

Alberto.—Eso es no conocerte y no conocerme. *(Un silencio.)* Tú sabes qué fué Jorge para mí. He sido dichoso de verlo feliz a tu lado. Ahora me aflige verte desdichada sin él. Si cuando todo se sonreía te he querido como se quiere a una hermana, ahora, en la adversidad, se agrega el respeto a mi cariño.

MARTA.—Te lo agradezco.

ALBERTO.—En mi cariño de ayer y en mi respeto de hoy van muchos recuerdos, Marta. Va mi niñez, mi adolescencia, mi mocedad, transcurridas al lado de Jorge, al amparo de Constanza, que fué una madre para mí, ya que la orfandad me privó de la mía verdadera. *(Sobreponiéndose a la emoción que lo embarga.)* ¿Podía yo olvidarlo, olvidándome de mí mismo, y corresponder a tanta generosidad con la ingratitud más desdorosa?

MARTA.—Queda la conciencia, Alberto.

ALBERTO.—Y que sea tía Constanza... Pero, dime, ¿no me ha visto la madre de tu marido crecer aquí, a su lado? No me ha visto transformarme de niño en hombre; no me observó durante años y más años, y no le bastó todo ese tiempo para conocerme, para conocer mis sentimientos; nada le bastó para rechazar suposiciones tan bajas, tan feas, que si a mí me desgarran el alma, a ti te ofenden con la más cruel de las injusticias.

MARTA.—*(Breve pausa.)* Ahora comprendo por qué te fuiste de esta casa.

ALBERTO.—Por lo que acabas de oír, y no sé cómo tú aguantas en ella.

MARTA.—Este es mi sitio, Alberto.

ALBERTO.—Me conmueve tu resignación.

MARTA.—Di mi esperanza, mi fe, mi convencimiento.

ALBERTO.—Todo lo que dices debe ser muy grande y muy hermoso para que te permita soportar el saberte vigilada, sospechada, humillada; para sufrir una herida menos noble, quizá...

MARTA.—¿Menos noble?

ALBERTO.—¿No lo es, acaso, el estar separándote de tu hijo con cualquier pretexto?

MARTA.—¿Lo habías advertido?

ALBERTO.—¿Quien te quiera no ha reparado en ello? Ahora está Jorgito en la estancia, para respirar aire puro. Luego serán las sierras de Córdoba; después, Miramar. Todo, con tal de alejarlo de tu lado, "para que te vayas acostumbrando".

MARTA.—Déjalo. Quizá termine esto muy pronto.

ALBERTO.—Yo sé lo que piensas.

MARTA.—Y no me equivoco, Alberto.

ALBERTO.—Pero ¿tú sigues creyendo?

MARTA.—¿Que Jorge vive? (MARTA *se levanta de su asiento. Da algunos pasos y, tras una vacilación, dice con timidez:*) Escucha, Alberto. Cuando Jorge y yo éramos novios, él tuvo que irse a Montevideo para asistir allí a un congreso de medicina. Al partir, le dije: "Durante tu ausencia mira al cielo a medianoche y contempla las tres Marías. A esa misma hora estaré mirándolas yo. Allí se juntará nuestro amor en un beso de infinito." *(Pausa. Una expresión inefable dulcifica su rostro. Luego prosigue.)* Créelo, Alberto, a esa hora las tres estrellas eran como seres vivos que mirasen a través del espacio. Parecían palpitar con un júbilo apasionado. Su luz era más vívida; parecían estremecerse según aumentaban los latidos de mi corazón. Es que Jorge y yo nos sentíamos en ese mirar que nos unía. ¿No lo crees?

ALBERTO.—*(Sin convicción.)* Sí...

MARTA.—No, no lo crees. Tampoco creerás esto. Una noche..., fué el tres de septiembre, mira si lo recuerdo; esa noche subí al mirador a la hora convenida. El mundo sideral brillaba en un cielo maravilloso. Pero esa noche los tres astros de nuestro amor no tuvieron la palpitante vibración de otras veces. Su fulgor parecía amortecido. Después supe que esa noche Jorge no había mirado el cielo a la hora convenida. Sonríe, si quieres; búrlate, si te parece. Pero, dime, ¿explica esto la ciencia de los hombres?

ALBERTO.—No me burlo, Marta.

MARTA.—Te impresionaron mis palabras, ¿verdad?

ALBERTO.—Lo confieso.

MARTA.—Tu espíritu está ahora mejor dispuesto para recibir esta revelación. *(Se interrumpe, dominada por la trascendencia de sus evocaciones.)*

ALBERTO.—*(Impresionado a su vez.)* Te escucho.

MARTA.—Desde hace varias noches... nuestras estrellas tienen un centelleo tan estremecido que parecen querer acercarse a la Tierra para comunicar no sé qué mensaje misterioso. Y esto ocurre a nuestra hora, y sólo desde hace unas noches

ALBERTO.—*(Conmovido, a pesar suyo.)* ¡Marta! ¿Qué quieres decir?

MARTA.—Digo lo que mi corazón me anuncia, lo que siempre me anunció; digo que Jorge vive...

ALBERTO.—¡Marta!

MARTA.—...Que vive, y que por su vida se va sosteniendo la mía. ¡Vive! Te digo que Jorge está vivo.

ALBERTO.—Cálmate, Marta. No te ilusiones una vez más. Te estás haciendo un daño enorme al concebir esperanzas que luego tienes que desechar. Recuerda lo ocurrido hace un tiempo, cuando desde un avión creyeron ver hombres blancos hacer señales en una tribu de salvajes. Después, nada se volvió a saber. Y así tú, pobre Marta, que vives y mueres en cada ilusión desvanecida.

MARTA.—*(Hondamente apenada.)* Está bien. Déjame. *(*FRANCISCO, *desde la puerta de la izquierda, a* MARTA.)*

FRANCISCO.—El doctor Montes Olivares. Dice que la señora lo espera.

MARTA.—*(Como si despertara.)* Se me había olvidado. Hágalo pasar. *(Mutis* FRANCISCO *por la izquierda.)*

Alberto.—¿Es el hijo del maestro de Jorge?

Marta.—Hoy se me acercó en el hospital y me pidió una entrevista. Lo cité aquí.

Alberto.—Te dejo, pero volveré a saludarte antes de irme.

Marta.—Hasta luego. *(Mutis* Alberto *por foro, derecha. Vienen por la izquierda el doctor* Montes Olivares *y* Francisco. *Este se hace a un lado para dar paso a la visita, y luego hace mutis.)*

Montes Olivares.—Señora. *(Saluda con una inclinación.)* Me trae un encargo de mi padre.

Marta.—¿Para mí?

Montes Olivares.—Una misión delicada. *(Mira en derredor, y bajando mucho la voz.)* ¿Podemos hablar sin ser oídos?

Marta.—*(Sorprendida.)* Sí...

Montes Olivares.—Al expirar, mi padre me confió una carta dirigida a usted. Me recomendó que se la entregara con el mayor recato. *(Una pausa.* Marta *interroga anhelante, con la mirada, a su interlocutor.)*

Marta.—Lo escucho, doctor.

Montes Olivares.—La carta sólo debía llegar a sus manos después de la muerte del doctor Aguilar Serantes, su marido de usted. *(Extrae la carta del bolsillo interior del saco.)* Esta es. Léala usted a solas. Por el sigilo con que procedió mi padre, sospecho que debe tratar de algo muy importante y muy reservado. Tómela usted. *(Le entrega una carta lacrada.* Marta *la recibe con mano temblorosa. Lee el sobre y palidece.)* Escóndala usted, señora, y procure dominar su turbación.

Marta.—No puede usted decirme con mayor claridad que conoce usted el contenido de esta carta.

Montes Olivares.—Se equivoca usted, señora. Mis preocupaciones se ajustan a la cautela de mi padre. Yo ignoro lo demás. Le doy a usted mi palabra.

MARTA.—Lo creo, doctor.

MONTES OLIVARES.—Me proponía entregarle esa carta antes de ahora. No me fué posible; y como debo ausentarme de Buenos Aires, no he querido demorar por más tiempo el encargo de mi padre. Por eso me acerqué hoy a usted durante el homenaje que se tributó a su marido y le pedí que me recibiera en el día.

MARTA.—Agradezco su interés.

MONTES OLIVARES.—Quedo a sus órdenes.

MARTA.—Gracias de nuevo. (*Indicando la izquierda, mientras llama por el timbre.*) Por aquí, doctor. (*Aparece* FRANCISCO, *y ambos hacen mutis, después que* MARTA *y* MONTES OLIVARES *se saludan con una inclinación de cabeza.* MARTA *le mira alejarse. Súbitamente va hacia el fondo izquierda, se deja caer en una silla. Rasga el sobre con ansia y comienza a leer. Su rostro, sin expresión en los primeros instantes, se contrae, se transfigura, se altera. De pronto se yergue, como si un resorte la hiciera saltar del asiento. Tiene la carta en una mano; se pasa la otra por la frente. Deja vagar la mirada en el espacio, mientras dice, con voz ahogada por la revelación de la carta:*) ¡Qué horror! ¡Qué horror! (*El rostro de* MARTA *es, a un tiempo, la máscara del estupor y del espanto. Tras un silencio de crispación, vuelve junto a la silla, se deja caer de hinojos, apoya los brazos en el asiento y reanuda la lectura. Respira anhelosa. Acompaña lo que lee con palabras ininteligibles, con gemidos, ahogados por los sollozos. Luego exclama:*) ¡Es horrible! ¡Es horrible! (*Viene* ALBERTO *por el foro, derecha. Al ver a* MARTA, *y al oír sus gemidos, la llama suavemente:*)

ALBERTO.—¡Marta!

MARTA.—(*Se incorpora, lanzando un grito.*) ¿Eh? ¿Quién? ¿Qué quieres? (*Esconde la carta, llevándose las manos a la espalda.*)

ALBERTO.—Marta, ¿qué ocurre? Estás demudada, tiemblas.

MARTA.—*(Con voz desfallecida.)* Esta carta. *(Le da el sobre, pero no las hojas que contenía.)*

ALBERTO.—*(Lee.)* "Para entregar a la esposa del doctor Jorge Aguilar Serantes, mi querido discípulo."

MARTA.—¡No leas! ¡Dame esa carta! *(Arrebatándole el sobre.)*

ALBERTO.—Es el sobre. La carta la tienes tú. (MARTA, *aturdida, no logra sobreponerse al quebranto que la anonada.)*

ALBERTO.—Marta, ¿qué te ocurre?

MARTA.—No sé, no sé.

ALBERTO.—¡Habla, en nombre del cielo! ¿Qué te ocurre? ¿Esa carta?

MARTA.—Es de Jorge.

ALBERTO.—¿De Jorge?

MARTA.—Fué confiada a su maestro. Tú leíste el sobre.

ALBERTO.—Continúa.

MARTA.—Debía llegar a mis manos después que muriese Jorge.

ALBERTO.—Acabo de leerlo. No me atrevo a preguntar.

MARTA.—*(Sofocando un grito.)* Jorge huyó de nosotros, de mí, de su hijo, de la madre. Huyó creyéndose culpable.

ALBERTO.—¿De qué?

MARTA.—Te digo que es espantoso, Alberto.

ALBERTO.—Explícate.

MARTA.—Déjame, déjame. El golpe ha sido demasiado fuerte. No sé si podré soportarlo.

ALBERTO.—Deja que me entere por mí mismo. Dame la carta.

MARTA.—Sí, es mejor. Tómala.

ALBERTO.—*(Toma la carta, lee en silencio algunas líneas, y, más adelante, con voz sofocada:)* "Y yo no tenía derecho a equivocarme: mi error sacrificó dos vidas..."

MARTA.—¡Dios mío!

ALBERTO.—"...Dos vidas: la de la madre y la del hijo.
Por querer salvar a los dos, los dos fueron sacrificados.
El deber me imponía otra conducta. Usted lo sabe, usted
que es un médico de conciencia. En estos casos no cabe
vacilar. Si en el trance de dar a luz peligra la vida de la
madre o la del hijo, se debe salvar a la madre. Y yo, porque pensé en la madre, intenté la salvación de los dos...
(Bajando la voz, como si temiese escucharse a sí mismo.)
y cometí un doble delito."

MARTA.—Lo que sigue es más desgarrador.

ALBERTO. *(Leyendo.)* "¡Y yo tengo mujer, tengo hijo,
tengo madre! De hoy en más, ¿podré mirarlos a los ojos,
estrecharlos en mis brazos? Sé que no puedo hacerlo, que
no debo hacerlo, y sé también que debo espiar mi culpa."

MARTA.—Y agrega que se impone a sí mismo el castigo
de huir, porque le espanta la idea de que yo y Constanza
lleguemos a leer en su mirada la confesión de su culpa.
¡Dime si esto no es como para volverse loca! ¡Su culpa!
¡Su culpa! ¡Cuántos seres ha salvado, cuántos peligros logró evitar, cuántas personas le deben la vida! ¡Cuántas!
Dilo tú. Hoy, en el hospital, durante el homenaje, yo he
visto la expresión de los agradecidos, y no de uno ni de
dos: de familias enteras, movidas por la gratitud. ¿Todo
eso nada vale, nada importa, nada significa? Dilo tú, tú,
que has visto su abnegación. La medicina fué para Jorge
un culto profesado con rigor. ¿Se puede olvidar todo eso,
lo pudo olvidar él, porque intentó salvar dos vidas negán-
dose a sacrificar una?

ALBERTO.—¡Su rigor! Ahí lo tienes explicado todo. Fué
demasiado exigente con todos. ¿Podía no ser implacable
consigo mismo?

MARTA. Hablas como si aprobaras su fuga.

ALBERTO.—No, Marta, no la apruebo; pero en caracteres inflexibles como Jorge, no sorprende. En hombres como él, la severidad es norma imperativa.

MARTA.—Pero ¿existe relación entre lo que él llama su error y el sacrificio que se impuso así mismo y nos impone a todos?

ALBERTO.—Según nosotros, no; pero Jorge es de otro temple. *(Devolviéndole la carta.)* Y aquí tienes la prueba.

MARTA.—Desgraciadamente.

ALBERTO.—¡Esconde esa carta!

MARTA.—Que la madre de Jorge no llegue a conocer nunca el contenido de esa carta. *(La oculta en su seno. Viene CONSTANZA por la izquierda. Deja la cartera sobre un mueble, se quita el sombrero y dice con aire distraído:)*

CONSTANZA.—Lamento haber interrumpido vuestra conversación.

ALBERTO.—Habíamos terminado cuando llegaste.

CONSTANZA.—¿Con eso quieres decir que no fuí inoportuna?

MARTA.—No lo es usted en ningún caso.

CONSTANZA.—¿No? Mejor. ¿Y de qué se hablaba, si no es indiscreción el preguntarlo?

ALBERTO.—De cosas en general y de ninguna en particular.

CONSTANZA.—Ya... Y eso descansa del recuerdo de mi hijo. ¿Para qué ocuparse de Jorge aquí, cuando tanto se habla de él fuera de su hogar?

MARTA.—En ninguna parte, y nadie, le recordará como yo lo recuerdo.

CONSTANZA.—¿Con igual decoro?

MARTA.—Y con mayor, quizá. *(Ambas mujeres se miran fijamente.)*

CONSTANZA.—Con mucha pena lo dices.

MARTA.—Con mucha, y aún queda más en mi corazón, que usted ni siquiera sospecha.

CONSTANZA.—¿Estás segura?

MARTA.—Segura. Y ojalá no llegue usted a sufrirla nunca por la misma causa. Con su permiso. (MARTA *vase por la escalera.* CONSTANZA *la mira alejarse; luego, a* ALBERTO.)

CONSTANZA.—¿Qué ha querido decir Marta?

ALBERTO.—Lo que ella dijo, o ha querido decir, no lo sé, tía Constanza; pero sé que eres injusta con Marta, mortificándote sin motivo. Es triste añadir al dolor propio la injusticia de los demás.

CONSTANZA.—¿De quién es la culpa?

ALBERTO.—¿De qué culpa puedes hablar tú?

CONSTANZA. *(Evasiva, poniéndose en pie.)* De ninguna.

ALBERTO.—Cuando se duda de todo y de nada es porque no hay razón atendible para dudar. En tales casos, la duda que hiere está muy cerca de convertirse en agravio culpable.

CONSTANZA.—¡Alberto! ¿No crees que te excedes en tus expresiones?

ALBERTO.—Por lo visto, he dicho más de lo que me proponía.

CONSTANZA.—*(Turbada.)* Modérate, pues.

ALBERTO.—¿Tan pobre idea tienes de Jorge, que no lo creíste capaz de inspirar un amor verdadero y un afecto leal?

CONSTANZA.—¡No lo repitas! Te lo prohibo. ¡No lo repitas! Creo a mi hijo digno de la mayor devoción. Pero ¿eso me basta para tener la seguridad de que fué correspondido como merecía?

ALBERTO.—Si las personas se oyeran cuando juzgan, muchas cosas no las dirían.

CONSTANZA.—Dime que no te fuiste porque no podías soportar el misterio de esta casa.

ALBERTO.—¿Qué misterio?

CONSTANZA.—El de un recuerdo que a todos nos persigue.

ALBERTO.—¡Tía!

CONSTANZA.—Un recuerdo que flota en el aire, que está en cada uno de nosotros y del que nadie se puede librar. Niégalo, si puedes.

ALBERTO.—¡Ahí está tu acusación! Nos crees culpables a Marta y a mí.

CONSTANZA.—*(Con un grito, como si acabara de obtener una confesión.)* ¡Tú lo has dicho, no yo!

ALBERTO.—Son las palabras que tú no pronuncias y queman tus labios.

CONSTANZA.—Palabras que yo no pronuncié y tú oíste. También las oye aquí de noche quien no duerme, quien anda por la casa, quien sube al mirador y gime en la sombra. "Ella" no duerme y yo no descanso. Oigo su andar, escucho sus quejidos. Se la creyera un fantasma que huye de sí mismo.

ALBERTO.—¿Eso piensas de Marta?

CONSTANZA.—Un pensamiento la posee, que ya es el comienzo de la demencia. Es la justicia en el castigo.

ALBERTO.—¡Tía! ¿Es posible que tú digas esas cosas?

CONSTANZA.—*(Sin oírlo, dominada por su idea fija.)* Piensa en Jorge, evócalo en los días precedentes a su viaje. Nunca había tenido él secretos para conmigo. De pronto fué como si todo se oscureciese en su alma. ¿Quién lo precipitó, de un solo golpe, en el desánimo y lo tornó esquivo, huraño, a él, que era todo amor y todo ternura? ¿Quién? Marta se abismó después en la tristeza, y tú te fuiste.

ALBERTO.—¡Calla, calla, en nombre del cielo! ¡Ojalá nunca te pida Dios cuenta de este mal pensamiento!

CONSTANZA.—Cuida tú de tu alma. Sírvate de ejemplo el castigo de Marta.

ALBERTO.—Y si eso que tú crees castigo fuese...

CONSTANZA.—*(Rápida.)* ¿Qué?

ALBERTO.—¿Un acto de piedad concedido por el cielo a su esperanza?

Constanza.—¿Un acto de piedad en la ilusión? *(Vienen a un tiempo* Julián, *por la izquierda, y* Marta, *por la derecha. Un silencio.* Marta *se detiene, sin descender los peldaños de la breve escalinata.* Julián *mira a unos y otros. Una pausa embarazosa.)*

Julián.—*(Con voz entrecortada.)* Acabo de oír por radio... Pero la noticia no fué confirmada. No nos hagamos demasiadas ilusiones...

Alberto.—¿A qué te refieres?

Julián.—Se cree que encontraron a los sobrevivientes de la expedición Núñez Magalhaes. Pero nada es seguro todavía. (Constanza *y* Marta, *inmóviles, como petrificadas, con los ojos dilatados, ya no parecen oír. A* Alberto, *que se le acercó, en voz baja, rápido.)* Encontraron a Jorge.

Alberto.—*(Bajo y rápido a su vez.)* ¿Vivo?

Julián.—*(En voz baja.)* Sí. Disimula. *(A* Constanza *y a* Marta, *con voz natural, pero con acento emocionado.)* Pronto sabremos.

Constanza.—¿De Jorge?

Marta.—No me engañaba el corazón.

Julián.—Mira, Marta, que yo no he dicho...

Marta.—Lo dijo y lo dice su turbación; lo dicen sus ojos, su voz; lo dice la emoción de Alberto. *(Vienen* Alicia *y* Teresa, *por la derecha, y por el foro, tímidos y sin adelantarse,* Francisco *y* Rosa.)

Alicia.—*(A* Julián, *bajo.)* ¿Ya saben la noticia?

Constanza.—*(Medio aturdida.)* ¡Qué es esto, Dios mío!

Marta.—¡Jorge vive! ¡Jorge fué hallado! Dios ha escuchado mis ruegos. Dios me ha concedido esta gracia.

Constanza.—¡Mi hijo! ¿Vive? Julián, ten piedad de mí. ¿Mi hijo está vivo?

Julián.—*(Hace un signo afirmativo, y casi sin aliento.)* Sí, Constanza.

CONSTANZA.—*(Oprimiéndose el pecho, a punto de desfallecer, sostenida por* ALBERTO.) ¡Mi hijo! ¡Mi hijo!

MARTA.—*(Transportada, con lágrimas en la voz.)* Dios ha escuchado mis ruegos. Dios ha tenido piedad de mí.

CONSTANZA.—Siempre lo creíste, Marta, siempre tuviste fe, siempre, siempre.

MARTA.—¡Siempre! ¡Siempre!

T E L Ó N

ACTO SEGUNDO

Al levantarse el telón están en escena JULIÁN y CONSTANZA. Viene FRANCISCO por el foro izquierda. Trae una bandeja con cartas, telegramas y tarjetas de visita.

FRANCISCO.—La correspondencia de la tarde.

CONSTANZA.—Déjela usted allí. *(Indica la mesa-escritorio.* FRANCISCO *deja la correspondencia y se va por donde ha venido.)* Y así desde que volvió Jorge, va para dos semanas. Telegramas, cartas y la casa llena de gente, hasta hace dos días. Fué necesario decir que nos íbamos al campo para que nos dejaran respirar.

JULIÁN.—Y Jorge que lo mira todo, que lo observa todo, con esa mirada suya que es una continua interrogación.

CONSTANZA.—Cada vez que se encuentra conmigo, se queda mirándome, como si aguardara una respuesta a algo que no me pregunta. Y Jorge y yo nos turbamos por igual. Después sonríe con dulzura, un poco triste, me hace una caricia y se aleja sin decir nada.

JULIÁN.—Me impresiona su inquietud. ¿Has visto como todo lo desasosiega? ¿Cómo mira las cosas y la necesidad de tocar cada objeto, de examinarlos a todos, aun los más familiares, los más conocidos? Se diría que aguarda de ellos la respuesta que tú no le das, que aguarda de nosotros, y nosotros no damos a sus preguntas sin palabras.

CONSTANZA.—Esa nerviosidad suya es la que me llena de zozobras.

JULIÁN.—Vigílate, Constanza.

CONSTANZA.—¿Por qué lo dices?

JULIÁN.—Por tu esquivez con Marta, que Jorge ya debe haber advertido.

CONSTANZA.—¿Supones que Jorge pueda interrogarme?

JULIÁN.—Ya lo hace con sólo mirar. Tú acabas de decirlo.

CONSTANZA.—No creo que llegue a preguntar.

JULIÁN.—Si llegara el caso, ¿qué le dirías?

CONSTANZA.—*(Cohibida.)* Nada; no puedo decir nada.

JULIÁN.—Pues no pudiendo contestarle, haz lo posible para evitar que pregunte.

CONSTANZA.—*(Impresionada.)* Temo comprenderte, Julián.

JULIÁN.—¿Has pensado alguna vez en la gravedad de la situación que te creas y le crearías a Jorge?

CONSTANZA.—¡Calla! Aquí viene. Espérame en el jardín. Es necesario que hablemos. *(Viene* JORGE *por la derecha, primer término, al tiempo que se marcha* JULIÁN *por el foro, derecha.* JORGE *lo mira alejarse. Una pausa.)*

JORGE.—¿Dónde está ahora mi hijo?

CONSTANZA.—Con la institutriz.

JORGE.—A cada instante pregunta por Marta.

CONSTANZA.—Los pequeños no comprenden.

JORGE.—Comprenden por instinto.

CONSTANZA.—No siempre. *(Se quedan mirando. Luego,* JORGE *pasa una mano sobre un mueble, coge un objeto de sobre otro, lo mira, lo acaricia, y tomando otro, como distraído.)*

JORGE.—¿Quieres que salgamos a dar un paseo con Jorgito, mamá?

CONSTANZA.—Con mucho gusto, hijo mío.

JORGE.—Hace un día espléndido. El sol de aquí es tibio, tiene la dulzura de una caricia. El de allá... es fuego. En su ardor quemante hay no sé qué de hostil. ¡Qué sonido extraño tiene hoy esta palabra! Me pareció haberla oído por primera vez. *(Viene* MARTA *por la escalera. Yendo hacia* MARTA.) Marta, saldremos con mamá a dar un paseo en auto. Llama a Jorgito. Tú vendrás con nosotros, ¿quieres?

MARTA.—¿No he de querer? *(Vase por la escalera.)*

CONSTANZA.—*(Contrariada.)* Mira, Jorge... Pensándolo bien, es mejor que yo me quede. Ve tú con Marta. *(Y sin aguardar la respuesta, márchase por foro, derecha.* JORGE *la mira alejarse estupefacto. Viene* ALICIA *por la izquierda, primer término. Trae un gran ramo de flores. A* JORGE, *que está de espaldas.)*

ALICIA.—Doctor... (JORGE *se vuelve.)* ¿Solo?

JORGE.—Con usted.

ALICIA. Gracias.

JORGE.—Doctora.

ALICIA.—¡Oh! ¡Doctora!

JORGE.—*(Sonriendo.)* Alicia.

ALICIA.—Eso ya está mejor. *(Aludiendo a las flores.)* He querido que conmigo entrara aquí la primavera. *(Deja las flores sobre la mesa y se vuelve a* JORGE.) Son hermosas, ¿verdad?

JORGE.—Como la portadora.

ALICIA.—Gracias de nuevo.

JORGE.—*(Después de una pausa, algo indeciso.)* Antes de mi... viaje, usted y Julián se querían. Al volver yo, creí encontrarlos casados. ¿Y luego?

ALICIA.—Quedamos en buenos amigos.

JORGE.—¿Nada más?

ALICIA.—Julián siempre me demostró simpatía, pero no pasó de allí. Me distingue, me respeta. Eso es todo.

JORGE.—Esta fué una de mis sorpresas.

ALICIA.—¿Hay otras? (JORGE *afirma con una inclinación.)*

JORGE.—Alicia, ¿me permite usted una pregunta?

ALICIA. ¿Que yo puedo contestar?

JORGE.—Que usted "debe" contestar.

ALICIA.—Usted dirá.

JORGE.—*(Con gran esfuerzo.)* ¿Durante mi ausencia ha continuado usted visitando esta casa?

ALICIA.—Siempre. Raro fué el día que yo no viniera a saludar a doña Constanza y a Marta.

JORGE.—Entonces, conoce usted la causa del desacuerdo que media entre Marta y mi madre.

ALICIA.—*(Turbada.)* Yo no sé que exista un desacuerdo.

JORGE.—Usted no dice la verdad. ¿Por qué trata usted de engañarme?

ALICIA.—No comprendo.

JORGE.—Sí comprende, y comprende también que se engaña a sí misma al pretender que yo le crea. Usted ha visto, día tras día, que Marta y mi madre, o no se dirigen la palabra, o lo hacen en tono desabrido, sin disimular su esquivez. Usted "sabe", usted "conoce" el motivo de esta situación penosa, mortificante. ¡No diga usted nada, si es para negar la evidencia!

ALICIA.—Le aseguro, doctor...

JORGE.—No he querido interrogar a mi madre, ni a Marta, ni a Julián, y, mucho menos, a Alberto. *(Como herido por una idea súbita.)* ¿Por qué se fué Alberto de esta casa?

ALICIA.—Es difícil que yo sepa.

JORGE.—Más fácil le parece a usted eludir todas mis preguntas, ¿verdad?

ALICIA.—Doctor, le confieso que me mortifica oírlo. Emplea usted un tono al que no estoy acostumbrada.

JORGE.—Perdóneme usted si me equivoqué al considerarla mi amiga. *(Viene* JULIÁN *por foro derecha. Saludando a* ALICIA.)

JULIÁN.—Doctora. *(A* JORGE.) Hola, Jorge. ¿Qué se dice?

JORGE.—*(Disimulando su nerviosidad.)* Comentando la

"aparente" frialdad con que se tratan mamá y Marta. Alicia me decía que nada sabe al respecto. Tú tampoco sabrás nada, ¿verdad?

JULIÁN.—No sé que se traten con frialdad.

JORGE.—*(A* ALICIA.*)* ¿Lo oye usted? Soy un visionario. *(Viene* ALBERTO *por la izquierda,* JORGE *lo embiste.)* ¿Tú has reparado en que exista alguna desavenencia entre Marta y tu tía?

ALBERTO.—No, y no sé por qué me lo preguntas.

JORGE.—Lo dicho: veo visiones. Pido humildemente que se me perdone. *(Hace una reverencia exagerada y vase por la derecha, primer término.)*

ALBERTO.—¿Qué pasa?

JULIÁN.—Esto se pone malo.

ALICIA.—*(A* JULIÁN.*)* Antes de llegar usted, Jorge me estaba interrogando con una aspereza nada cortés.

ALBERTO.—Me sorprende en Jorge.

JULIÁN.—A mí, no. Constanza está atizando un fuego que amenaza convertirse en hoguera. No sé qué se propone.

JORGE.—*(Reapareciendo inesperadamente.)* Mi madre, ¿no es así? *(Todos callan sorprendidos.)* El asombro de ustedes no puede ser más tranquilizador. Desde que he vuelto, se respira aquí un aire de incertidumbre, de temor, que no atino a definir. No sé. Un estado de angustia en que los veo a todos, y me veo yo, sin saber, sin poder averiguar qué pasa, y por qué ocurre "esto", esto que nos trae a todos un desasosiego penoso, humillante. ¿Qué ocurre? ¿A qué se debe, o a quién? ¿Por qué? A ver si alguien responde. ¿Qué hay aquí? ¿Qué misterio se oculta, a quién menoscaba, a quién ofende? Y si hay un culpable, ¿quién es él, dónde se oculta, dónde, dónde?

ALBERTO.—*(Enérgico.)* Mira, Jorge: aquí no hay misterio, ni culpa, ni culpables. Te exaltas inútilmente.

JULIÁN.—Creo lo mismo. Si hay o no alguna desavenencia entre mi hermana y tu mujer, yo lo ignoro. Pero sé, y estoy seguro de lo que digo, que no es para preocupar a nadie, y menos a ti, que necesitas tranquilidad y mucho descanso. Y, a propósito, tú le diste al editor, ¿cómo se llama?

ALICIA.—Lazaga.

JULIÁN.—Está al llegar. No es que yo quiera intervenir en tus asuntos, pero creo que tú no debes aceptar el proyecto que lo trae aquí..., al menos por ahora. (JORGE *observa a* JULIÁN, *mira luego a los demás, y se marcha por la derecha sin responder.*)

ALICIA.—La nerviosidad de Jorge no anuncia nada bueno. (*Viene* MARTA *por la escalera.* ALBERTO *va hacia ella, antes que baje los peldaños.*)

MARTA.—*(En voz baja, rapidísimo.)* ¿Has visto al doctor Montes Olivares?

ALBERTO.—Por fin he podido dar con él. Acaba de llegar.

MARTA.—¿Y conseguiste?

ALBERTO.—Todo. Prometió decir que no te entregó la carta de Jorge dirigida al padre.

MARTA.—Gracias a Dios. ¡Qué alivio! Jorge debe ignorar.

ALBERTO.—El doctor Montes Olivares se hizo cargo de la situación.

MARTA.—¿Qué sería de Jorge si llegara a descubrir que yo conozco su terrible secreto?

JULIÁN.—*(Aparte, a* ALICIA, *aludiendo a* MARTA *y* ALBERTO.) Nada hay entre ellos; pero estos apartes son los que dan lugar a suposiciones...

ALICIA.—¿Maliciosas?

JULIÁN.—Malignas. (*Viene* TERESA *por la izquierda. Saluda a* JULIÁN. *Luego a* ALBERTO, *que se le acerca.* MARTA *hizo mutis por la escalera. Viene* LAZAGA *por la izquierda, introducido por* FRANCISCO. *Este se hace a un lado para dar paso a la visita y, después de anunciarlo, hace mutis por donde vino.)*

FRANCISCO.—El señor Lazaga. (LAZAGA *saluda con una inclinación.)*

ALBERTO.—*(Va a su encuentro.)* Permítame que me presente: soy el doctor Alberto Sertanes, primo hermano del doctor Aguilar.

LAZAGA.—Mucho gusto, doctor.

ALBERTO.—*(Presentando a* ALICIA.) La doctora...

LAZAGA.—*(Interrumpiéndole, amable.)* Nos conocemos. La doctora Gómez del Valle es una excelente colaboradora de nuestra editorial.

ALBERTO.—¿También conoce usted a la señorita Díaz?

LAZAGA.—Desde luego. Son ellas inseparables.

ALBERTO.—*(Indicando a* JULIÁN.) El ingeniero Julián Sertanes, mi tío.

JULIÁN.—*(Inclinándose.)* Creí que iba usted a decir que también me conocía a mí.

LAZAGA.—*(Sonriente.)* No he tenido el placer...

JULIÁN.—Yo, en cambio, lo conozco a usted a través de su casa editora.

LAZAGA.—Me complace.

JULIÁN.—Soy uno de sus clientes.

LAZAGA.—Muy halagado.

JULIÁN.—Y precisamente acabo de leer el libro sobre el amor, publicado por su empresa.

LAZAGA.—¿Y qué le ha parecido a usted?

JULIÁN.—¿Con franqueza?

LAZAGA.—Claro está.

JULIÁN.—Pues creo que proponerse explicar el amor es una pretensión desmedida. El amor se siente, se vive, se sufre; pero no se explica. Es un éxtasis.

LAZAGA.—Se puede explicar el sentimiento del amor.

JULIÁN.—¿De cuál? ¿Del suyo? ¿Del mío? Hay tantos amores como personas. Pero ¡si cada amor es una novela!

LAZAGA.—*(Muy suave.)* O un drama.

JULIÁN.—O un mundo. ¿Cómo puede reducirse todo eso a mera teoría? El amor se expresa en un silencio, en un suspiro, y, a veces, en una lágrima.

LAZAGA.—Permítame una pregunta: ¿es usted casado?

JULIÁN.—*(Secamente.)* Pero ¿por quién me toma usted?

LAZAGA.—*(Sorprendido.)* Usted perdone, aunque no veo en la pregunta nada ofensivo.

JULIÁN.—No me ofende la pregunta, pero me sorprende su falta de observación.

LAZAGA.—No comprendo.

JULIÁN.—Míreme usted bien, señor Lazaga. ¿No tengo yo el aspecto de un hombre tranquilo, feliz?

LAZAGA.—Sí, señor.

JULIÁN.—¿Y cree usted que yo tendría la misma expresión de felicidad si estuviese casado?

LAZAGA.—Hay matrimonios muy felices.

JULIÁN.—Yo hablaba de amor, y usted sale hablándome de matrimonio.

ALICIA.—El matrimonio no excluye el amor.

JULIÁN.—*(Volviéndose vivamente.)* Pero tampoco lo supone... siempre. Además, hay muchas especies de matrimonios, y variedades, y algunas muy raras.

ALBERTO.—*(Sonriendo.)* ¿A ver eso, tío?

JULIÁN.—Lo ya dicho y sabido: existe el matrimonio por razón de estado, el matrimonio por interés, el matrimonio por sorpresa, el matrimonio por curiosidad..., esto lo digo sin malicia..., el matrimonio de urgencia..., tampoco digo esto con intención..., y existe, ¡loado sea Dios!, el matrimonio por amor. En todos aquéllos, pueden darse desvíos, cambios de dirección y descarrilamientos. En el matrimonio por amor, no. ¿Qué dice usted de esto, Teresa?

TERESA.—¡Yo qué sé! Nunca me he casado.

JULIÁN.—¡Ah!, ¿espera usted casarse para saber cómo se va a conducir?

ALICIA.—¡Julián!

TERESA.—*(Resentida.)* Quisiera ser su mujer por el solo gusto de hacerle sufrir.

JULIÁN.—Y el matrimonio por venganza: hay que agregarlo a la serie.

LAZAGA.—Veo que es usted enemigo del matrimonio.

JULIÁN.—Recuerde usted qué le contestó Sócrates al discípulo cuando éste le preguntó si debía casarse: "Que te cases como que no te cases, te arrepentirás lo mismo."

LAZAGA.—Entonces se habrá arrepentido usted por no haberse casado.

JULIÁN.—Así es.

TERESA.—*(Con enojo.)* Pues cásese usted.

JULIÁN.—Ya me arrepentí una vez por no hacerlo. ¿Por qué quiere usted que también me arrepienta por hacerlo? Con una vez, basta.

LAZAGA.—¿Nunca sintió usted la tentación de escribir?

JULIÁN.—No me dejaron tiempo las "otras" tentaciones. *(Bajando la voz.)* Y ésas no son para escritas.

TERESA.—*(A ALICIA.)* Ni para habladas, según parece.

LAZAGA.—*(A ALBERTO.)* La doctora Del Valle les quiere a ustedes mucho. Siempre los recuerda en términos afectuosos.

ALBERTO.—También se la quiere a ella aquí.

JULIÁN.—Por mi parte, yo la admiro y la temo.

LAZAGA.—¿Teme usted a un ser tan delicadamente femenino?

JULIÁN.—No puedo remediarlo. ¿Qué quiere usted? Una mujer que trata como a camaradas, no digo a Platón y Aristóteles, sino a Thales de Mileto, a Jenófanes de Colofón, a Zenón de Elea, me infunde una especie de terror sacro. Una mujer así es demasiado para un hombre solo.

ALICIA.—*(Entre dolida y risueña, a LAZAGA.)* Ya ve usted cómo el ingeniero Sertanes se burla de mí.

JULIÁN.—Nada de eso: la admiro.

TERESA.—Pero sin acercarse demasiado a ella. De miedo que lo muerda.

JULIÁN.—¡Ojalá!

ALICIA.—¡Esta chica!

TERESA.—*(A* LAZAGA.) Se pasa la vida hablando mal de las mujeres. *(A* JULIÁN.) Sin embargo, no fuimos nosotras las que afligieron a Dios.

JULIÁN.—*(Alarmado.)* ¿Qué entiende usted decir?

TERESA.—Entiendo decir que, según las Escrituras, Dios se arrepintió de haber creado al hombre; pero en ninguna parte de los Sagrados Textos se dice que Dios se arrepintiera de haber creado a la mujer.

JULIÁN.—*(Asombrado.)* Teresa, ¿usted citando las Sagradas Escrituras?

TERESA.—*(Asustada.)* Lo dijo Alicia. Yo no sé nada.

JULIÁN.—*(Ríe.)* ¡Ya me parecía!

TERESA.—*(Bajo, a* ALICIA, *atemorizada.)* ¿Es verdad que lo dice la Biblia?

ALICIA.—Sí, mujer; lo dice.

TERESA. *(A* JULIÁN, *altiva.)* Si es verdad que lo dice, ¿por qué se asombra usted que yo lo repita?

JULIÁN.—¿Usted sabe dónde está el Limbo, Teresa?

TERESA.—En todas partes.

JULIÁN.—En todas partes donde está usted.

TERESA.—Eso ya lo sabía yo. *(Bajo, a* ALICIA.) ¿Qué ha querido decir Julián?

ALICIA.—Nada, calla ya. *(Viene* MARTA *por la escalera.* LAZAGA *se pone en pie.* JULIÁN, *adelantándose, los presenta.)*

JULIÁN.—Don Nicolás Lazaga, editor. Mi sobrina, la señora del doctor Aguilar.

LAZAGA.—Señora.

MARTA.—*(Le estrecha la mano, cortés, pero sin expresión.)* Mucho gusto. Tome usted asiento.

ALICIA.—*(Como para marcharse.)* Si prefieren ustedes hablar a solas...

MARTA.—*(Vivamente.)* ¡No! ¡No! Al contrario.

ALICIA.—Cuando venga tu marido, entonces.

MARTA.—No. Prefiero que se queden ustedes. *(A LAZAGA.)* Usted perdone. ¿Conoce usted a mi marido?

LAZAGA.—No, señora. Para conseguir que me recibiera hoy he recurrido al doctor Sánchez Olivera, el director del Hospital Central.

MARTA.—Entonces, ¿ignora usted el estado de excitabilidad de mi marido?

LAZAGA.—Lo ignoro.

MARTA.—Yo desearía que postergara usted su entrevista con mi marido.

JULIÁN.—Ya no es posible, Marta.

ALBERTO.—Lo ha citado para hoy.

MARTA.—*(Con inquietud cada vez mayor.)* Podría usted alegar que sobrevinieron causas imprevistas, ineludibles. No sé; invente usted.

LAZAGA.—Señora, ya estoy aquí ¿Cómo explicar?

MARTA.—Usted no sabe, usted no sospecha qué puede significar para mi marido recordarle, precisamente cuando se trata de alejar de su memoria el recuerdo de lo pasado. Usted ignora, usted no sospecha.

LAZAGA.—¿Quién le dice a usted que al evocar ese pasado, narrándolo en cada uno de sus episodios, no logre el doctor Aguilar expulsarlo de sí mismo? ¿Quién le asegura a usted que ésa no sea una liberación purificadora? El psicoanálisis trabaja mucho en tal sentido.

MARTA.—Aun así. Postergue usted su proyecto. Se lo suplico. Ceda usted a mis súplicas. Hará usted una buena obra. Piense que aquí nadie le preguntó nada a mi marido, y que él nada dijo sobre su cautiverio.

LAZAGA.—Señora, mi entrevista con su marido ya es inevitable. Le prometo que trataré el asunto con toda discreción.

MARTA.—Una súplica entonces: procure usted no hablar de "error" o de "culpa"; pero, sobre todo, de error. Evite usted pronunciar esa palabra.

LAZAGA.—Convenido. *(Viene* JORGE *por la derecha, primer término. Advierte la impresión que causa su presencia. Un silencio breve.)*

JORGE.—*(A* LAZAGA.) ¿Usted es?...

LAZAGA.—Nicolás Lazaga, director-gerente de la Editorial que lleva mi nombre.

JORGE.—*(Saluda con una inclinación de cabeza.)* Muy complacido. Tome usted asiento.

LAZAGA.—Gracias. *(Se sienta.)*

JORGE.—¿Desea usted una conversación reservada? (ALICIA, JULIÁN, TERESA *se ponen en pie.* ALBERTO *está junto a la escalera.)*

MARTA.—*(Vibrante, deteniéndolos con un ademán.)* ¡No! ¡No! El señor Lazaga desea que nos quedemos.

LAZAGA.—En rigor, no se trata de nada secreto.

MARTA.—Claro que no.

JORGE.—*(Mira a* MARTA, *a* LAZAGA, *pasea luego la mirada por los demás personajes, con excepción de* ALBERTO, *que está a su espalda, en pie, junto a la escalera. El rostro de* JORGE *se contrae en una sonrisa sin expresión. Luego, algo nervioso.)* En primer lugar, permítame decirle, con toda franqueza, que no me agrada el motivo de su visita. Perdone usted que se lo manifieste así, en una forma acaso descortés.

LAZAGA.—Me agrada la franqueza, aunque contraríe mis planes.

JORGE.—¿Sus planes? ¿Son exclusivamente "suyos" esos planes?

LAZAGA.—Mía es la idea de invitarle a escribir un relato de sus peripecias en las regiones inexploradas de donde vuelve usted.

JORGE.—¿Movido, sin duda, por las hipótesis que circulan respecto a la causa de mi... aventura?

LAZAGA.—El tema es tentador.

JORGE.—*(Hosco.)* Y hurgar un alma, y pretender mostrarla el desnudo, ¿también es tentador? Si en mi decisión de unirme a los exploradores hubo un caso de conciencia, o un hecho de vida secreta, ¿con qué derecho se pretende violarlo?

LAZAGA.—No pretendo tal cosa.

JORGE.—*(Sin escucharlo.)* Esta intimidad sagrada sólo debe mostrarse a Dios. Quien no esté tocado por la divinidad no puede asomarse a un alma en amor de penitencia, sin profanarla. *(Dominándose, con expresión dolorida.)* Perdone usted, señor Lazaga. He vivido mucho tiempo fuera de la civilización. Y allá he debido de perder algún matiz de sociabilidad.

LAZAGA.—Nada de eso, doctor.

JORGE.—En la selva, el instinto nos endurece.

LAZAGA.—Comprendo.

JORGE.—Allá se vive o se muere.

LAZAGA.—También comprendo eso: matar o morir.

JORGE.—*(Evasivo.)* Quizá.

LAZAGA.—Y no sólo fieras.

JORGE.—Todos son fieras. Allá, donde las noches no acaban nunca, se ve con los oídos. El riesgo acecha siempre. ¡Las noches! ¡Tarda tanto el amanecer! *(MARTA, detrás de la silla en que está sentado JORGE, le abraza por la espalda. JORGE se incorpora bruscamente.)* A mi espalda no, Marta. Siéntate allí. *(Le indica una silla junto a ALICIA. A ALBERTO, que está en pie, junto a la escalinata, a espaldas de JORGE.)* Y tú, hazme el favor de ponerte frente a mí. *(ALBERTO obedece. JORGE, a los demás, con risa forzada.)* Hasta que me acostumbre. *(Vuelve a sentarse.)*

LAZAGA.—¿Decía usted, doctor?

JORGE.—Se llega a conocer la causa de todos los ruidos. El viento, la brisa en el follaje no engañan. En el rumor más leve, en la sombra menos perceptible, se llega a "sentir" la presencia enemiga de algo pronto al ataque, hombre o fiera. ¡Y las noches que no acaban, y el día que no despunta!

LAZAGA.—Es la angustia que nos tiene en suspenso.

JORGE.—¿Sabe usted mi edad, señor Lazaga?

LAZAGA.—Sé que es usted joven.

JORGE.—Tengo la edad del tiempo. Me hice contemporáneo de la materia inerte y del hombre primitivo. Para quien, como yo, pasó a través del horror, la muerte ha perdido su misterio. No se la teme; pero se teme a la vida, sobre todo cuando ya se murió una vez.

LAZAGA.—Creo, doctor, que un hombre de ciencia como usted debe de haber traído de su cautiverio un gran acopio de observaciones.

JORGE.—¡Un hombre de ciencia! ¿Sabe usted en lo que fué convertido allá el hombre de ciencia? En un dios mago y hechicero. A eso debo que no me sacrificaran, como a otros de la expedición. Me salvó Zubú, el guía, o, mejor, la Providencia. *(Se pasa las manos por los ojos, como si quisiera borrar la visión de los sucesos que se presentan a su mente.)*

LAZAGA.—Prosiga, doctor.

JORGE.—Cuando nos apresaron, un clamor atronaba el espacio. La tribu toda era un lamento desgarrado. Lloraba la muerte de la mujer del cacique. Quien no ha visto aquello, no puede imaginarlo. Una muchedumbre enloquecida, exaltándose en sus propios gritos, se agitaba convulsa en una danza monstruosa. Todos iban, venían en torno a la mujer del cacique, puesta en un lecho al aire libre, con todos sus atributos. De pronto, creí que Zubú había enloquecido. Zubú, el guía, era un negro de estatura gigante, fuerte como la fuerza misma. Parejo a su talla era su coraje. Zubú me adoraba. Me creía un ser prodigioso, capaz de todos los milagros. De pronto, Zubú comenzó a dar voces. Se abrió paso, arrastrándose casi, hasta junto a la mujer del cacique. Zubú no cesaba de gritar, indicándome al jefe de la tribu. Se hizo un gran silencio. Todas las miradas se volvieron hacia mí. Y Zubú me gritó, con un tono que era, a la vez, de súplica y mandato. "Hazla vivir. Devuélvela a la vida. Tú lo puedes, señor, tú lo puedes. Si no lo haces, te sacrificarán, y a mí contigo. Hazla vivir." Cuando Zubú cesó de hablar, el silencio fué allí como si toda la creación hubiera enmudecido. (JORGE *respira con dificultad. Se aprieta las sienes con ambas manos. Tras breve pausa, reanuda su relato.*) Me incliné sobre la mujer yacente. Le tomé el pulso. Le abrí los ojos, que volvieron a cerrarse. El curandero de la tribu la había desahuciado. Pero yo vi que era un caso de muerte aparente. Pedí mi equipaje, y con él mi botiquín. Zubú me lo trajo. Hice a la paciente varias inyecciones. Después de algunas horas, la mujer del cacique se movió, estiró los miembros, abrió los ojos y sonrió. Lo que sobrevino a esta resurrección no hay quien pueda imaginarlo. Aquello no se olvida. Fueron instantes alucinados. (*Cesa de hablar, exhausto por la violencia de sus evocaciones.*)

LAZAGA.—(*Insinuante.*) Una experiencia de tal índole enriquece, y no poco.

JORGE.—(*Transportado por el recuerdo, en voz queda, cual si hablara consigo mismo.*) Y desde entonces fuí más que el jefe, más que el cacique, más que la tribu toda: fuí un dios. (*Bajando más la voz, como en un aparte.*) Es horrendo ser el dios de un clan de salvajes. ¡Un dios! Eso fuí, y, como tal, me adoraron. (JORGE *se incorpora. Los demás hacen lo propio. A* LAZAGA *con voz natural, pero muy nervioso.*) Lo fuí todo y no fuí nada. Me lo dieron todo y nada me dieron. ¿Sabe usted por qué?

Lazaga.—¿Por qué?

Jorge.—Porque me querían robar el alma. Eso, lo que usted oye. Aceptar lo que me bridaban, y aceptarlo con consentimiento, equivalía a hacerse igual a ellos, dejar de ser yo y transfigurarme en otro, enajenar mi yo auténtico; era como dar cabida en mí a otro ser distinto, con otra alma, con otra personalidad; significaba morir en otra encarnación, en otra era, en otra raza, en otro Dios. ¡Qué espanto! *(Se cubre la cara con las manos.)*

Lazaga.—*(Insinuándose de nuevo.)* Un libro tan sentido, tan vivido como el que usted puede escribir...

Jorge.—¿Usted me pide?

Lazaga.—Un relato.

Jorge.—¿De lo que yo fuí en la selva?

Lazaga.—Espectador.

Jorge.—*(Rápido.)* Y actor. Un libro narrando lo que yo pasé allá..., lo que yo he vivido, sentido y sufrido; lo que yo he visto hacer... *(Bajando mucho la voz.)* ¿y yo hice? No. Eso ni siquiera se puede sugerir. Usted no sospecha lo que me pide. No. Decididamente, no puedo.

Lazaga.—Sin embargo, yo me permito insistir, doctor.

Marta.—¡Señor Lazaga!

Jorge.—Dejemos esto. Hoy no puede usted apreciar mi estado de ánimo.

Lazaga.—Es posible. Con todo...

Jorge.—Yo mismo no sé con exactitud cuál es mi realidad. Es muy difícil explicar esto. En otra visita suya quizá pueda yo hacerlo. Hoy, no. Hoy no puedo dar nada de lo mío, ni de mi inteligencia, ni de mi espíritu. Me sería imposible.

Lazaga.—Tiene usted razón: es muy difícil explicar esto que usted dice.

Jorge.—Sí, es muy difícil que otro lo comprenda. Pero es el caso que yo, después de una ausencia creída sin retorno, siento la necesidad de hacerlo todo mío, mío: las cosas, los objetos, aun el más pequeño. Todo, todo, con un ansia de posesión dominadora. Todo: los árboles y las plantas del jardín; y, más aún, las personas que me son queridas. Mire usted: desearía que nadie mirase a Marta; que ni el aire y la luz la rozaran. Y esto más: al tender mi mano para estrechar la de otra persona, me parece que doy algo mío, algo de mí mismo; y yo no puedo, no debo dar nada de lo que me fué enajenado por tanto tiempo. *(Exaltándose.)* No se me puede exigir, no se me debe exigir. Y usted viene a pedirme mi dolor, mis sufrimientos, mis pecados y el milagro de mi retorno a la vida. ¿Cree usted que se puede desnudar un alma y ofrecerla palpitante y sangrando para que la manchen ojos profanos? No; decididamente, no puedo. Que usted la pase bien. *(Y hace mutis rápido, por la derecha, primer término, dejando a todos estupefactos.)*

MARTA.—Yo se lo había prevenido a usted, señor Lazaga.

LAZAGA.—Perdóneme usted, señora.

JULIÁN.—Es la primera vez que Jorge habla de su cautiverio.

LAZAGA.—Aterra pensar en lo que debe de haber sufrido. Señora, le ruego que me perdone usted. Yo ignoraba. *(Despidiéndose.)* Señores, doctora, Teresa... *(MARTA ha llamado por el timbre a FRANCISCO, que viene por foro izquierda.)*

MARTA.—Acompañe al señor. *(Mutis LAZAGA y FRANCISCO. Apenas el editor transpone los umbrales, MARTA dice a JULIÁN.)* Es necesario evitar que el señor Lazaga insista en su proyecto. *(A ALICIA.)* Tú, ayúdanos.

ALBERTO.—Jorge necesita olvidar.

JULIÁN.—Obligarle a revivir sus torturas sería cruel.

MARTA.—Sería algo más: sería un acto culpable.

JULIÁN.—Error, culpa: tanto da. *(Viene CONSTANZA por*

foro derecha, y JORGE, *que asoma cauteloso, y luego se adelanta al ver que no está* LAZAGA.)

MARTA.—No, no da lo mismo. Son cosas distintas la culpa y el error. El error se perdona; la culpa se castiga.

CONSTANZA.—*(Que no fué vista por* MARTA.) Según qué se entiende por error y qué por culpa.

MARTA.—*(Volviéndose.)* El error suele ser involuntario; a la culpa se va deliberadamente. En ésta hay premeditación; en aquél, en el error, no existe el propósito de dañar a nadie.

CONSTANZA.—Pero hay errores que causan daños de extrema gravedad. ¿Deben quedar impunes? ¿O deben ser castigados severamente?

MARTA.—*(En un arrebato, medroso.)* ¡No la escuches, Jorge! *(Se detiene aterrada. Teme haberse traicionado.)*

CONSTANZA.—*(Sin dominar su estupor.)* ¿Que mi hijo no me escuche?

MARTA.—*(Profundamente turbada.)* No he querido decir eso.

CONSTANZA.—Pues eso dijiste.

MARTA.—Me expresé mal. No haga usted caso. Perdóneme usted.

JORGE.—¿A quién has querido defender al pedir que no escuchara a mi madre?

CONSTANZA.—Sí, ¿a quién?

MARTA.—¿Defender? A nadie.

JORGE.—Deseo hablar a solas con Marta.

JULIÁN.—¿Para qué?

JORGE.—Eso es cuenta mía. *(A* MARTA.) ¿Te niegas?

MARTA.—*(Muy suave.)* No.

JORGE.—*(A los demás personajes, acompañando las palabras con un ademán.)* Tengan la bondad. *(Mientras hacen mutis.)*

JULIÁN.—*(A* CONSTANZA.) Has cometido una imprudencia.

CONSTANZA.—Y tú, una torpeza al recordármelo.

JULIÁN.—¡Ojalá quede en esto lo tuyo y lo mío! *(Un silencio.)*

JORGE.—*(Con voz insegura.)* ¿Contestarás ahora a mis preguntas?

MARTA.—Ya contesté.

JORGE.—No, no contestaste. ¿Qué me ocultas?

MARTA.—Nada.

JORGE.—¡Marta! Hace un instante le impusiste silencio a mi madre. Una expresión de terror, de terror digo, asomó a tus ojos. ¿Por qué?

MARTA —Te equivocas, Jorge.

JORGE.—No finjas, no sabes fingir.

MARTA.—Te digo que es una impresión tuya, infundada.

JORGE.—Marta, no son éstas las palabras que yo espero de ti. Has tenido miedo, como ahora lo tienes.

MARTA.—Te aseguro que te engañas.

JORGE.—No me engañes tú, Marta. Te lo pido como una caridad.

MARTA.—Engañarte yo, a ti, por quien condenaría mi alma... ¡Que Dios me perdone!

JORGE.—Así quiero oírte, Marta. Todo podría yo soportarlo menos un desvío tuyo. No lo permitas, Marta. Defiende nuestro amor, que es hoy mi única razón de ser. Dime la verdad. Creo ser digno de ella.

MARTA.—¿Pides la verdad? ¿Mi verdad? Pero, ¿existen palabras capaces de traducirla, de expresarla?

JORGE.—Existen, y siempre dan con ella los corazones elevados.

MARTA.—No, Jorge: no existen. No existen; no pueden existir palabras capaces de explicar los tres años de espera, ¿oyes? Sola, recluída en mi fe, cuando nadie ya confiaba en tu regreso, yo sola, como alucinada, te sentía vivo, ¡eso!, te sentía vivir, no he dejado un solo instante de sentir vivo en mí el amor que nos une. "¡Una locura!", me dijeron. "Una divina locura", decía yo; y tanto he rezado, y tantas fueron mis lágrimas, que hasta pensé fortalecer con ellas tu ánimo, transmitiéndote mi esperanza, alentándote en mis noches sin sueño, en los días sin sosiego, en las horas siempre iguales del mismo quebranto. ¿Pueden explicar esto las palabras? Ahí tienes la verdad que me pides, mi verdad.

JORGE.—Si todo es como tú dices, ¿por qué no desvaneces este mal que me tortura? ¿Qué me oculta tu silencio? Escúchame, Marta. Tú dices que he vuelto a la vida, y así es. Mi retorno a ti, a tu cariño, a tu amor, es como si yo hubiese resucitado. Si yo he resistido, si he podido sobrevivir a todo, es porque una voz interior hablaba en mí y me sostenía. Era la emanación de tu espíritu, Marta, eso que tú llamas el milagro de la fe.

MARTA.—Esa es mi verdad, la verdad que tú me pides; la sola y única verdad de tu amor y del mío. Estréchame a ti con fuerza, como si quisieras defenderme de alguien que pretendiera arrancarme de tus brazos. Dame tus caricias, tus besos, tu ternura. ¡He vivido tanto tiempo sin tenerte a mi lado, así, como ahora!

JORGE.—Escucha, Marta. Nuestra boda no ha sido como la de otros, no. Fué una comunión de almas; fué la unión de dos grandes anhelos confundidos en uno solo. No me engañé al sentirte como un alma gemela.

MARTA.—No te engañes ahora creyéndome distinta. Soy la misma. Mírame a los ojos. Soy como fuí siempre y como seré siempre. Tuya, tuya, fiel a nuestro amor, que no muda. Mírame a los ojos. Ellos te mostrarán la luz de mi alma, que también es tuya, tuya como mi vida, que es tu vida, porque sin tu vida la mía no sería más que una sombra.

JORGE.—¡La luz de tu alma! (*Desprendiéndose de* MARTA *y poniéndose en pie bruscamente.*)

MARTA.—Jorge, ¿qué tienes?

JORGE.—¡Marta! ¿Qué parte de ti mismo me ocultas?

¿Qué parte de tu ser sustraes a mi pasión, a mi devoción? Dímelo, te lo suplico por última vez.

MARTA.—Jorge, escúchame: no dudes de mí.

JORGE.—Me huyes.

MARTA.—Nunca estuve tan junto a ti como ahora.

JORGE.—Te alejas, Marta.

MARTA.—Nunca ha estado mi corazón más cerca del tuyo como ahora, ni con mayor pureza.

JORGE.—Pruébalo.

MARTA.—¿De qué modo?

JORGE —Si aún lo preguntas, es porque han sido inútiles mis súplicas, mis ruegos y este dolor que me desgarra. No importa. Renuncio a lo que fué la ilusión de mi vida.

MARTA.— ¿Qué quieres decir?

JORGE.—Que debemos separarnos. Tú lo has querido.

MARTA.—No puede ser, no puedes admitir que nosotros nos separemos.

JORGE.—Separado de ti, ya lo estoy, como tú lo estás de mí.

MARTA.—(Sofocando un grito.) ¡No! ¡Yo, no; ni tú tampoco!

JORGE.—Sí, Marta. Un mismo amor nos atrajo. Fuimos dos seres unidos en una sola claridad de espíritu. Hoy ya no es eso. Algo se ha modificado en ti. Ignoro la causa de ese cambio...

MARTA.— Porque no existe,

JORGE.—(Sin escucharla.)...Y desconozco su alcance; pero sé que no podríamos continuar juntos.

MARTA.—¡No lo digas!

JORGE.—Yo nada sé de ti. Al cerrarse tu alma a la comprensión de la mía, llegaste a serme extraña. Creí conocerte y, de pronto, descubro un ser diferente del que yo amé. Aprecia, si puedes, el tremendo vacío que deja en mí este desengaño.

MARTA.—Júzgame como te parezca, piensa de mí lo

que quieras, pero déjame contigo, aquí, a tu lado, y con nuestro hijo.

Jorge.—Mi resolución está tomada. En cuanto a nuestro hijo, ya veremos. Tú puedes disponer libremente de tu vida.

Marta.—¿Y tú dices de mí que no me conoces? Yo te oigo y me pregunto si quien me habla es el mismo hombre por quien yo...

Jorge.—¿Qué? ¡No te interrumpas! Prosigue. *(Con una sonrisa amarga.)* Vuelves a esconderte en tu silencio. Pero ¿qué me ocultas, en nombre del cielo?

Marta.—¿No comprendes que al pedir quedarme a tu lado es porque nada te oculto? No me alejes de esta casa, Jorge, donde fuimos tan dichosos, donde yo viví esperándote, sabiendo que volverías. No me obligues a irme de aquí, donde todo habla de nosotros.

Jorge.—Está bien: quédate. Me iré yo.

Marta.—*(En un clamor de sobresalto.)* ¡No! ¡Tú, no! Me iré yo, Jorge. Haré lo que tú quieras. Pero tú quédate aquí, en tu hogar; aquí, junto a tu madre, con nuestro hijo.

Jorge.—Está bien. ¿Cuándo piensas dejar esta casa?

Marta.—Cuando tú quieras. Mañana mismo si quieres.

Jorge.—Adiós, Marta.

Marta.—*(Con voz sofocada por los sollozos.)* Adiós.

Jorge.—Y éste es nuestro cariño. Si me quisieras...

Marta.—¿Si te quisiera? ¡Te quiero tanto, tanto, que hasta te sacrifico mi amor!

TELÓN

ACTO TERCERO

Están en escena ALICIA y JULIÁN. Viene ROSA por la habitación alta, lloriqueando.

ROSA.—*(A* ALICIA.) La niña Teresa, que la espera a usted. *(A* JULIÁN.) A la pobre ya no le quedan lágrimas que llorar. Y a la señora Marta, ¿la vió usted? No ha pegado los ojos en toda la noche. Está como pasmada. ¿La vió usted? ¡Dios mío! ¿Por qué se dará tanta pena la gente de bien?

ALICIA.—Ve, Rosa, y di a la señorita Teresa que voy en seguida. *(Viene* FRANCISCO *por foro izquierda. Deja sobre la mesa el correo que ha traído. Se queda escuchando a* ROSA.)

ROSA.—Yo no me quedo en esta casa. Donde vaya la señora Marta, con ella voy. Aquí no me quedo.

CONSTANZA.—*(Que ha venido por la derecha, a* ROSA.) Por tu voluntad has venido; por tu voluntad puedes irte cuando quieras. Las puertas de esta casa siempre están abiertas para los que no están aquí a su gusto. Ya lo sabes.

ROSA.—*(Lloriqueando.)* Sí, señora, sí. Con doña Marta me voy, aunque ella no quiera. Aquí no me quedo.

FRANCISCO.—*(Interviniendo.)* ¡Ala! Vete ya. No molestes más.

ROSA.—*(Revolviéndose, a* FRANCISCO.) ¡Hala, usted, tío confianza! ¡Que también me marcho por no verle a usted ni en pintura! *(A* CONSTANZA.) Y usted disimule, doña Constanza. *(A* JULIÁN *y a* ALICIA.) También perdonen ustedes. *(Mientras se va por la escalera, refunfuña.)* Aquí yo no me quedo, no; no me quedo. (FRANCISCO *hace un gesto de desprecio, alusivo a* ROSA, *y vase por foro izquierda.*)

JULIÁN.—¿Teresa está con Marta?

ALICIA.—Ya lo oyó usted. Pasó la noche junto a Marta, como yo.

JULIÁN.—En usted lo comprendo.

ALICIA.—Usted juzga mal a mi amiga. Teresa es mejor de lo que usted cree.

JULIÁN.—Pero es poco inteligente.

ALICIA.—Tiene la inteligencia de la bondad. ¿Y la bondad no es acaso una noble forma de la inteligencia?

JULIÁN.—*(Sonríe irónico.)* Cuando se es como Teresa, no se tiene derecho a ser mala.

ALICIA.—*(Picada.)* Es verdad: sólo tienen derecho a ser malos los perversos.

JULIÁN.—¿De modo que yo?...

ALICIA.—A usted le complace hacer frases, no siempre de buen gusto, satisfecho si con ellas da prueba de ingenio. ¿Le parece a usted que "eso" puede ser el ideal de una vida?

JULIÁN.—¡Alicia! Nunca me habló usted así.

ALICIA.—Y, probablemente, no lo repetiré. Pero era necesario que lo hiciera una vez, al menos.

JULIÁN.—¿Necesario?

ALICIA.—Para ponerlo a usted frente a sí mismo. ¿Se ha preguntado usted qué objetivo tiene su vida?

JULIÁN.—Vivirla. ¿No basta?

ALICIA.—Vivirla para algo; pero usted vegeta.

JULIÁN.—¡Alicia!

ALICIA.—¿Ha hecho usted algo útil? ¿Por qué no trabaja?

JULIÁN.—Porque no lo necesito. Tengo medios de vida. Administro lo mío.

ALICIA.—Ni eso. Usted se limita a recibir las rentas que

le trae su encargado. Y ni siquiera gasta esas rentas con elegancia.

JULIÁN.—¡Alicia! La desconozco.

ALICIA.—¿Me conoció usted alguna vez? ¿Cuándo? Usted es de los que pasan junto a sus semejantes sin sentirse en ellos. Nunca ha sido usted capaz de medir esta distancia entre almas. A la comprensión sólo llega el amor; no el amor de hombre a mujer, sino el amor de humanidad. Pero esto no lo comprende el egoísta.

JULIÁN.—¿Egoísta yo?

ALICIA.—Y el egoísta siempre es cruel. Empieza por ser cruel consigo mismo, porque se mutila en lo más noble del ser humano: la generosidad.

JULIÁN.—Primero, egoísta; ahora, cruel.

ALICIA.—No un cruel activo, de los que traducen la crueldad en actos directos; no. De los otros, de los pasivos, de los indiferentes, de los insensibles: los peores.

JULIÁN.—La escucho y no me parece usted la misma persona. ¿Puedo saber a qué se debe esta rebelión suya?

ALICIA.—¡Rebelión! Por fin ha empleado usted un término exacto.

JULIÁN.—Gracias.

ALICIA.—Se precipita a Marta en un drama desgarrador, se la hiere en los afectos más puros, se trunca su vida, se la cubre de oprobio, y ante esta enorme desgracia, usted se limita a decir: Es lamentable.

JULIÁN.—¿No lo es acaso?

ALICIA.—Marta es intachable. Estoy segura de ella como de mí misma. Al juzgar a las mujeres, los hombres pueden engañarse; una mujer no se equivoca nunca al juzgar a otra mujer.

JULIÁN.—Constanza no cree lo mismo.

ALICIA.—Porque está obsesionada. En casos como el de su hermana de usted, basta creer una cosa para que sea verdad. Obra por autosugestión.

JULIÁN.—Así es.

ALICIA.—Y si es así, ¿por qué no ha tratado usted de volverla a la cordura?

JULIÁN.—Lo intenté.

ALICIA.—Con tibieza.

JULIÁN.—¿Qué puedó hacer?

ALICIA.—Ponerse en el caso de Marta, y sentir como propios los desgarrones de su alma.

JULIÁN.—¿Supone usted que no me aflige esta situación?

ALICIA.—Hasta donde puede usted afligirse.

JULIÁN.—Si yo fuera como usted acaba de pintarme, no volvería a mirarme en un espejo.

ALICIA.—Puede usted continuar mirándose en todos los espejos. En ninguno verá usted su propia, su verdadera imagen.

JULIÁN.—Puede que mi imagen resulte borrosa; en cambio, acabo de ver irradiar la de usted en una luz resplandeciente. ¡Qué acentos nos descubre la bondad! ¡Cómo quiere usted a Marta! Por ese cariño suyo hacia ella, la veo a usted como a un ser nuevo. Yo mismo me siento otro. ¿Será que ya no hay tanta distancia entre alma y alma? Alicia...

ALICIA.—¿Qué?

JULIÁN.—Alicia, ¿cuándo nos casamos?

ALICIA.—¿Usted y yo? ¡Nunca!

JULIÁN.—Bueno. Entonces vamos a elegir los muebles. ¿De qué estilo los prefiere? ¿Convenido?

ALICIA.—¡Ni!

JULIÁN.—"Ni", ¿es o no es sí? *(Se miran en suspenso.* ALICIA *se enjuga las lágrimas y se aleja por la escalera.* JULIÁN *la mira sonriente, y dice:)* La mejor respuesta es una lágrima; es "sí". *(Viene* ALBERTO *por foro izquierda.)*

ALBERTO.—¿Alicia va llorando?

JULIÁN.—*(Contento, frotándose las manos.)* Sí.

ALBERTO.—*(Asombrado.)* ¿Alicia llora y tú te alegras?

Julián.—Cuando te llegue el día, ya verás qué significan, en determinado momento, dos lágrimas de mujer.

Alberto.—¡Ah! ¿Es que tú?...

Julián.—Sí.

Alberto.—¿Y Alicia?

Julián.—¡Ni! Voy a reunirme con ella. (A Jorge, que viene por la derecha, primer término.) Hasta luego. Que te lo explique Alberto. (Vase por donde se marchó Alicia.)

Jorge.—(Por Julián.) Va contento.

Alberto.—Parece que se declaró a Alicia.

Jorge.—Ya era hora. (Pausa.) Me miras como si quisieras decirme algo.

Alberto.—Anoche no pude conciliar el sueño.

Jorge.—Lo mismo que yo. Otros, quizá tampoco durmieron.

Alberto.—Anoche, en pocas horas, estuve contigo muchos años. Evoqué nuestro pasado, lo he revivido en todos mis recuerdos. De esa evocación mía se desprende, nítido, el sentimiento de mi cariño por ti. Cariño más que fraternal y nunca empañado, nunca disminuído en lo más leve. Siendo primos como somos, todos nos creían hermanos: tan unidos estábamos.

Jorge.—¿Estábamos?

Alberto.—¡Estamos!

Jorge.—Lo tengo muy presente en mi memoria.

Alberto.—Anoche, no sé por qué, recordé una frase atribuída a Richelieu.

Jorge.—¿Cuál?

Alberto.—Esta: "Que me den seis líneas escritas de puño y letra del hombre más honrado del mundo, y encontraré motivo para hacerle ahorcar."

Jorge.—¿Por qué me recuerdas esa frase?

Alberto.—Ya te dije que no sé por qué la recordé. (Ambos vuelven a mirarse en silencio. Tras una pausa, sin *dejar de mirar con insistencia a* JORGE.) En la selva, cuando un hombre no se fía de otro, y ambos van por senderos angostos, le hace andar delante, y él lo sigue en la marcha, ¿no es así?

JORGE.—*(Muy lento.)* Exacto.

ALBERTO.—*(Con emoción contenida.)* Jorge..., si tú y yo estuviésemos en una selva, ¿marcharías tú por delante, dejándome a tu espalda? (ALBERTO *le ha puesto la mano izquierda en el hombro.)*

JORGE.—*(Sorprendido, profundamente emocionado.)* Sí, ¿qué duda cabe? ¿Por qué?

ALBERTO.—Porque una amistad como la nuestra, porque el cariño de toda una vida, respirado en la pureza de un hogar, con el recuerdo de mi madre muerta y la presencia de la tuya viva; porque un cariño así no se puede profanar por ninguna bajeza. *(Y dominado por la emoción, conteniendo los sollozos, le echa los brazos al cuello y prosigue con voz sofocada:)* Jorge, hermano mío: por la santidad de esos recuerdos, no dejes que Marta se aleje de ti y de su hijo, no permitas que se vaya, no lo permitas. Tú no sabes cómo te quiere; tú no sabes hasta qué extremo te adora, hasta dónde llega su abnegación. No la dejes irse, no la dejes, no lo permitas, Jorge.

JORGE.—*(Desprendiéndose con suavidad del abrazo de* ALBERTO.) Me mortifica verte así, Alberto. Tu pena me hace daño.

CONSTANZA.—*(Que ha venido por la derecha, llevándose a* JORGE.) No insistas, Alberto; ya está decidido.

JORGE.—*(A* ALBERTO.) Mamá contestó por mí. (CONSTANZA y JORGE *hacen mutis por foro derecha.* ALBERTO *los mira alejarse, aturdido, aniquilado.* MARTA *aparece en lo alto de la escalera.* ALBERTO *va hacia ella, concitado, nervioso, febril, mientras* MARTA *desciende la escalinata.)*

ALBERTO.—¡Marta! Deslígame del juramento. Deja que yo hable, déjame, si tú no quieres hacerlo.

MARTA.—*(Agobiada por el sufrimiento.)* No, Alberto, no.

ALBERTO.—Te impones un sacrificio demasiado grande.

MARTA.—Por grande que sea, no hay sacrificio que no justifique mi amor.

ALBERTO.—Piénsalo, Marta.

MARTA.—Si yo le revelara a Jorge su secreto, ¿no sería para él la ruina, el aniquilamiento? En ese caso, ¿de qué me valdría vivir? Mi existencia no sería posible sin la suya. Mientras lo esperé, confiada en su regreso, me sostuvo la fe, la certidumbre de su retorno. Pero aniquilada la vida de Jorge, ¿qué puedo esperar, si ni siquiera me quedaría la esperanza de unirme en un amor que yo misma hubiera hecho imposible? Debo callar, Alberto, ya que mi silencio es su vida.

ALBERTO.—Lo que dices, Marta, es hermoso y horrible a un tiempo.

MARTA.—*(Sonríe con dulzura, y dice, como reflexionando.)* Jorge se fué una vez para que yo no supiera. Ahora soy yo quien se marcha para que no sepa él. Jorge intentó dar muerte a un amor muriendo; yo, viviendo en mi silencio, salvo su vida con el sacrificio de mi amor. ¿Has reparado en esto?

ALBERTO.—*(Vencido por el dolor.)* ¡Marta, escúchame!

MARTA.—Ahora soy yo quien te dice: No insistas.

ALBERTO.—Eres cruel contigo misma. *(Vase precipitadamente por la izquierda. MARTA se deja caer en una silla, a la derecha. Se cubre la cara con las manos, apoyados los codos en las rodillas. Viene JORGE por el foro. Permanece en pie, sin adelantarse. Contempla a MARTA, y, tras una vacilación, la llama con voz queda.)*

JORGE.—Marta. *(MARTA, ensimismada, no lo oye. Levantando algo la voz:)* Marta. *(MARTA se incorpora.)* Deseo hablar contigo. Has tenido junto a ti a nuestro hijo toda la tarde.

MARTA.—*(La voz ahogada por el sufrimiento.)* Por todo el tiempo que estaré sin verlo.

JORGE.—Ya se verá esto.

MARTA.—Habrá que cuidarlo mucho. Es sano, pero frágil, como todos los niños.

JORGE.—¿Te irás dentro de poco?

MARTA.—Todo está dispuesto.

JORGE.—¿Te vas con Alicia?

MARTA.—Por unos días. Después...

JORGE.—¿Después?

MARTA.—No sé.

JORGE.—¿Admites la necesidad de irte?

MARTA.—Cerrándome tu corazón y separándome de mi hijo, ¿qué más da? A ti te queda todo.

JORGE.—¿Me quedas tú? Yo no debí volver.

MARTA.—¡No lo digas!

JORGE.—Creí que mi cautiverio me había redimido. Ahora veo que mi retorno es un nuevo castigo.

MARTA.—Tú no puedes tener ningún castigo. En ti no hay nada que exija expiación.

JORGE.—Tu desvío, ¿qué es? Creí estar en ti como el aire que respiras.

MARTA.—Y así es, Jorge. Tú has llenado toda mi vida. Por eso no he tenido soledad, ni aun en tu ausencia. Siempre, en todo momento, te he sentido aquí, a mi lado, dentro de mí, en mi alma, porque siempre he sentido viva la pasión que me unía a ti, que me une a ti, aunque tú no me creas. Tu vida, tu imagen, tu recuerdo, siempre estarán en mí, Jorge; estarán en mí como cuando nada sabía de ti. Imagínate ahora, sabiéndote en tu hogar, junto a nuestro hijo. *(Cesa de hablar, ahogada por la emoción. Está a punto de desfallecer.)* Ahora, déjame, Jorge. Pero antes, una súplica. No te despidas de mí, dentro de poco, cuando me vaya. Adiós, Jorge.

JORGE.—Adiós, Marta. (JORGE *se va por la derecha, pri-*

mer término. MARTA *se dirige a la escalinata que conduce a sus habitaciones, pero apenas sube el primer peldaño, la detiene* CONSTANZA, *que viene por el foro.)*

CONSTANZA.—*(En voz baja, pero con tono imperativo.)* ¡Marta!

MARTA.—*(Volviéndose sobrecogida.)* ¿Eh?

CONSTANZA.—No te alejes. Tenemos que hablar.

MARTA.—¿Usted y yo?

CONSTANZA.—Y ahora mismo. Acaso sea ésta la última vez que yo te dirija la palabra.

MARTA.—Usted lo ha dispuesto.

CONSTANZA.—¿Esperabas otra cosa?

MARTA.—¿De usted?

CONSTANZA.—Lo exigen las circunstancias. Y quien lo decide es Jorge.

MARTA.—*(Con pena, pero sin acritud.)* Usted es quien lo ha resuelto, no Jorge.

CONSTANZA.—¿Te atreves a desmentirme?

MARTA.—Digo que usted es quien me aleja de mi marido y me separa de mi hijo.

CONSTANZA.—¡Y yo digo que mientes! Si algo tuyo aún podía injuriarme, tu osadía acaba de intentarlo. Jorge sabe, o sospecha. Duda o certidumbre, ¿qué importa, si lo uno y lo otro son pruebas de tu desamor, de tu dureza de corazón? *(Una pausa. La angustia de las dos mujeres vibra en el silencio de la pausa. Luego,* MARTA, *con una voz nueva y el semblante transfigurado:)*

MARTA.—Escúcheme usted, se lo ruego. Ha dicho usted que esta conversación acaso sea la última. Yo también lo creo. Por esto le ruego que me escuche.

CONSTANZA.—Habla, pues.

MARTA.—*(Con un gran esfuerzo.)* Sí, sí. Existe un amor grande, el mayor de todos en la tierra; un amor casi sagrado. No lo hay más profundo. Usted lo conoce, usted lo siente y lo sufre. No hay otro más allá de sus límites hu-

manos. Es el amor de la madre por su criatura. Con ese
amor, escúcheme usted, con ese mismo amor santificado
por el sacrificio, con ese mismo amor con que ama usted
a su hijo y yo al mío, con ese amor amo yo a Jorge; con
ese mismo amor lo amo hasta la adoración, hasta la ido-
latría.

Constanza.—*(Violenta.)* ¡No continúes! Cometes un
sacrilegio al comparar mi cariño, hecho de pureza, con el
tuyo oscurecido por... ¿Para qué obligarme a hablar de tu
traición?

Marta.—¿A quién traiciono yo?

Constanza.—A todos, al olvidarte de ti misma. Traicionas a Jorge, me traicionas a mí, traicionas a tu hijo.

Marta.—*(Con ímpetu.)* ¡No prosiga!

Constanza.—Y haces recaer en él la fealdad de tu culpa. Por eso debes alejarte de aquí.

Marta.—Por piedad. Ya lo dijo usted todo, todo.

Constanza.—No serán mis palabras lo único que te
acuse. Bien supiste engañarme, a mí como a todos; pero a
mí más, por ser yo quien más te elevó en su estimación.
Yo había llegado a creer en ti como en mí misma. ¡Pobre
ilusa! Yo, que me sobresaltaba ante la idea de un noviazgo de mi hijo, tuve fe en ti. He vivido en constante zozobra
con la posible boda de mi hijo. Todo fueron dudas, temores, recelos al imaginar a la mujer que se llevaría a mi
hijo. Y confié más en quien menos debía confiar. ¡Ciega
de mí! Cuando admití haber perdido a mi hijo para siempre, creí enloquecer. Tú lo has visto. No fué menos grande
mi dolor al sentirte morir en mi estimación. Fué como una
doble muerte, porque tu caída manchaba la memoria de
un sacrificado por ti.

Marta.—*(Ahogando un grito.)* ¡Qué! Diga usted que
he oído mal. Que usted no ha dicho eso, que no ha querido decirlo.

Constanza.—¿Nunca te has preguntado por qué tu marido se arrojó en la aventura de una expedición suicida? ¿Nunca se te ocurrió pensar por qué Jorge se iba de tu lado, por qué huía de ti?

MARTA.—¿Huir? No pronuncie usted nunca esa palabra. Nunca.

CONSTANZA.—¿No fué acaso una fuga la de Jorge?

MARTA.—No pronuncie usted nunca esa palabra en presencia de su hijo.

CONSTANZA.—Me explico el miedo que te da esa palabra.

MARTA.—Mamá.

CONSTANZA.—¡No me llames así! Te lo prohibo.

MARTA.—Por lo que más quiera, no la pronuncie usted en presencia de Jorge.

CONSTANZA.— Comprendo que te cause terror, porque esa palabra encierra todo el drama que tú has desencadenado en este hogar; pero aunque yo no la pronuncie, tú la oirás siempre. En ella sentirás el dolor de tu marido, el desgarramiento de mi pena, la deshonra de tu hijo.

MARTA.—*(Como una fiera herida.)* ¡Basta! ¡Calle usted! *(Vuelta hacia el crucifijo.)* Señor: Tú que todo lo comprendes y todo lo perdonas, perdóname si desfallezco en esta hora de prueba. Hice cuanto pude para que este dolor sólo fuese mío. Tú lo sabes, Tú a quien nada se oculta. *(A* CONSTANZA, *en otro tono.)* Y ahora, escúcheme usted. Dios me ve, Dios me oye. Dice usted que Jorge huyó y dice verdad, pero no huyó de mí.

CONSTANZA.—¿De quién entonces?

MARTA.—De sí mismo. Cuando Jorge se alejó de mí, huía de sí mismo.

CONSTANZA.—Marta, Dios te oye. No lo olvides.

MARTA.—Cuando Jorge se marchó de su lado de usted, huía de sí mismo.

CONSTANZA.—¡Calla!

Marta.—Cuando Jorge se fué para no ver a nuestro hijo, huía de sí mismo.

Constanza.—¡Que calles, te digo! Dios te ve: tú lo dijiste.

Marta.—Usted lo ha querido. Ahora es necesario que conozca usted la verdad, la tremenda verdad que ocultó hasta hoy mi silencio.

Constanza.—¿Qué nueva insidia tramas ahora?

Marta.—¿Insidia? ¡Ojalá lo fuera! Escuche usted. ¿Sabe usted por qué eludía Jorge nuestra mirada? Para que no sorprendiéramos en la suya la revelación del error que lo arrojó de aquí, creyéndose culpable; de ese error que no le permitió mirarnos a la cara, ni a usted, su madre, ni a mí, su mujer, ni a Jorgito, su criatura.

Constanza.—Pero ¿qué escucho, Dios mío?

Marta.—Error dije: no culpa.

Constanza.—Explícate, ahora soy yo quien lo suplica.

Marta.—Dios me ve, repito; Dios me oye. Ante El desnudo mi alma de creyente y le pido una vez más que perdone mi flaqueza. Yo quería para mí sola este dolor que ahora viene usted a compartir conmigo. *(Pausa.)*

Constanza.—No te detengas. Nada importa ya. Prosigue.

Marta.—Pero no me interrumpa. Debo precipitar lo que sigue. De lo contrario, temo que me falte valor.

Constanza.—Te escucho.

Marta.—*(Jadeante, con gran esfuerzo.)* Ha llegado a mi poder una carta de Jorge escrita antes de irse de Buenos Aires.

Constanza.—¿Y esa carta?

Marta.—Está dirigida al doctor Montes Olivares, el maestro de Jorge.

Constanza.—¿El contenido de esa carta?

Marta.—Explica los motivos de su...

Constanza.—¡No te interrumpas tú!

Marta.—...de su necesidad de alejarse de todos.

Constanza.—¡Quiero ver esa carta!

Marta.—Luego, no aquí. Si Jorge nos sorprendiera con esa carta, sería para él como una segunda muerte.

Constanza.—Pero ¿qué dice en ella?

Marta.—*(Después de un silencio.)* Jorge asistió a una señora, en trance de dar ella a luz. Se trataba de sacrificar a la madre o al niño. Jorge intentó salvar la vida de los dos. Se arriesgó... *(Se cubre la cara con las manos.)*

Constanza.—*(Sin aliento.)* Adivino lo demás. ¡Es horrible!

Marta.—Horrible es lo que siguió a esa desgracia. Jorge se creyó culpable de un doble...

Constanza.—¡No lo digas!

Marta.—Ya está dicho.

Constanza.—¡Aterra que lo pensara!

Marta.—¿Su huída no lo aniquilaba? ¿Tenía él, acaso, derecho a existir? ¿Podía amar y ser amado?

Constanza.—*(Presa de profundo estupor.)* ¡Marta! ¿Así juzgas a tu marido?

Marta.—Digo lo que él creyó de sí mismo. Repito lo que Jorge pensó de su error y dejó escrito antes de su partida. Usted aún no conoce lo más punzante de este conflicto de almas.

Constanza.—Di lo que sepas. Nada temas.

Marta.—*(Domina a duras penas su enorme dolor.)* Dice Jorge en la carta: "He sacrificado a un niño, y no salvé a la madre. Y yo tengo mujer y tengo un hijo. ¿Podría yo, de ahora en adelante, estrechar en mis brazos a mi esposa, acariciar a mi pequeño, besar en la frente a mi madre? ¿No se interpone entre ellos y yo el recuerdo de quienes ya no son por mi culpa? Me impongo, pues, el castigo que merezco. Intenté una obra buena y delinquí. Soy, creo ser, un hombre de conciencia. Por esto aspiro a redimirme. Y el alma solo se redime por el sacrificio. Y yo ofrendo a Dios lo que más quiero en la tierra: el infinito amor de mi madre, el inmenso cariño de mi esposa, la dulce ternura de mi hijo. *(La congoja le impide continuar.* CONSTANZA *queda inmóvil, con los ojos arrasados en lágrimas.* MARTA, *haciendo un esfuerzo superior.)* Y añade la carta: "En mi catástrofe, una cosa me consuela: saber que mi madre y Marta ignorarán las causas del castigo que me impongo. Si ellas llegaran a descubrirlo, yo moriría en la desesperación más cruel. Por esto le pido a usted que este documento no llegue a manos de mi mujer sino después de mi muerte." *(La voz se le apaga al pronunciar las últimas palabras. Las dos mujeres están anonadadas.)*

CONSTANZA.—*(Quiere expresar de algún modo su emoción, y sólo atina a pronunciar una palabra.)* ¡Marta!

MARTA.—Por esto he callado hasta hoy, y por esto le dije aquí a Jorge que no la escuchara a usted cuando dijo que los errores deben ser castigados.

CONSTANZA.—Recuerdo.

MARTA.—Temí que Jorge evocara su drama íntimo; temí que los escrúpulos de ayer se presentaran de nuevo a su conciencia. Por eso he callado, dejándome acusar. En mi silencio está la vida de Jorge; y su vida es lo que me importa por sobre todo, por sobre mi honra, por sobre el desprecio de todos, por sobre el repudio de la sociedad, de todo, de todo, con tal que él viva, con tal que Jorge se recupere y vuelva a ser quien era. Por eso he callado. Que él no sospeche nunca que sabemos, nunca, nunca. Prométame usted, prométaselo usted a sí misma, si quiere salvar a su hijo. He callado porque deseaba sufrir sola el dolor de mi secreto. No quería compartirlo ni con usted, que por ser su madre podía comprenderlo como nadie. Lo quería para mí sola, como algo sagrado, como algo bendecido por mis oraciones y por mis lágrimas. Y hoy, ¡miserable de mí!, desfallezco, y traiciono y rebajo lo que había de más puro en mi sacrificio. Y ahora, ya conoce usted mi culpa, ya conoce usted mi pecado. *(Pausa.)*

CONSTANZA.—*(Con voz insegura y tras una vacilación.)* ¿Una pregunta, Marta?

MARTA.—Escucho.

CONSTANZA.—¿Conoce Alberto esa carta?

MARTA.—Sí. Escúcheme usted ahora. Me quedan pocos instantes de permanecer en esta casa. *(Volviendo la mirada hacia el crucifijo.)* No se miente ante Dios; no mentimos ante Dios los que tenemos la ventura de estar asistidos por la fe. Así como a mí nada me acusa en mi decoro de esposa y de madre, juro ante Dios que Alberto es el más noble de los hermanos y el más fiel de los corazones. *(Dijo esto con el brazo derecho tendido hacia la imagen del Divino Redentor.)*

CONSTANZA.—*(Profundamente conmovida.)* Gracias, Marta. *(Breve silencio.)*

MARTA.—Dentro de unos instantes me iré de aquí.

CONSTANZA.—Marta.

MARTA.—Es necesario.

CONSTANZA.—Antes escúchame. Yo no sabía...

MARTA.—Ahora tampoco debe usted saber.

CONSTANZA. ¿Podré callar?

MARTA.—Le será fácil. A usted nadie le interrogó ni la interroga. Yo no podría quedarme sin hablar. La defensa de Jorge está en mi silencio. Jorge ha dicho en su carta: "El alma se redime por el sacrificio. Un gran sacrificio se ennoblece por un gran sacrificio." Y Jorge ha sido y es todo eso para mí: un gran amor, tan grande que hasta me parece pequeño mi gran sacrificio. *(Las dos mujeres están como en suspenso. Tras una pausa.)* ¿Me permite ahora llamarla mamá?

CONSTANZA.—*(Echándole los brazos al cuello.)* ¡Hija mía!

MARTA.—¡Mamá!

CONSTANZA.—Perdóname, perdóname.

MARTA.—*(Besando a* CONSTANZA *y sin desprenderse de su abrazo.)* ¿Yo perdonarla a usted?

CONSTANZA.—A mí, sí. Perdón, Marta. Perdón. *(Viene* JORGE *por la derecha, y al oír a la madre, queda estupefacto.)*

JORGE.—¿Qué tiene que perdonarte Marta?

MARTA.—*(Bajo, y rápidamente, a* CONSTANZA, *mientras se desprende de ella.)* Adiós, mamá. *(Vase* MARTA *por foro derecha.* CONSTANZA *mira con ojos extraviados, vencida, exhausta.)*

JORGE.—¿Qué tiene que perdonarte Marta?

CONSTANZA.—Nada. No sé.

JORGE.—¿Qué ocurre? ¿Tú, una santa, le pedías perdón a Marta?

CONSTANZA.—*(Como despertando súbitamente de un letargo, agitada, convulsa.)* ¡Marta! Jorge, llámala, llámala antes que se vaya. *(Con fuerza.)* ¡Marta! *(Va hacia el foro, llamando con fuerza.)* ¡Marta! ¡Marta! *(A* JORGE.) Ve en su busca, tráela, llámala.

JORGE.—*(Va hacia el foro, y allí se encuentra con* MARTA, *que vuelve atraída por las voces de* CONSTANZA.) Mamá... te llama.

CONSTANZA.—*(Besando a* MARTA.) Criatura, qué susto me has dado. Creí que te habías ido.

MARTA.—¡Mamá!

JORGE.—¿Qué es eso, mamá?

CONSTANZA.—No preguntes, no preguntes nada. *(Indicando a* MARTA.) Quiérela en el perdón que yo le pido. Quiérela mucho, Jorge. Mucho tendrás que quererla para que puedas elevarte hasta su cariño.

MARTA.—Mamá. *(Abrazando a* CONSTANZA.)

CONSTANZA.—Que Dios te bendiga, hija mía.

JORGE.—Una pregunta, Marta, una sola. ¿Tú conoces mi secreto? ¿Tú sabes, tú sabías?...

MARTA.—Te quiero, Jorge.

JORGE.—¿Tú sabías?...

MARTA.—Yo sólo sé que te quiero con toda mi alma.

JORGE.—Ahora soy yo quien te pide perdón.

MARTA.—¡Jorge!

JORGE.—¡Marta! *(Se abrazan. Telón.)*

FIN DE

"EL SECRETO"

AGUA EN LAS MANOS

COMEDIA EN TRES ACTOS

Esta obra fué estrenada el 18 de mayo de 1951, en
la inauguración del teatro Versalles, de la capital fe-
deral, por la compañía argentina dirigida por Arturo
García Buhr, con el siguiente

REPARTO

(Por orden de aparición de los personajes)

JUANONA	Matilde Rivera.
ANTOLÍN	Alberto Bello.
LOBITOS	Homero Cárpena.
CARMUCHA	Lena Zanda.
GONZALO	Arturo García Buhr.
ROSITA	Norma Giménez.
MARILUZ	Susana Campos.

En Buenos Aires. Epoca actual.

La acción principia un día de primavera, a las dieciocho,
y termina el siguiente, a las doce.

PEDRO E. PICO

ACTO PRIMERO

Departamento lujoso. Gabinete. Al foro, ventana y puerta con vistas a una terraza interior limitada por el vacío y cuyo horizonte recortan algunos rascacielos. Puertas de hoja única a la derecha; vano de pasillo a la izquierda, primer término, y segundo, arco de unión con el "living". Muebles de buen gusto. Sillones amplios; mesa de teléfono. En los huecos, falsas y repisas, como diosas lares, fotografías de mujeres, algunas en marcos de precio. Es de tarde. El sol declina lentamente durante el acto. Al comienzo dora la terraza y buena parte del gabinete.

En escena, JUANONA. Ocupa uno de los sillones y lee un periódico.

JUANONA.—¡Qué barbaridad! ¡Cómo están poniendo el mundo algunos locos! *(Teléfono.* JUANONA *atiende. Ahora la vemos a gusto. Debe de andar por los sesenta. San Jerónimo no le ha llevado el apunte. O quizá, sí. A cambio de un marido (solución tantas veces engañosa) le ha dado salud y tranquilidad en casa de don Gonzalo Rey Millán, donde oficia de dama de llaves.)* Hola, ¿quién? No, no, señora. Ah, bueno: no, señorita. Usted disculpe, señora..., digo señorita. *(Cuelga el tubo. Por la terraza,* ANTOLÍN, valet *gallego, contemporáneo de* JUANONA, *aunque él se pretende más joven y abuse para simularlo de afeites y tinturas.)*

ANTOLÍN.—¿Quién era?

JUANONA.—Una señorita que no quiere que le digan señora.

ANTOLÍN.—Ella sabrá por qué.

JUANONA.—Y yo también. Es la Julieta aquella.

ANTOLÍN.—Bah, agua pasada.

JUANONA.—¡Hay que ver! Como si no fuera lo mismo para quien como ella no ha entrado nunca para nada al Registro Civil.

ANTOLÍN.—Apuros que tienen algunas, doña Juanona.

JUANONA.—Apuros y poca vergüenza. (ANTOLÍN *trae un manojo de rosas y ahora lo advierte* JUANONA.) ¿Quién manda esas flores?

ANTOLÍN.—Nadie. Las ha comprado el mismo Don Gonzalo.

JUANONA.—*(Mientras las toma para acondicionarlas.)* ¡Hum! Rosas rojas. Mal anuncio.

ANTOLÍN.—De amor, doña Juanona, de amor. ¿Hay algo en la vida que más valga?

JUANONA.—Si es pregunta prefiero omitir la respuesta. Huéspeda tenemos.

ANTOLÍN.—Visita, diría yo con más propiedad. Huéspeda, realmente huéspeda, sería la primera en esta casa.

JUANONA.—¿La primera, eh?

ANTOLÍN.—Sí, señora. Que yo sepa y haya servido el respectivo copetín, ninguna de las tantas que la frecuentan, ha pernoctado en ella. Una hora, dos, cuatro... Amores breves. Breves y buenos, que son dos veces buenos según gente de pro. *(Suena el timbre.)* ¡Caray! No he dado recibo de las flores. ¿Tiene usted lápiz?

JUANONA.—Tengo. (ANTOLÍN *firma y rubrica el recibo. Timbre.)* Se impacienta el mandadero.

ANTOLÍN.—¿Doy propina?

JUANONA.—Eso es cuenta suya. (ANTOLÍN *se encamina hacia el foro. Pero suena otro timbre hacia la izquierda y ello le obliga a detenerse y a parar la oreja.)*

ANTOLÍN.—Ahora tocan allí. Y si no me equivoco, Lobitos.

JUANONA.—"Señor", de cuando en cuando, don Antolín.

ANTOLÍN.—Manga en puerta.

JUANONA.—Eso puede jurarlo. Parece mentira. Un joven tan simpático, tan distinguido, tan amable... Atiéndalo usted. *(Vase* ANTOLÍN *por izquierda. A poco se oye su voz y la del visitante.* JUANONA *mutis por foro.)*

UNA VOZ.—Salud, Antolín.

ANTOLÍN.—Buenas las tenga, don Lobitos. Pase, pase... (ANTOLÍN *cede el paso a* LOBITOS. *Treinta años, buen lina-*

je, simpatía. Estas virtudes le han franqueado todas las puertas, inclusive las de ese mundo que hace abolengo del dinero. LOBITOS *defiende su menguado guardarropa a fuerza de bencina y "apresto" japonés, y aunque a veces la tela se hace traslúcida, bien adosada al cuerpo, sobre prendas interiores siempre inmaculadas, da el camelo deseado.)*

LOBITOS.—¿No está Gonzalo?

ANTOLÍN,—No, señor. Pero no ha de tardar. *(Confidencial.)* Hay programa.

LOBITOS.—¿Sí?

ANTOLÍN. Vea usted: rosas rojas. Y omito otros detalles por no pecar de indiscreto.

LOBITOS—Haces bien.

ANTOLÍN.—Vaya una tarde, ¿eh?

LOBITOS.—Hermosísima.

ANTOLÍN.—Pensar que hay quien se muere en días así.

LOBITOS.—Gente sin gusto. Si puedo, yo elegiré uno lluvioso y frío. *(Ambos contemplan el panorama dorado por el sol poniente. Y de pronto:)* ¡Ay!, Antolín. Ando en un apuro terrible. Te lo digo a ti porque ya debes de haberlo adivinado.

ANTOLÍN.—*(Extremando la inocencia.)* No; no, señor.

LOBITOS.—Eres un hipócrita, Antolín.

ANTOLÍN.—*(Entregándose.)* Señor Lobitos...

LOBITOS.—¿A qué vengo yo siempre a esta casa sino a mendigar?

ANTOLÍN.—Bah, ¿quién no tiene sus apuros en estos tiempos de los cuatro caballos? Y a propósito: ¿son caballos o jinetes?

LOBITOS.—¿Los del apocalipsis? Jinetes a caballo.

ANTOLÍN.—Tenía mis dudas.

LOBITOS.—Cuanto a los tiempos, para mí fueron siempre perros. Nunca me han dado un respirito y hubiera concluído entregándome a la canalla, después de perderlo todo, la vergüenza inclusive, si un buen día, en el azar de una presentación, mi diestra no hubiera encontrado la de tu señor, Antolín.

ANTOLÍN.—¿Verdad que es todo un hombre?

LOBITOS.—Gonzalo fué mi salvador. Continúa siéndolo. Es el único amigo a quien me atrevo yo a pedirle cuanto necesito, y en ocasiones algo más, sin sentirme humillado.

ANTOLÍN.—Da como si fuera él quien pide.

LOBITOS.—Exacto.

ANTOLÍN.—No hay otro semejante ni aquí ni en la China.

LOBITOS.—Con razón se lo disputaban las mujeres.

ANTOLÍN.—Se lo disputan. Ojo al verbo, don Lobitos. Dispu-tan. *(Toma una fotografía de las tantas.)* Mire usted. Es la última. No queda otra morena en el mundo y fué para él.

LOBITOS.—Estupenda.

ANTOLÍN.—Pues ¿y la anterior?

LOBITOS.—¿La rubia del lunar aquí?

ANTOLÍN.—*(Toma otro retrato.)* Esta. Ya la hubiera querido aquel don Juan de la comedia para un domingo respective.

LOBITOS.—Y yo que no soy don Juan, aunque fuera para un lunes, respective también.

ANTOLÍN.—Parece que no hubiera roto un plato en su vida, ¿verdad?

LOBITOS.—Ni de postre.

ANTOLÍN.—Pues ya no le queda vajilla a la tal.

LOBITOS.—No, ¿eh?

ANTOLÍN.—Eso he oído comentar a los amigos de don Gonzalo. De mí no se cuidan cuando hablan.

LOBITOS.—Eres muy discreto, Antolín. No en balde llevas veinte años con Gonzalo.

ANTOLÍN.—Veintidós. Si me echara, gallego como soy y a mucha honra, me haría el sueco.

LOBITOS.—¿Eres más viejo que él?

ANTOLÍN.—Viejos no somos ninguno de los dos, y usted perdone, don Lobitos.

LOBITOS.—Perdona tú.

ANTOLÍN.—Vea usted: ni una cana.

LOBITOS.— Ya veo, ya. Ni una. No... ¿no destiñe esto?

ANTOLÍN.—*(Entregado otra vez.)* Un poco, sí señor. ¡Ay, qué malo es ser viejo, empezar a serlo y a sentirlo! Se lo oí decir días atrás a don Gonzalo, y fué como si me hubiesen atravesado un hueso en el gañote. *(De la terraza, CARMUCHA, criada joven, con una bandeja de ropa planchada.)*

CARMUCHA.—Con permiso. *(Atraviesa la escena y mutis por derecha seguida por la mirada lujuriosa de ANTOLÍN.)*

LOBITOS.—Otro hueso.

ANTOLÍN.—Duro de pelar, sí, señor. (LOBITOS *ríe.)* Y dicen que las hizo Dios de una costilla nuestra.

LOBITOS.—No lo creas. Tiene muy poca carne una costilla para que salga esto.

ANTOLÍN.—Usted lo ha dicho.

LOBITOS.—Yo lo he dicho y tú lo has comprobado posiblemente.

ANTOLÍN. No, no... Comprobado, no. Todavía no. Palabra. *(Ríen los dos. Vuelve CARMUCHA y hace el trayecto inverso. Como la risa continúa, ya en el vano de la puerta del foro, se detiene para jaquear.)*

CARMUCHA.—Si la risa es por mí, ja jay. *(Mutis.)*

LOBITOS.—Ja... rabe.

ANTOLÍN.—Qué comadrita es la condenada.

LOBITOS —¿Es nueva?

ANTOLÍN.—En la casa, sí. *(Vuelven a reír. Desde lejos, por izquierda, voz recia e imperiosa.)*

LA VOZ.—¡Antolín, Carmucha, Juanona!

ANTOLÍN.—Don Gonzalo.

LA VOZ.—Antolín.

ANTOLÍN.—Estoy aquí, señor. *(Por izquierda, GONZALO REY MILLÁN. Cincuenta años, ágil, elegante, exuberante.)*

GONZALO.—Hola, Lobitos. Tanto gusto. ¿Llevas mucho tiempo esperándome?

LOBITOS.—Diez minutos.

GONZALO.—Menos mal. *(A JUANONA, que aparece por derecha.)* Juanona: a las siete vendrá una señora. La recibirás sin preguntarle quién es ni qué desea. Muda, si es

posible. Hasta entonces no estoy para nadie. Absolutamente para nadie. *(A* CARMUCHA, *que asoma en la terraza.)* Ni siquiera para el panadero que según díceres tiene
franca la puerta de servicio. ¿Entendido, Carmucha?

CARMUCHA.—Sí; sí, señor (JUANONA y CARMUCHA *se re-
tiran cada cual por su lado.* GONZALO *entrega sombrero
y guantes a* ANTOLÍN.)

GONZALO.—Tú, Antolín. ¿Hay dulces en la casa?

ANTOLÍN.—Haylos.

GONZALO.—¿Y bocadillos?

ANTOLÍN.—También, sí, señor. Picantes inclusive.

GONZALO.—Bien. Una botella de jerez. Otra de oporto.

ANTOLÍN.—*(Confidencial.)* Y un pijama de batalla, ya.

GONZALO.—Hombre, ¿y quién te ha dicho a ti que va
a haber batalla?

ANTOLÍN.—Yo que huelo la pólvora, señor.

GONZALO.—¿La pólvora, eh? Anda, prepáralo todo,
anda.

ANTOLÍN.—*(A* LOBITOS, *guiñándole un ojo, voz baja.)*
La habrá. *(Mutis por derecha.)*

GONZALO.—Es un águila este gallego.

LOBITOS.—Vale lo que pesa.

GONZALO.—Mucho más. Tendría que ganar varios kilos
para equilibrar valores. Pero está a régimen.

LOBITOS.—Gran tipo. Y yendo al asunto. ¿Hay batalla, realmente?

GONZALO.—La batalla vengo dándola desde hace veinte años.

LOBITOS.—¡Caramba!

GONZALO.—Ni uno menos, Lobitos. Varias veces la
creí definida a mi favor y otras tantas tuve que tomar re-
tirada para no perder del todo mi prestigio. Es la única
mujer que he querido con toda mi alma. Quizá por eso:
por no concederme nada, ni siquiera un beso, ni un abrazo.

LOBITOS.—¿No?

GONZALO.—No.

LOBITOS.—Extraordinario. Contigo, extraordinario.

GONZALO.—Bueno, un abrazo, sí. Pero nunca tan largo que permitiera sentir el calor de su sangre.

LOBITOS.—¿Soltera?

GONZALO.—Cuando la conocí, sí; ahora casada.

LOBITOS.—*(Por las fotografías.)* ¿Es alguna de éstas?, y perdona la indiscreción.

GONZALO.—No, ninguna. Tuve un retrato y lo rompí. Tal vez por despecho; tal vez porque la veía mejor cerrando los ojos. Así.

LOBITOS.—Me asombras, Gonzalo. Me asombra tu exaltación, mejor dicho. Hablas como un estudiante.

GONZALO.—Es que hoy, por fin, esta tarde, dentro de media hora...

LOBITOS.—Oporto y jerez.

GONZALO.—Las ironías del destino. Toda una vida acechándola, deseándola, esperándola, tensos siempre los nervios, alerta los sentidos como ante la proximidad de una flor; y pasan los días pródigos de la juventud, los del apaciguamiento subsiguiente, los del otoño, y sólo ahora, cuando ya son más los recuerdos que las esperanzas, cuando casi todo es recuerdo..., ¿ves? Mi gozo en un pozo.

LOBITOS.—¿Qué pasa?

GONZALO.—¡Ay, Lobitos! Vaya en secreto. Empiezo a tener miedo de que las mujeres me digan que sí.

LOBITOS.—Pero, hombre.

GONZALO.—Esta sobre todo..., la de esta tarde..., el amor de mi vida.

LOBITOS.—Bah, coqueterías tuyas.

GONZALO.—No, palabra de honor. Miedo..., el peor de los miedos.

LOBITOS.—Pero, entonces, ¿por qué has provocado la situación?

GONZALO.—La provoqué hace tiempo, ya te lo he dicho. Imagínate... Un buen día te sientes loco por una mujer. Por pedirle algo le pides uan entrevista a solas. Ella te la niega sin negártela del todo; tú insistes; vuelve ella a decir que no, dejando siempre una puertita abierta a la esperanza. Y pasan los años; y lo que fué en principio exigencia de la sangre y luego prurito de amor propio, concluye siendo galantería y simple esgrima verbal. ¿Comprendes?

LOBITOS.—Comprendo.

GONZALO.—Se trata por lo demás de una mujer cuyo otoño tiene algo de primavera. Deliciosa.

LOBITOS.—Y por otra, tú has de tenerte algo de confianza.

GONZALO.—Sí, claro..., un poco. Donde hubo fuego, ceniza queda. Y brasas, ¿por qué no?

LOBITOS.—Me encanta que recobres tu optimismo de galán mimado por la fortuna. ¡Bravo!

GONZALO.—Es que ahora pienso en la equivalencia de situaciones. Ella tiene diez años menos que yo, pero tampoco puede pedir gollerías. ¿No te parece?

LOBITOS.—Claro que no. *(Pequeña pausa.* LOBITOS *quiere pasar a su asunto, pero no se determina.)* Bueno, Gonzalo... Yo... No quiero ser importuno. Tenía que hablarte, pero... Otra vez será. Animo y buena suerte. Adiós.

GONZALO.—Aguarda. Hasta las siete nadie te corre. Tienes que hacerme un favor.

LOBITOS.—Lo que quieras.

GONZALO.—Días atrás me escribió Espinosa. ¿Te acuerdas de Espinosa? El pobre anda en la mala. Perdió el empleo. Yo voy ahora muy poco al club. Toma. Si lo ves, dale estos pesos en mi nombre. (LOBITOS *no toma el dinero;* GONZALO *insiste.)* Toma.

LOBITOS.—Gonzalo...

GONZALO.—¿Qué ocurre?

LOBITOS.—Espinosa no te ha escrito.

GONZALO.—Sí, hombre, sí. Por ahí tengo la carta. Realmente conmovedora. Asegura, y yo lo creo, que está...

LOBITOS.—Está bajo tierra, en la chacarita.

GONZALO.—No.

LOBITOS.—Desde hace dos años.

GONZALO.—¡Caramba! Bueno, para flores. Toma.

LOBITOS.—*(Toma ahora el dinero. Conmovido.)* Eres único, Gonzalo. No sé cómo agradecerte tanto favor.

GONZALO.—No dándole importancia.

LOBITOS.—Sería un ingrato.

GONZALO.—Basta.

LOBITOS.—Yo he perdido ya la costumbre, pero mis hermanas son algo viejas las dos, solteronas. Las vecinas les dicen "misias". Misia Romualda. Misia Mercedes... Las pobres rezan siempre por ti. Como yo te tengo en la boca a cada rato. En el corazón, siempre, desde luego. Y ya sabes tú que yo no hago frases por el gusto de hacerlas. Gracias, Gonzalo.

GONZALO.—Bah, bah, bah. *(Teléfono.* GONZALO *se sustrae a la efusividad del amigo y toma el auricular.)* ¡Hola! Sí, habla con él... Con él mismo... ¿Y yo? ¿Rosita? Algo impreciso el dato, pero. ¿Cómo? Sí, en efecto. Es la única manera de poder trabajar tranquilo. No, no, imposible. Esta tarde no. A menos que prometa ser usted muy breve. ¿Cómo? Cinco minutos... Ni uno más. Bien. Daré en seguida la orden del caso. *(Cuelga. A* LOBITOS.*)* Rosita... Una flor de Dios sabe qué rama. *(Llama.)* ¡Juanona! Un asunto importantísimo para mí, según dice. *(Por foro* JUANONA.*)* ¿Alguien ha pretendido verme hace un instante?

JUANONA.—Sí, señor, una muchacha.

GONZALO.—¿Joven?

JUANONA.—No sabría decirle, señor. (ANTOLÍN *aparece por derecha y aclara.)*

ANTOLÍN.—Casi una colegiala y no mal parecida, si ha de creerse a Carmucha que la atendió.

GONZALO.—Del mal el menos. Una cara bonita no es importuna del todo.

ANTOLÍN.—No, señor: nunca. *(Timbre.)*

GONZALO.—Debe de ser ella. Hablaba del almacén de al lado. Hazla pasar, Antolín. *(Mutis* ANTOLÍN *por hall y* JUANONA *por terraza. Se oye la voz de* ANTOLÍN.*)*

ANTOLÍN.—Sí, señorita. La aguarda a usted. Por aquí *(En el vano del arco,* ROSITA. *Parece una colegiala, en efecto, más que por los pocos años, por lo tímido de la actitud y lo humilde del indumento algo monjil en la sim-*

plicidad de sus líneas. Rosita *sonríe cohibida y no sabe qué hacer con la valija que cuelga de su diestra.)*

Gonzalo.—¿Rosita?

Rosita.—Sí, señor.

Gonzalo.—¿Así, a secas?

Rosita. Por ahora, sí; mañana Dios dirá. (Gonzalo *cambia una expresiva mirada con* Lobitos.)

Gonzalo.—De acuerdo a lo pactado, la entrevista debe ser breve. Ello no excluye la comodidad, sin embargo. Tome asiento. Aquí.

Rosita.—Gracias. Con permiso. *(Deja la valija, avanza y se sienta en la punta de la silla, muy unidos los pies, un poco asombrados los ojos, que giran curiosos bajo el ala de la capotita. Breve pausa.)*

Gonzalo.—La escucho, señorita. (Rosita *no se determina. La cohibe* Lobitos.) El señor es amigo de confianza.

Rosita.—Para usted.

Gonzalo.—Para mí, claro.

Lobitos.—Te dejo, Gonzalo. Hasta siempre, señorita...

Rosita.—Señor... *(Mutis* Lobitos.)

Gonzalo.—Bien. Ya estamos solos.

Rosita.—Casi solos.

Gonzalo.—Exactamente: con Dios por testigo. Me dijo usted...

Rosita.—Puede tutearme, señor. *(Asombro de* Gonza-lo. *Ella explica.)* Yo tengo apenas dieciocho años y usted...

Gonzalo.—No precises.

Rosita.—Iba a decir cuarenta.

Gonzalo.—*(Halagado.)* ¿Cuarenta? Son algunos más. Cuarenta y... Bueno, al grano. Me dijiste que debías comunicarme algo muy importante.

Rosita.—Sí, señor, para que me recibiera.

Gonzalo.—¿Ah, fué simple argucia?

Rosita.—No; no, señor.

Gonzalo.—Explica entonces.

Rosita.—Traigo esta carta.

Gonzalo.—Apareció aquello. (Rosita *se pone en pie y*

va a dar el primer paso, cuando GONZALO *la detiene.)* Un momento. No te muevas. Te has puesto en pie e instantáneamente he revivido en mi memoria otra imagen algo imprecisa ya... ¿A quién te pareces?

ROSITA.—Me parezco a mamá. Ella ha sido más linda que yo, según dicen todos, pero eso no impide el parecido.

GONZALO.—¿Me conoce a mí tu mamá?

ROSITA.—Mucho.

GONZALO.—¿Y yo a ella?

ROSITA.—Algo menos.

GONZALO.—¿De dónde me conoce?

ROSITA.—Es historia vieja.

GONZALO.—¿Historia o cuento?

ROSITA.—¡Señor!

GONZALO.—Perdona.

ROSITA.—Esta carta va a explicárselo todo.

GONZALO.—¡Ah, sí, la carta! Trae. (ROSITA *la entrega. Ya con ella en la mano, antes de abrirla,* GONZALO *vuelve a observar a la muchacha.)* Decididamente, no recuerdo. *(Rasga el sobre, extrae el pliego, asombra los ojos y por tercera vez clava la mirada en* ROSITA.) Esto no debe de ser broma, ¿verdad?

ROSITA.—No, señor.

GONZALO.—¿Sabes lo que dice?

ROSITA.—Sí, señor. Mamá hizo muchos borradores. Unos le salían largos; otros poco expresivos. Al fin quedó contenta con ése y me lo dió a leer. Creo que puedo repetirlo sin omitir tilde. *(Y lo hace, en efecto, mientras* GONZALO *escucha y confronta estupefacto:)* "Gonzalo: Rosita es tu hija, nuestra hija. Acógela. A mi lado concluiría por perderse. Quizá complique un poco tu vida, pero quizá también haga menos tristes los días ya próximos de tu declinación. Perdona y adiós. Ahora para siempre: adiós."

GONZALO.—Amén.

ROSITA.—No es para tomarlo a broma, papá.

GONZALO.—No me digas papá. Yo no soy tu papá. Yo no sé si soy tu papá.

ROSITA.—Mamá lo sabe.

GONZALO.—¿Qué es lo que sabe?

ROSITA.—Que soy hija suya.

GONZALO.—De ella. Es la ventaja que tienen las madres: saber que es de ellas todo cuanto les nazca. No es mi caso, y huelga advertirlo. Tampoco soy tan cándido como por lo visto supones. ¡Ah, no, hijita!

ROSITA.—Sí, papá.

GONZALO.—No me digas papá.

ROSITA.—Usted acaba de decirme hijita.

GONZALO.—Fué un lapsus. Dije hijita como pude decir otra cosa. Sobral, por ejemplo. Se decía en mis tiempos: "No me parece Sobral que todos sean pinguines." No, pues. Una hija no es un grano que le brota a uno porque sí, sin anuncio previo, sólo porque florece la primavera. ¿De dónde sales tú? ¿Qué pitos tocas? ¿Qué noticias he tenido yo de tu preciosa existencia hasta el día de la fecha?

ROSITA.—Muchas. Mamá le escribió cuando vine al mundo.

GONZALO.—No recuerdo tal cosa.

ROSITA.—Cuando tuve la viruela boba.

GONZALO.—No recuerdo.

ROSITA.—Yo ignoraba entonces quién era usted y por qué se le escribía. Para mí era un señor Rey Millán; para algunas señoras amigas de casa, un tío rico muy lejano. Tampoco estaba en condiciones de apreciar el significado de sus respuestas.

GONZALO.—¿Qué respuestas?

ROSITA.—El dinero que a falta de palabras llegaba a casa de tanto en tanto. Y no debía de ser poco, de eso estoy segura, porque después de sus envíos, y por un tiempito, no faltaba postre en nuestra mesa.

GONZALO.—Algún confitero filántropo.

ROSITA.—Usted, mamá no miente.

GONZALO.—Yo tampoco.

ROSITA.—Usted, sí.

GONZALO.—Basta. Mocosa atrevida ésta.

ROSITA.—Yo, señor...

GONZALO.—Basta. *(Silencio.* ROSITA *se amilana.* GON-

ZALO *da unos pasos, y de pronto, en tono menos enérgico, si bien severa la actitud.)* ¿Cómo se llama tu madre?

ROSITA.—Zulema Zoraida. Para los íntimos Zulma.

GONZALO.—¿No será mora, verdad?

ROSITA.—No, señor: argentina.

GONZALO.—¿Cuándo la conocí, supuesto que en realidad la haya conocido?

ROSITA.—El veinte de este mes se cumplirán dicciocho años justos.

GONZALO.—Ya es precisar. ¿No sabes la hora?

ROSITA.—Sí, señor: las once y cuarto de la noche. Hay fechas que no se olvidan nunca.

GONZALO.—¿Dónde fué la cosa?

ROSITA.—En Mar del Plata.

GONZALO.—¿En el agua?

ROSITA.—No, señor: en seco. En un hotel..., el Bristol. Una noche de lluvia. Según mamá, esa noche...

GONZALO.—Aguarda. *(Suspende el paseo.)* ¿Era... era camarera tu madre?

ROSITA.—Sí, papá.

GONZALO.—*(Con menos energía.)* No me digas papá. *(Como si pensara en voz alta, olvidado de la interlocutora.)* Llovía, en efecto... Yo me había desvelado. En el techo de la habitación redoblaban los goterones: tac, tac, tac. Por los resquicios de la ventana llegaban efluvios de tierra húmeda, de sal de mar, de yodo... *(Vuelto a la normalidad, sorprendido.)* ¿Por qué me miras así? ¿Por qué sonríes? ¿He hablado en voz alta?

ROSITA.—Sí, papá.

GONZALO.—No hagas caso de lo que haya dicho. A veces disparata uno sin darse cuenta.

ROSITA.—Y a veces se deja escapar la verdad.

GONZALO.—No cantes victoria. La identidad del ambiente y aun la de los personajes, no presupone la de la comedia. El desarrollo puede ser distinto. Y el final también.

ROSITA.—El desarrollo no lo conozco, pero el final sí. Me lo ha contado mamá muchas veces. Pobre mamá. Tiene ya cuarenta años y no concluye de explicarse el hechizo que sufrió aquella noche. Fué un rapto de locura.

GONZALO.—¿Por qué locura? Nunca son las mujeres más cuerdas que cuando, según ellas, se vuelven locas. Algún día lo sabrás por experiencia tú también. Mientras tanto puedes creerlo bajo la fe de la palabra de un hombre que, de no ser así, hubiera tenido necesidad de instalar un manicomio para sus amigas.

ROSITA.—Sí, papá, lo creo.

GONZALO.—No me digas papá.

ROSITA.—Lo creo. (Por derecha ANTOLÍN.)

ANTOLÍN.—Don Gonzalo.

GONZALO.—¿Qué quieres?

ANTOLÍN.—Van a dar las siete, señor.

GONZALO.—¡Ah, caramba! (ANTOLÍN atraviesa la escena para salir por foro, abreviando los pasos para observar a ROSITA con curiosidad algo impertinente.) Bueno, hijita... Rosita, quiero decir. Este asunto es demasiado complejo para tratarlo en pocos minutos, y yo tengo los míos contados esta tarde. Tu presencia aquí excede todo cuanto pude yo pensar. Estoy como quien despierta de un sueño pesado. ¿Comprendes? Lo pensaré con calma. Hazme el favor: vete ahora y dentro de unos días...

ROSITA.—No, señor.

GONZALO.—Yo mismo te llamaré.

ROSITA.—No, no me voy.

GONZALO.—¿Cómo que no te vas?

ROSITA.—No puedo. He traído la valija y todo.

GONZALO.—Pues te la llevas "y todo" en paz.

ROSITA.—Imposible. ¿Adónde quiere usted que vaya?

GONZALO.—Podría ser al mismo diablo, pero me conformo con que sea a tu casa.

ROSITA.—No tengo casa.

GONZALO.—La llevarás a cuestas como el caracol.

ROSITA.—Teníamos un cuartito y lo levantamos hoy.

GONZALO.—Pero tu madre dormirá bajo techo, y donde duerme una...

Rosita.—No, señor. A estas horas mamá navega rumbo a la Colonia. De allí a Montevideo en ómnibus.

Gonzalo.—Y como hace calor, descubierto, ¿no es así?

Rosita.—Posiblemente sí, señor.

Gonzalo.—No, señor, digo yo. No puede ser. Hasta aquí podíamos llegar. Si no quieres irte por las buenas te irás por las malas.

Rosita.—Tampoco.

Gonzalo.—¿No, eh?

Rosita.—Tendrá que hacerme pedacitos así.

Gonzalo.—Harina, si es necesario. No faltaba más. *(La toma de un brazo y pretende sacarla.)* Camina.

Rosita.—No quiero, no quiero.

Gonzalo.—Te digo que camines. *(Suena el timbre.)*

Rosita.—No quie...

Gonzalo.—¡Chist! Calla.

Rosita.—Me hace daño. ¡Déjeme!

Gonzalo.—Calla. *(Le tapa la boca. Expectativa. Del hall, Antolín Voz de misterio.)*

Antolín.—Señor... Llegó la... el..., llegó el dulce de leche. Está en la salita.

Gonzalo.—Bien. Aguarda. *(A Rosita, amable, persuasivo.)* Rosita... Tendrás que esperarme un ratito.

Rosita.—¿Un ratito?

Gonzalo.—Una hora..., dos, tal vez.

Rosita.—Comprendo, lo... lo que dure el dulce.

Gonzalo.—¿El dulce?

Rosita.—Así dijo ése.

Gonzalo.—¡Eh, sí, sí! El dulce. Me lo estás amargando, hijita. Vamos, sé buena. Perdona si apreté mucho el brazo. Tú, Antolín: indícale el camino. Dile a Juanona que la acompañe. Hasta luego, Rosita.

Rosita.—Hasta luego, papá.

Gonzalo.—¡Chist! Habla bajo y no digas papá.

Rosita.—Como usted mande.

ANTOLÍN.—*(Estupefacto.)* Por aquí, señorita. (ROSITA *sigue a* ANTOLÍN. *Ya en la puerta se vuelve y saluda a la americana.)*

ROSITA.—"Good bay, papy." *(Ya solo* GONZALO, *suspira aliviado. En seguida busca un espejo o vidrio para componerse un poco; y está en esto, de espaldas al* hall, *cuando en el vano del arco, se recorta la silueta de una mujer elegantísima, exquisitamente otoñal, según se dijo.* MARILUZ, *así se llama, habla en tono desmayado propio de la situación y del ambiente ya penumbroso.)*

MARILUZ.—Si te acicalas mucho, voy a volverme loca antes que las circunstancias lo exijan.

GONZALO.—Mariluz. Por fin ha sido cierto.

MARILUZ.—Por fin venció el demonio. (GONZALO *pretende abrazarla; ella lo rehuye graciosamente y avanza unos pasos.)* No, déjame. Aún no.

GONZALO.—Hemos esperado tanto.

MARILUZ.—Tengo miedo.

GONZALO.—Miedo, ¿de qué?

MARILUZ.—Miedo, emoción, tristeza... De todo un poquito y a la vez. Algo indefinible. No sé ni cómo puedo hablar.

GONZALO.—No hables. *(La toma de la mano y se sienta con ella.)* Por ahora me basta con que mires.

MARILUZ.—Farsante.

GONZALO.—No sé si esto se me ha ocurrido a mí o lo he leído. Lo siento y basta. La primera estrofa del dúo eterno del amor, puede ser y es con frecuencia una frase vulgar: "Te quiero con toda el alma..." Pero la última, la del desmayo, se reduce a una palabra o a dos en distintos labios: el del nombre del ser querido paladeado y hecho miel en la boca.

MARILUZ.—¡Gonzalo!

GONZALO.—¡Mariluz! *(Tras breve pausa.)* ¿Te acuerdas?

MARILUZ.—¿De qué?

GONZALO.—De todo y de nada.

MARILUZ.—Todo estuvo en nuestra intención alguna vez; nada llegó a tener realidad.

GONZALO.—¡Pero aquel día!

MARILUZ.—¡Aquel día!... ¿Hace ya muchos años?

GONZALO.—Muchos; estábamos como ahora.

MARILUZ.—Como ahora, no. Un poco más apartados.

GONZALO.—Muy poco más.

MARILUZ.—Así.

GONZALO. Todo conspiraba a mi favor: la ausencia de tu marido; la noche cálida; una música lejana y misteriosa; la luna "envuelta en su capuz" como cantan en la vieja zarzuela. Y de pronto...

MARILUZ.—De pronto brilló en tus ojos una luz mala. Te tuve miedo, Gonzalo.

GONZALO.—¿Y ahora?

MARILUZ.—Ahora, no sé... No, ahora no. Será porque al cabo del tiempo, la luz aquella ha ido perdiendo su fulgor, poquito a poquito.

GONZALO.—O porque se ha hecho llamarada y te deslumbra y te ciega.

MARILUZ.—¡Gonzalo!

GONZALO. ¡Mariluz! (*Abrazo y beso largo, apasionado. Y ocurre entonces lo inaudito. En la terraza estallan los gritos de dos mujeres.*)

VOZ DE JUANONA.—¡Venga usted aquí!

VOZ DE ROSITA.—¡No quiero, esto no es una cárcel, déjeme!

VOZ DE JUANONA.—¡Ahora verás! (*Perseguida por* JUANONA, *después de recorrer en círculo la terraza,* ROSITA *irrumpe en el gabinete.*)

ROSITA.—¡Bruja! ¡Vieja bruja! (*Advertida por la actitud y la mirada de* JUANONA *descubre a la pareja, cuyo asombro no es para describirlo. Y trata de explicarse, tor-*

pe la lengua y el ademán.) ¡Ah!... Ustedes... Disculpen... Creí que estaban allí..., en la salita.. Había olvidado la valija y..

JUANONA.—No pude contenerla, señor.

ROSITA.—¡Vieja bruja!

GONZALO.—*(Con ira reconcentrada.)* ¡Calla!

ROSITA.—¡Perdón, papá!

GONZALO.—¡¡Calla!! *(Pausa. A* MARILUZ, *sumiso.)* Esta muchacha, Mariluz.

MARILUZ.—Estaba aquí en tu casa, te llama papá, y esto era suficiente para que yo no traspusiera sus umbrales de haberlo sabido.

GONZALO.—Es que no estaba, y en cuanto al parentesco... Escucha.

MARILUZ.—Ahora, no. Por favor.

GONZALO.—Te juro que hace un instante yo ignoraba su existencia. ¿Lo crees?

MARILUZ.—Sí. *(Se pone en pie, recoge guantes y cartera. Pausa penosa.)* ¡Adiós, Gonzalo!

GONZALO.—¡Adiós, Mariluz! *(Se dan la mano y tardan un instante en desasirse.* JUANONA, *asombrada, como* ANTOLÍN *poco antes, se adelanta a* MARILUZ *para darle paso en el arco del* hall *y abrirle la puerta.* ROSITA *queda inmóvil.* GONZALO *no vuelve a la realidad hasta que oye el ruido de la puerta que se cierra tras de su amante. Y estalla entonces incontenible.)* ¡Esto me pasa a mí por débil, por desgraciado, por...! *(Yendo hacia* ROSITA, *que retrocede y se arrincona como un animalucho acosado.)* ¡Si te hubiera hecho harina como pensé!... Pero nunca es tarde cuando la dicha es buena. No huyas. A ver esas orejas. Vuélvete. Voy a darte todos los azotes que sin duda te ha perdonado tu madre en muchísimos años. No te digo dónde porque me parece inútil. Pero antes, un tironcito de pelo... así.

ROSITA.—¡Ay, ay, ay!

Gonzalo.—Eso: la curiosidad Toma. Por imprudente, por atrevida, por cabeza dura. Y sobre todo y ante todo, por idiota.

Rosita.—Sí, papá.

Gonzalo.—¡Como vuelvas a decirme papá, voy a olvidar que alguna vez quise serlo y me sentiré Herodes! ¿Has oído?

Rosita.—Sí; sí, señor.

Gonzalo.—Apúntalo para que no se te olvide.

Rosita.—Sí, señor.

Gonzalo. *(Calmándose poco a poco.)* ¿Sabes lo que has hecho?

Rosita. Sí, señor.

Gonzalo.—¡No, no lo sabes!

Rosita.—No; no, señor.

Gonzalo.—Eres muy pebeta aún. Y muy inocente, quizá. No pondría yo la mano en el fuego, pero debo admitirlo. De lo contrario habría que suponerte muy mala intención, demasiada.

Rosita.—Sí, señor.

Gonzalo —Me has puesto en ridículo.

Rosita.—Perdón, pa... perdón, señor.

Gonzalo. *(Ahora como antes para sí.)* Bueno, no... ¡Qué diablos! Una hija ilegítima siempre da cartel. ¡Claro que sí! Además hasta ese momento estaba yo quedando como un hombre. Conservo la verba de mis mejores años, no hay duda. Y la parada, dicho sea en buen criollo. Ella lo reconoció: fué el destino quien puso entre nosotros este nuevo punto y aparte. Peor hubiera sido... ¡no quiero ni pensarlo!... ¡Muchísimo peor! *(Sonríe, recuerda de nuevo a Rosita, y al volverse ve a la muchacha detrás de él, pues lo ha seguido mientras monologaba, con manifiesta curiosidad.)* ¡Hola! ¿Con la orejita tendida, eh?

Rosita.—Sí, señor, pero ahora no he podido entender nada. Del final nada.

GONZALO.—Más vale así. Ven.

ROSITA.—No; no, señor.

GONZALO.—No temas, tonta. Lo pasado, pasado y olvidado. Perdona los pellizcos y los repelones. ¿Te dolió mucho?

ROSITA.—No; no, señor. Muy poco. Grité por gritar. Casi me gustó.

GONZALO.—¿Ah, sí?

ROSITA.—Por ser usted, sí, señor.

GONZALO.—Fué una viaraza. Se acabó. Ven, vamos a conversar como buenos amigos. Y si quieres me dices papá de cuando en cuando.

ROSITA.—Sí, papá. *(Se sientan.)*

GONZALO.—¡Ahajá! Vamos a ver. Cuenta con franqueza. ¿Cómo está tu mamá? ¿Bien?

ROSITA.—Sí.

GONZALO.—¿Qué edad tiene ahora? Alrededor de cuarenta posiblemente.

ROSITA.—Sí.

GONZALO.—Los años hacen herejías. Sobre todo con las mujeres. ¡Pobrecitas! ¿Se conserva buena moza? ¿No ha engordado mucho? *(Sin mirarla, añorando.)* Sería una lástima. Te aseguro que sería una lástima. (ROSITA *ya no contesta. Se limita a mirarlo, extasiada, casi babosa. Y así cae el*

TELÓN

ACTO SEGUNDO

La misma decoración. La mañana siguiente.

En escena, Doña Juanona, Carmucha y Antolín. Subida a un banco y auxiliada por Juanona, Carmucha cambia los visillos de la ventana. Con un pie en el gabinete y otro en la terraza, Antolín cepilla un traje de Gonzalo.

JUANONA.—Los hijos los da Dios, don Antolín.

ANTOLÍN.—No todos, doña Juanona. Algunos llegan a este pícaro mundo sin el permiso correspondiente. De contrabando.

CARMUCHA.—¿Usted cree que Rosita?... ¿Se llama Rosita, verdad?

ANTOLÍN.—Rosita.

CARMUCHA.—Conteste, don Antolín, no se haga el sordeli. ¿Usted cree?

ANTOLÍN.—Yo no creo nada, tratándose de asuntos como el respective, digo como decía aquel del cuento: "puede ser, pero quién sabe".

CARMUCHA.—¿Era tuerto ese desconfiado?

ANTOLÍN.—Era correntino.

JUANONA.—Y contrabandista, quizá.

ANTOLÍN.—Sin quizá.

CARMUCHA.—Tuerto, correntino, contrabandista... ¡Casi nada!

ANTOLÍN.—Por eso era difícil meterle la mula. Sobre todo en cuestión de polleras. Quedan ustedes advertidas por si tropiezan por ahí con él cualquier noche.

JUANONA.—Yo paso. Por vieja.

CARMUCHA.—Y yo por inocente.

ANTOLÍN.—¿Inocente, eh? ¡Ja... jay...! Como ríes tú.

CARMUCHA.—¡Ja... raba! Como ríe el señor Lobitos. Jugaría a la ronda con muchísimo gusto. (*Como si lo hiciera.*) Juguemos a la ronda, que el lobo ya no está. ¿Lobo, estás? Me estoy poniendo los pantalones.

JUANONA.—No sea desvergonzada, Carmucha. (CARMUCHA *ríe.*)

ANTOLÍN.—Yo no veo la desvergüenza, señora.

JUANONA.—Usted claro...

ANTOLÍN.—Ni la lógica. La del lobo, digo. Frente a Carmucha, lo grave no es ponerse los pantalones sino lo contrario. (CARMUCHA *vuelve a reír.*)

JUANONA.—¡A ver si te oye!

ANTOLÍN.—¡Ríe, Carmucha, ríe! La risa es salud, y en ocasiones plata. Te lo aseguro yo, que por no saber resistir la de ciertas lagartas soy un pato crónico.

CARMUCHA.—¡Cua-cua-cua! (*De súbito, alarmada.*) ¡Chist! ¡Don Gonzalo! (*Salta del banco y mutis por foro, corriendo. Por derecha,* DON GONZALO.)

JUANONA.—Buenos días, señor.

GONZALO.—Buenos. (DON GONZALO *enciende un cigarrillo, sale a la terraza, echa allí una ojeada y vuelve.*) ¿Dónde anda ésa?

JUANONA.—(*Oficiosa.*) ¿La niña Rosita? Hace un rato dormía profundamente.

GONZALO.—¡Dichosa ella! Yo no he podido pegar los ojos.

JUANONA.—La conciencia, señor.

GONZALO.—No aventures hipótesis, Juanona. Sea quien sea esa muchacha, le he dado pan y techo.

JUANONA.—Quizá no baste, señor.

GONZALO.—Quizá sea excesivo. Y hazme el favor: tráeme el desayuno.

JUANONA.—¿Es para echarme?

GONZALO.—Es para satisfacer el apetito. ¡Vete! Todavía no te he dado yo vela en este entierro.

JUANONA.—Ni yo la enciendo, señor, pero...

GONZALO.—¡Basta! A ver si además de una hija se me ha colado en casa un moscardón. *(Mutis* JUANONA *por foro, refunfuñando.* GONZALO *da un paseíto.* ANTOLÍN *prosigue impertérrito su tarea. Breve pausa.)* ¡Deja el cepillo! ¡Me pones nervioso! ¿Diste anoche con Lobitos?

ANTOLÍN.—En su casa, sí, señor.

GONZALO.—¿En su casa?

ANTOLÍN.—Sí, señor. Por un casual se había recogido temprano. ¡Milagros que ocurren! Por cierto que las señoritas hermanas querían llamar al médico. Como nunca lo hace antes del amanecer...

GONZALO.—¿Le contaste la historia?

ANTOLÍN.—¡Desde sus remotos orígenes hasta nuestros días! Capítulo por capítulo. Don Lobitos se puso en campaña anoche mismo. Tiene buenos amigos en el Departamento de Policía. Vendrá a primera hora.

GONZALO.—Son ya cerca de las once.

ANTOLÍN.—Don Lobitos empieza a contar las horas después de mediodía.

GONZALO. Como yo. Sólo que hoy... *(Paseo. De súbito.)* Oye. Acabas de decir que le has contado la historia desde sus remotos orígenes.

ANTOLÍN.—En Mar del Plata, sí, señor.

GONZALO.—¿Es que los recuerdas en realidad?

ANTOLÍN.—¡Como si acabara de bañarme en la playa Bristol, donde efectivamente lo hice aquella madrugada!

GONZALO.—¿Por qué tan temprano?

ANTOLÍN.—Necesitaba despejarme un poco.

GONZALO.—¿Habías pasado mala noche?

ANTOLÍN.—Según lo que entendamos por mala, señor, que para mí fué buena.

GONZALO.—¡Y para mí también, tonto!

ANTOLÍN.—Lo suyo me consta.

GONZALO.—¿Te consta?

ANTOLÍN.—Sí, señor.

GONZALO.—¿No será mucho aventurar?

ANTOLÍN.—No; no, señor.

GONZALO.—No, señor. Sí, señor. Eres excesivamente categórico, Antolín.

ANTOLÍN.—Cuando llegué al hotel la mañana respectiva aún dormía allí todo el mundo. Los corredores estaban penumbrados. Iba yo por uno de ellos pasito a pasito, cuando de pronto, ya próximo al departamento del señor, advertí que giraba el picaporte de una de las puertas. Aquí hay gato, pensé, me hice a un lado, paré la oreja, abrí el ojo y, efectivamente...

GONZALO.—¡Miau!

ANTOLÍN.—¡Miau, sí, señor! Un segundo después, veía salir a la camarera a quien usted distinguía con las mejores propinas y las sonrisas más anchas. ¡Bien merecía unas y otras por cierto, la interfecta!

GONZALO.—¿Sí, eh?

ANTOLÍN.—Sí, señor. Y no es que yo pensara mal por el gusto de hacerlo, ni por "sport", como quien dice. Eran tiempos aquellos de juventud. Y como es natural...

GONZALO.—No se perdían las noches jugando al "rummy", por ejemplo.

ANTOLÍN.—¡Ni por pasteles, no señor! Cuando pasada la sorpresa, entré a las habitaciones...

GONZALO.—Omite detalles. Lo que interesa es el hecho y el hecho resulta indubitable. Si los historiadores se ocuparan de tales minucias, estarían de acuerdo. Y con ellos algún testigo accidental aunque tan digno de crédito como tú.

ANTOLÍN.—He dicho la pura, señor.

GONZALO.—Lo creo. Debo aceptar también que aquella aventura de una noche de verano tuvo o pudo tener consecuencias.

ANTOLÍN.—Es lo lógico, señor.

GONZALO.—En épocas pasadas lo era mucho más, entonces venían los chicos a este valle de lágrimas con mayor frecuencia. Hoy día se quedan muchos en el camino.

ANTOLÍN.—¡Dígalo el señor!

GONZALO.—¡Ay, Antolín! Anoche escarbaron hondo en mis recuerdos. Tácitamente reconocí la exactitud de algunas referencias concretadas por Rosita. Cuando hace años, por diversos conductos, se me hizo saber su nacimiento, contesté en la única forma que yo he sabido contestar.

ANTOLÍN.—En efectivo, sí, señor. Yo lo llevé varias veces. Y ahora recuerdo que en una de ellas vi a la madre casi en la intimidad. Dándole el pecho a un crío.

GONZALO.—Lo que quiere decir que la criatura existió.

ANTOLÍN.—Y que mamaba, sí, señor.

GONZALO.—Indiscutible. Hasta aquí, indiscutible. Pero ahora entramos en un tembladeral cuyo vado exige mucha prudencia.

ANTOLÍN.—Sí, señor, ahí está el busilis.

GONZALO.—Ahí, ahí.

ANTOLÍN.—Se dan muchos camelos.

GONZALO.—¡Muchos!

ANTOLÍN.—Días atrás presencié uno bien gordo en una película de Danielle Darriú.

GONZALO.—Abramos el ojo, Antolín. Digo abramos porque tu probada adhesión me obliga a reconocerte solidario con todo cuanto me atañe.

ANTOLÍN.—Usted dispone de mí, don Gonzalo. Si es preciso, cargaré con el burro.

GONZALO.—¿Con qué burro?

ANTOLÍN.—Con el muerto. Con la chica, quiero decir.

GONZALO.—¡Ah, no, no! Para padre me bastaría yo una vez desvelado el misterio. Y volvamos al interrogatorio.

¿Aquella criatura es esta criatura? Rosita, que podría ser mi hija, ¿es realmente mi hija?

ANTOLÍN.—¡Sí que es charada, sí!

GONZALO.—Concedo pasar por egoísta; pero me revienta que me tomen por tonto. Eso de reconocer como propia una obra del dominio público sólo por haberla ojeado así como al descuido, es cosa grave, Antolín.

ANTOLÍN.—¡Caray!

GONZALO.—No creo en la voz de la sangre. Yo no la oigo. ¿Qué pálpito tienes tú? ¿Qué opinas en concreto?

ANTOLÍN.—Por ahora nada, señor. Observo, huelo... Cuando don Lobitos traiga nuevos datos, ataré cabos si usted me lo permite.

GONZALO.—¡Como no hagas ruido!

ANTOLÍN.—Entre tanto... con perdón, don Gonzalo, no debe usted primitir que le llamen papá.

GONZALO.—¿Por qué?

ANTOLÍN.—Porque debe de chocar serlo, digo yo, así, de golpe y porrazo.

GONZALO.—Choca, en efecto, choca.

ANTOLÍN.—Por el hilo sácase el ovillo, señor; y de la edad de esa señorita deducirán la suya.

GONZALO.—Aumentada probablemente.

ANTOLÍN.—Inda mais, sí, señor.

GONZALO.—¡Inda!

ANTOLÍN.—Hay otra razón. La fundamental. Ya la insinuó usted mismo y se las daba yo a ésas anoche. Aludo a doña Juanona y a Carmucha, mujeres y charlatanas al fin. "Con ustedes, hijitas, les dije, siempre cabe la duda."

GONZALO.—¡Cabe y sobra espacio!

ANTOLÍN.—¡Me lo ha quitado usted de la boca, señor! Acaso me oyó usted. Estábamos en la cocina, pero cuando se discuten ciertas cosas al respective, se acalora uno.

GONZALO.—En la cocina nada más natural.

ANTOLÍN.—¡Es que esa Carmucha!...

GONZALO.—Y con Carmucha cerca nada más lógico.

ANTOLÍN.—El hombre es débil, don Gonzalo, y entre dos fuegos...

GONZALO.—¡Manteca!

ANTOLÍN.—¡Mismamente!

GONZALO.—Lo de papá es una concesión precaria. Quiero infundirle confianza, desatarle la lengua. Sólo así descubriremos la verdad en cuanto esa verdad me compromete y me obligue.

ANTOLÍN.—¡Ah, sí, sí! Como dicen en ciertas comedias: "ahora lo comprendo todo".

GONZALO.—En tal caso, puedo ir a bañarme.

ANTOLÍN.—¿Y el desayuno, señor?

GONZALO.—Ya tarda demasiado. (*Mutis por derecha.* ANTOLÍN *toca un timbre mural. Por la terraza,* CARMUCHA. *Trae el desayuno en una mesita rodante.*)

ANTOLÍN.—¿Te habías dormido o qué?

CARMUCHA.—No hay gas y hubo que encender carbón.

ANTOLÍN.—¿Carbón, eh? Quizá bastara el fuego de tus ojos, rica.

CARMUCHA.—¿Sí? ¿Queman mucho?

ANTOLÍN.—¡Derriten!

CARMUCHA.—¡Jesús!

ANTOLÍN.—Por eso es mejor que lleves tú el desayuno hasta el baño.

CARMUCHA.—¡Pero don Antolín!

ANTOLÍN.—A mí se me enfriaría en el camino. ¡Anda!

CARMUCHA.—Bueno... Vía libre. (ANTOLÍN *se aparta y* CARMUCHA *puede hacer mutis por derecha.*)

ANTOLÍN.—¡Ay, quién tuviera veinte años menos! (*Suspiro.*) Bueno, aunque fueran diez. (*Suspiro.*) (*Suena el teléfono.*) ¡Hola! ¿Don Lobitos? Sí, señor, ya está levantado y le aguarda. ¿Cómo? No. Aquí ninguna novedad. Continuamos a la expectativa. Sí; sí, señor. Cuando usted quiera. (*Cuelga el tubo. Al darse vuelta hacia el foro descubre a* ROSITA. *La muchacha se halla en la terraza, frente a la puerta, desorientada, perdida en la amplitud de un pijama de* GONZALO.) ¡Señorita Rosita!

ROSITA.—Buen día, don Antolín.

ANTOLÍN.—Gracias, y lo mismo digo, señorita. *(Pausa.* ANTOLÍN *se esfuerza en permanecer serio. Ella lo advierte, avanza unos pasos recogiéndose los pantalones, y ya en el gabinete, le busca la cara al viejo y lo anima, cordial.)*

ROSITA.—Ríase, no más. Yo ya me he reído ante el espejo. Esto me queda un poco grande, no hay duda.

ANTOLÍN.—Sí, un poco. No encontramos anoche ninguno más chico entre los del señor.

ROSITA.—Me pierdo dentro de él. Temo salirme por una manga o por una pierna.

ANTOLÍN.—Sería un plato, dicho sea con perdón, señorita.

ROSITA.—Dos platos, don Antolín: yo con menos ropa que la indispensable y usted con más ojos que lo prudente.

ANTOLÍN.—Los cerraría, señorita.

ROSITA.—No lo creo.

ANTOLÍN.—Yo tampoco. Fué un decir.

ROSITA.—Un decir y posiblemente un desear. ¡Pícaro!

ANTOLÍN.—¡Señorita!

ROSITA.—¿Qué hora es?

ANTOLÍN.—Las once.

ROSITA.—¿Es posible?

ANTOLÍN.—Mire usted.

ROSITA.—¡Qué barbaridad! Nunca he dormido tanto ni tan bien. Estiraba piernas y brazos para un lado y para otro, para la cabecera y para los pies, y siempre había un colchón abajo y cobijas arriba. ¿Para cuántos es esa cama?

ANTOLÍN.—Para uno y medio.

ROSITA.—A mí, habituada a una jaula, se me antojaba para tres.

ANTOLÍN.—Para ésas que ahora abusan del régimen, podría ser, sí, señorita.

ROSITA.—¿Quién la ocupa otras noches?

ANTOLÍN.—Algún huésped, pero sólo de cuando en cuando.

ROSITA.—¿Algún?

ANTOLÍN.—Sí, señorita, algún. *(Breve pausa.* ROSITA *observa el gabinete.)*

ROSITA.—Anoche parecía esto menos alegre. *(Vuelve a observar.)* Mucho menos. ¡Claro, con el sol ahí y ese fondo de cielo!... ¿Dónde está papá?

ANTOLÍN.—*(Como rectificando.)* Don Gonzalo está en el baño, señorita.

ROSITA.—¿Y el baño queda? (ANTOLÍN *va a señalar, y en ese mismo instante vuelve* CARMUCHA. *Las dos mujeres se miran: con mirada discreta* CARMUCHA; *agresiva* ROSITA.)

CARMUCHA.—Buenos días. (ROSITA *no contesta. Mutis* CARMUCHA *por foro.)*

ROSITA.—¿Quién es?

ANTOLÍN.—Una criada... ¡Carmucha!

ROSITA.—¡Anoche no la vi! *(Se corre hasta el foro y trata de verla mejor.)* ¡Hum! Demasiado joven para casa de viejos. (ANTOLÍN *frunce el ceño; ella lo nota y lo desarma, pícara.)* Lo digo por papá.

ANTOLÍN.—Es de Gonzalo, señorita...

ROSITA.—*(Curiosa.)* ¿Cincuenta y cinco?

ANTOLÍN.—Cincuenta.

ROSITA.—*(Complacida.)* ¿Sí?

ANTOLÍN.—Apenas.

ROSITA.—Y aún representa menos.

ANTOLÍN.—Como yo. (ROSITA *ríe incrédula;* ANTOLÍN

se azora un poco.) No llevo mis papeles encima, pero...
(ROSITA *ríe escandalosamente.)* Bueno, se me han quemado. La cosa es al revés. Yo tengo unos poquitos más.

ROSITA.—¿Poquitos? *(La risa de* ROSITA *se hace convulsiva; pero de pronto repara en una de las fotografías y se contiene para preguntar:)* ¿Y ésa quién es?

ANTOLÍN.—La... la..., una.

ROSITA.—No la explique. Una... sinvergüenza, seguramente *(Tira la fotografía)* ¡A la basura!

ANTOLÍN.—¡Señorita! *(Idem.)*

ROSITA.—Como ésta. *(Idem.)* Y ésta. *(Idem.)* Y ésta...

ANTOLÍN.—¡Señorita, yo no puedo consentir!...

ROSITA.—Esta es una casa decente. Debe ser una casa decente, y con estas locas no lo parece.

ANTOLÍN.—¡No, no tirará ya otras...!

ROSITA.—¿Qué? ¿Cómo? ¿Qué pasa? ¿Qué es esto de levantarme la voz e impedir que haga mi soberana voluntad? ¿Quién soy yo aquí?

ANTOLÍN.—Señorita...

ROSITA.—¡Contesta, vejestorio! ¿Quién soy yo aquí? *(Encarado por* ROSITA, ANTOLÍN *retrocede hacia el dormitorio, y cuando ella acaba de formular la última pregunta, aparece* GONZALO, *en bata, con un pocillo de café en la mano.)*

GONZALO.—*(Sin alterarse, sonriente.)* Eso pregunto yo también. ¿Qué hay? ¿Qué pasa? ¿Quién soy yo aquí?

ROSITA.—*(Cohibida.)* ¡Papá!

GONZALO.—¡Suprime el papá! *(A* ANTOLÍN, *que quiere recoger las fotografías dispersas.)* Deja, Antolín. Las recogerá quien las ha tirado. *(Mutis* ANTOLÍN *por foro. Breve pausa.* ROSITA *está inmóvil, cabizbaja.)* ¿No has oído?

ROSITA.—Sí.

GONZALO.—¿Qué esperas entonces?

ROSITA.—Es que esas mujeres...

GONZALO.—No te deslengües. Esas mujeres han llenado horas vacías en mi vida.

ROSITA.—Como mi madre.

GONZALO.—Quizá. Pero no hay por qué señalar analogías.

ROSITA.—¡Es que si así fuera!...

GONZALO.—*(Enérgico.)* Si así fuera, ¿qué?

ROSITA.—Nada. *(Sin prisa, de mala gana y con peores maneras, recoge las fotografías. Una de ellas atrae su atención y después de mirarla, lee la dedicatoria:)* "Para... mi... amor de... siempre." *(Irónica.)* ¡De siempre! Esta no es la de anoche.

GONZALO.—¡No, es otra!

ROSITA.—Sí, otra. ¿Qué tal?

GONZALO.—¡Otra, simplemente!

ROSITA.—¡Otra!

GONZALO.—Calla, estás hablando con tu padre.

ROSITA.—Usted no es mi padre.

GONZALO.—Entonces tú eres una intrusa.

ROSITA. —¡No, eso no!

GONZALO.— ¡Eso, no! ¡Habráse visto!... Pon las fotografías donde estaban. ¡Amontonadas no!... Cada una en su sitio. *(ROSITA obedece en silencio. Pausa.)* ¡Pronto has criado alas, hijita!

ROSITA.—Venía con ellas.

GONZALO.—¿Sí, eh? En tal caso será menester cortártelas. Y de paso la lengua. Y de postres, el pijama.

ROSITA.—El pijama es suyo.

GONZALO.—Razón suficiente para que lo cuidaras un poco más. Dóblate los pantalones. *(ROSITA lo hace. Otra pausa.)* Según Juanona, sólo has traído en la valija dos pañuelos y un par de medias.

ROSITA.—Nada más.

GONZALO.—Muy poca ropa para tamaño bulto.

ROSITA.—Cada uno carga lo que tiene.

GONZALO.—Y yo con mis culpas.

ROSITA.—Conmigo ahora.

GONZALO.—Eso es; contigo ahora. ¡Toda una ganga!

ROSITA.—Podía ser peor.

GONZALO.—Podía. Los grados de la terquedad son infinitos. Como los de la tontería; y yo debo de ser tonto en extremo cuando tolero tus impertinencias. *(Pausa. Paseo.)* ¿Has dormido bien?

ROSITA.—Sí, señor.

GONZALO.—Si quieres, puedes sentarte.

ROSITA.—Sí, señor.

GONZALO.—Conviene aclarar la situación. Te tendré aquí hasta encontrarte otro destino apropiado. Alguna pensión honorable... Algún internado... Alguna "menagerie" para fierecillas. Esto último con preferencia. En el ínterin, bueno será que no te tomes más prerrogativas que las que yo quiera darte.

ROSITA.—Las que me corresponden.

GONZALO.—¡Las que yo quiera darte!

ROSITA.—¡No, señor!

GONZALO.—¡Sí, señor!

ROSITA.—¡Por derecho!

GONZALO.—¡Por gracia!

ROSITA.—Como usted grita más que yo, me rindo.

GONZALO.—Grito y razono.

ROSITA.—*(Irónica.)* ¡A cualquier trapo le llaman chaleco!

GONZALO.—Y a cualquier chancleta, zapato.

ROSITA.—Esa es mi desgracia, haber nacido chancleta.

GONZALO.—Y ésta es mi debilidad: contener el zapato cuando alguna mocosa se me sube a las barbas.

ROSITA.—No veo las barbas.

GONZALO.—¡Ya me afeité!

ROSITA.—Por eso no puedo verlas.

GONZALO.—¿A quién sacas semejante genio?

Rosita.—A usted.

Gonzalo.—A mí, no. Lo comprueba la paciencia con que te escucho.

Rosita.—Entonces, lo ignoro. Mi madre es muy buena y me quiere mucho. Y siempre me ha tenido en palmitas.

Gonzalo.—¡Así le has salido! *(Pausa.)* Y a propósito de tu madre. Voy a decírtelo con toda la delicadeza del caso, pero también sin ambages hipócritas. Cuanto indispensable, las píldoras al natural, sin dorarlas. Mi trato con ella fué harto breve. Más dura un lirio. Yo lo considero siempre un simple accidente. Un tropezón, digamos; y ya sabes tú..., debes saberlo, porque se ha dicho hasta el cansancio, inclusive como música, que un tropezón cualquiera da en la vida.

Rosita.—Perdone que no le ría el chiste.

Gonzalo.—Peor para ti. Si no sabes reír harás malas migas conmigo.

Rosita.—No se ríe quien quiere, sino quien puede.

Gonzalo.—¿Y tú no puedes?

Rosita.—No puedo.

Gonzalo.—*(Acercándose y algo más cordial.)* A ver... Levanta la cabeza. Así. Mírame. Voy a hacer una payasada que nunca me falló en mis tiempos de mozo. Fíjate. Aquí. Muevo esta oreja como puede hacerlo un animalucho. ¿Lo adviertes?

Rosita.—*(Sonriendo a pesar suyo.)* Sí, señor.

Gonzalo.—Queda demostrado: puedes reírte. *(Otra pausa. Rosita, que hasta ahora ha rehuido la mirada de Gonzalo, se atreve a mirarlo. El diálogo o la situación, mejor dicho, se humaniza aún más.)* ¿Te has desayunado?

Rosita.—No, señor. Me llevaron el café a la cama, pero estaba tan cómoda, me sentía tan a gusto...

Gonzalo.—¿Perezosa también, eh?

Rosita.—Sí, señor. Y desobediente, y algo curiosa, y

un poquito amiga de lo ajeno, y una cuenta-musas, número uno.

GONZALO.—¿Cuenta musas?

ROSITA.—Globera..., mentirosa.

GONZALO.—¡Ah!

ROSITA.—Todo eso amén de los defectos que ya me habrá usted adivinado.

GONZALO.—¡Completa!

ROSITA.—Sí, señor. Aquí no se engaña a nadie.

GONZALO.—¡Quedo advertido!

ROSITA.—Sí, señor.

GONZALO.—Y ahora me explico por qué estás algo pálida: porque has perdido la vergüenza.

ROSITA.—No; no, señor: porque no me he puesto aún colorete.

GONZALO.—¿Colorete? *(Se acerca otra vez.)* Quizá no te haga falta. *(Le da un pellizco.)* A tus años, lo natural supera siempre a lo ficticio. Aún tienes pelusilla en los carrillos.

ROSITA.—Sí, señor.

GONZALO.—Como los duraznos.

ROSITA.—Sí, señor. Si usted quiere los tiro.

GONZALO.—¿Tiras, qué?

ROSITA.—Los lápices y pinturas.

GONZALO.—¡Hombre! Al fin te avienes a hacerme el gusto.

ROSITA.—Sí, señor.

GONZALO.—Tendré que agradecértelo.

ROSITA.—¿Los tiro?

GONZALO.—Sí, tíralos. ¡Porquería! Si acaso, ya me encargaré yo de pellizcarte un poco. Como hace un instante en este carrillo. Y ahora en este otro. Para igualarlos. *(Toma distancia y contempla su obra satisfecho.)* ¡Magnífico! No creo que haya mejor "rouge".

ROSITA.—Lo malo es que tendrá que molestarse a cada rato.

GONZALO.—Por eso no lo dejes.

ROSITA. ¿Y si en ese momento está usted... ocupado..., si tiene visitas, por ejemplo?

GONZALO.—En tal supuesto... ¡Caramba, hijita! Fío en tu discreción.

ROSITA.—No me atrevo a garantizarla. Mejor sería que no recibiera visitas. Como si estuviera de luto, papá.

GONZALO.—¡Caray, hijita!

ROSITA.—Alguna vez tendrá que hacerlo.

GONZALO.—Sí; alguna vez, sí. Espero que tarde un poco todavía. No me entierres, por Dios. Aún puedo dar mucha guerra en este mundo. (ROSITA *sonríe.*) ¿No lo crees?

ROSITA.—(*Vehemente, sincera.*) ¡Sí; sí, lo creo! De veras lo creo. Sólo que...

GONZALO.—Basta. Si lo explicas lo echarás a perder. (*Toca el timbre. Aparece* ANTOLÍN *por izquierda.*) Rosita dejó enfriar el desayuno, Antolín, y se siente algo débil. Tráele un vasito de leche.

ANTOLÍN.—¿Pequeño, verdad?

GONZALO.—Sí, ya es tarde.

ANTOLÍN.—Sin pan ni manteca, claro...

ROSITA.—Solo.

ANTOLÍN.—Me lo figuraba. (*A* DON GONZALO.) La señorita Rosita debe de ser de las que cuidan la línea. (*Mutis* ANTOLÍN. ROSITA *ríe con ganas.*)

GONZALO.—Te dejo por un rato. Estaba por meterme al baño cuando oí tus voces. Espero que ahora serás más discreta.

ROSITA.—Sí, papá.

GONZALO.—¡No me digas pa...! Bueno, pase por esta vez. Hasta el almuerzo. Espero verte vestida. Y ya sabes: el "rouge" corre por mi cuenta. (*Mutis por derecha.* Ro-

SITA *lo sigue con la mirada. Por foro, con el vaso de leche,* ANTOLÍN.)

ANTOLÍN.—Servida, niña Rosita.

ROSITA.—Gracias, don Antolín. Por la leche y por el tratamiento. Anoche me llamó señorita, y ahora niña.

ANTOLÍN.—Niña es más cariñoso, niña.

ROSITA.—En retribución lo tutearé. Gracias, Antolín.

ANTOLÍN.—Usted puede hacer de mí lo que quiera.

ROSITA.—No, lo que quiera no; eso Carmucha, a poco que se empeñe.

ANTOLÍN.—¡Niña!

ROSITA.—No creas que me chupo el dedo. Lo observo todo. Te babeas mirándola.

ANTOLÍN.—Sí, me tiene un poco deslumbrado. Los ojos no se entregan así no más, niña. *(Timbre.)*

ROSITA.—Llaman. Papá sin duda.

ANTOLÍN.—No, es la puerta. *(Timbre.)* Don Lobitos.

ROSITA.—¿Quiere que abra yo?

ANTOLÍN.—¡No faltaba otra cosa! Con esa facha, además, y usted perdone...

ROSITA.—¡Ah, es verdad! Esta facha. Ya no me acordaba. *(Del baño la voz de* GONZALO.)

GONZALO.—¡Antolín!

ROSITA.—Ahora es papá.

ANTOLÍN.—Sí, pero no importa. *(Mutis por* hall. ROSITA *retrocede hasta la terraza y espía desde allí. Vuelve* ANTOLÍN *y da paso a* LOBITOS.) Hoy le hemos hecho madrugar, ¿eh?

LOBITOS.—Dios me lo tendrá en cuenta.

ANTOLÍN.—Y don Gonzalo. *(Después de cerciorarse de que nadie los oye.)* ¿Averiguó usted algo?

LOBITOS.—Sí, algo; esa muchacha debe de ser más mentirosa que bonita.

ANTOLÍN.—¿Sí, eh?

LOBITOS.—Lo sospecho. Anúnciame.

ANTOLÍN.—En seguida. *(Para sí, filósofo.)* ¡Mujeres! *(Mutis.* LOBITOS *enciende un cigarrillo y ocupa una butaca cuando oye un ruido de vajilla rota. A* ROSITA *se le ha caído el vaso y sus adminículos, y está ahí frente a la ventana, indecisa.* LOBITOS *corre en su ayuda.)*

ROSITA.—No, no. Deje no más, señor. Sólo recogería pedacitos.

LOBITOS.—Sí, es verdad.

ROSITA.—Soy muy torpe.

LOBITOS.—A cualquiera le pasa.

ROSITA.—Cierto. A cualquiera que oiga decir de ella lo que yo he oído decir de mí hace un instante.

LOBITOS.—*(Sorprendido.)* ¡Ah, perdón! Usted..., usted es Rosita.

ROSITA.—Rosita. Usted don Lobitos.

LOBITOS.—Sin el don.

ROSITA.—El mismo que estaba aquí anoche cuado yo llegué.

LOBITOS.—El mismo.

ROSITA.—Amigo íntimo de papá y pesquisa oficioso.

LOBITOS.—¿Pesquisa, yo?

ROSITA.—Perro, dicen algunos.

LOBITOS.—¡Señorita!

ROSITA.—*(Violenta.)* ¡Sí, perro, perro! No lo niegue. Sería inútil. Y cobarde además. ¡Desde anoche anda husmeando por ahí y ahora viene a soplar que yo no he vivido nunca donde dije vivir y que en el barrio ignoran quién soy y no tienen la menor noticia ni de mi madre, ni de mi abuela!

LOBITOS.—En efecto...

ROSITA.—Parece mentira que un hombre joven como usted se ocupe de una pobre muchacha como yo. *(Tono lastimero.)* Cada uno vive como puede, sabe... ¿Le importa a usted algo de todo eso?

Lobitos.—¡A mí, no! Es decir..., como amigo de su papá...

Rosita.—Mi papá. (Con un susurro de voz.) Mi papá tal vez no sea mi papá.

Lobitos.—Tal vez.

Rosita.—No es mi papá.

Lobitos.—¿De qué papá habla?

Rosita.—De éste. (Llorando.) El otro..., el de verdad, murió hace mucho tiempo.

Lobitos.—Pero ¿entonces, señorita?... ¡Caramba! La superchería es asombrosa. Si no la confesara usted misma... Necesito oírlo otra vez sin embargo. Haga el favor: repita.

Rosita.—No, no... Ahora tengo mucha vergüenza.

Lobitos.—¿Y hace un instante no la tenía?

Rosita.—Hace un instante me hizo hablar la rabia.

Lobitos.—¿Rabia, por qué?

Rosita.—Porque iba a descubrirse todo.

Lobitos.—¡Ah, comprendo! Pero entendámonos. Si Gonzalo no es su padre, usted..., usted no es su hija, claro.

Rosita.—(Llorando a moco tendido.) Yo creo que no.

Lobitos.—¿Ah, no está segura?

Rosita.—Sí, estoy segura.

Lobitos.—Cálmese.

Rosita.—No puedo.

Lobitos.—¿Será al menos parienta?

Rosita.—Sí, parienta, sí. Por parte de una tía.

Lobitos.—¿De una tía? No lo entiendo.

Rosita.—Una hermana de mamá. La camarera... aquella.

Lobitos.—¡Acabáramos! ¿La de Mar del Plata?

Rosita.—Sí. Vive con nosotros y tuvo, en efecto, una chica hija de papá... ¡Perdón, de don Gonzalo! Eso, según ella.

Lobitos.—¿Vive la chica?

Rosita.—No, señor, murió de tres años.

LOBITOS.—Me parece que empiezo a entender.

ROSITA.—Para tía no hubo ni hay en el mundo más hombre que don Gonzalo. Lo pintaba siempre como un tipo de excepción. Buen mozo, elegante, rico, generoso, envidiado por los hombres y deseado por las mujeres.

LOBITOS.—Sí, todo eso es cierto. Fué cierto.

ROSITA.—Es todavía.

LOBITOS.—Continúe.

ROSITA.—Si no me presta su pañuelo, no podré.

LOBITOS.—Tome. (ROSITA *se limpia ojos y narices.*)

ROSITA.—Ahora, sí. ¿Por dónde íbamos? ¡Ah, ya recuerdo! Tía contaba cosas fantásticas de papá... ¡de don Gonzalo! Conocía al dedillo todas sus aventuras... Las viejas, todas. Por las noches, cuando la falta de moneditas no nos permitía ir a un cine barato, se metía ella en la cama y nos amontonaba a su alrededor para quitarse el frío y referirnos un nuevo episodio de la vida de su ídolo. Entonces no teníamos radio. Tía hablaba con pasión. Mejor que Mecha Caus en los buenos tiempos de Mecha Caus. Era todo un programa. Quizá mintiera un poco al contar lo suyo, pero lo hacía con mucho arte. Veía a su efímero galán como a un Tyrone Power y a un Gary Cooper, todo en una pieza. Y nosotras también.

LOBITOS.—¿Quiénes?

ROSITA.—Mis tres hermanitas y yo. Y mamá, que a veces dejaba quemar una camisa para escuchar a gusto.

LOBITOS.—¿Es planchadora tu mamá?

ROSITA.—Sí. Y tía lo mismo. Tienen un taller en una pieza a la calle, no muy dejos de aquí.

LOBITOS.—¿Adónde?

ROSITA.—Cerrito y Juncal, casi en la esquina. Don Gonzalo pasa por allí todos los días, a pie o en auto. Tía lo reconoció hace un año, una tarde.

LOBITOS.—Por ese tiempo se mudó a este departamento.

Rosita.—Sí, eso averiguamos después. Pero aquel día fué casi trágico. Tía estaba echándole salivita a la plancha, frente a la ventana abierta, y de pronto lanzó un grito. ¡Qué grito! Aún lo tengo yo en los oídos. Creímos que se había quemado. Mamá, que acudió en su auxilio la primera, la encontró inmóvil, pálida, muy abiertos los ojos, con un brazo extendido hacia la bocacalle, balbuceando; ¡Aquel hombre!... ¡Es él!... ¡Mi novio de una noche!... ¡Mi Dios!... ¡Gonzalo!... Y desde esa tarde, no dejó una sin esperar su paso.

Lobitos.—¿Y no trató de hacerse reconocer a su vez?

Rosita.—No. Al contrario. Lloraba cuando mamá se lo sugería. Y era natural.

Lobitos.—¿Por qué?

Rosita.—Está muy vieja y muy fea la pobre.

Lobitos.—¡Ah!

Rosita.—En cambio, yo...

Lobitos.—¿Usted, qué?

Rosita.—Quedé hechizada. Ya lo estaba. Después de Gardel, Gonzalo. Visto, el galán de tía, me resultó mejor que imaginado. ¡Mucho mejor! Vestía esa tarde un traje blanco, corbata azul, zapatos de cuero crudo. ¡Un encanto! ¡Una palomita! Lo seguí a la distancia, lo vi entrar aquí, pregunté en el almacén de la esquina quién era; y poco a poco, en escapadas sucesivas, fuí enterándome de toda su historia.

Lobitos.—Y resolvió explotarla.

Rosita.—No.

Lobitos.—Engañarlo.

Rosita.—¡No, no!

Lobitos.—¿Cómo que no?

Rosita.—¡No, no, no! Yo no busco dinero. No quiero lujos. Me gusta andar a pie. Tengo un vestido y un sombrerito bastante decentes, los que traje anoche.

Lobitos.—Pero al pretender pasar por hija...

Rosita.—Era la única manera de estar cerca de él, de verlo a todas horas, de hablarlo, de adorarlo...

Lobitos.—¡Asombroso! No quisiera deducir lo que sus palabras autorizan a deducir y lo que sugieren. Acaso interpreto mal...

Rosita.—¡Interpreta bien!

Lobitos.—¿Pasar por hija para concluir siendo?...

Rosita.—¡Lo que él quiera!

Lobitos.—¡Inaudito! Esto sólo puede ocurrírsele...

Rosita.—¡Sí, a una loca!

Lobitos.—Felizmente se ha descubierto la superchería.

Rosita.—¡Si la revela, lo mato!

Lobitos.—¿A mí?

Rosita.—Quizá no pueda, pero si no puedo matarlo a usted, me mataré yo. ¡Sí! Me tiraré al vacío desde esa terraza. ¿Cree que no soy capaz?

Lobitos.—Sí, sí..., creo que sí. Pero reflexione. Lo que pretende es absurdo. Por mí o por otro, Gonzalo ha de saberlo.

Rosita.—Se lo diré yo.

Lobitos.—¿Cuándo?

Rosita.—Luego..., esta noche..., mañana. Cuando concluya de hacer coraje.

Lobitos.—No. Ahora soy yo quien se pone terco. ¡No, no, no! La farsa debe terminar en seguida. Yo no quiero complicarme en ella un solo minuto más. ¡Gonzalo!

Rosita.—¡No lo llame!

Lobitos.—¡Gonzalo!

Rosita.—¡Le digo que no lo llame! (Rosita *pretende taparle la boca y él la rechaza con alguna violencia. Y entonces ella, tras breve vacilación, corre a la terraza dando tropezones, gracias a lo cual puede* Lobitos *alcanzarla y detenerla.*)

Lobitos.—¡Quieta!

Rosita.—¡Déjeme!

LOBITOS.—¡Quieta!

ROSITA.—¡Perro! ¡Perro! *(Por la derecha,* DON GONZA-
LO. *Viste de blanco, corbata azul, perla, zapatos de cuero
crudo.)*

GONZALO.—¡Otra vez! ¿Qué pasa ahora? ¡Rosita!...
¡Lobitos! Explícame... ¿Qué te ha hecho para que la tengas en esa forma? ¡Habla!

LOBITOS.—Debe de estar loca. *(La suelta.* ROSITA *no se
atreve a levantar la cabeza.)*

GONZALO.—¿Qué dices tú? ¿No oyes? Defiéndete.

ROSITA.—*(Corriendo hacia* GONZALO.*)* ¡Papá!

GONZALO.—¡Hijita! *(El blanco y el azul del indumento
de* GONZALO *le obligan a levantar la cabeza y a desprenderse un poco.)*

ROSITA.—¡Don Gonzalo!

GONZALO.—*(Con extrañeza.)* ¡Muchacha!

ROSITA.—*(Deslumbrada, echándose nuevamente a los
brazos aún cerrados de* GONZALO.*)* ¡Gonzalo!

GONZALO.—¿Eh? ¿Qué es esto? *(A* LOBITOS.*)* ¿Quieres
explicarme tú? *(A* ANTOLÍN, *que asoma por la derecha.)*
O tú, Antolín. *(Ambos callan. A* ROSITA, *intranquilo, casi
con miedo de adivinar la verdad.)* Tú misma, entonces.
¿Qué significa esta escena? ¿Por qué me abrazas así? ¿Qué
quieres decirme con esos ojos nublados y grandes? ¿Y por
qué me llamas Gonzalo?

ROSITA.—¡Gonzalo! *(*GONZALO *se niega a comprender,
busca en las caras amigas la verdad, sin atreverse a separar a* ROSITA, *que repite, rendida:)* ¡Gonzalo!

TELÓN

ACTO TERCERO

La misma decoración. Ha transcurrido sólo el tiempo indispensable para darle tres chupadas a un cigarrillo. (Los alacranes van muertos.)

El telón se corre sobre la última escena del acto anterior. ROSITA, desprendida de GONZALO, ocupa el centro, y GONZALO, caído ya de su burro, no acierta con la postura ni el gesto oportuno. El diálogo va de lo cómico a lo grave, y viceversa, sin definirse del todo, pues en lo íntimo, nuestro héroe—¡hombre al fin!—se siente profundamente halagado por la revelación de un amor que es para él un sol de enero en pleno junio. LOBITOS y ANTOLÍN en la expectante situación indicada.

GONZALO.—¡Hablarás al fin!

ROSITA.—Cuando se vayan ésos.

GONZALO.—No admito condiciones. Esos son los mejores testigos de tu locura y de mi prudencia.

ROSITA.—Aunque así sea. ¡Que se vayan!

GONZALO.—No insistas.

ROSITA. ¡Que se vayan! A ninguno de los dos, a uno por viejo y a otro por perro, les importa un pito de lo que pueda ocurrir.

GONZALO.—¿Lo que pueda ocurir? ¿Qué crees tú que pueda ocurir que no haya ocurrido ya? Contesta.

ROSITA. No sé.

GONZALO.—Por lo mismo que soy un buen jinete no pierdo muy fácilmente los estribos. Vete sabiéndolo.

ROSITA.—(Terca.) ¡Que se vayan! (GONZALO mira a LOBITOS y ANTOLÍN, y al gesto conciliatorio de éstos resuelve ceder.)

GONZALO.—Bien. Te seguiré la corriente. Al loco y al aire, darles calle, dice el refrán.

LOBITOS.—Hasta luego.

GONZALO.—No te marches. Espérame en el escritorio. Almorzaremos juntos.

LOBITOS.—Tú mandas.

GONZALO.—*(A* ANTOLÍN.) Sírvele lo que quiera.

ANTOLÍN.—Sí, señor. ¿Una manzanilla, don Lobitos?

LOBITOS.—Aceptada. *(Mutis* LOBITOS *y* ANTOLÍN *por la derecha.)*

GONZALO.—Ya estamos solos.

ROSITA.—Como ayer tarde.

GONZALO.—Como ayer. Sólo que ahora no es precisamente Dios quien nos oye, sino el demonio. A ti, sobre todo. Parece mentira que pueda caber tanta picardía en cuerpo tan pequeño. Lo que has hecho, lo que quizá te ilusiona aún, te lo ha inspirado el primero y mayor de los enemigos del alma.

ROSITA.—¡Mi amor!

GONZALO.—¡Calla! El amor es una cosa seria y no un juguete para uso de mocosas inconscientes. ¿Cuántos años dijiste tener?

ROSITA.—Dieciocho.

GONZALO.—A tu edad, las mujeres de mi tiempo creían que los chicos venían de París.

ROSITA.—Cuando no los tenían ellas.

GONZALO.—¿Cómo?

ROSITA.—Sí, señor. Una amiga de mamá se casó a los trece.

GONZALO.—Doña Juanona tiene sesenta y no lo ha hecho aún. Estamos uno a uno.

ROSITA.—Pata.

GONZALO.—Pata.

ROSITA.—Siempre ha habido tontas, además.

GONZALO.—Y canallitas.

ROSITA.—De todo.

GONZALO.—¡No salgo de mi asombro!

Rosita.—Porque no comprende.

Gonzalo.—No, no comprendo.

Rosita.—Si me escuchara cinco minutos con tranquilidad, sentado si es posible, se le abrirían los ojos.

Gonzalo.—¡Para lo que hay que ver!

Rosita.—¿Soy tan fea?

Gonzalo.—No he dicho tal cosa.

Rosita.—Algunas de ésas... *(Por las fotografías.)* son peores que yo. ¡A pesar de la ropa y de las alhajas! Si yo me vistiera como la rubia del marco de plata. ¡Si me desvistiera!, mejor dicho...

Gonzalo —¡Calla!

Rosita.—Siéntese.

Gonzalo.—¿Me lo mandas?

Rosita.—Se lo ruego.

Gonzalo.—Así podremos entendernos.

Rosita.—¡Ya sería hora! (Gonzalo *se sienta. Ella toma un cojín y pregunta, mimosa.)* ¿Puedo sentarme ahí, a sus pies?

Gonzalo.—No.

Rosita.—Estaría más cómoda.

Gonzalo.—Bueno, siéntate.

Rosita.—*(Se sienta.)* Gracias.

Gonzalo.—No..., no te apoyes en las rodillas.

Rosita.—¿Peso mucho?

Gonzalo. Sospecho que no.

Rosita.—Soy una pluma.

Gonzalo.—Por eso mismo.

Rosita.—¡Jesús, qué ogro!

Gonzalo.—Di lo que tengas que decir.

Rosita.—Es sólo una pregunta.

Gonzalo.—Venga.

Rosita.—¿Qué haría usted si durante años y años, tomando ocasión de cualquier nimiedad, le hubiesen hablado de una mujer..., de la más linda, la más simpática, la más seductora de las mujeres, y un buen día se le apareciese de repente...?

Gonzalo.—De repente te presentaste tú.

Rosita.—Sí, pero sin que me dieran referencias e historias y sin que usted me haya soñado nunca mucho ni poco.

Gonzalo.—¿Y tú a mí?

Rosita.—Casi todas las noches.

Gonzalo.—¡Y yo sin sospecharlo!

Rosita.—No se burle. Cerrar los ojos, y verlo y oírlo, todo era uno. Y se explicaba. Vivía en un conventillo. No alternaba precisamente con la crema. Algún salta-mostrador, algún empleaducho, el vigilante de la esquina, un cómico de mala muerte... Tipos insignificantes, sin historia y sin leyenda. Camisas "standard". Usted era otra cosa. No ha comido nunca pan duro. Tiene esa perla grandota ahí. Y, sobre todo, ¡las aventuras que ha vivido!... ¡Las pájaras que han caído en su red!

Gonzalo.—¿Pájaras?

Rosita.—Por lo pronto ésas. Las fotos. Las he contado. Son nueve.

Gonzalo.—Pero no pájaras.

Rosita.—Bueno..., señoras. ¡Nueve!

Gonzalo.—En cincuenta años, una cada cinco y pico. No me parecen muchas.

Rosita.—¡Si estuvieran todas: algunas no habrán tenido tiempo de sacarse una mala copia!

Gonzalo.—Verdad. Las sorprendió antes el tedio o el olvido.

Rosita.—Como a tía.

Gonzalo.—Sí, como a tu tía.

Rosita.—Otras preferirían no perdurar sino en su recuerdo.

Gonzalo.—Las feas.

Rosita.—¡Pobrecitas! ¿Aquella de aquella noche era fea?

Gonzalo.—¿Cuál?

Rosita.—Una que se le metió en el auto a la salida de un baile de carnaval en la Ópera.

Gonzalo.—¡Ah, sí, sí! Vestía de Pierrot. ¡Horrorosa! La tiré por la ventanilla a mitad de camino. Desilusión y exceso de champaña.

Rosita.—Ya lo sé. Salió en un diario. "Hazaña de un niño bien."

Gonzalo.—Ya ves, era un niño.

Rosita.—Tía guardaba el recorte con otros muchos de diarios y revistas que directa o indirectamente se han ocupado de usted.

Gonzalo.—Fuí un poco loco, hijita. O un poco malo. Elige.

Rosita.—Loco.

Gonzalo.—Las mujeres quieren a los hombres buenos, pero se pierden por los otros, por los malos.

Rosita.—Es que los malos son los buenos.

Gonzalo.—¡Oh, tiempos! (*Breve pausa.* Gonzalo *se abstrae. Añora los años turbulentos de la juventud. Ella se emboba nuevamente en la contemplación de su ídolo. Y de súbito.*)

Rosita.—Diga... ¿Cómo fué lo del convento?

Gonzalo.—¿Qué convento?

Rosita.—Tía lo contaba siempre, pero omitiendo algunos detalles. Los más interesantes. Sin duda porque se trataba de una monja. ¿Es verdad que se desmayó en sus brazos?

Gonzalo.—¿Eh, cómo?

Rosita.—¿Y es verdad que usted había matado antes a su padre, en desafío? (Gonzalo *ríe.*) ¿Por qué se ríe? Un muerto siempre es un muerto...

Gonzalo.—¡Pobre comendador!

Rosita.—¿Diga, es verdad?

Gonzalo.—Sí, es verdad. Vamos a suponerlo, y que perdone Zorrilla.

Rosita.—Tía contaba...

Gonzalo.—Acabemos, hijita. Deja el cojín. Levántate.

Rosita.—Es que todavía...

Gonzalo.—Queda perdonado el engaño. Me has hecho pasar unas horas casi agradables.

Rosita.—*(Mimosa.)* ¿"Casi"?

Gonzalo.—Casi. Para los hombres de mi edad todo es casi y casi es todo. ¿Comprendes?

Rosita.—No, no comprendo.

Gonzalo.—No soy tu padre, pero podría serlo. Hubiera querido serlo y ahora lo comprendo. Empiezo a sentirme un poco solo. Cuando acompañado, más. En fin... A lo que importa. ¿Me escuchas?

Rosita.—Sí.

Gonzalo.—El héroe, el ídolo, el don Juan que tienes tú en la imaginación, el que añora tu tía, ese es, ¡ay!, sólo un recuerdo. El de carne y hueso, el que acaso te reserva el destino y tú necesitas, anda por ahí, como un loco suelto. Lo encontrarás cuando menos lo esperes en algún palacio o en algún conventillo. En el mismo que vives quizá.

Rosita.—Ahora ocupamos una casita en común con una familia amiga.

Gonzalo.—Pues ahí, entonces.

Rosita.—No, no...

Gonzalo.—O en el viejo barrio. Quién te dice que no le hayan nacido alas a cualquiera de tus amigos. Al salta-mostrador, por ejemplo.

Rosita.—¡Salga! ¡Pobre Juancito!

Gonzalo.—Quién te dice que no sea él quien pueda darte la felicidad.

Rosita.—Si la felicidad fuera cinco de queso y cinco de dulce...

GONZALO.—¿Por qué no?

ROSITA.—Usted se burla.

GONZALO.—¡Ah, hijita! Nuestra torpeza se imagina siempre a la felicidad como a una diosa vestida de brillantes galas; y he aquí que cuando viene a nosotros tal cual es, sencilla y afable, con traje de pueblo, con alma de pueblo también, no queremos reconocerla y cometemos la tontería de dejarla pasar. ¿Me explico?

ROSITA.—Sí, pero no. ¡Juancito, no!

GONZALO.—¡Pobre Juancito!

ROSITA.—Tiene un remolino en la coronilla y no hay gomina que se lo aplane.

GONZALO.—¡Feliz Juancito!

ROSITA.—Calza el cuarenta y cuatro.

GONZALO.—Cuando por quererlo mucho no le mires ni la cabeza ni los pies, sino los ojos, te parecerá hermoso.

ROSITA.—No, imposible. Juancito, imposible.

GONZALO.—Bueno, será otro. Cualquiera menos el comicucho. Los cómicos son los hombres que más sueñan, pero que menos realizan. Ve a vestirte. Y en seguida, a tu casa.

ROSITA.—¡No; a casa, no!

GONZALO.—Sí. No hagas que me enoje de nuevo.

ROSITA.—Perdón.

GONZALO.—Amén de múltiples razones ajenas a tu comprensión, ten en cuenta que deben de andar buscándote. ¿Caes en ello? Quizá han dado parte a la Policía.

ROSITA.—La Policía no se atreverá con usted.

GONZALO.—En estos tiempos totalitarios se atreve con el Santo Padre, hijita. A vestirte. Anda. Si obedeces, la despedida no será para siempre.

ROSITA.—¿De veras?

GONZALO.—De veras. Tendrás noticias mías con frecuencia.

ROSITA.—¡Plata no quiero!

GONZALO.—No cambiaré mi itinerario cotidiano: Juncal, Cerrito, Santa Fe... Te veré y me verás todos los días cuando pase por tu casita. Tú estarás en el taller con tu madre y tu tía, ayudándolas. ¡Pobres viejas! ¿Vas a dejarlas solas ahora, que por empezar a sentir el peso de la plancha no podrán sacarle mucho brillo a los cuellos? ¿Serías capaz? ¿Verdad que no?

ROSITA.—No... no sé.

GONZALO.—¿Y si te prometo llevarte de paseo de cuando en cuando?

ROSITA.—¡Ah, entonces!

GONZALO.—Al teatro, al cine..., a Palermo en auto descubierto algún día de buen sol...

ROSITA.—¡Entonces, sí!

GONZALO.—Trato hecho.

ROSITA.—He...cho.

GONZALO.—¿Cómo? ¿Lagrimitas ahora?

ROSITA.—Estoy muy triste.

GONZALO.—¡Tonta!

ROSITA.—Muy triste y muy alegre.

GONZALO.—Yo también, no creas...

ROSITA.—¡Tengo un nudo aquí!...

GONZALO.—¡A desatarlo! ¡A la una, a las dos..., a las tres! ¡Listo!

ROSITA.—Sí, Parece que sí.

GONZALO.—Anda. Vístete.

ROSITA.—Voy. *(Da unos pasos, mira a* GONZALO, *se detiene.)* Voy.

GONZALO.—¿Qué pasa? ¿Por qué te detienes?

ROSITA.—Para ver si se arrepiente y me llama.

GONZALO.—No, no me arrepiento.

ROSITA.—Entonces..., no sé qué decir. Se me amontonan más ideas en la cabeza. No sé qué estoy pensando. En concreto, nada. ¡Vine ayer con tantas ilusiones, y ahora!... Es como si hubiera traído agua en las manos. Hasta después. *(Pausa. Vuelve a mirar a* GONZALO, *que permanece aparentemente inalterable, y hace mutis.)*

GONZALO.—¡Agua en las manos! *(Une las suyas, abiertas, y tras breve pausa, durante la cual dijérase que alguien ha vertido en ellas el precioso líquido, las cierra para comprobar la imposibilidad de retenerlo. Así lo sorprende* LOBITOS, *que vuelve por la derecha.)*

LOBITOS.—¡Gonzalo!

GONZALO. *(Esforzándose por sonreír.)* ¡Hola! ¿Has oído algo?

LOBITOS —Sí, casi a la fuerza.

GONZALO.—¿Qué opinas?

LOBITOS —¿Con franqueza?

GONZALO.—Con franqueza.

LOBITOS.—Has procedido muy cuerdamente. Hubiera sido una locura.

GONZALO.—¡Una locura! ¿Vivir sin hacer locuras, no es morir un poquito?

LOBITOS.—Quizá. El genio de la especie, querido Gonzalo, pierde el juicio en dos estaciones de la vida: la juventud y la otoñada, al manifestarse y en la despedida.

GONZALO.—Hay despedidas largas, Lobitos, muy largas. Manos que se retienen entre sí, mientras los labios dicen muchas cosas o mientras callan para que hablen los ojos. Cuando a la iniciación... *(Inmóvil, fijos los ojos en la lejanía.)* Fué en el campo. Volvíamos al pueblo ella y yo...

LOBITOS.—¿Quién era ella?

GONZALO.—*(Sin mirarlo.)* ¡Qué importa quién! Ella. Nos habíamos amado a pleno sol. La gente nos miraba al vernos pasar... Algunos se volvían para mirarnos mejor y confirmar sin duda sus adivinaciones. Nos detuvimos. En nuestros cabellos había briznas de hierba y barbas de choclo. Ella se puso roja. Yo me encendí un poquito también. Le tomé una mano y seguimos andando. Caía la noche. Y fué como un poncho sobre nuestra gloriosa vergüenza. *(Silencio.* GONZALO *queda inmóvil, perdida la mirada, abiertos los labios en una leve sonrisa. Por la derecha,* ANTOLÍN.)

ANTOLÍN.—¿Ordeno que se sirva la comida, señor?

GONZALO.—¿Qué?

ANTOLÍN.—El almuerzo.

GONZALO.—¡Ah, sí! Ya debe de ser hora. ¿Tienes apetito?

LOBITOS.—Yo sí, mucho.

GONZALO.—*(Casi paternal.)* Alégrate, mancebo, de tu mocedad, dice el Eclesiastés. *(Mutis* ANTOLÍN *por el foro. Otro silencio.)* Te reirás, pero no importa...

LOBITOS.—¿De qué? ¿Por qué?

GONZALO.—Estos hilos de plata de mis sienes... *(Como en secreto.)* Voy a mirarme al espejo. *(Mutis por la derecha.* LOBITOS *sonríe comprensivo. Teléfono.)*

LOBITOS.—¡Hola! Sí; sí, señora. No, yo no soy de la casa. Un momento. *(Deja el tubo fuera de la horquilla y corre hacia la terraza.)* ¡Don Antolín! El teléfono. *(Vuelve* ANTOLÍN.)

ANTOLÍN.—¡Hola! Sí, sí. No, no soy yo, pero como si lo fuera. ¿Qué? ¿Cómo? Aguarde. En este momento está ocupado. Sí..., sí... Llame dentro de cinco minutos. Sí, sí. *(Deja el teléfono. Voz de misterio.)* Preguntan por Rosita. La madre quizá o la tía. ¿Qué hacemos?

LOBITOS.—Que resuelva Gonzalo. Aunque si al fin se va la muchacha, mejor es dejarlo así. *(Por la terraza,* CARMUCHA.)

CARMUCHA.—La llave de la alacena, don Antolín.

ANTOLÍN.—A doña Juanona.

CARMUCHA.—Ella me manda. Dice que se la entregó a usted esta mañana.

ANTOLÍN.—*(Registrándose los bolsillos.)* ¡Ah, sí! Aquí está. Toma. ¡Si fuera la del infierno y estuvieras tú adentro!...

CARMUCHA.—¿Se quedaría usted en la puerta?

ANTOLÍN.—Con un auto. Esperándote. (CARMUCHA *ríe y hace mutis por la izquierda.*) ¿Por qué no habrá tenido también ésta una tía camarera y de mi relación?

LOBITOS.—Pregúntaselo a la abuela. *(Ríen.)*

ANTOLÍN.—¡Ay, don Lobitos! ¿Qué sería del mundo sin mujeres y qué haríamos nosotros sin más calor que el del sol y el del fuego?

LOBITOS.—¡Tomar mate y fumar!

ANTOLÍN.—*(Toma de un anaquel un librito ricamente encuadernado.)* Vea usted. Aquí hay mucha al respective. Don Gonzalo lo ojea con frecuencia. Estas marcas con lápiz rojo son de él. Por ejemplo... Yo estoy aprendiéndola de memoria, pero como no es el habla de hoy, me cuesta fijarla en la mollera. Lea, lea usted. Aquí.

LOBITOS.—*(Leyendo.)* "...el mundo trabaja por dos cosas: la primera por haber mantenencia. La otra cosa, por haber juntamiento con fembra placentera."

ANTOLÍN.—¡Vaya un tío diciendo cosas!, ¿eh?

LOBITOS.—¡Vaya! Aquí.

ANTOLÍN.—¡Y vestía sotana el tal! *(En la terraza,* CARMUCHA *otra vez. Ahora, con una bandeja colmada de vajilla.)*

CARMUCHA.—La mesa nos espera, don Antolín.

ANTOLÍN.—Voy. (CARMUCHA *desaparece por la derecha.)* ¿Otra manzanilla, don Lobitos?

LOBITOS.—No, gracias.

ANTOLÍN.—Usted se la pierde. *(Mutis por la derecha,* LOBITOS *ojea el líquido que ha retenido en la mano. Teléfono.)*

LOBITOS.—¡Hola! Sí, no, todavía no. Cinco minutos más. Como usted quiera. *(Cuelga. Por la derecha,* GONZALO.)

GONZALO.—¿Quién es?

LOBITOS.—La madre o la tía de Rosita.

GONZALO.—¡Ah, trae, trae!

LOBITOS.—Ya he cortado.

GONZALO.—¡Caramba! ¿Saben que está acá esa chica?

LOBITOS.—Deben de saberlo.

GONZALO.—¡Malo! Cualquiera las convence ahora de mi irresponsabilidad y de mi inocencia.

LOBITOS.—De tu inocencia, nadie.

GONZALO.—¿Por qué? ¿Qué quieres decir? ¿Qué sospecha puedes aún abrigar?

LOBITOS.—Ninguna, ninguna...

GONZALO.—Ahora no eres franco.

LOBITOS.—Calla. Acaba de abrirse una puerta por ahí. *(Señala al "hall".)* Debe de ser ella. No quiero malograrte la despedida. *(Mutis por la derecha.* GONZALO *para la oreja y, sin duda, confirma el dato. Para fingir la despreocupación de circunstancias y para defenderse tal vez del hechizo, toma un periódico y se ubica en un sillón, de espaldas al "hall". Por éste,* ROSITA. *Apenas se la ve aún, pues se ampara en el cortinado.)*

ROSITA.—Gonzalo. *(Corrigiéndose.)* Don Gonzalo.

GONZALO.—*(Sin levantar la vista.)* Pasa. No hay nadie. ¿Estás ya vestida?

ROSITA.—Sí, señor. *(Ahora aparece del todo. Y es la misma y es otra. Viste un traje de noche con atrevidos claros en pecho y espalda, y está hermosísima.)* Vestida, sí. Pero aún me falta algo. Algo muy importante. Como usted me dijo que no reparara en molestarlo... *(Está ya próxima a* GONZALO *y, como enmudece, éste se vuelve.)*

GONZALO.—*(Atónito, deslumbrado.)* ¡Tú! ¿Eres tú?

ROSITA.—*(Tímida y pícara a la vez, bajos los ojos.)* Yo, sí, señor.

GONZALO.—Sí, no hay duda... La misma y otra mejor que la misma. Pero... ese vestido...

ROSITA.—Igual al de la rubia del marco de plata. Muy semejante al menos.

GONZALO.—Muy... muy semejante, en efecto. ¿De dónde lo has sacado? No creo que Juanona ni Carmucha... En la valija no lo traías tampoco.

ROSITA.—Sí, señor: en la cartera. Abulta muy poco.

GONZALO.—¡Y cubre mucho menos!

ROSITA.—Con un zorro gris para la salida, se complementaría muy bien. ¡Son tan suaves los zorros! ¡Deben de ser tan suaves!

GONZALO.—No te vayas por los cerros de Ubeda. Aclara. ¿De quién es todo eso?

ROSITA.—Lo que se ve, mío.

GONZALO.—¡Lo que se ve! ¡Digo el vestido!

ROSITA.—De una clienta del taller. Lo había mandado planchar, y yo...

GONZALO.—¡Esto más!

ROSITA.—Quería parecer linda, elegante...

GONZALO.—No creo que lo hayas logrado. A ver, vuélvete.

ROSITA.—¿Así?

GONZALO.—Así.

ROSITA.—De espaldas me queda un poco ancho... y ahí, en las caderas...

GONZALO.—No; ancho, no. Ni estrecho. Como pintado. Pintado en relieve.

ROSITA.—Entonces no sé lo que haya podido malograr mi propósito y mi ilusión. ¡Ah, sí! El "rouge". ¡Claro! La falta de "rouge". Y a eso venía precisamente. *(Humilde, deliciosamente.)*

GONZALO.—¿Eh? ¿Pellizcarte?

ROSITA.—En los carrillos. Usted se ofreció. Me hizo tirar los lápices. Acuérdese.

GONZALO.—Sí, sí, es verdad. Los carrillos. Te haré el gusto. No quiero que digas... Un pellizquito aquí... Otro aquí... Otro..

ROSITA—*(Sin sustraerse.)* Eran dos nada más.

GONZALO.—Cuatro.

ROSITA.—¿Sí?

GONZALO.—¿No se llevan algo encendidas las orejitas, los... los lóbulos?

ROSITA.—Sí, sí. *(Engolosinada.)* Y un poco las sienes. Y la barbilla... Y la boca. ¡Gonzalo!

GONZALO.—¡Rosita!

ROSITA.—¡Lo quiero, Gonzalo! ¡Te quiero! *(Beso impulsivo de ambos.)*

GONZALO.—¡Pebeta mía! Mi juventud resucita en tus ojos.

ROSITA.—¡Mírame! ¡Mírame!

GONZALO.—Tus labios son agrios y dulces como la fruta no muy madura.

ROSITA.—¡Muerde! *(Otro beso largo. Y en seguida, apartándose, después de pasarse la mano por la frente.)*

GONZALO.—Soy un malvado. ¡Un... no sé qué! (ROSITA *lo mira asombrada.)* ¿Ves tú lo que has hecho?

ROSITA.—¿Yo?

GONZALO.—¡Tú! ¡Tú!

ROSITA.—*(Cohibida.)* Lo que hemos hecho.

GONZALO.—Sí, los dos. Yo por ti.

ROSITA.—Y yo por ti. *(Intimidada.)* Por usted.

GONZALO.—Me han traicionado los sentidos. Perdona, no lo haré más. Si lo hiciera tendríamos que renunciar a los paseos proyectados. Porque ya no sería lo mismo. ¿Verdad?

ROSITA.—Yo creo que sí, pero si usted dice que no...

GONZALO.—No. *(Otra pequeña pausa.)* Bueno, Rosita, esto será como si lo hubieras soñado. Como un episodio más de los que te contaba tu tía. ¡Se acabó! Y ahora...

ROSITA.—A sacarme esto.

GONZALO.—No; otra despedida, no. Espera, ahora recuerdo. *(Llama.)* ¡Antolín! *(Por la derecha,* ANTOLÍN.)

ANTOLÍN.—¿Señor?

GONZALO.—*(En voz baja.)* ¿Te acuerdas de aquello...? *(Nota que* ANTOLÍN *no lo escucha y tiene los ojos asombrados.)* ¿Qué te pasa?

ANTOLÍN.—Miraba a la niña... ¡Fenómeno!

GONZALO.—Escucha. Aquello que compré para la Rulitos y que luego quedó en casa.

ANTOLÍN.—Sí; sí, señor.

GONZALO.—Tráelo. *(Mutis* ANTOLÍN *por la derecha, no sin echar una nueva mirada admirativa a* ROSITA.)

ANTOLÍN.—¡Fenómeno!

GONZALO.—*(Risueño.)* Lo has deslumbrado.

ROSITA.—Sí, por un ratito. Como a usted

GONZALO.—A mí... *(Traga saliva.)* Prefiero no contestarte.

ROSITA.—Será que no puede.

GONZALO.—Por eso. *(Vuelve* ANTOLÍN. *Trae un zorro gris magnífico.* GONZALO *lo toma.)* Mira qué casualidad. Toma. Un zorro gris.

ROSITA.—*(Con ojos codiciosos.)* No lo quiero.

GONZALO. —*(Poniéndoselo.)* Es tan suave como tú imaginabas.

ROSITA.—Sí.

GONZALO.—Con frío te parecerá más.

ROSITA.—No, no quiero llevarlo.

GONZALO.—Descotada no podrás ir a estas horas.

ROSITA.—Tomaré un auto.

GONZALO.—¿Por dos cuadras?

ROSITA.—Bueno, lo llevaré..., pero sólo prestado... Para ponérmelo cuando usted me saque de paseo.

GONZALO.—¡Magnífico!

ROSITA.—¡Adiós!

GONZALO.—¡Adiós! *(Se dan la mano. Ninguno de los dos se decide a retirarla.)*

ROSITA.—Adiós.

GONZALO.—Adiós. *(Se separan por fin.)*

Rosita.—Adiós, don Antolín.

Antolín.—¡Adiós, señorita! ¡Niña, digo!

Rosita.—*(A* Lobitos, *que aparece por la derecha.)* Adiós, adiós, señor Lobitos. Perdóneme lo de "perro".

Lobitos.—¡Perdonado, Rosita!

Rosita.—*(A* Juanona *y* Carmucha, *cuyas cabezas asoman curiosas en la terraza.)* Adiós; ustedes, conmigo aquí, hubieran tenido mucho trabajo. Usted, doña Juanona. A Carmucha la echaría. Adiós. *(Ya en el arco del "hall", a* Gonzalo.*)* Adiós. *(*Gonzalo *no la mira, ni da señales de haberla oído.* Antolín *le llama la atención.)*

Antolín.—Se despide otra vez de usted, don Gonzalo.

Gonzalo.—Calla. Déjala. Si hablara yo ahora sería para llamarla. *(Mutis* Rosita, *sollozando.* Juanona *y* Carmucha *desaparecen.)*

Antolín.—*(A* Lobitos.*)* ¡Y la ha dejado marchar!

Lobitos.—La llamará mañana.

Antolín.—¿Usted cree?

Gonzalo.—Te he oído, Lobitos. Has dicho y piensas que la llamaré mañana.

Lobitos.—¿Y no es así?

Gonzalo.—Quizá. No sé. Ella me dió la imagen. Ha sido como tener agua en las manos y dejarla escurrir. Mañana tal vez se haga irresistible la sed. *(Y como para sí, perdida otra vez la mirada en el vacío.)* ¡Rosita! Me has dejado agridulces los labios, Rosita. (Antolín *y* Lobitos *se miran sonrientes. Telón.)*

FIN DE

"AGUA EN LAS MANOS"

DOS BRASAS

COMEDIA EN TRES ACTOS Y CUATRO CUADROS

*Esta obra fué estrenada en junio de 1955, en la Casa
del Teatro, por el elenco del teatro "La Farsa".*

REPARTO

(Por orden de aparición de los personajes)

MÍSTER LEONARD ROSS MA-
YORAL, *cliente de Byrton.* — Luis Delavalle.
HAYWARD BYRTON, *abogado.* — Alfredo Bernard.
HELENE BRINGTON, *secretaria
de Byrton* .... — Estela Gianini.
MISS EVANS HARDEN .... — Giuly Bera.
ROBERT MORRISON .... — Salvador Accorinti.
ELEONOR MORRISON, *esposa
de Robert* .... — Elsa Greco.
MISTRESS POOPESCO, *madre
de miss Evans* .... — Beatriz Coll.
WILLIE .... — Carlos Cruciani.
MÍSTER GIANNINNO, *amigo
de Robert* .... — Roberto Gascón.
MÍSTER MORRISON, *padre de
Robert* .... — Carlos Córdoba.
MISTRESS MORRISON, *madre
de Robert* .... — Nina Grey.

Director: EUGENIO FILIPPELLI.

SAMUEL EICHELBAUM

ACTO PRIMERO

Despacho de abogado. Pequeño antedespacho y sala de trabajo del letrado. Puerta a foro en aquél y en ésta, que comunican, respectivamente, con el "hall" de ascensores y con otra habitación del estudio. Hay también una puerta que comunica el antedespacho con el despacho propiamente dicho.

Al levantarse el telón están en escena MISS HELENE BRINGTON, que escribe a máquina y desempeña las funciones de secretaria; HAYWARD BYRTON, el abogado, que ocupa su mesa de trabajo y que está atendiendo con visible displicencia a su cliente LEONARD ROSS MAYORAL, hombre de color que llama la atención por la elegancia de su ropa y la finura de su porte y maneras.

MAYORAL.—Lo demás se lo he referido ya en otras oportunidades.

BYRTON.—Pues no creo que podamos hacer otra cosa que esperar.

MAYORAL.—¿No considera conveniente otro escrito relatando lo que acabo de referirle?

BYRTON.—Para eso siempre habrá tiempo.

MAYORAL.—Como usted disponga. Pero no olvide que no estoy dispuesto a perder este pleito. Yo puedo perder, sin inmutarme, un pleito de dinero, de mucho dinero. He perdido varios. Pero jamás me resignaría a perder un pleito de daño moral, como es este de que estamos tratando.

BYRTON.—Le conozco bien, míster Mayoral. He tomado este asunto, desde el comienzo, con mucha cautela y lo estoy llevando con la serenidad que usted ha tenido la oportunidad de comprobar. (Ante el silencio reflexivo de MÍSTER LEONARD ROSS MAYORAL.) ¿Estoy equivocado acaso?

MAYORAL.—Lo noto frío, no sereno.

BYRTON.—Me sorprende que suponga frialdad lo que

es buen temple para el caso. *(Se abre la puerta del ante-despacho y aparece* MISS EVANS HARDEN, *que parece recién salida de la pubertad. Inmediatamente* HELENE BRINGTON *se dirige hacia ella.)*

BRINGTON.—¿Míster Byrton le ha dado hora, miss?

HARDEN.—No, no me ha dado hora. Me ha faltado tiempo para pedirla. Si quiere tener la bondad, le dice que miss Harden desea verle.

BRINGTON.—Con el mayor gusto se lo haré saber, pero le advierto que tendrá que esperar, porque tiene gente citada a esta hora.

HARDEN.—Esperaré. *(La secretaria vuelve a su trabajo y* MISS EVANS HARDEN *se acomoda en una butaca.)*

MAYORAL.—Si no cree usted en la justicia de mi causa, mal puede creer en el triunfo de ella. ¿Y sabe usted por qué no cree? Porque usted tiene el pelo lacio.

BYRTON.—Soy su abogado, míster Mayoral.

MAYORAL.—No me ha vendido su alma por eso. Al menos, yo no creo habérsela comprado. Y el alma son nuestras creencias y nuestros pensamientos, y los secretos caldos en que se cultivan. Usted también, mi estimado míster Byrton, se resiste a confundirse con los negros. Le he visto dar fuertes apretones de manos a sus amigos y clientes, pero cuando me da la mano a mí, siento que todo su ser se contrae.

BYRTON.—Protesto, míster Mayoral. Soy un hombre sin prejuicios raciales.

MAYORAL.—Si es así, no puede usted con su naturaleza.

BYRTON.—Admitido. No puedo con mi naturaleza. ¿Y qué importancia tiene eso? Lo que importa es lo que se piensa o lo que se cree que se piensa. También mi paladar se resiste a gustar lo que mi entendimiento acepta como excelente alimento. Jamás bebo un vaso de leche. Jamás he triturado con mis dientes un trozo de hígado. No por eso dudo de que sean dos nobles alimentos del hombre. Admito, pues, que mi piel rechaza el contacto con toda otra piel que no sea blanca. Pero esto carecerá de importancia mientras yo comprenda que mi piel es primitiva, como mi paladar. Lo que importa, lo único que importa es pensar que un color u otro de la piel no supone superioridad de ningún orden, como no sea el individual, en el que todo ser humano es capaz de levantarse sobre el nivel medio. ¿Cree usted, míster Mayoral, que puedo permanecer ajeno a su causa si pienso de esta manera?

MAYORAL.—Espero que sus convicciones queden claramente expuestas en los hechos. *(Se pone en pie.)* Hasta pronto. *(Le tiende la mano y en seguida* BYRTON *le tiende la suya.)* Apriete, míster Byrton. Apriete sin miedo. Los negros no somos mala comida. Eduque usted su paladar y su piel. Todos los problemas de la humanidad pueden ser resueltos con la fusión, con la mezcla, que empieza, como usted muy bien lo dijo hace un instante, en el entendimiento y no en la mesa ni el lecho, como la gente cree, por desgracia. Hasta pronto.

BYRTON.—Hasta pronto. *(*LEONARD ROSS MAYORAL *sale por el antedespacho. Saluda sonriente a la secretaria, la que inmediatamente va al despacho del abogado.)*

BRINGTON.—Mis Evans Harden desea verle. Como aún no han llegado míster Robert Morrison y mistress Morrison, a quienes usted tiene citados para las cuatro y treinta, y ya son las cinco menos cuarto...

BYRTON.—No sé quién es esa señorita, pero hágala pasar. *(*HELENE BRINGTON *hace pasar a* MISS EVANS HARDEN *y se reintegra en seguida a su trabajo.)*

HARDEN.—Buenas tardes, míster Byrton. Usted no me conoce. Yo soy la hija de mistress Poopesco.

BYRTON.—¿Poopesco?

HARDEN.—Poopesco, míster Byrton. Usted le ha gestionado tres divorcios, con muy buena mano, dice ella, añadiendo a la frase una explicación que no me cuadra.

Se la voy a decir, sin embargo, abusando de su benevolencia, que no le permitirá juzgarme mal. Para mi madre, un divorcio que se produce antes de los nueve meses, da muchos dolores de cabeza, como los niños prematuros. Son sus palabras. De manera que cuando ella dice "buena mano", lo doctora a usted en una especialidad de la medicina. Yo soy la hija del primer marido.

BYRTON.—¿En qué puedo serle útil, miss Harden?

HARDEN.—En un par de meses más, me caso. Quiero mucho a mi novio, claro está. Pero yo sé que no sólo de amor se vive. Quiero decirle con esto que me preocupa mucho el porvenir. Por eso necesito saber si tienen algún valor legal las promesas que se hacen durante el noviazgo. Mi novio me asegura que tiene que heredar de dos tíos ricos. Hasta donde yo he podido averiguar, es cierto. Tiene un tío muy rico en Filadelfia y otro en Boston. Dos industriales. El de Filadelfia, verdaderamente poderoso y sin hijos. Podría muy bien ocurrir que muriesen antes que el sobrino. Sería lo correcto. Pero también podría ocurrir que a pesar de eso no le dejasen nada. En este caso, las promesas incumplidas de mi novio, ¿servirían como causa legal de divorcio?

BYRTON.—¿Qué edad tiene usted, miss Harden?

HARDEN.—Diecisiete, míster Byrton.

BYRTON.—¿No le parece a usted que sus preocupaciones son un tanto prematuras?

HARDEN.—Míster Byrton: una mujer de esta época que ignorase que debe llegar a su segundo matrimonio con el mayor esplendor de juventud, merecería cualquier desventura. Como yo no soy esa mujer, voy a mi primera experiencia conyugal sin la eclosión completa de mis formas... Ni mis piernas, ni mi busto tienen aún las líneas deseadas por mí misma... Pero las tendrán cuando ellas sean la única compensación del privilegio que habrá perdido mi segundo marido... *(En la puerta del foro del antedespacho aparece* MÍSTER ROBERT MORRISON. *No bien se sienta, se le acerca* HELENE BRINGTON.)

BRINGTON.—Míster Byrton no ha podido dejar de atender a otra persona en su ausencia. ¿Quiere usted que le anuncie ya?

R. MORRISON.—Sí, claro está. (HELENE BRINGTON *pasa al despacho de* MÍSTER BYRTON *y le anuncia muy discretamente que ha llegado* MÍSTER MORRISON.)

BYRTON.—Dígale que tenga la bondad de aguardar un minuto no más.

BRINGTON.—*(Ya de vuelta en el antedespacho, a* ROBERT MORRISON.) Dice míster Byrton que en un minuto más lo atenderá.

R. MORRISON.—Bien.

BYRTON.—Miss Harden: no creo que ni yo ni ninguno de mis colegas podamos darle a usted ningún consejo. Con su capacidad de previsión y su asombroso buen sentido, más bien seríamos nosotros quienes necesitaríamos de sus consejos.

HARDEN.—Creo haberle hecho una pregunta estrictamente legal...

BYRTON.—Miss Poopesco...

HARDEN.—Harden, me llamo. Poopesco es el apellido de soltera de mi madre.

BYRTON.—Bien. Miss Harden: las leyes, por muy severas que sean, sólo tienen elasticidad para los espíritus como el suyo. Cuando le llegue la hora de hacer valer ante los jueces las promesas que le haya hecho su novio y que no han tenido cumplimiento, usted sabrá inspirar a su abogado la indispensable diablura de juicio para obtener lo que reclame. Por ahora, no debe usted preocuparse de nada... como no sea enloquecer un poco para neutralizar la peligrosidad de su buen sentido. *(Toca el timbre.)*

HARDEN.—Veo que no quiere usted perder tiempo...

BRINGTON.—*(Que aparece en la puerta que comunica el antedespacho con la habitación de trabajo de* MÍSTER BYRTON.*)* ¿Puede pasar míster Morrison?

BYRTON.—Ya mismo.

HARDEN.—Esta visita, míster Byrton, no ha terminado. Queda pendiente la segunda parte. *(Le tiende la mano.)* Hasta entonces. Mucho gusto.

BYRTON.—Buenas tardes, miss Harden. Salude a su señora mamá en mi nombre.

HARDEN.—Así lo haré. *(Por la misma puerta que hace mutis* MISS HARDEN, *entra* MÍSTER ROBERT MORRISON *y se sienta inmediatamente frente a* MÍSTER BYRTON. HELENE BRINGTON *regresa a su mesa de trabajo.)*

BYRTON.—¿Ha sucedido algo nuevo?

R. MORRISON.—Ha sucedido lo que tenía que suceder hace apenas media hora. Si alguna vacilación pude tener hasta ese momento, ahora nada podría ni explicarla siquiera.

BYRTON.—Diga usted.

R. MORRISON.—No se trata de nada nuevo, sino de todo lo viejo, y es precisamente en esto que ya no cabe ninguna dilación. Vengo a pedirle que hoy mismo presente usted el escrito que corresponde. *(Por la puerta del foro del antedespacho aparece* MISTRESS ELEANOR MORRISON. *Viste de manera tal que llama inmediatamente la atención, pero no por el lujo ni por la pobreza de su vestido, sino por cierta extravagancia que, al pronto, no se sabe en qué consiste, pero no se tarda en descubrir que lo que lleva puesto es resultado de una paciente y, por cierto, muy hábil utilización de trapos viejos a los que convierte en lo que lleva puesto. Apenas comparece y antes que la secretaria de* MÍSTER BYRTON, *que es tan diligente, pueda ponerse a sus órdenes penetra en el despacho del abogado, provocando la consiguiente sorpresa, en primer término, de* ROBERT, *su esposo, y luego del propio letrado.)*

E. MORRISON.—Sabía dónde encontrarte, como ves. Míster Byrton, no debe usted hacerle caso. Míster Morrison tiene ideas fijas que comprometen su salud.

BYRTON.—Le advierto, mistress Morrison, que eso ya sería bastante causa para que le concediesen el divorcio.

E. MORRISON.—Si yo no lo quisiera, ése sería también mi camino.

R. MORRISON.—Le ruego, míster Byrton, que no perdamos ni un minuto de tiempo. Es indispensable que lady y yo no tengamos nada que ver en adelante.

E. MORRISON.—Que diga qué razones tiene para pedir divorcio. Jamás le he faltado.

R. MORRISON.—Las causas ya las conoce usted, míster Byrton, y sería demasiado triste que se las repitiera.

BYRTON.—Será necesario, sin embargo, porque tratándose de causas que podríamos llamar excepcionales, yo mismo debo antes reconocerlas como verdaderas y esto sólo se puede lograr mediante la insistencia. Ante mí mismo debe usted insistir, como si yo fuera el juez y no su abogado. Convénzame a mí de que usted tiene razón en su demanda.

E. MORRISON. —Le agradezco, míster Byrton.

BYRTON.—No se apresure, mistress Morrison. Podría ocurrir que más tarde no le pareciera tan bien lo que ahora agradece. (A MÍSTER MORRISON.) Lo escucho.

R. MORRISON.—(Después de un largo silencio, que empieza siendo expectante y luego se hace angustioso.) Me siento congestionado de tanto que tengo que decir... y no consigo aislar una sola cosa. La vida es gasto y desgaste, míster Byrton. Se vive gastando y gastándose. Hasta cierta edad, vivimos acumulando fuerzas, energías, que luego empleamos en todo lo que hacemos y en todo lo que no hacemos, porque aun en la inercia nos desgastamos. Al ingerir alimentos, ponemos en función órganos que se desgastan en su particular funcionamiento. Incluso, pues, lo que nos nutre dándonos calorías y vitaminas, nos desgasta por igual. Es absolutamente absurdo, según el ejemplo que nos da nuestra propia naturaleza y la naturaleza completamente animal, vivir sin desgastarnos. Hay algunos seres humanos que, comprendiendo la fatalidad de esa ley biológica, llegan a los gastos más inverosímiles para evitar su desgaste. Esta mujer, que el destino ha tirado contra mí, quiere invertir el sentido inexorable de la vida y de la naturaleza: quiere vivir sin gastar. Para no gastar, se desgastaría íntegramente todos los días si no temiera quedarse sin nada para la noche. Lo cierto es que no se puede convivir con ella. Yo ya no puedo vivir a su lado. Siete años de convivencia es caro tributo pagado al error.

BYRTON.—Me siento en la obligación de advertirle que sus convicciones filosóficas, que personalmente comparto, no son un argumento sólido a favor de su demanda de divorcio. Los jueces dirían, y no les faltaría razón, que se puede convivir en medio de las mayores disensiones filosóficas.

R. MORRISON.—Esto no puede ser motivo de buen humor, míster Byrton.

BYRTON.—Hablo muy seriamente. *(Breve pausa.)* Debe usted referirse a otras cosas.

R. MORRISON.—¿Qué quiere usted que le diga? ¿Que mi mujer encierra bajo llave el jabón? ¿Que hace apenas una semana se escandalizó porque una pastilla había durado tan sólo cuarenta y tres días? Naturalmente, tenía anotada la fecha en que se había comprado. ¿Quiere que le diga que la sartén en que se fríen los huevos, los huevos y todo lo que haya que freír, como hay la obligación de suponer, está ennegrecida por falta de grasa, y que cuando se fríe uno, la yema y el blanco desaparecen bajo la capa negra que despide el hierro en el fuego? ¿Necesita saber que anteayer trajo un pescado, y que cuando le dije que no me parecía que estuviese bastante fresco,

pretendió convencerme de que el comer las cosas frescas es
un prejuicio; y para apoyar su reflexión recordó que los
franceses, que son los que mejor saben comer en el mundo entero, son sus palabras, pagan a precio de oro las perdices pasadas, que llaman "faisandée"?

E. Morrison.—Míster Byrton, no debe usted creerle
una palabra. Está descargando su odio contra mí, todo
el odio acumulado en siete años de matrimonio, por no
haber podido apoderarse de mi dinero. Se casó conmigo
por los doscientos mil dólares que he heredado de mi madre. Ahora lo sé, ahora lo veo. Lo puede usted ver tan
bien como yo.

R. Morrison. A nadie he permitido jamás una incur-
sión por mi conciencia. Menos puedo permitírselo a una
mujer trágicamente insensible a todo sentido de donación
y de piedad. Que diga de qué dinero hemos vivido en siete años de matrimonio; que diga si en esos siete años de
vida en común se ha gastado un solo centavo de su fortuna, un solo centavo de su sueldo.

E. Morrison.—Eso no excluye la secreta ambición de
mi dinero. Eso no supone que no haya vivido esperando
en tenerlo bajo su mano o bajo su firma.

R. Morrison.—Estamos perdiendo tiempo, míster Byrton. He venido para terminar de una vez este asunto.

Byrton. —Bien. (Toma una estilográfica y un papel.)
Haga usted las acusaciones concretas, míster Morrison.

R. Morrison.—Hago demanda de divorcio por las siguientes razones: Primera razón, me niego a seguir viviendo bajo un mismo techo con una mujer que me limita la
vida, a tal extremo que me ha destruído casi por completo el sentido de la solidaridad con el dolor y las necesidades del prójimo. Hoy paso frente a cualquier desventurado
que vive de la caridad pública y nada de él me conmueve.
Estoy petrificándome ante las angustias del ser humano.
Acuso a la avaricia de esta mujer de mi monstruosa indi-

ferencia. Segunda razón, no puedo seguir viviendo con una mujer que me conduce paulatinamente a la desnutrición por avaricia.

BYRTON.—Pero si el dinero que se invierte para vivir es suyo, no veo por qué se somete usted a ella.

R. MORRISON.—Cómo se ve, míster Byrton, que usted desconoce lo que es mi situación. Lo terrible de estos seres es que lo contaminan todo. Nada hay que no caiga bajo la sordidez terrible de su espíritu. Al volver de mi oficina, cansado de trabajar y lánguido de hambre, no estoy con ánimo de promover reyertas. Por lo general, cuando llego a la conclusión de que es necesario reaccionar, me faltan las energías para hacerlo, lo que demuestra que todos los días avanza ella en el propósito de convertirme a su ignominia. Lo único que en ese instante reclama mi ánimo es independizarme de su presencia deprimente.

BYRTON.—Yo le creo, amigo Morrison. Le creo porque lo conozco y porque veo y percibo que sus palabras están cargadas de emoción; pero no olvide usted que el juez no lo verá, y que sus palabras, desprendidas de la emoción que trasciende de su ánimo conturbado y de su presencia contagiosa, no persuadirán. Faltan hechos gruesos. Los que usted concreta tienen la gravedad, no lo desconozco, pero no sé si tienen toda la necesaria para convencer al juez, que, en principio, se resistirá a la demanda.

R. MORRISON.—Si el juez no se convence con los hechos que he concretado, apelaré, exigiré que me escuchen los que estén por encima de él. Puesto que no me es posible vivir así, la ley me ampara. La ley me comprende ya mejor que el juez, porque ella reconoce como valedera toda causa que hace imposible la vida en común. Si el juez no lo reconociera, se apartaría de la ley.

BYRTON.—*(Luego de un silencio, a* MISTRESS ELEANOR MORRISON.)* ¿Qué puede usted alegar en su favor, mistress Morrison? Ya habrá notado usted que, aunque amigo de míster Morrison, no soy un parcial de su causa. Precisamente por ser su amigo me siento obligado a la mejor equidistancia posible.

E. MORRISON.—Compadezco profundamente a mi marido. Me parece que ha caído en una locura inimaginable. Me parece que alega una causa tan absurda, tan distante de la razón y del equilibrio de la vida, como lo sería el presentarme a usted para encargarle una demanda de divorcio en nombre de lo que me hace padecer él con su espíritu dispendioso, con su falta de medida y de responsabilidad en el manejo de lo que es fruto de su propio esfuerzo.

R. MORRISON.—*(Rápido, como si temiera perder las palabras que ha oído.)* ¡Hágame el favor de anotar todo lo que está oyendo, míster Byrton! *(Se levanta movido de un extraño júbilo.)* Ya no es preciso más nada. Con lo que acaba de decir no habrá juez que se resista.

E. MORRISON.—*(Levantando su voz, como en un estallido de locura.)* ¡A nadie he vendido ni mis vicios ni mis virtudes! ¡Tampoco he jurado convertir mis vicios en virtudes al casarme contigo! ¡Soy lo que fui siempre, y debiste saberlo antes! Yo no te he buscado. Me buscaste tú a mí, y recuerdo que algunas veces has hablado de mis buenos sentimientos. Eso tendrás que explicárselo al juez. Tendrás que explicarle cómo has hecho para no advertir todo eso que te envenena de mi persona. Tendrás que hacerle saber una de estas dos cosas: o que has sido un imbécil cuando te casaste conmigo sin saber el monstruo que soy, o que has tenido un pensamiento que se te ha frustrado. El verá que no eres un imbécil, porque no lo eres, de ningún modo, y tendrá que convencerse de lo que he dicho a míster Byrton: que te casaste conmigo con la idea de disfrutar de mis doscientos mil dólares, y que cuando te has convencido tú mismo de que eso era imposible, empezaste a sentirte víctima de mi sordidez. *(Pausa leve.)*

Sórdida porque no permito que te cambies de camisa todos los días, para evitar que la ropa se rompa con los ácidos de los lavaderos; sórdida porque no quiero que fumes un paquete de cigarrillos por día, viendo el daño que hace a tus bronquios el tabaco sórdida porque no quiero que tus trajes, trajes de cuarenta y cinco dólares, míster Byrton... No suponga que míster Morrison se conforma con usar los de treinta para el trabajo...

R. MORRISON.—Había llegado a la necesidad de mentirle, haciéndole creer que uso trajes de cuarenta y cinco dólares. Si le hubiera dicho que son de sesenta o sesenta y cinco, no habría sobrevivido...

E. MORRISON.—Me llama avara porque quiero que nuestra vejez esté a cubierto de necesidades. Nunca comprendió cuánto he sufrido con el temor de que algún día, cuando ya no rindiera en el trabajo lo que rinde ahora, se viera privado...

R. MORRISON.—Y para evitarme en el mañana una necesidad elemental, me priva desde ya de todo lo indispensable, incluso los alimentos. ¿Ha visto usted algo semejante en toda su vida, míster Byrton?

BYRTON.—*(A* MISTRESS MORRISON.) Mistress Morrison: antes de extenderse en la defensa de los cargos que le hace míster Morrison, quisiera que usted me dijera si son en sí mismos exactos.

E. MORRISON.—Son exactos. *(Estas palabras, pronunciadas por* MISTRESS MORRISON *en voz baja, pero con cierta energía, llenan la atmósfera de una rara emoción, que obliga a todos a guardar silencio.)*

BYRTON.—¿Reconoce usted que guarda el jabón bajo llave?

E. MORRISON.—Sí.

BYRTON.—*(Después de hacer una anotación.)* ¿Reconoce...? *(A* ROBERT MORRISON.) ¿Qué había dicho usted?... ¡Ah, sí! Habló usted de la sartén... Creo...

R. Morrison.—Sí, que por mezquinar la grasa para cocinar, todo lo que se fríe queda ennegrecido con el negro que despide el metal bajo la acción del fuego.

Byrton.—¿Reconoce usted que también eso es exacto, mistress Morrison?

E. Morrison.—También eso.

R. Morrison.—No olvide, míster Byrton, lo del pescado.

E. Morrison.—Eso no lo reconozco como verdadero. Nada he dicho en el sentido que él pretende.

R. Morrison.—Cuanto he dicho es absolutamente verdadero, míster Byrton.

E. Morrison.—Sólo dije que los franceses son los que mejor saben comer en el mundo entero. Es opinión de mucha gente.

R. Morrison.—Que diga para qué lo ha dicho. ¿Qué sentido podía tener esa frase dentro de nuestra conversación sobre el pescado que acababa de comprar? Que diga si no hizo el elogio de las perdices "fainandée"; y si es verdad que lo hizo, qué relación tenía esa referencia con el pescado.

E. Morrison.—No lo recuerdo. No creo que a nadie pueda interesar la trama de nuestras conversaciones banales.

R. Morrison.—Si la señora se empeña en hacerme aparecer como un calumniador y un impostor, me veré forzado a revelar cosas de un orden triste y bochornosamente íntimo, a las que no he hecho referencia hasta ahora por un resto de piedad por ella y de pudor de mí mismo.

E. Morrison.—Sí, ya sé. Lo esperaba. Dirá que soy una mujer sucia.

R. Morrison.—¿Es que hay algo más sucio que la avaricia? ¿Es que hay noticias de algún avaro que haya superado su avaricia de la hediondez? La avaricia convierte en focos de infección las vendas con que se curan las heridas y hace que el descanso entre las sábanas se torne un suplicio.

E. Morrison.—Di todo lo que quieras decir de mis intimidades físicas. Ninguna de tus acusaciones me da miedo. Cuantas más cosas privadas y vedadas quieras acumular en tus cargos, más claramente aparecerá el propósito de desprenderte de mí por motivos que no confiesas.

Byrton.—Míster Morrison, mistress Morrison: han conducido ustedes las cosas de tal manera, que me siento en el deber de llamarlos a la reflexión. Yo mismo me resisto a escuchar las cosas con que amenazan. Soy un hombre de leyes, no un enfermero nocturno. Me niego a ser testigo de imputaciones que harían repudiable el recuerdo de cualquiera de ustedes. Los invito a meditar sobre lo que van a hacer.

R. Morrison.—Mi posición está muy bien meditada, míster Byrton. Usted lo sabe. Por otra parte, permítame que le diga que los cargos que tengo que hacer no se han agotado. Ni siquiera he llegado a emplear un número considerable de ellos. El hecho de que la señora se muestre tan resuelta a escuchar mis cargos no indica en modo alguno que se sienta verdaderamente segura de su razón. Ella sabe muy bien cuánto daño ha hecho a mi vida con su avaricia. No puede haber olvidado tampoco todo lo que he hecho en el sentido de rectificar su vida. La prueba está en que muchas veces, reconociendo tristemente su terrible avidez, me ha prometido enmendarse. Que diga si es verdad o no que me lo ha prometido muchas veces.

E. Morrison.—Es verdad.

Byrton.—Si es así, no creo que sea imposible un avenimiento entre ustedes.

R. Morrison.—Eso lo considero ahora del todo imposible.

E. Morrison.—¿Por qué imposible si reconozco mi error?

R. Morrison.—¿Otra vez a la espera de la enmienda? ¡Eso sí que no! No volveré al infierno por mi voluntad. Mucho he padecido para volver conscientemente a él. No estoy dispuesto a seguir enterrando mis años en la privación de cuanto puede significar un sentido digno y libre de la vida, un sentido decoroso y generoso del bien y del mal. Quiero gastar mi vida en lo que puede dar un sentido elevado de ella, aunque sea en el sufrimiento. No quiero seguir bestializándome en la acumulación de desperdicios como si fueran joyas, y creer que eso es vivir. Eso es morir diez mil veces por día. Prefiero la muerte única y definitiva.

Byrton.—Creer una vez más sería una generosidad digna de usted, amigo Morrison. Convendrá usted conmigo en que si algo necesita su esposa son ejemplos de generosidad, y que si de alguien conviene que los reciba, es de usted precisamente.

R. Morrison.—Una nueva prueba de tolerancia jamás podrá ser generosa para esa mujer.

Byrton.—¿Qué dice usted, mistress Morrison?

E. Morrison.—(Cubriéndose la cara con un pañuelo.) ¡Lo quiero! ¡Lo quiero! Esto es lo único que puedo decir.

R. Morrison.—Vea lo terrible de todo esto. Me quiere y no puede superar, en bien de la persona que quiere, su desquiciante avidez. Esto mismo revela la imposibilidad de mantener un matrimonio que se debate diariamente en medio de fuerzas tan disolventes. ¿No es así, míster Byrton? Esto puede usted reconocerlo sin perjuicio de su equidistancia.

E. Morrison.—¡Lo quiero! ¡Lo quiero! Esto es lo único que puedo decir. (Pronuncia estas palabras mientras busca, como a tientas, una silla. Cuando la encuentra, se sienta y desata un llanto abundante, que parece querer detener apretando el pañuelo contra los ojos. Se produce un *largo silencio, como de respeto por el sentimiento que provoca el llanto de* MISTRESS MORRISON.)

BYRTON.—Bien. Por hoy, vamos a dejar las cosas como están.

R. MORRISON.—De ningún modo, míster Byrton. Le ruego que me perdone esta salida de tono con usted. No se deje usted impresionar por el llanto. Esto es cosa de cada día en nuestra casa. En ningún momento he dicho que ella no me quisiera. A su manera, extraña y homicida, reconozco que me quiere. No está en tela de juicio este asunto. Aquí sólo se trata de la imposibilidad de convivir. Y, en todo caso, de las causas que hacen imposible esa convivencia.

BYRTON.—He querido decir que con lo que hemos sabido y concretado hoy, iré preparando el primer escrito. Cuando esté hecho, les pediré que comparezcan nuevamente.

R. MORRISON.—No comprendo muy bien. Discúlpeme, míster Byrton, si insisto con tanta torpeza. ¿También ella tendrá que firmar el escrito que usted preparará?

BYRTON.—No, amigo Morrison. Los citaré de nuevo para ver si continúan ustedes intransigentes.

R. MORRISON.—¡Ah, bien! Aunque yo lo considero innecesario, comprendo que usted tenga el escrúpulo profesional.

E. MORRISON.—Dile a míster Byrton que no prepare ese escrito. Cuando estemos en casa te convenceré de que no es necesario. En adelante seré muy distinta.

R. MORRISON.—En primer lugar, debes saber que no pienso volver a casa.

E. MORRISON.—*(Como si recién comprendiera lo que está pasando ante sus ojos.)* ¡Ah, no! ¡Eso no puede ser! ¡Es absolutamente imposible! *(A* MÍSTER BYRTON.) Hágaselo comprender usted. El divorcio no está concedido, míster Byrton. Hágaselo comprender a míster Morrison.

El quiere conducirse como si ya todo estuviera resuelto a
su gusto.

R. MORRISON.—Estoy en mi derecho. Abandono el domicilio conyugal porque no puedo vivir en él. Por eso precisamente reclamo el divorcio. Y me atengo a las consecuencias de mi reclamación. Cuando el juez diga que no
puede ser, si así lo llegara a decir, volveré. Pero, entre
tanto, como ya lo he dicho, no quiero seguir padeciendo.

E. MORRISON.—*(Echándose a llorar con verdadera desesperación.)* ¡No puede ser! ¡Es imposible!

R. MORRISON.—¿Que no puede ser, dices? Ya verás que
sí. ¡Buenas tardes, míster Byrton! Ya le haré saber de mí.
*(Sale rápida y violentamente por donde entró, y sin salu-
dar a la secretaria, desaparece.)*

E. MORRISON.—¡No lo deje usted irse, míster Byrton!
¡No permita que se vaya, míster Byrton! ¿Qué voy a hacer yo sin él?

BYRTON.—No puedo impedírselo, señora. Debe comprender que no puedo hacer nada. Ya ha visto usted con
qué firmeza se ha ido.

E. MORRISON.—Usted tiene que buscarlo y hacerle comprender que no puede proceder así, que no debe hacerlo.
Tiene que volver a casa. Yo no podré vivir sin él. Me lo
he imaginado miles de veces, y siempre me he sentido
desesperada de sólo pensarlo. ¡Lo quiero! Si lo quiero,
¿qué puedo hacer? ¡No puedo resignarme a vivir sin él!

BYRTON.—Usted lo ha visto: he hecho cuanto ha estado en mis manos para quebrar su resolución, pero es inflexible.

E. MORRISON.—Búsquelo, míster Byrton, y convénzalo
de que yo cambiaré. ¡Se lo prometo! Le daré las llaves
de todos los armarios y de todos los cajones. Así no podré guardar el jabón bajo llave, aunque lo quisiera hacer.
Le compraré, al momento, lo que pida. Comerá de hoy en
adelante el mejor pescado, con los mejores condimentos.

Cuidaré de que los huevos estén frescos. ¡Prométaselo, míster Byrton! Prométale también que compraré nuevos cubiertos. Esto es muy importante, porque los que tenemos en uso fueron de mi madre, y tiene por ellos una extraña aversión. Lo irritan hasta perturbarlo. *(Sin dejar de llorar.)* Le ruego que le diga esto, sobre todo: que me compraré ropa interior nueva y que todo lo viejo lo tiraré. Esto no debe usted olvidarlo, porque ha sido la causa de muchas reyertas.

Byrton.—Voy a hacer lo que usted me pide, pero tengo que esperar a saber algo de él.

E. Morrison.—Pero lo más importante que usted puede hacer en mi favor es no preparar el escrito.

Byrton.—Eso no puedo prometérselo, señora, porque soy un profesional y no puedo faltar a mi obligación. Mucho menos tratándose de cosa tan delicada.

E. Morrison.—Es que no tiene objeto. Yo cambiaré, y míster Morrison desistirá.

Byrton.—Es posible. Mis deseos son ésos, pero no tengo el derecho de anticiparme. Cuando el señor Morrison me haga entrever su desistimiento, yo aprobaré cálidamente su actitud.

E. Morrison.—En este caso, hágame el bien de llamar a C. I. 4-7704.

Byrton.—No estoy autorizado a llamar nada más que a su oficina.

E. Morrison.—Le he dado el número de su oficina precisamente.

Byrton.—El número de la oficina de míster Morrison es otro. Se lo voy a decir en seguida.

E. Morrison.—C. I. 4-1123. El otro, el que le di antes, C. I. 4-7704, es el suyo privado, en su misma oficina. Cuando le ocurre algo conmigo, se va, invariablemente, a su oficina. Hágame el favor de llamarlo.

Byrton.—*(Perceptiblemente fastidiado.)* Hay algo que

no concluyo de entender. Si realmente lo quiere, si tanto la perturba la sola idea de que míster Morrison pueda no volver a su domicilio conyugal, ¿cómo no ha hecho usted nada por complacerlo? ¿Cómo lo ha dejado sufrir tanto? En una palabra, no entiendo cómo ha podido permitir que las cosas llegaran al extremo en que están.

E. MORRISON.—¿Que no he hecho nada, dice usted? Jamás podrá imaginar todo lo que he hecho. *(Renueva su llanto.)* ¡Pobre de mí! Es más fuerte que yo misma.

BYRTON.—¿Qué es lo que es más fuerte que usted misma?

E. MORRISON.—Mi avidez, mi avaricia, mi frenesí de acumular. Debe de haber una palabra que designe algo peor que la avaricia.

BYRTON.—No hay.

E. MORRISON.—Pues lo mío es peor, mucho peor que la avaricia. No sé si el peor de los avaros hace lo que hago yo. Levanto del suelo lo que arrojan los más pobres. ¡Soy una enferma! *(Nuevo acceso de llanto.)* ¡Yo sé que soy una enferma! ¡Aun en los instantes en que me parezco más monstruosa, como en este momento, no estoy muy segura de repudiar del todo esa monstruosidad! Me siento rodar bajo las cien ruedas de un tren para recoger una moneda.

BYRTON.—¿Fué así su madre o su padre?

E. MORRISON.—No sé. Nadie pudo haber sido como yo. *(Un silencio.)* Mi madre... Recuerdo haber visto a mi madre arrojar un calzón... viejo..., muy viejo... Yo lo recogí después.

BYRTON.—¿Y nada puede usted hacer contra eso?

E. MORRISON.—Apoyada en la certidumbre de perder a Robert, únicamente ante la seguridad de este peligro, tal vez consiga hacer algo.

BYRTON.—El día que usted comprenda bien, hasta su última consecuencia, que todo eso no conduce a nada, como no sea a la negación de la vida, lo dijo muy bien Robert, creo que curará, que se curará, porque es una enfermedad de la que sólo usted misma puede ser el médico.

E. Morrison.—¿Usted cree que no lo comprendo?

Byrton.—Eso es precisamente lo que supongo. Yo no conozco a ningún ser humano que haga lo contrario de lo que verdaderamente comprende. Lo que ocurre, por desgracia, con mucha frecuencia, es que la gente cree comprender las cosas contra las cuales se opone con sus actitudes, con sus hechos, como usted misma, si me perdona esta franqueza. Sé de muchas mujeres que se horrorizan de verdadero miedo ante una araña o una rata. Ellas son infinitamente más fuertes que la araña o que la rata, que siempre huyen ante la presencia del ser humano. Podrían aplastar a una y a otra. Sin embargo, siempre son las mujeres las que huyen espantadas. ¿Cree usted que procederían así si realmente lo supieran? Pero ¿cómo pueden saberlo de verdad, si nunca se han detenido a pensarlo? Por muy torpes que seamos, siempre nos queda el milagro de ajustar nuestras actitudes a una lógica. Esto podría ser su salvación, mistress Morrison, si quiere salvar su vida y su amor; su amor a la vida o la vida de su amor.

E. Morrison.—Los enfermos, míster Byrton, no tenemos otra lógica que la de nuestro mal.

Byrton.—No me hable así, si realmente quiere mi ayuda. No me obligue a mentir. Ya he hecho bastante con sólo sofocar mi opinión personal en este angustioso asunto.

E. Morrison.—Tiene razón. Perdóneme. Soy, como usted ve, una desdichada completa. No me haga caso. Ayúdeme. Nunca podría hacerle daño a Robert ayudando a quien tanto lo quiere. ¿Puede usted dudarlo?

Byrton.—Puedo dudarlo, sí, pero trataré de hacer lo que me pide porque la veo sufrir.

E. Morrison.—Muchas gracias. ¿Quiere usted llamarlo ahora?

Byrton.—¿Qué número me dijo?

E. Morrison.—C. I. 4-7704.

Byrton.—*(Después de discar.)* ¿Míster Morrison?... Mistress Morrison me ha estado hablando... Un momento, Robert. *(A Mistress Morrison.)* Dígale usted las mismas cosas. *(Se impone a la pasividad de* mistress Morrison *y le pasa el auricular.)*

E. Morrison.—*(Por teléfono.)* Haré todo lo que quieras, Robert. Míster Byrton cree que debes ceder. Tú bien sabes que no puedo vivir sin ti. Escúchame. No me reconocerás, Robert. Esta vez será verdad. Cambiaré. Te juro que cambiaré. *(Ante la presumible inflexibilidad del interlocutor ausente.)* ¡Robert! ¡Robert! Esta vez será verdad. ¡Robert! *(Abandona el auricular y se echa a llorar con todas las esperanzas quemadas.)*

T E L Ó N

ACTO SEGUNDO

Casa del matrimonio Morrison en Nueva York. Un gran "living" cuyos cuatro rincones han sido aprovechados de distinta manera, no obstante lo cual se confunden por su heterogeneidad. Se nota un amontonamiento de pequeñas cosas—filigranas de metal y de vidrio, caracolillos, diversas miniaturas, etc.—, distribuídas con prolijidad, pero sin sentido de lo sobrio. En uno de los ángulos —el único que, a pesar de todo, puede ser individualizado—, una máquina de escribir portátil, modelo antiguo, sobre una mesita "ad hoc". El ambiente todo es extraño y parece despedir el tufo característico de los sótanos. Los muebles, por otra parte, son só-lidos, pero viejos, aunque de cierto buen gusto, y dejan la impre-sión de no corresponder del todo al ambiente. Puerta al foro que comunica con una habitación contigua; otra en el lateral izquierdo que da a la calle; en el lateral derecho, una cortina que parece de hule, pero que bien podría ser de material plástico, único detalle que allí puede dar la sensación de una cosa "del día"...

Al levantarse el telón no hay nadie en escena, pero inmediatamen-te aparecen la dueña de casa, ELEANOR MORRISON, seguida por MISTRESS POOPESCO y MISS EVANS HARDEN, a la que se ha conocido en el primer acto, al ir a ver en consulta a MÍSTER BYRTON. MIS-TRESS POOPESCO parece tener de treinta y cinco a treinta y siete años. Es buena moza y viste con elegancia. Se le notan sus tres divorcios en la cara y en todos los movimientos. Gasta alhajas que luce con visible cuidado, como si temiera a cada instante perderlas.

E. MORRISON.—Verdaderamente sorpresiva la visita de ustedes.

MRS. POOPESCO.—Nunca hubiera creído hallarte por camino tan imprevisto, aunque bien sé que en este Nueva York, precisamente por ser tan grande, cualquier casua-lidad resulta lo más natural.

HARDEN.—Cuando le dije a mamá que había oído hablar de Eleanor Morrison en el despacho de míster Byrton, me exigió que averiguara tus señas.

MRS. POOPESCO.—Tantas veces y tanto tiempo te he nombrado desde que dejamos de ser vecinas, que hubiera sido imperdonable que no siguiera tus rastros para verte.

HARDEN.—¿Un cigarrillo, Eleanor?

E. MORRISON.—Gracias, no fumo.

HARDEN.—¡Qué extravagante!

E. MORRISON.—¿Por qué no te sientas tú también, como tu madre?

HARDEN.—No sabes lo que me cuesta estar sentada. Me parece que estoy perdiendo el tiempo.

MRS. POOPESCO.—Sí, ella cree que lo gana andando de un lado a otro, moviéndose en todos los instantes como las ardillas de Central Park.

HARDEN.—No empleces, madre, porque ya sabes cómo las gasto yo. Los testigos no me cohiben.

MRS. POOPESCO.—Lo sé, Evans. Pero no olvides que nada hay que me irrite tanto como el que pongas en descubierto la mala educación que te he dado. (Luego de una pequeña pausa.) Dime, Eleanor, qué ha sido de ti en tantos años. Ese míster Morrison, tu ex marido...

E. MORRISON.—Nada de "ex". Hemos desistido del divorcio. En poco rato más lo verán ustedes aparecer. Pero pregunta lo que querías saber.

MRS. POOPESCO.—Quería saber si tu ex marido (perdona esta insistencia, pero mis peripecias matrimoniales me han enseñado que cuando una mujer ha pensado una sola vez en su marido como "ex" ya nadie, ni ella misma, puede evitar que así sea) es de los Morrison de Albany.

E. MORRISON.—No. Es de una vieja familia californiana. Es lo único que sé a este respecto. La verdad es que tampoco me ha interesado nunca saber más.

Mrs. Poopesco.—¡De manera que has desistido! Esto sí que es algo que no entenderé jamás. ¡Arrepentirse de una iniciativa que casi siempre es feliz!

E. Morrison.—Me acobardó el temor de perder lo malo que tengo ante la idea de lo peor que pudiera tocarme en suerte luego.

Mrs. Poopesco.—Mi experiencia me ha convencido de que nunca se pierde en el cambio, porque aun en el caso de que el segundo sea peor que el primero y el tercero peor que el segundo, siempre a los posteriores se les va dando menos, se llega a ellos confiándoles muchísimo menos, lo que asegura que la defraudación es inevitablemente menor. ¿No es así?

E. Morrison.—Es posible que sea como tú dices, pero yo creo que en ese caso dar menos significa esperar menos también; y si es así, debemos reconocer que se va a la nueva experiencia sin esperar nada de ella. ¿Para qué se va entonces? Es absurdo exponerse.

Mrs. Poopesco.—Me está pareciendo, Eleanor, que tienes una idea muy romántica de todo esto.

Harden.—¿Romántica Eleanor, madre?

Mrs. Poopesco.—Tú no hables. Ya te he dicho muchas veces que tienes una imagen demasiado simple del mundo y del género humano. ¿Por qué no ha de ser romántica Eleanor? ¿Porque sabe lo que es ganarse un dólar y porque, por eso mismo, sabe darle su verdadero valor? El romanticismo no se opone a la justa valoración de las cosas materiales.

Harden.—"Stop", madre. No te creo en condiciones de aleccionarme sobre el romanticismo, al que desprecio con las mismas fuerzas que a tu tacañería. La vida es un hecho, madre, no un sueño infantil ni un puente sobre nuestro río Este, que jamás recibe una mojadura de sus aguas, que son su razón de ser.

Mrs. Poopesco.—Deja de decir tonterías. Ya sabes

que aun saliendo conmigo, no siempre estás con tu madre al lado para soportar tus impertinencias. Prefiero que Eleanor nos cuente algo de su vida. *(Una pausa.)* ¿Cuánto hace que murió tu madre, Eleanor?

E. MORRISON.—Pronto serán ocho años.

MRS. POOPESCO.—¿Te casaste inmediatamente?

E. MORRISON.—Muy poco tiempo después.

MRS. POOPESCO.—Supongo que no lo habrás hecho por necesidad. Tengo entendido que tu madre no te ha dejado del todo desamparada. Los vecinos siempre hablaban de ella como de una mujer rica.

E. MORRISON.—Es cierto. No me dejó huérfana de todo.

MRS. POOPESCO.—No es aventurado suponer que el dinero que te ha dejado se multiplicó en algunas operaciones.

E. MORRISON.—Pero éste es un interrogatorio formal. Menos preguntas hacen los formularios del "tax".

MRS. POOPESCO.—Debes creer que las dicta una verdadera estimación. Por otra parte, siempre queda el recurso de responder lo que mejor se acomode a tu voluntad.

HARDEN.—Eleanor, ¿sabes que hay algo relacionado contigo que nunca olvidaré? ¿Algo que recuerdo de pronto, en las circunstancias más extrañas? Tu madre y tú os preparabais para recibir a un riquísimo tío de Carolina del Norte, creo. Todo el vecindario estaba soliviantado con la llegada inminente del millonario. Decían, al menos, que era millonario, y no tenía para todos nosotros otro nombre ni otro apellido que ése. Mamá era entonces una vecina típica, curiosa y chismosa, según el testimonio fehaciente de mi niñez.

MRS. POOPESCO.—Hazme el favor de callarte. No seas tan torpe, hija.

HARDEN.—¡Pero, mamá, si no es tan grave lo que voy a contar! La verdad es que tú me mandabas a espiar...

Mrs. Poopesco.—¿Yo te mandaba a espiar?

Harden.—En buenas cuentas era para eso. Y yo, que tenía entonces seis o siete años, lo hacía con gusto. Tú me preguntabas qué había oído decir, y yo te contaba todo. Pero no te contaba todo lo que oía, porque casi no hablaban, sino todo lo que veía.

E. Morrison.—¿Y qué veías tú?

Harden.—Eso es lo gracioso. Mamá y todas las vecinas comentaban risueñamente el dolor que le causaría a tu madre el tener que rascarse y hacer algunos gastos para recibir y atender dignamente a un hermano millonario. Tú no puedes ignorar que tu madre gozaba de un prestigio invulnerable de avara. Pensaban las vecinas que era inevitable comprar algunos platos, algunas tazas, algo en qué servir al huésped, y que no podía comprar una pieza única para servir al hermano. Con esta conjetura se divertían las vecinas. Pero tu madre no les dió el gusto. Con gran sorpresa, el vecindario se fué enterando que lo que tu madre hacía era todo lo contrario de lo que esperaba. La buena señora resolvió que todo quedara como estaba siempre, y que lejos de extremar la limpieza más o menos acostumbrada, el polvo y la suciedad debían acumularse en todos los rincones, para que el millonario se conmoviera con tanta miseria hiriendo los ojos y el olfato. Cuando el magnate llegó y vió todo lo que había en torno, le dijo a su hermana (esto lo difundió tu madre misma, Eleanor: "Haces bien, Mildred. Así es como debe vivirse cuando se quiere prevenir toda necesidad en la vejez. Yo he vivido siempre de esta manera, y aún vivo así. Al pisar los umbrales de tu vivienda, creía entrar en mi propia casa. Pero no puedo ocultarte que hasta ahora ignoraba tener una hermana con tan buen pasar. ¿A cuánto asciende tu fortuna, Mildred?" *(Cambia de tono tras una breve pausa.)* Si hay algo que no sea cierto, este es el momento de desmentirlo, porque yo lo difundo mucho esto.

E. MORRISON.—Así fué mi madre. Lo que probablemente no sepan ustedes es que mi tío John al prepararse
para el regreso, luego de haber hecho sus negocios, quiso
obsequiar a mi madre, que lo había tenido en su casa algunas semanas, y le compró un par de aros, muy baratos,
como supondrán ustedes; al ir a entregárselos, no había
más que uno. El otro dijo haberlo perdido en el trayecto.
Algún tiempo después supimos que con el otro aro pretendió quedar cumplido también con su esposa, diciéndole
lo mismo que a mi madre.

HARDEN.—¡Fabuloso, Eleanor! ¡Me encanta la naturalidad con que lo cuentas! (*Luego de un silencio.*) Eleanor,
¿tú no cantas "blues"?

E. MORRISON.—No.

HARDEN.—¿Ni siquiera en coro, con algunas amigas?

E. MORRISON.—Ni siquiera en coro.

HARDEN.—¿No te gustan?

E. MORRISON.—Sí, algunas veces me he entretenido
oyéndolos por radio. Pero desde el último aumento en la
tarifa de suministro de corriente eléctrica ya no escucha-
mos radio.

HARDEN.—(*Después de mirar rápidamente a su madre
y de eludir ésta la mirada de la hija.*) ¿No conoces "Yelo"?

E. MORRISON.—¿Qué es eso?

HARDEN.—Es un "blue" maravilloso. Se trata de una
negra que extraña al amigo que la ha abandonado, y al
acostarse, de madrugada, lo recuerda. Todas las mañanas,
cuando se descalza, cuando se quita el vestido, las medias,
la combinación, lo nombra. La voz de la pobre negra se
quiebra en sollozos al tirarse en la cama. Es muy simple,
pero muy hermoso. Toda la letra es nada más que pinto-
resca, pero hacia el final, ¡qué sacudimiento de sorpresa
cuando se descubre que también las negras aman y su-
fren! (*Empieza a cantar el "blue" a que se ha referido y
lo hace con una sorprendente gracia y hasta con cierta*

unción, que parece rectificar la sensación de deliciosa su-
perficialidad que da EVANS HARDEN.)

MRS. POOPESCO.—Hija, ¿cuándo aprenderás a ser discreta? ¿Por qué no piensas en que Eleanor puede fastidiarse con tu canturreo?

HARDEN.—Poco que te encanta a ti este "blue". *(Vuelve a cantar.)*

MRS. POOPESCO.—No digo que me disguste, pero tampoco me entusiasma.

HARDEN.—Las veces que te he sorprendido canturreándolo con íntimo gozo.

MRS. POOPESCO.—No digas disparates.

HARDEN.—Puedo asegurarte, mamá, que en esos momentos es cuando más cerca de ti me he sentido. Me ha dado mucha satisfacción comprobar que tú tienes algo mío.

MRS. POOPESCO.—¿Algo tuyo?

HARDEN.—El gusto por esas cosas, por lo pronto, que es mío más que tuyo, según acabas de confesar tú misma. *(Una brevísima pausa.)* ¡Cómo me gustaría, Eleanor, que aprendieras a cantar "blues"! Te incorporaría al coro de mis amigas y estoy segura de que acabarías por hallar en esas cosas una gran alegría de vivir. Nosotras nos reunimos los sábados por las tardes, en casa de cualquiera de nosotras, y cantamos hasta la una o las dos de la madrugada, luego salimos a caminar por Broadway para seguir cantando. Cantamos bajo la lluvia y bajo la nieve. Las gentes pasan muertas de frío, por muy abrigadas que vayan; los taxis ruedan apenas, recubiertos de nieve. Sólo nosotras, indemnes a todas las inclemencias, marchamos tomadas del brazo y cantamos con una alegría inmensa los más desgarradores "spirituals". No hay nada que abrigue más que la alegría. Es lo único que quita de verdad todos los fríos. Es como una piel del alma sobre el cuerpo, que muda con las estaciones.

E. MORRISON.—No sabía que se hacía eso en Nueva York.

—HARDEN.—No sé si se hace, pero lo hacemos nosotras. Por otra parte, en Nueva York se hace todo lo bueno y lo malo de que es capaz la gente.

MRS. POOPESCO.—Piensa, Eleanor, que son chiquillas que aún no tienen veinte años.

E. MORRISON.—Eso es lo que estaba pensando. A esa edad se hacen todas las locuras.

HARDEN.—En nuestro grupo hay mujeres de veinticinco y de treinta años. Annie Robertson tiene treinta cumplidos. Y si ninguna de nosotras tuviera veinte, sería más extraordinario aún. Eso significaría que todavía en la adolescencia ya sabemos vivir.

MRS. POOPESCO.—En todas partes del mundo y en todas las épocas (sé muy poco de historia, pero estoy segura de que nunca ha podido ser de otra manera) las adolescentes han vivido y viven embriagadas de alegría. Cantar cuando se tienen dieciocho o veinte años es tan natural como berrear cuando se tiene uno. ¡Qué pensará de ti Eleonor cuando te ve pavonearte de tan poca cosa!

HARDEN.—En este momento quisiera conocer bien a papá, porque se me ocurre que él debe de tener mayor afinidad conmigo que tú. *(Otra breve pausa.)* No le hagas caso a mamá, Eleanor. ¿Quieres incorporarte a nuestro grupo? No cuesta nada. No hay que pagar nada. No tendrás que soltar un solo dólar. Muy de cuando en cuando te tocará a ti recibirnos, como lo hacemos todas, por turno.

E. MORRISON.—¿Y eso no te parece a ti un gasto muy considerable? ¿Cuántas son? No es posible disimularse que el recibirlas, aunque fuera de tanto en tanto, sería un gasto de ningún modo insignificante, como pareces creerlo tú.

HARDEN.—*(Con asombro.)* Pero, Eleonor, para el bien que te harías, ese gasto sería realmente insignificante.

E. Morrison.—Yo no me hago jamás un bien que me cueste. Lo que me cuesta no me puede hacer ningún bien.

Harden.—¡Me apabullas con esa afirmación! No creo que lo digas con seriedad. ¿No te cuesta vestirte? ¿No te cuesta alimentarte?

E. Morrison.—¡Si supieras lo poco que me cuesta y lo que sufro por ello!

Harden.—Pero te cuesta.

Mrs. Poopesco.—¡Me exaspera esta chica! Basta de hablar de estas cosas. No tenemos derecho a venir a contrariar a Eleanor en su propia casa.

Harden.—Si estamos conversando, madre.

Mrs. Poopesco.—Esta conversación parece enojosa para ella.

E. Morrison.—Me es enojosa en cuanto me da idea de un gasto, lo confieso. Soy de las que se irritan cuando oyen hablar de ciertas cosas.

Mrs. Poopesco.—¿Has visto?

Harden.—Estoy asombrada.

E. Morrison.—A mí me asombra muchísimo más oír hablar, precisamente a ti, que nada produces, de gastos dispendiosos.

Harden.—En eso tienes razón. Te advierto, Eleanor, que no produzco porque estoy preparándome para producir más y mejor, con el tiempo.

E. Morrison.—Pero los gastos los haces ahora.

Harden.—¿Y tú produces en el presente?

E. Morrison.—¡Naturalmente que sí! ¿Me supones un parásito?

Harden.—¡Cómo te pones, Eleanor!

E. Morrison.—Es que hay cosas que felizmente (en América, al menos) están ya fuera de toda discusión. Todo ser humano debe trabajar, no solamente en bien propio, sino también de la comunidad, para no disminuir con su inactividad el esfuerzo productivo de los demás.

HARDEN.—¡Qué mal me pones delante de mi madre! ¡No sé qué atinaré a hacer después que salga de tu casa! Ya no sé si debo reclamarle el vestido que prometió comprarme.

E. MORRISON.—Tú haces bromas de cosas muy serias.

HARDEN.—En cambio, tú dramatizas las cosas más insignificantes. Le das una importancia terrible al dólar.

E. MORRISON.—¡Eso es verdad! Para mí, todo gasto es disipación. No conozco un solo caso de gastador que no sea un disipado.

HARDEN.—(*Sin poder contener la risa que le ha provocado la última frase de* ELEANOR MORRISON.) Yo sé por qué te ocurre eso. Eres de las que creen que el dólar vale verdaderamente con acuerdo al cambio con el dinero de otros países. Yo te aseguro que el dólar no vale más que el franco francés, por ejemplo, aunque te den un montón de francos por un solo dólar. Mi querida Eleanor, por muchos dólares que acumules, no detendrás la muerte cuando te llegue la hora de su visita; por muchas montañas de francos que tuvieras, no podrías interferir mi alegría de cantar "blues" pr Broadway; por enorme que fuera tu fortuna, no podrías darte la alegría de cantar tú esos "blues".

E. MORRISON.—Pero tengo la curiosidad de saber qué harías tú si tu madre no tuviera la imperdonable debilidad de darte dólares.

HARDEN.—Con el dinero que me da mamá obtengo mis alegrías menores. Yo no necesito dólares para amar; no necesito dólares para cantar. Tampoco los necesito para poner en actividad mi cabeza. Convéncete que las cosas más hermosas se obtienen sin gastar dólares. Todo consiste en saber cuáles son las cosas más importantes para desarrollar nuestra vida. Ahí tienes tú; para mí, lo más hermoso es la dicha que me promete el dejar crecer estas cosas que llevo dentro y que nadie (ni siquiera mi madre, ni siquiera mi novio, ni siquiera yo misma) conoce. Esas cosas que son un misterio, que me dictan lo que te estoy diciendo y que me hacen defender como la vida misma, cuando alguien ataca canciones populares, esos "blues", esos "spirituals", que son de los negros, y que hoy me parecen la única dicha cierta de la vida, porque nadie puede arrebatármela.

E. Morrison.—¡Ahora me asombras tú a mí! No sé si eres una precoz gran mujer o un caso desesperante de infantilismo prolongado.

Harden.—No quiero dejar de decirte que para obtener las más hermosas cosas de la vida que no cuestan dólares, es indispensable saber despreciarlos, como yo, que sé lo poco que valen y los trato como lo que son: escoria de nuestra vida y por eso mismo inseparable de ella. Yo no he nacido para el tormento de pensar en los dólares que no hay que gastar, como mi madre. Te advierto que tú tienes un rostro que delata un sufrimiento de todos los instantes, monótono, terrible... Te acortará la vida. *(Vuelve a cantar "Yelo".)*

E. Morrison.—Eres demasiado joven para darme lecciones de esa clase.

Harden.—Otro error que compartes absolutamente con mi madre. También ella cree que son los años los que enseñan a vivir. Y te replico a ti con las mismas palabras que le digo siempre a ella: lo que enseña a vivir son muchas cosas juntas, pero muy principalmente el sentido que se tiene de la vida se va formando en nuestra mente con las rectificaciones de las mentiras que nos enseñan. Mi sentido de la vida me manda cantar y canto. *(Renueva, en efecto, su canto y se acompaña con unos pasos acompasados.)* A veces también me manda bailar, que es casi lo mismo. Se puede cantar lo que se baila y se puede bailar lo que se canta. Esto no me lo ha enseñado mamá, sino la alegría de vivir, que a ti te quitan los dólares, a los que quieres como si te dieran la alegría de vivir, en vez de quitártela. Ni tú ni mi madre sabrán nunca lo que es cantar y bailar.

MRS. POOPESCO.—(*A* ELEANOR MORRISON.) Te has quedado abrumada, ¿verdad? Te comprendo, Eleanor. Es un vendaval de tonterías esta hija.

E. MORRISON.—¿Sabes lo que estaba pensando? Que si mamá estuviera viva y la oyera, no podría contenerse. Yo, sí. Por eso, con frecuencia, me juzgo inferior a ella. Era más primitiva, y ésa es una condición necesaria para quien la ha heredado. Debí heredarla también en lo inmaterial.

MRS. POOPESCO.—No atribuyas tanta importancia a las palabras de Evans, que mañana puede sostener, aun en tu presencia, todo lo contrario de lo que le has oído. Puedo asegurarte que esta hija habla de todo como el Oráculo y piensa siempre como una mosca. Cuando la trates más tiempo y te acostumbres a oírla, le darás a sus cosas la importancia que le doy yo.

HARDEN.—A mí no me fastidia que se consuelen mutuamente. Lo que me extraña es que no comprendan ustedes mismas que no lo necesitan, porque las dos se consideran en el camino de la verdadera vida.

E. MORRISON.—Has definido bien a tu hija. (*Se dirige ahora a* MISS HARDEN.) Espero que no te ofenderás conmigo. Está dicho en broma, como todo lo que hemos estado diciendo. Pero la frase es ingeniosa. "Habla como el Oráculo y piensa como una mosca."

HARDEN.—Si la repites y te relames con ella, terminaré por ofenderme. No es muy halagadora, por cierto.

E. MORRISON.—Tú misma tampoco eres muy halagadora. Debes atreverte a reconocerlo. Perdona esta franqueza con la que quiero justificar mi aprobación a la excelente frase de tu madre.

HARDEN.—Me agrada que hables así. Con ello me concedes una libertad que no me hace falta, como habrás podido comprobar, pero me agrada que esté admitida oficialmente en la conversación. *(Se abre la puerta que da a la calle y aparece* Míster Robert Morrison, *con portafolio de cuero bajo el brazo.* Mistress Poopesco *y* Miss Harden *no se inmutan. Sólo* Mistress Eleanor Morrison *revela cierta perturbación cuando aparece su marido.* Míster Robert Morrison *al ver a las dos mujeres que están de visita, las observa rápidamente e inclina su busto, insinuando un saludo.)*

E. Morrison.—Creo haberte hablado alguna vez de estas amigas, sobre todo de la señora. Fué vecina nuestra, hace muchos años. Vecina de mamá, quiero decir. *(Presentando.)* Mistress Poopesco; miss Harden, su hija; Míster Morrison.

R. Morrison.—¿Cómo está usted? *(Luego de dirigirse con la misma frase a* Mistress Poopesco *y a* Miss Harden *y de ser respondido por ellas con las mismas palabras.)* Con permiso de ustedes. *(Desaparece por la puerta del foro, que comunica con el interior de la casa.)*

Mrs. Poopesco.—Pero es un hombre joven. Lo hacía de más edad.

E. Morrison.—¿Te han dado algunas referencias sobre mi esposo?

Mrs. Poopesco.—No. Se me había ocurrido.

E. Morrison.—Yo no les había ofrecido nada, porque esperaba la llegada de Robert para que hiciéramos "lunch" todos.

Mrs. Poopesco.—No, de ningún modo. Nosotras ya nos vamos. Te lo agradecemos.

E. Morrison.—Ciertamente, se ha hecho un poco tarde para quien tiene que hacer todavía. (Mistress Poopesco *y* Miss Harden *se arreglan un poco la cara ante el espejo de su cartera.)*

Mrs. Poopesco.—Pues me he dado un gran susto dándote caza. Ahora tienes tú que verme a mí. Si no lo haces, me importará poco, porque pienso seguir viéndote de todos modos. No te librarás de mí así como así. *(Reaparece* Míster Morrison *con un traje de entrecasa y se dirige, resueltamente, como si nadie lo viera, al rincón en que está su máquina de escribir, y se acomoda como para trabajar. Por su parte, las mujeres continúan despidiéndose como si no hubiera testigo alguno.)*

E. Morrison.—Puedes estar segura de que te veré en tu casa.

Harden.—Mi deseo es que la próxima vez que nos veamos, estemos más de acuerdo.

E. Morrison,—Ese es también mi deseo. *(*Eleanor Morrison *se besa con* Mistress Poopesco *y con* Evans Harden, *las acompaña hasta la puerta que da a la calle y luego desaparece por la que comunica con el cuarto contiguo, para reaparecer casi inmediatamente, trayendo consigo una especie de cesto (viejo, claro está) del que extrae un montón de trapos—vestidos y ropa interior de mujer, más viejos aún—y se sienta evidentemente dispuesta a revisarlos con prolijidad, no lejos de su marido, quien, a su vez, se ha sentado a la máquina y se ha puesto a escribir, consultando unos papeles que tendrá sobre la mesita que corresponda a aquélla, mientras chupa, con ritmo acompasado, su vieja y pequeña pipa.)*

E. Morrison.—*(Después de un largo silencio, durante el cual ha estado examinando sus trapos y al tomar en sus manos un vestido muy viejo, visiblemente desgastado en los costados.)* Observa, Robert. Es asombroso. Este vestido... ¿Sabes de quién fué? ¿No lo reconoces? Bueno, creo que lo usó muy poco tiempo. Pero es asombroso. Tú sabes que Ana mueve las caderas al caminar, como si moliera granos con ellas. Pues el vestido se ha desgastado justamente donde dan las caderas. Observa, Robert. Yo nunca he visto nada igual. Fuera de estos dos pedazos, el resto del género está bueno todavía. ¿No te parece, Robert? *(*Robert *continúa su tarea sin inmutarse, hasta el extremo de* *que no se puede saber si oye o no a su esposa. Esta abandona el vestido que ha estado examinando y toma otro en sus manos, al que examina de derecho y de revés.)* Tan vivo de color que es, y parece de luto. Lo que es la idea de la persona que lo ha usado. Pobrecita Marga. Este fué su único vestido de fiesta. Desde los quince años hasta los treinta y cuatro o treinta y cinco se lo pasó buscando un novio. La suponían (empezando por sus propios padres) una loquita que se entregaba por las noches a cualquier muchacho. Y murió virgen. Ese fué su drama. No se puede concebir una avaricia igual de la virginidad. *(Un breve silencio.)* Es verdad que era una sensual. Pero cotizó tan alto su honradez, que sacrificó a esa cotización todas las noches de su vida. La estoy viendo guiñar apenas los ojillos verdes, sin querer, como una manifestación espontánea de su ingenua picardía. Eso sólo ocurría cuando llevaba este vestido. En toda otra oportunidad que vistiera otro traje, era de una grave melancolía, verdaderamente irritante. Confieso que a mí me hacía daño verla en esas ocasiones. ¿No te acuerdas, Robert? *(Deja el vestido rojo a que se ha estado refiriendo y revisa otras prendas, que va dejando a un lado. Así hasta que toma un cinturón de cuero, con adornos metálicos, de costosa apariencia.)* El cinturón de tía Carmen, que tanto te gustaba, Robert, míralo. Está nuevo. *(Ríe.)* Yo estaba enloquecida con él. Tan enloquecida estaba, que se lo robé. Creo que lo hice porque te gustaba mucho a ti. ¿Robert, no me oyes?

R. MORRISON.—Sí.

E. MORRISON.—¿Te acuerdas cómo te gustaba este cinturón? Si estaría enamorada de ti, que lo robé para que tú me lo vieras puesto en mi cintura. Para gustarte yo. ¿Te acuerdas?

R. MORRISON.—*(Tras de mirar rápidamente el cinturón y volver sus ojos al papel que tiene puesto en la máquina.)* Jamás te he dicho que me gustara ese cinturón, que me

parece digno de tu tía Carmen. Por otra parte, nunca lo
has usado. Jamás lo he visto en tu cintura.

E. Morrison.—¿Dices que nunca te ha gustado y que
jamás me lo has visto puesto? Toda la vida te vengo diciendo que no tienes memoria para nada, y ahora lo demuestras bien claramente.

R. Morrison.—Esa es otra mentira tuya. Tengo una
memoria que debería darte miedo. Lo recuerdo todo con
los más pequeños detalles. Es decir, recuerdo todo lo que
por alguna razón merece ser recordado, todo lo que debe
ser recordado. Y siempre debe ser recordado todo lo que
a ti se refiere.

E. Morrison.—Bueno, te diré la verdad: no me he atrevido a ponerme el cinturón, de miedo a que me lo viera
mi tía.

R. Morrison.—No dices la verdad ni siquiera cuando
te propones, excepcionalmente, decirla. *(Se va alterando
poco a poco.)* No te has puesto el cinturón porque querías
tenerlo escondido, por horror a que se te gaste; porque tu
modo natural de gastar las cosas, de satisfacerte con ellas,
consiste en tenerlas guardadas hasta que se pudren, que
recién empiezan a tener para ti una especie de nuevo valor
o de vida nueva, como los cadáveres para los necrófilos.
(Una pausa.) ¡Que no tengo memoria! Recuerdo muy bien
que cuando tu tía mostró ese cinturón, tuviste el valor de
ofrecerle dos dólares por él. Lo estaba estrenando y le
había costado diecisiete.

E. Morrison.— ¡Lo estaba estrenando y le había costado diecisiete! Pero te olvidas de un detalle bastante importante, el de las palabras que acompañaron a ese ofrecimiento: "Cuando te canses de usarlo, siempre puedes
contar con dos dólares por él." La verdad es que todo fué
dicho en broma. Honradamente no se puede olvidar eso.

R. Morrison.—Lo que honradamente no se puede olvidar o simular que se olvida, como lo haces ahora, es

que el tono de broma que adoptaste se debió a que comprendiste que la intención de ese momento, por inaudita, tenía que ser disfrazada. Pero en lo íntimo de tu pensamiento, tu intención, al hacer la oferta, fué bien seria. ¡Te conozco tanto! Recuerdo la indignación que me produjo tu oferta. Es por el recuerdo de esa indignación que sé muy bien que no pronuncié una sola palabra sobre el cinturón. A mí, que conozco la lepra de tu espíritu mejor que las blanduras de tus carnes, me quieres ocultar, en una red de mentiras, los colmos de tu avaricia.

E. Morrison.—Tú vives con una idea fija: mi avaricia.

R. Morrison.—Y ahora, ¿qué haces sino alimentar tu avaricia con la exhumación de esos trapos malolientes, que cualquier mujer sana tiraría con asco al cajón de desperdicios?

E. Morrison.—Te equivocas, Robert. Esto no es montón de trapos. Hay aquí vestidos en buen uso todavía. Tú no entiendes de estas cosas.

R. Morrison.—A los ojos de cualquier mujer normal, todo esto es basura. Tú lo guardas y no tienes vergüenza de exhibirte ante mí hurgando entre ellos para recomponer un mal vestido, que luego llamarás con todo desparpajo: "mi vestido nuevo".

E. Morrison.—No te violentes tanto. En todo caso, tienes que reconocer que exageras. (Robert *se levanta violentamente y se dirige hacia una especie de armario; abre, agitado, un cajón del mismo, extrae de él un montón de trapos, que despiden un hedor a humedad y podredumbre; luego abre otro del que saca cosas en igual estado, y en seguida otro y otro, hasta que ya nada encuentra. Entonces va hacia su mujer, la toma fuertemente de un brazo y la obliga a inclinarse hacia los trapos, hasta casi meter las narices en ellos.)*

R. Morrison.—*(Frenético.)* Tómales el olor. ¿No hueles a podrido? ¿Qué son estas cosas? ¿Para qué están en

los cajones en que nunca cabe algo verdaderamente útil?
¿Te obstinas en negar las llagas de tu alma y te muestras
lamiéndotelas? ¿Crees que un hombre, por poco que se
estime y por mucho que quiera ser consecuente con sus propios errores, puede soportar indefinidamente esta atmósfera de pozo que tú creas con tu sola presencia? Es muy
posible que tú necesites vivir en una piara. ¡Pero yo no!
Eres una cerda desnutrida. No te soporto más. A tu lado
superé las medidas humanas de la paciencia y de la tolerancia, dando fe, como un perfecto imbécil, a promesas ju-
radas que no podrás cumplir jamás. (*Sufre como un ataque de locura y empieza a romper, mediante visibles esfuerzos, los trapos que ha esparcido por la habitación.
ELEANOR se impresiona viéndole hacer, cruza los brazos
y se los toma con las manos, como si contuviera, temerosa de sí misma, su propia reacción.* ROBERT, *como si eso
fuera el lógico remate de su ataque, y sin alterar el ritmo
de su violencia, desaparece un instante, vuelve con su saco
de calle puesto y se dirige resueltamente hacia la puerta
que da a la calle.* ¡Eres, tú sola, todo el infierno del
hombre! (*Abre la puerta.*)

E. MORRISON.—(*Que más que ver, adivina la intención
de su marido, le intercepta la salida, apoyando su cuerpo
contra la puerta.*) ¡No te pongas así, Robert! Sabes bien
que no puedes irte. Es tanto lo que te quiero, que nunca
podré permitir que me abandones. (ELEANOR *intenta llegar con sus manos a la cara de su esposo, pero éste la rechaza con asco y aprovecha la pequeña negligencia que
todo esto supone en la vigilancia que se ha impuesto la mujer, y consigue entreabrir la puerta.* ELEANOR, *de un solo
movimiento, que por lo ágil y poderoso parece producido
por el instinto de conservación, aparta a* ROBERT *y cierra
herméticamente la puerta, echándole la llave y guardando
ésta entre su ropa.*) No puedes irte, Robert. ¡Eres toda mi
vida! No tengo más que esta miserable vida, y tengo que

defenderla como la mejor. Esto tienes que comprenderlo.

R. MORRISON.—Has agotado a tal extremo mi capacidad de tolerancia, que tus súplicas me llevan a la crueldad y tus actitudes fuertes me ciegan de ira. De manera que si quieres evitar una desgracia definitiva para los dos, te aconsejo no interponerte en mi decisión.

E. MORRISON.—¡Pero si te quiero y estoy dispuesta a cualquier sacrificio por retenerte!

R. MORRISON.—Te ruego que no hables así, porque me estoy sintiendo capaz de matarte.

E. MORRISON.—¡Oyeme, Robert! *(Vuelve a intentar llevar las manos a la cara de* ROBERT. *Esta vez alcanza a rozársela. El recibe esta presunta caricia como un zarpazo.)* ¡Cuando te veo así, me desespero! *(Se le saltan las lágrimas.)*

R. MORRISON.—*(Completamente alterado.)* ¡Llorar no! ¡Eres aún más monstruosa cuando lloras!

E. MORRISON.—¡Si conocieras el miedo que me da verte así!

R. MORRISON.—Lo asombroso es que verdaderamente no tengas miedo, porque yo sé que voy a matarte por desesperación y tú persistes en oponerte a mi necesidad de irme, como si quisieras, conscientemente, incitarme al crimen.

E. MORRISON.—Tú no me desprecias tanto como crees, Robert. Puedes prescindir de mí, lo sé. Pero eso no es una prueba de desprecio. Si realmente me despreciaras, no podrías prescindir de mí. Y yo he sentido que muchas veces puedes no prescindir de mí.

R. MORRISON.—Termina de decir disparates y déjame salir. Siento que se me va la vida en cada minuto.

E. MORRISON.—No quieres entenderme, Robert. Pienso que si me despreciaras realmente, como pretenden tus palabras, hace mucho tiempo que tus sentimientos no te hubieran consentido volver a mi lado; estoy convencida de

que si me despreciaras tanto como supones, no habrías
podido tú ni habría podido yo obtener un solo instante de
satisfacción el uno del otro, y debemos confesar que hemos
logrado más de uno. Yo muchos más que tú, pero tú también has tenido alguno. Es por eso que no puedo permitir que me abandones. Piensa, Robert, que hace un rato
estabas ahí, junto a tu máquina, trabajando tranquilamente, rodeado de una paz que olvida tu desesperación, y que
esa paz vale algo. No vale menos que esta injusta violencia que vuelcas sobre mí, a quien sabes una víctima de sí
misma tanto como tuya. Sí, soy avara. Podría, por avaricia, caer en la peor de las ignominias, pero te quiero y soy
también avara de ti. Como ves, mi avaricia tiene su lado
bueno. Yo me reconcilio con ella cuando descubro que
mis sentimientos por ti no se fatigan nunca de acumular-
te. Ni estas iras terribles con que estallas de pronto y que
me obligan a blindarme de una energía que, ciertamente,
no es natural en mí, quisiera perderlas, si es que es inevitable que las tengas.

R. Morrison.—¿Adónde quieres llegar con ese montón
de palabras? Tus palabras más ardientes se congelan al
llegar a mí. Sé también avara de tus palabras y ahórrate-
las. Piensa que mi decisión es irreductible. De nada te valdría que yo permaneciera una hora más, o dos, si finalmente, en la primera oportunidad, no me verías más. Para tu
amor propio de mujer, para tu dignidad y aun para tu
amor, si es verdad que lo tienes, te hace más cuenta no
retenerme.

E. Morrison.—Mi amor propio, mi dignidad, mi amor,
mi voluntad, todo, absolutamente todo lo que en mí puede
ser o tener, en una circunstancia cualquiera, una fuerza,
por pequeña o grande que fuera, se satisface teniéndote,
reteniéndote.

R. Morrison.—Teniéndome, si me pudieras tener, tal
vez, pero reteniéndome, precisamente porque sabes que no

puedes tenerme, no haces sino aniquilar tu amor propio, hacer escarnio de tu dignidad y humillar tu amor.

E. Morrison.—No sabes lo que es este amor voraz, que no entiende de razones que puedan debilitarlo.

R. Morrison.—¡Basta ya, Eleanor! ¡Abreme! Abre la puerta, porque no puedo seguir sometido a tu voluntad. Como ya no eres nada para mí, no siento ya la necesidad de tener contemplaciones contigo.

E. Morrison.—¿No has visto ya que estoy dispuesta a todo?

R. Morrison.—Y yo más que tú. *(Se produce una larga pausa, después de la cual Eleanor se acerca lentamente hasta la puerta a que ella misma ha echado la llave, y hace correr el cerrojo para abrirla, ante la mirada expectante de su marido. En seguida, en tono de voz muy probablemente nuevo en ella, le dice:)*

E. Morrison.—La puerta está abierta. Te irás sin que yo haga el menor movimiento para impedírtelo, si después de escuchar lo que voy a decirte insistes en dejarme. Se me ha ocurrido algo muy simple, tan simple, que es extraño que no se me haya ocurrido antes.

R. Morrison.—¡Pero sin prólogos, por caridad!

E. Morrison.—*(Se acerca a Robert como para hablarle muy naturalmente, pero él retrocede un poco.)* Puesto que todo lo que me pasa es porque yo tengo mi dinero, lo que debo hacer para que no siga ocurriendo es desprenderme de él. *(Robert, al pronto, se sorprende en extremo; luego mueve levemente la cabeza, no se sabe bien si lo hace para aprobar lo que acaba de oír o para significar que es un ardid y que está prevenido. Ella continúa hablando como si nada estuviera viendo en el rostro de su marido.)* No teniéndolo en mi poder, no sentiré la necesidad de aumentarlo. ¿No crees tú que lo terrible de la avaricia es la desesperación por el crecimiento, siempre tan lento, de lo que se posee? No poseyendo nada, no se puede estar desesperado de acrecerlo, porque nada, más nada, sigue siendo nada. Eso no lo ignora ningún avaro. Como ves, yo lo sé.

R. MORRISON.—Termina, pues.

E. MORRISON.—Si debo desprenderme de lo que tengo, lo natural y lo lógico es que te lo entregue a ti. No tengo nadie más próximo que tú. Te entregaré los doscientos mil dólares y me curaré de todo lo que me acusas. (*En la cara de él la duda se ha hecho más clara, más resuelta. Ella, que lo advierte, comprende que debe seguir trabajando el ánimo de su marido.*) No dudes, Robert. Ya no puedes dudar. Nunca te he hablado como lo estoy haciendo. Debes comprender el sacrificio que es para mí el solo decir lo que has oído. (ELEANOR *se acerca a* ROBERT *y le acaricia el cabello y la frente.*) ¿No lo comprendes? ¿Será posible que no comprendas lo que significa que mi pensamiento admita que debo hacer traspaso de toda mi fortuna?

R. MORRISON.—Muchas veces has admitido cosas que luego te has negado a hacer con todas las fuerzas oscuras que se te desatan de pronto. Centenares de veces has prometido hacer esto o aquello para corregir la ignominia de tu naturaleza, y llegado el momento de cumplirlo, te has erguido con una violencia temible, como si se tratara de defender tu vida. Y ahora creo que era realmente tu vida lo que defendías. Eso es tu vida. Quédate con ella.

E. MORRISON.—Estás ciego, Robert. Si no percibes el alcance de la confesión de mi pensamiento, estás enteramente ciego y vas a perderte y vas a perderme.

R. MORRISON.—Ya no puedes engañarme. Estoy definitivamente prevenido.

E. MORRISON.—(*Después de volver a acariciarle la frente y de pasarle suavemente las manos por los ojos, venciendo la resistencia de* ROBERT.) Déjate acariciar. Quizá percibas en mis manos lo que las palabras no alcanzan a decir.

Quizá sientas en ellas hasta dónde estás triunfando sobre esas fuerzas que te sublevan. Oye esta nueva música para tus oídos. *(Silabea en su oído las palabras que pronuncia a continuación.)* Te entregaré todo mi dinero. Lo depositaré a tu nombre en el banco que tú indiques, o lo dejaré en tus manos en papel contante o en monedas sonantes, y tú harás con él lo que quieras. Ni siquiera averiguaré lo que hagas.

R. MORRISON.—*(Insistente.)* No te puedo creer.

E. MORRISON.—Es una prueba tremenda para mí, Robert. Podría desprenderme del dinero y hacer estéril ese sacrificio si no lo acompañara la convicción íntima de que nada es mío ya. ¿Me oyes bien, Robert? Digo que nada es mío ya. Observa con qué convicción lo digo. Si no crees en este milagro, es porque ignoras la capacidad del milagro del ser humano, gracias a la cual subsiste la fe y la idea de Dios. Si no crees en él es porque estás definitivamente perdido para tu propia felicidad, y yo contigo para la mía. *(Ante un gesto escéptico de él.)* ¿Es posible, Robert? No puedes haberte convertido a tal extremo en tu propio enemigo. ¿No crees ya ni en lo que estás viendo? Yo me oigo a mí misma, y creo que ni mis primeros berridos han podido ser tan puros como este timbre de mi voz, tan justo y tan nuevo para estos pensamientos nuevos de mi amor, implacable para conmigo. Mírame, Robert, y verás que del fondo de mis ojos ha desaparecido el espectro de la codicia. *(Pone sus ojos frente y próximos a los de* ROBERT, *forzándolo a que mire en ellos, y luego besa los de él.* ROBERT, *con docilidad insospechada, la deja hacer.)* ¿Verdad que es así? ¿Verdad que ahora me crees? *(La sensualidad natural de* ELEANOR *se suelta. Le acaricia la cara, la frente, y le besa con lascivia en la boca.)* ¡Si supieras cómo te quiero ahora! Hasta hoy, hasta este momento, eras dueño de mi amor y de mi cuerpo, pero ahora te siento dueño también de mi dinero, dueño de mi alma. Te amaba con desesperada y obstinada pasión, pero ahora te codiciaré a la vez, y tú sí

que sabes bien lo que es la codicia en mí. Lo que ha desaparecido del fondo de mis ojos es la codicia miserable,
para ser reemplazada por esta inmensa codicia de tu persona, viva suma de todo lo codiciable y sepulcro, vivo también, de toda la ignominia que debí enterrar. Eres la muerte y la resurrección de mi avaricia, Robert.*(Estas últimas
cosas son dichas por* ELEANOR *como palabras de seducción.
Ante la inactividad de* ROBERT, *ella acentúa su actividad
pasional, hasta promover la apetencia de su marido. Después caen los dos sobre uno de los butacones que hay en la
habitación, urgidos por un gozo de imprevista plenitud.)*

TELÓN

ACTO TERCERO

CUADRO PRIMERO

Angulo de un depósito semiabandonado, en el que sólo se ve una gran cantidad de hierros viejos, de los más diversos tamaños y las más variadas formas, llenos de herrumbre. Por la puerta—ancha puerta, de hierro también—entreabierta entra la luz de pleno día, como un gigantesco sable, cortando el ambiente semipenumbroso. Al levantarse el telón están en escena ROBERT MORRISON, vistiendo ropa de trabajo, en evidente estado de abandono, y su conocida pipa entre los dientes; ELEANOR MORRISON, consecuente con sus propios antecedentes, usa un vestido que en modo alguno puede sorprender en ella; aparece como si quisiera dar la sensación de que no desea intervenir en la conversación de su marido con WILLIE, un muchacho pelirrojo, de unos catorce o quince años, que tiene con una mano un arco de hierro oxidado de más de un metro de diámetro.

WILLIE.—Tengo treinta y seis arcos como éste. Son de más de dos pulgadas de ancho y casi media pulgada de espesor. ¿Cuánto ofrece por cada uno?

R. MORRISON.—(*Mientras observa la pieza ofrecida y la examina, tomándole incluso su peso.*) ¿De dónde salen estos arcos? Ruedas no son.

WILLIE.—Son de tanques de nafta.

R. MORRISON.—¡Ah!... Sí, es verdad. ¿No tienen dónde meterlos?

WILLIE.—¿Cuánto ofrece por cada uno?

R. MORRISON.—No ofrezco nada. Tú los ofreces.

WILLIE.—Sí, yo los ofrezco en venta... Si a usted le interesan, puede ofrecer algo por ellos.

R. MORRISON.—Vamos a hablar claro. Yo sólo compro cosas que estorban en todas partes. Como ves, no hay engaño. Puedo darte cinco centavos por cada uno.

WILLIE.—No paga ni el transporte.

R. MORRISON.—Cuando quieras desprenderte de ellos de otra manera, tendrás que pagar (tú o el que te manda) algunos dólares para que se los lleven y dejen el sitio libre para cosas más útiles. Me los vienes a ofrecer porque lo sabes. Es un negocio bien claro para ti recibir un dólar con ochenta por ellos.

E. MORRISON. —*(Casi al oído de* ROBERT.) ¿Para qué los quieres? ¿Vas a invertir casi dos dólares en eso?

WILLIE —¿Así que el hierro no vale nada?

R. MORRISON.—Para el que tiene una fundición, que cuesta varios millones de dólares, vale mucho. En las fundiciones lo cotizan muy alto, pero yo no tengo fundición. Tú sí pareces tenerla por lo mucho que aprecias el hierro viejo...

WILLIE.—Usted hace negocio con todo esto que tiene aquí.

R. MORRISON.—Y si no lo hiciera, no me vas a compensar tú de todo lo que llevo invertido.

WILLIE.—No será mucho, si compró todo ofertando lo que me ofrece a mí.

R. MORRISON.—Es asunto mío.

E. MORRISON.—*(Son poder contenerse ya.)* No conviniendo la oferta, es una sola cosa la que hay que hacer.

R. MORRISON.—*(A* ELEANOR.) Déjame a mí.

WILLIE.—Yo tengo un hermano muy rico en San Francisco, lady. Hizo su fortuna con su inteligencia y su voluntad para el trabajo. Mi padre lo reconoce siempre. Ese hermano mío dice que en los negocios siempre hay que dejar una puerta abierta. Usted, al echarme, no deja ninguna puerta abierta.

E. MORRISON.—¿Le llamas "negocios" a esto que ofreces?

Willie.—El que más bien le llama "negocio", porque lo hace, es él. *(Señala a* Morrison.)

R. Morrison.—Yo soy "míster Morrison".

Willie.—Bien, míster Morrison. No creo que usted deba avergonzarse por comprar y vender hierro viejo, como parece creerlo la señora. Todos han empezado por algo muy pequeño. Mi hermano también. Y pasa de los cincuenta mil dólares.

R. Morrison.—No has entendido correctamente lo que mistress Morrison ha dicho. Ella no se avergüenza de que yo compre o venda hierro viejo. Ha querido decir, eso sí, que lo que tú traes no tiene la importancia de un negocio.

Willie.—Es lo que yo entendí. Y por eso creo que no tiene razón. Si usted compra o vende hierro viejo, es porque es un negocio para usted, míster Morrison; y si es un negocio, no veo por qué no ha de serlo el que yo le traigo. Será un negocio de poca monta, pero lo es.

R. Morrison.—Sí, claro está

Willie.—*(Tras una breve pausa.)* Usted me es muy simpático, míster Morrison, y quisiera cerrar trato, siempre que usted no tenga apuro en que yo le traiga la mercadería.

R. Morrison.—No tengo apuro.

Willie.—Entonces está muy bien. Trato hecho. Yo le iré trayendo los arcos de a dos o de a tres. Según la cantidad de compañeros que me esperen a la salida del trabajo. Porque a ellos, como a mí, los entretiene el hacer rodar los arcos por las calles. Algún día no tendré más remedio que traerle uno solo.

R. Morrison.—No importa.

Willie.—¿A qué hora cierra?

R. Morrison.—Eso no es problema. Yo cierro tarde, porque abro tarde. Tengo otras ocupaciones. Si por casualidad encuentras cerrado, ¿sabes lo que hay que hacer? *(Le indica las cosas a que se va refiriendo.)* Observa: ¿ves tú cómo cierra este portón? Queda un hueco bastante grande, por desgracia, debajo del marco del portón. Pues por ahí puedes hacer entrar los arcos si algún día encuentras cerrado. En ese caso, te pagaré al día siguiente.

WILLIE.—¡Excelente, míster Morrison! Ya, por lo pronto, queda éste aquí. Así podré decirle a mi patrón que los iré reuniendo todos. Aunque él si tiene apuro en tener el espacio libre, espero que no se desdiga del ofrecimiento que me ha hecho.

R. MORRISON.—Tú sí que haces un buen negocio con esos arcos, que no son tuyos ni te estorban a ti. *(Tratando de congraciarse con el muchacho.)* Estoy seguro de que no recibirás menos de dos dólares por la "changa".

WILLIE.—*(Vacilando.)* No puede estar seguro de lo que no sabe. Un dólar me prometieron.

E. MORRISON.—Lo lógico y lo justo sería que repartieran las ganancias. Gracias a mi marido, recibirás ese dólar, más un dólar ochenta que también llegará a tus manos porque a él se le ocurre comprar...

R. MORRISON.—¡Es verdad! No lo había pensado.

WILLIE.—En los negocios hay que saber dejar ganar para ganar.

E. MORRISON.—En los negocios no hay que dejar escapar ni un solo centavo de lo que a uno le corresponde.

WILLIE.—Veo, señora, que usted no quiere dejar escapar ni lo que me corresponde a mí. Pero para demostrarle que yo también soy un hombre de negocios, estoy dispuesto a partir las ganancias con míster Morrison, siempre que míster Morrison no me deje en mitad del camino. Yo partiré con él el dólar que me dará mi patrón, siempre que él me haga socio en el negocio de los arcos y parta conmigo las ganancias que tendrá cuando los venda.

E. MORRISON.—¡Qué alas tienes, muchacho! No te quedas corto en pretensiones.

WILLIE.—Yo, para los negocios, no quiero alas, sino sus dientes, lady.

R. MORRISON.—Ya los tienes, y los sabes clavar muy bien. Contigo no vale la pena echarse atrás. Me valdrá más tenerte de amigo. Lo que hablamos es cosa hecha.

WILLIE.—Sí, las mujeres son muy hábiles para los negocios, pero siempre se exceden y dejan resquemores. Por eso no hacen más que un negocio con cada persona. No me gusta tratar con ellas. *(Sale.)*

R. MORRISON.—*(Mientras sigue al muchacho con la vista.)* Tiene talento para los negocios.

E. MORRISON.—El que no lo tiene eres tú. No sé para qué precisas esos arcos. Y todo este montón de hierro viejo, por el que nunca obtendrás lo que has invertido.

R. MORRISON.—No creo haberte pedido opinión sobre mis negocios.

E. MORRISON.—¿Tú también le llamas "negocio", como el chico ése?

R. MORRISON.—Llámalo tú como quieras. He querido decir que no te he pedido parecer sobre lo que hago o dejo de hacer.

E. MORRISON.—Por eso haces verdaderas locuras.

R. MORRISON.—Recuerdo que has prometido no intentar siquiera saber qué inversiones hago.

E. MORRISON.—Bastante tiempo me contuve, aferrada a mi palabra con un romanticismo estúpido. Pero ya estoy dejándolo atrás.

R. MORRISON.—No basta que tú lo dejes atrás. En cambio, puede bastar que yo me oponga para que no consigas saber nada.

E. MORRISON.—Has tomado con demasiado rigor mi promesa en el sentido de no querer saber nada de las inversiones que hicieras. Un hombre inteligente hubiera comprendido que eso no es posible cumplirlo estrictamente.

R. MORRISON.—Estás irritada por este almacenamiento

de hierro. Tú ves muy bien lo que salta a la vista, como todas las mujeres prácticas, pero no tienes ninguna agudeza para ver la trastienda del mundo. Ya te explicaré qué fin tiene el acumular hierro herrumbrado, "trapos" de hierro, según has dicho, dándome una réplica con una demora de casi tres años. *(Se acerca a* ELEANOR *y le habla con una blandura hasta ahora no gastada en su relación conyugal.)* Vete a casa, que en un rato más llegaré yo y hablaremos. Verás que si Jesús multiplicó los panes, yo multiplicaré los dólares, convirtiendo estos desechos de hierro en grandes monedas de oro, y me conformaré con tu sola devoción.

E. MORRISON.—Bien. No demores.

R. MORRISON.—Media hora más y estaré contigo. *(*ELEANOR MORRISON *sale.* ROBERT *busca un trapo y una pequeña lata de nafta que tendrá arrinconada. Humedece aquél con la nafta y luego se empeña en limpiar un trozo del arco que le ha dejado* WILLIE. *En esta tarea lo sorprende* MÍSTER GIANNINNO, *un hombre joven, físicamente bien representativo del meridional italiano. Viste con cierta ostentación, pero no de su lujo, sino de sus gustos.)*

GIANNINNO.—¡Eló, míster Morrison!

R. MORRISON.—*(Sin interrumpir su tarea.)* ¡Eló, míster Gianninno!

GIANNINNO.—Tengo un buen negocio para usted, pero hay que tomar decisiones rápidas.

R. MORRISON.—No es para mí. Yo sólo creo en los negocios que me dan tiempo para reflexionar.

GIANNINNO.—Los negocios no se hacen con reflexiones; se hacen con decisiones. Por eso hay tan pocos hombres de negocios. Todo el mundo es capaz de pensar, pero muy pocos tienen bastante coraje para hacer.

R. MORRISON.—Antes de saber de qué se trata, quiero saber de cuánto se trata.

GIANNINNO.—Se trata de sesenta mil dólares.

R. Morrison.—*(Luego de mirar a* Gianninno *con asombro.)* ¿Qué?

Gianninno.—Treinta mil dólares por cada parte. No me va a decir que no los tiene.

R. Morrison.—No; no los tengo. Los que tengo son míos. No son de esos que pueden arriesgarse en cualquier proposición.

Gianninno.—*(Ríe espontáneamente.)* Ignoraba que se hubiese hecho una emisión de dólares para su uso personal, destinada a inversiones de una categoría especial. *(Intensifica su risa.)* ¿Llegó usted al mundo rociado de dólares y no de sangre como el resto de los mortales? Solamente así me explicaría eso de que sean suyos de una manera distinta que los míos son míos.

R. Morrison.—Por mucho que usted se ría, no igualará mis dólares con los suyos, ni los suyos con los de sus vecinos. Hay dólares que se adhieren a uno mejor que la piel y no se desprenden ni con la piel; otros no resisten ni la tela de los bolsillos de quienes los tienen, y vuelan más prontamente que sus pensamientos. Estas personas no tienen sus dólares: disponen de ellos, que es cosa bien distinta. En la historia de nuestras ganancias y en la historia de nuestras inversiones está toda nuestra vida, con todos sus secretos, mejor que en los secretos que creemos guardar. ¿Por qué, pues, no han de ser mis dólares distintos que los suyos? ¿Por qué habrían de tener entonces el mismo destino que los suyos?

Gianninno.—¡Oh, sí! Ahora comprendo: yo me equivoqué, míster Morrison. Venía en busca de un hombre de negocios. Usted es un misionero del dólar, un pastor del papel moneda.

R. Morrison.—No soy más que un hombre realista. Mis convicciones tienen en mí el respaldo de mis dólares. Sin ellos no tendría confianza en mis propios pensamientos.

Gianninno.—Bueno, míster Morrison. Tiene que perdonarme. En los años que lo conozco, nunca lo había oído hablar así.

R. Morrison.—Siempre hay dos o tres cosas que son más fuertes en unos que en otros. Esto del dinero es algo muy serio. No lo cotiza el Estado, ni Wall Street, ni la banca internacional. Lo cotiza cada uno según su entendimiento y según su saber.

Giannino.—(Pensativo.) ¡Oh, sí! Pero hay algo que no comprendo, míster Morrison. Todo esto que se ve, ¿no está recolectado para negociar?

R. Morrison.—Sí. Yo también tengo algunos dólares para negociar. Los invierto con un coraje que usted no tiene. ¿Se hace usted voluntariamente la más pequeña herida? Pues eso es lo que yo hago con los dólares de mis negocios. Me sangro con ellos. Tratándose de la propia sangre, nunca es poco, pero mi coraje no llegaría nunca al heroísmo de derramar por propia decisión una cuarta o una quinta parte de toda la que contiene mi cuerpo. Usted me propone un negocio que me obligaría a desangrarme. (Cambia de tono y adopta uno entre cínico y suplicante.) Tráigame negocios de diez dólares, de cinco, de uno o de centavos. Negocios de un tornillo, de un alambre o de una cáscara de maní. Negocios despreciables son los que yo necesito. De esos que comprometan lo menos posible mi corazón sensitivo. No me importa que comprometan cualquier otra cosa. Yo sé que la conciencia que segrega escrúpulos morales demuestra debilidad en las convicciones. Yo no soy un hombre débil. Tengo una mente sana, a la que respondo con todas las fuerzas de mi buena salud. Quiero esa clase de negocios que ustedes llaman pequeños. Los quiero muy pequeños. Una tijera oxidada; algún cubierto muy viejo; una cerradura que no funciona. Objetos sin atractivo ni utilidad para nadie, que no pueden ser regalados por su misma insignificancia y se venden por un cobre o por un níquel. Andando el tiempo, yo los revendo por un dólar y obtengo una ganancia de diez o veinte veces su costo. Convierto el mínimo negocio en un gran negocio. Esos otros que tienen como lema invertir millones para ganar centavos, como el de la calle catorce, me parecen muy estúpidos, y creo que no tienen nada que ver con los negocios.

GIANNINNO.—Bien. Ya le he presentado mis excusas. Me voy a buscar un socio que no tenga dólares, sino que disponga de ellos, como yo, y que no goce de tan buena salud como usted, porque me enfermaría a mí muy pronto. Busco un socio al que se le vuelen los dólares, para hacerme compañía. Porque a mí sí que se me vuelan. Será por eso que me lleguen con tanta facilidad, como si supieran que van a seguir su aventura. *(Después de dar dos o tres pasos en dirección a la puerta.)* Antes de irme quiero decirle que siempre me han irritado los hombres como usted. Pero usted no. Como dice de sí mismo lo que debieran decir los demás, todo parece natural. Adiós, míster Morrison. Cuando tenga un gran "negocio", en vez de salir a buscar una chinche de campamento gitano o un piojo de la India, lo veré a usted.

R. MORRISON.—*(Sin inmutarse.)* Adiós, míster Gianninno. (MÍSTER GIANNINNO *sale reprimiendo una sensación de asco.* ROBERT, *por su parte, se pone un saco y sale también. Pero sólo desaparece de la vista del espectador después que cierra el portón, no sin antes probar repetidas veces, con toda clase de forcejeos, que todo está seguro.)*

TELÓN

CUADRO SEGUNDO

La casa de los esposos Morrison, después de casi tres años. Poco
o nada de nuevo que pueda fácilmente percibir la vista. Tan sólo
el clima del "living" se ha hecho más pesado, como el de una habitación en la que se fuma mucho y el aire no penetra.
Al levantarse el telón están en escena MÍSTER MORRISON y MIS-
TRESS MORRISON, padres de Robert. Ambos son personas que han
traspuesto los sesenta años y no los representan. Visten con cierto
cuidado de su apariencia y trasciende de ellos algo así como una
vigilancia sobre sí mismos de un decoro de clase o de posición
social que no es de ellos solamente y que parecen tener en custo-
      dia. Cada uno ocupa el extremo de un sofá.

MR. MORRISON.—*(Tras un silencio.)* ¿A qué atribuyes
la tardanza de Eleanor? Salió hace más de media hora y
dijo que salía por cinco minutos.

MRS. MORRISON.—¿Te molesta la demora? ¿Necesitas
su compañía?

MR. MORRISON.—A tu lado me he hecho curioso. Y chis-
moso también. Tengo que confesarlo, porque mi pregunta
no tenía otra intención que tirarte de la lengua para que
tú dijeras de tu nuera todo lo que yo quiero oír de la mía.

MRS. MORRISON.—¿Qué me has preguntado tú?

MR. MORRISON.—¿A qué atribuyes la tardanza?

MRS. MORRISON.—A la busca de algo bastante barato
para ofrecernos como cena. Si existieran almacenes con
artículos alimenticios de segunda mano, ahí estaría bus-
cándolo todo, con sus perfectas manos de guantes de ba-
surero. ¿Era esto lo que querías oír de tu nuera? Porque
yo, de la mía, puedo decir mucho más, con la conciencia
tranquila de no apartarme de la verdad.

MR. MORRISON.—¿Sabes que eres injusta, Edith? ¿No
has reparado en que Eleanor tiene hermosas manos? Sus
manos son lo único que corresponde a su nombre.

Mrs. Morrison.—Pequeñas, querrás decir; dedos largos y finos también. Pero no se sabe si su piel es piel o un pedazo de bramante tiznado en todos los hollines de Nueva York. Por eso he hablado de guantes.

Mr. Morrison.—¡Qué pena que sea como es!

Mrs. Morrison.—Siempre he dicho que eres mejor que yo. Y lo que acabas de decir lo demuestra una vez más. Eres mejor porque eres más piadoso. Pero tienes tanta piedad, que no sabes dónde meterla. Yo no tengo pena de que Eleanor sea como es. En este mismo momento pienso que pueda ser distinta y me siento sublevada ante la idea de perder una causa tan poderosa de indignación contra ella. Sé que Robert ha caído en ese abismo y no concibo que mi piedad por mi hijo pueda disminuir porque el abismo sea un precipicio. Por otra parte, quiero que siga siendo abismo. Y ella es un abismo. Lo sería aunque se lavase las manos a cada rato. Aunque las tuviese realmente limpias.

Mr. Morrison.—No te mortifiques tanto, Edith. Es muy deseable, sobre todo para nosotros, que ella no fuese así.

Mrs. Morrison.—¡Que ella no fuese así! No sabiendo cómo habría de ser en reemplazo de lo que es, prefiero que siga siendo así para no perder nada de todo este rencor que tengo contra ella. *(En el mismo instante en que* Mistress Morrison *pronuncia las últimas palabras referentes a su nuera, aparece ésta por la puerta que comunica con el ascensor, de suerte que se tiene casi la certeza de que ella las ha oído. Se produce un silencio, que* Eleanor *rompe, mientras deja sobre la mesa una lata de conserva que ha traído.)*

E. Morrison.—Estoy segura de que mistress Morrison hablaba de mí. Por las palabras que he oído, de un lado y de otro de la puerta, no puedo equivocarme.

MRS. MORRISON.—Y no te equivocas. No es suspicaz el que quiere, sino el que debe serlo.

E. MORRISON.—Usted no puede tener otro motivo de rencor contra mí que el de querer a su hijo.

MRS. MORRISON.—En cuanto te sales de las suspicacias, ya no aciertas. El motivo de rencor que yo tengo no es el de que tú lo quieras, sino el de que él te quiera.

E. MORRISON.—Es lo mismo una punta que otra de una misma desgracia. ¿No es así, míster Morrison?

MR. MORRISON.—Con una sola palabra lo has conciliado todo: creo haber oído "desgracia".

E. MORRISON.—Qué bien se llevan ustedes en mí, ¿verdad?

MRS. MORRISON.—Con un poco más de suerte para nosotros, hubieras podido oír lo mal que nos llevamos en lo que a ti respecta. No olvides que yo desciendo de un patricio que fué el más radical de su tiempo. Algo he heredado de él.

E. MORRISON.—¿No será el rencor?

MRS. MORRISON.—Sí, el rencor a los déspotas, que también los hay domésticos. Me place el descubrimiento y, sobre todo, con tu ayuda, generosa en la malignidad.

E. MORRISON.—(*Ahora con ira.*) ¡Han venido a acosarme en mi propia casa! ¡A ver si creen que yo no soy nada más que un eco aquí! ¡Sé muy bien lo que me correspondería hacer, y soy muy capaz de hacerlo! (*Suena el timbre del teléfono que está próximo a la puerta que comunica con la habitación contigua.* ELEANOR *atiende el llamado.*) "Hello" Sí. Están tus padres. Está bien. Les diré. Pero no demores. (*Cuelga el auricular.* Robert dice que tendrá que tardar un poco. Les pide que no lo esperen con la comida. (*Va a la cocina, trae unos platos, luego vuelve a ir y se la ve, detrás de la cortina, abrir la lata de conserva que trajo. En seguida abre unos paquetes con trozos de esturión y salmón, todo lo cual es llevado por ella a la mesa. Por tercera vez va a la cocina, esta vez en busca de los cubiertos, servilletas y pan. Todo lo que ella pone sobre la mesa tiene una vejez que debe ser perceptible aun para el espectador más lejano de la sala. Después que ha servido todo, se sienta lejos de los esposos* MORRISON *y se pone a hojear una revista que por su traza tiene una considerable antigüedad en la casa.)* Supongo que no se negarán a comer por el hecho de que yo nos los acompañe. (MÍSTER MORRISON *y* MISTRESS MORRISON *se miran y coinciden en el movimiento de acercarse a la mesa, resueltos a comer, quizá sin apetito, pero con el designio bien evidente de demostrar a* ELEANOR *que su decisión de no compartir la mesa no puede ser tomada en cuenta por ellos.* MÍSTER MORRISON *acomoda una silla para su esposa y ésta la ocupa. En seguida se sienta él y comienza a servirle a ella, empezando por los trozos de pescado. Un segundo, y sólo se oye el ruido de los cubiertos.)*

MR. MORRISON.—¿Te parece a ti que el esturión está tan bueno como el de la vez pasada?

MRS. MORRISON.—Yo lo encuentro bueno.

MR. MORRISON.—De sabor, sí, pero me parece que está un poco blanduzco, lo que quiere decir que no está tan fresco como el de la vez anterior. *(Nuevo silencio.)* El "ray" que mandaron los Pinckerton es bien bueno, ¿no?

MRS. MORRISON.—¡Excelente! Puede igualarse a cualquier "scotch". Lo que pasa es que la gente no termina de convencerse de que tenemos bebidas nacionales tan buenas como las mejores de la madre patria.

MR. MORRISON.—Tú sigues haciendo la guerra de la independencia. Combates contra todo lo inglés, ignorando maliciosamente la política estadual. El "ray" puede ser malo o bueno, pero no tiene nada que ver con el "scotch", porque es otra cosa, como el "brandy" con respecto al coñac. Tú te empeñas en confundirlos, como si quisieras

que se ignorase que tienes un finísimo paladar para las
bebidas.

MRS. MORRISON.—Ya veo que me quieres inducir a que
te obsequie con un licor. Cada vez que tú me elogias el
paladar yo me siento obligada a agradecértelo con una sorpresa, porque tú sabes, al hacerme el elogio, que la sorpresa vendrá. Pero tengo que decirte que no soy tan cán-
dida como me supones. No me importa no sorprenderte,
porque tú no eres más que un pretexto para hacer la compra. Me obsequio a mí misma. Por eso siempre espero ansiosamente tus alabanzas.

MR. MORRISON.—Por mucho que desmenuces las cosas,
no conseguirás que yo rompa tan hermosa tradición conyugal. ¿No comes más? ¡Mira qué buen aspecto tiene este
trozo de salmón, con su buen color salmón, además! *(Le
sirve el pedazo a que se refiere. Ella lo come.)*

MRS. MORRISON.—Ahora sí que no como más.

MR. MORRISON.—Ni yo. Todo esto da mucha sed, y no
estoy dispuesto a tomar agua toda la noche. Tengo una
buena proposición que hacerte. Mientras esperamos a Robert, podemos hacer un buen "hummy". Me vendría muy
bien ganarte unos dólares.

MRS. MORRISON.—Acepto. Sería muy justo que tú te
pagaras alguna vez la sorpresa que te debo.

MR. MORRISON. *(Mientras se incorpora pone en práctica la invitación que le va a hacer a su esposa.)* Limpia-
mos rápidamente la mesa y nos instalamos en este rincón.
*(En efecto, entre los dos van llevando las cosas que están
sobre la mesa y las llevan a la cocina. Cuando la mesa
queda más o menos como estaba antes de comer, se acomodan junto a una pequeña mesa que habrá en un ángulo del "living", no sin que* MISTER MORRISON *saque antes,
de una pequeña valija, un mazo de naipes. A todo esto,*
ELEANOR *continúa con su revista como si estuviera sola en
su casa.)*

MR. MORRISON.—Empecemos dando tú las cartas. Me gusta más que tú tengas en tus manos mi suerte que yo la tuya en las mías. Me siento más tranquilo.

MRS. MORRISON.—Di la verdad. Estás más tranquilo porque dándolas yo tu suerte es más segura.

MR. MORRISON.—Estoy más tranquilo porque soy más resignado que tú. *(Un silencio.* ELEANOR *deja la revista, dirige una mirada disimulada a sus suegros y desaparece por la puerta que comunica con la otra habitación.)*

MR. MORRISON.—¿Has oído alguna vez un llamado telefónico más oportuno que el de Robert? Ha sido verdaderamente providencial. Jamás he sentido tan profundamente la utilidad del teléfono.

MRS. MORRISON.—Si piensas que le agradezco a Robert el llamado por el instante en que lo ha hecho, te equivocas. Esperaba y casi deseaba que nos mostrara la puerta. Me iba a oír. No sabe todo lo que una Walton tiene que decirle. Ciertamente, considero que Robert la protege aun a la distancia. *(Se oye un ruido leve de cerradura y aparece* ROBERT. MÍSTER MORRISON *y* MISTRESS MORRISON *han vuelto sus ojos hacia la puerta que da a la calle; de manera que cuando* ROBERT *entra es visto por ellos antes que él vea a sus padres. Estos se ponen en pie, aunque no avanzan hacia él. Casi simultáneamente, reaparece* ELEANOR. ROBERT *dirige sus pasos resueltamente hacia la habitación contigua, de suerte que se enfrenta con su esposa.)*

R. MORRISON.—Apenas si tuve tiempo de hacer entrar una compra que he hecho.

MR. MORRISON.—*(A* MISTRESS MORRISON.*)* No nos ha visto.

R. MORRISON.—*(Sin conmoverse mucho.)* "Hello", mamá. *(Va a saludar a sus padres, quienes, inmediatamente, vuelven a sentarse.)* ¿Cómo estás, papá?

MR. MORRISON.—Bien. ¿Y tú?

R. MORRISON.—*(A la madre.)* Los encuentro muy bien.

Pero estoy fastidiado con ustedes. Siempre se vienen sin dar aviso, y eso no está bien. No hay tiempo para nada.

MR. MORRISON.—No te fastidies, hombre. Nosotros nos arreglamos con cualquier cosa.

MRS. MORRISON.—Ya hemos comido, y muy a gusto.

R. MORRISON.—No, si no he pensado en eso. Quién piensa en la comida. Se comprende que se come lo que está a la mano. Me refiero al tiempo. No hay tiempo para nada. Tengo tantas ocupaciones y, de pronto, me dicen que han llegado ustedes. Mejor es dar aviso. De esta manera se tiene oportunidad de hacer saber que sería prefeible transferir la visita para más adelante. Como ustedes no vienen sino a pasear, pues es lo mismo en una semana que en otra.

MRS. MORRISON.—¿Quieres decir que hemos venido a hacerte perder tiempo?

R. MORRISON.—No, mamá. Quiero decir una cosa muy simple: que cuando no hay tantas ocupaciones se dispone de más tiempo para conversar y atender como corresponde.

MR. MORRISON.—¿Y a esta hora también haces negocios?

R. MORRISON.—Yo no tengo horario para los negocios. Me ocupo de mis cosas a todas horas. Como los negocios se hacen con la cabeza, no puedo imponerle un horario a mis pensamientos.

MRS. MORRISON.—Está bien, Robert. Como bienvenida, ya está bien.

MR. MORRISON.—(A MISTRESS MORRISON.) Continuemos nuestro "rummy", Edith. Habrá tenido algún quebranto.

R. MORRISON.—¿Yo? Yo no tengo quebrantos, papá. ¿No te he dicho que los negocios los hago con la cabeza?

MR. MORRISON.—Por eso es que lo sospecho.

R. MORRISON. —¡No me hagas sátiras, papá!

MR. MORRISON.—Pues no sé qué quieres que haga contigo. Peor sería que correspondiese a tu insensatez, retirándome de tu casa con la convicción de que eres lo que pareces. *(Y se vuelve a los naipes, que* MISTRESS MORRISON *ya tiene en sus manos. Entre tanto,* ROBERT *se ha ido al extremo opuesto del "living", con* ELEANOR, *que se habrá acercado a él discretamente.)*

R. MORRISON.—*(A* ELEANOR.) Hay un mazo de naipes mucho más viejo que ése. Pudiste haberles dado aquél.

E. MORRISON.—Si no es nuestro el que tienen. Lo debe de haber traído tu padre. *(Casi sin tiempo para pasar de una cosa a la otra.)* ¿Qué compra has hecho, que tienes cara de arrebatado?

R. MORRISON.—He comprado cinco toneladas de hierro viejo.

E. MORRISON.—¿Más hierro viejo? No te comprendo.

R. MORRISON.—No tengo la menor duda. No comprendes nada de lo que hago, y mucho menos de lo que me propongo hacer.

E. MORRISON.—Estoy esperando desde hace mucho tiempo, ansiosamente, el momento de saberlo. Has prometido explicarme. Tengo algo que ver con todo eso.

R. MORRISON.—*(Violento.)* Sí, ya sé yo, por desgracia, cómo cumples tus más solemnes promesas. No pudiste soportar que el dinero, a pesar de no haberle hecho ni la quita de un solo centavo, estuviera a mi solo nombre, y exigiste que tu firma fuera inevitable para sacarlo del Banco. Yo accedí estúpidamente. Sabes que hubiera podido negarme y que en ese caso nada hubieras podido hacer. Luego, ya fortalecida por mi debilidad, tuviste una segunda exigencia, desconfiando no sé cómo ni por qué, y me obligaste a ponerlo todo en caja de ahorros. Ahora, que ya no puedes temer nada, no sé qué persigues con este revoloteo sobre mí. Alguna nueva exigencia, que no sé cuál pueda ser. Pero te prevengo muy seriamente, Eleanor, que esta vez te expones, te expones a todo.

E. MORRISON.—*(Con una extraña fuerza, que se exhibe*

en el tono tranquilo e incisivo con que replica.) Ya nos conocemos mucho, Robert, para tenernos miedo.

R. Morrison.—No debes azuzarme, sin embargo. *(Con una debilidad que le sorprende a él mismo como si se descubriera una lacra en el cuerpo.)* ¡Si somos la misma cosa! *(Se le aproxima con una avidez contenida.)* Puedo acariciar tus manos y sentir tu piel sobre mi piel como un dólar sobre otro. ¿De qué puedes tener desconfianza? Somos ahora tan iguales, Eleanor, que si pudiéramos confrontar nuestros pensamientos de cada día, comprobaríamos que yo podría andar con los tuyos y tú con los míos sin que se resintiera un solo movimiento de nuestro cuerpo y sin la menor aprensión de nuestra alma, como si nada hubiese sido trocado. ¿Te acuerdas de ese muchacho pelirrojo que me trajo esos arcos de hierro? Cuando estaba hablando con él en tu presencia, sentí que yo estaba pensando en ti y que tú estabas pensando en mí la misma cosa: apoderarnos del dólar que él iba a obtener de su patrón por los arcos que yo le compraba. ¿No es así, Eleanor?

E. Morrison.—Sí, es verdad. Y si somos tan iguales, ¿por qué me parece a mí un disparate comprar todos esos "trapos" de hierro que nada valen y que nunca podrán valer nada?

R. Morrison. —La identidad en las personas debe reconocerse en el móvil de los hechos y no en los hechos mismos. Somos iguales, aunque no estemos de acuerdo en algunas cosas. Somos iguales en los fines de esas cosas. ¿No lo comprendes? *(Suena el timbre de la puerta del departamento.* Eleanor *va a abrir y se encuentra con la figura circunspecta del abogado* Hayward Byrton. *La sorpresa de ella es muy grande, aunque no tan grande como la del visitante al ver la traza de* Robert Morrison, *tan tremendamente transformada desde que concurría a su despacho. Por su parte, éste al ver a* Byrton *se siente ligeramente avergonzado y se repone al instante.)*

E. Morrison.—Pase usted míster Byrton.

Byrton.—Gracias. *(Avanza lentamente uno o dos pasos.)*

E. Morrison.—Esté cómodo, míster Byrton. Siéntese.

Byrton.—Muchas gracias, mistress Morrison. Estaré unos minutos. *(Luego de una brevísima pausa.)* Míster Morrison: no sé si usted ha recibido dos o tres cartas que le he escrito...

R. Morrison.—Sí, sí, sí. He recibido.

Byrton.—Como no he tenido ninguna respuesta suya, resolví enviarle un empleado del estudio. Creo que habló con usted.

R. Morrison.—Sí, sí. He estado con él.

Byrton.—Usted le dijo que tiene que conversar conmigo y que muy pronto me haría una visita. Hace de esto cinco meses y diecisiete días. Ante esta extraña actitud, me pareció conveniente venir a molestarlo yo, antes de tomar otro camino. Usted sabe de qué se trata.

R. Morrison.—Sí, yo sé de qué se trata. Pero yo no voy a pagar esa cuenta.

Byrton.—¡Ah, no piensa usted pagar esa cuenta! ¿Le parece excesiva?

R. Morrison.—Si estuviera dispuesto a pagar, claro está que la consideraría muy inflada. No estando dispuesto a pagar, me da lo mismo. No pido ninguna reducción.

Byrton.—¿Y a qué se debe esa negativa tan inexplicable?

R. Morrison.—Usted pretende cobrarme por unos escritos que no han llegado a los tribunales.

Byrton.—No han llegado porque (vamos a decir felizmente) ha desistido usted y se ha entendido con su esposa. ¿No es así?

R. Morrison.—Usted pretende cobrarme por una demanda de divorcio y yo no estoy divorciado, como usted puede ver. Esto es lo único verdaderamente claro.

BYRTON.—Si es por eso, yo no tengo ningún inconveniente en presentar los escritos mañana mismo. Creí proceder con toda corrección al no presentarlos, pero si ese es el inconveniente para que usted me pague por mi trabajo, le aseguro que mañana mismo tendrá entrada en el juzgado a que corresponde. No olvide que están firmados por usted los poderes que exige la ley.

R. MORRISON.—Usted no quiere comprender, míster Byrton. Yo no estoy divorciado. Hasta podría decir que usted ha influido para que esto no haya ocurrido. ¿Cómo pretende cobrarme esa cuenta?

BYRTON.—No puedo ocultarle mi estupor, míster Morrison. Lo tengo delante y me parece que no es Robert Morrison el que me está hablando. Juraría no haber estado jamás, en ninguna circunstancia, con un tal hombre como usted, y debo reconocer, sin embargo, que toda su traza, desde la transpiración de su frente hasta el polvo de sus zapatos, me dicen, por separado, lo que he estado oyéndole. La verdad es que podía esperar otra conversión. Podía haber venido confiado en ver la liberación de mistress Morrison, y me hiere el entendimiento y la vista el espectáculo de su cautividad denigrante. Veo moverse sus pensamientos, unos sobre otros, con la misma noción de la vida de las lombrices bajo la tierra. Puedo asegurarle que desgarra mi dignidad la idea de ser su prójimo. (A ELEANOR MORRISON.) Le ruego, mistress Morrison, que perdone la severidad de mis palabras. No venía preparado para esta sorpresa, verdaderamente dañina, que revela la profética exactitud de una afirmación suya, hecha en mi despacho.

R. MORRISON.—¡No hagas caso, Eleanor! Tú sabes bien que la humanidad está compuesta de una inmensa secta de románticos que cree que la vida es una ronda de niños, y de una pequeña fracción de personas que tienen el valor de ver el fondo de toda la vida, sin cerrar los ojos, como tú y yo. Dile algo entonces tú también, para que sepa que somos una sola fortaleza, hombre y mujer.

E. Morrison.—Pero, Robert, tú hablas como si ya me hubieses explicado para qué compras todo ese hierro viejo que tienes en depósito.

R. Morrison.—He prometido explicártelo, Eleanor. ¿No sientes que somos una sola fuerza tú y yo? ¿No recuerdas lo que te he dicho hace apenas media hora? Pensamos lo mismo y hacemos lo mismo. Somos piel y sangre.

Byrton.—*(Con una expresión como de miedo.)* Que lo pase bien, mistress Morrison. (Hayward Byrton *sale. Los padres de* Robert, *que se habían desentendido del juego para enterarse de lo que estaba ocurriendo entre éste,* Eleanor *y el para ellos desconocido* Byrton, *siguen ahora con visible atención todos los movimientos de su hijo y de su nuera, quienes se vuelven al sitio en que estaban cuando los sorprendió el llamado del visitante.)*

Mr. Morrison.—*(En voz muy baja, a su esposa.)* ¿Comprendes algo de todo esto?

Mrs. Morrison.—*(En el mismo tono.)* Nadie aspira a comprender el abismo. Se lo ve y se tiembla, como yo estoy temblando. Observa. *(Tiende discretamente una mano para evidenciar lo que acaba de decir.)*

R. Morrison.—No te preocupes de la visita de míster Byrton. Tenemos algo muchísimo más importante de que preocuparnos tú y yo.

E. Morrison.—Explícame al fin lo del hierro viejo, ¿quieres?

R. Morrison.—¿Sabes que han querido comprarme toda esa montaña de hierro viejo, que tú desdeñas, por dos o tres veces más de su costo?

E. Morrison.—¿Por dos o por tres veces su costo? Porque no es lo mismo, Robert.

R. Morrison.—Pongamos tres.

E. Morrison.—¿Y no lo has vendido?

R. MORRISON.—No; no he querido venderlo. No lo vendería ni por una cantidad diez veces mayor. Tú lo habrías vendido ya. Lo sé muy bien. Tú y la mayoría de las personas que lo tuvieran. Pero yo no. Recordarás que te he dicho que tú ves bien lo que salta a la vista, pero no tienes ojos para ver la trastienda del mundo. Esa trastienda, que yo veo con tanta claridad, me dice que no debo venderlo. *(En un tono casi místico, como si verdaderamente estuviera hablando de la verdad revelada.)* Veo la guerra, Eleanor. ¡Nadie tiene poder ya bastante para evitarla, y mucho menos los ilusos que creen tener en sus manos la última decisión. Oriente, Occidente, democracia, comunismo y otras muchas cosas que oímos todos los días, son palabras tintas en sangre ya. Inútil será que los hombres de buena voluntad (¡alondras atontadas!) se empeñen en preservar la paz. Viene la guerra, Eleanor, y con ella la hora de mi hierro oxidado. Todo es hierro cuando los ejércitos se lanzan unos contra otros. Nada hay que lo reemplace. Hierro todas las armas. Hierro los fusiles, las bayonetas, las ametralladoras; hierro los cañones, los tanques. Es el pan de la guerra. La próxima será infinitamente más mortífera que esta última que hemos visto. No quedará piedra sobre piedra. Las ciudades serán sepultadas y sólo cadáveres poblarán la superficie de la tierra. Para que esto ocurra (nadie puede evitarlo) es imprescindible mi hierro viejo. ¡Los doscientos ochenta y siete dólares invertidos en la compra se convertirán en diez mil, en veinte mil, en treinta mil, en muchos miles, Eleanor! Y solamente nosotros, con unos pocos más, que quien sabe si será para su ventura, como sin duda crecerán, estaremos en pie sobre carbones humanos. Y tú no sabes algo más. Habrás visto que mis hierros viejos son como esqueletos. Ningún complemento a su alrededor. He ido quitándoles todas las tuercas, todos los tornillos, todos los engranajes. Sólo eso multiplicará mil veces lo que me ha costado todo. Cuando estemos erguidos sobre las cenizas de casi todo el mundo, todo eso que yo tengo escondido se buscará como el oro en las profundidades de la tierra. Y sólo nosotros lo tendremos. ¿Comprendes, Eleanor? ¿Comprendes ahora que no puedes desconfiar de mí, que ya no soy solamente tu marido, sino tu propia alma varón? (MÍSTER MORRISON *abandona su asiento y se encamina, con extraña lentitud, hacia donde está su hijo, que, absorbido y agitado por su delirante visión, sigue hablándole a* ELEANOR *sin girar los ojos hacia ningún lado, y no lo ve.* MÍSTER MORRISON *se detiene cerca de su hijo y le observa con inquietante mutismo.*) Debes confiar, como yo en ti. Podría beber agua de tus manos como de la misma vertiente; la bebería turbia y me sabría clara.

E. MORRISON.—Quiero saber algo de que no me hablas, Robert. ¿Cómo has sacado dinero de la caja de ahorros?

R. MORRISON.—¿De la caja de ahorros? ¿Qué dices, Eleanor? ¿Has hecho tú alguna quita al dinero que te ha dejado tu madre?

E. MORRISON.—Nunca.

R. MORRISON.—Pero has depositado todo a mi nombre.

E. MORRISON.—Sí.

R. MORRISON.—Pues yo jamás lo haría, así tuviera que perderte con la mayor certidumbre. Ese dinero es tan intocable para mí como mis propias entrañas. Y tan de mi vida como ellas. A ti, Eleanor, solamente a ti, porque sé que me comprenderás, puedo decirlo. Solamente tú, que eres la mujer a quien abrazo y beso sin remilgos, puede perdonarme la confesión de no ser capaz de sacrificar por ella la suma de dólares que tengo depositada aquí, en mi mente, antes que en la caja de ahorros. ¿No es verdad, Eleanor?

E. MORRISON.—Sí, puedo perdonártelo con la misma gratitud que si te fuera necesaria mi sangre y por conservarme más fuerte la rehusaras.

R. Morrison.—Porque tú has nacido sintiendo que la vida es absorción, y a tu lado he sabido comprenderlo, y ahora lo sé y lo siento como una ley ineludible. Fuera de robar y matar, que son mis dos únicas limitaciones hasta el presente, me siento capaz de todo en mi voracidad. Para obtener un dólar, mil tenazas al rojo vivo emergen de mis pensamientos. Tengo la sensación de que la guerra que se está cocinando en los calderos del mundo obedece a esta voluntad terrible de vender mi hierro viejo... ¡Ya verás cómo lo venderé! Y verás también cómo venderé después las minúsculas cosas ocultas bajo la herrumbre.

Mr. Morrison.—Te he estado escuchando, Robert. Soy tu padre. Ahí está tu madre también. Te sabemos nuestro hijo, nuestro Robert, nacido de nuestra sangre, levantado en nuestros brazos, nutrido a nuestra mesa, crecido en nuestra casa. *(Con un grito que parece desgarrarle las cuerdas vocales.)* ¡Pero te repudiamos con asco! ¡Y con honor! ¡Debes de haber negociado nuestra sangre por otra más barata, para hacer dólares en la diferencia, sin saber que la sangre es espíritu, como nos ha enseñado Cristo! El signo de nuestro espíritu es dar, darse al prójimo, como tributo natural de buena voluntad, como único signo cierto de la condición humana. ¡Y tú has hablado de absorción! ¡Así demuestras el negocio que has hecho de tu sangre, hombre abyecto, que necesitas el universo en guerra para alimentar tu avaricia incendiaria! ¡Necesitas millones de cadáveres para nutrir tu voracidad delirante, tu insaciable avaricia de araña. Nada nuestro puedes tener tú, que anuncias una guerra del mundo para multiplicar mil veces tus doscientos dólares, infectados de tus intenciones, más nauseabundas que tu aliento. ¡Pero si la guerra eres tú! Tú y quienes son como tú, hacen la guerra. Es bien exacta la sensación que dices tener: tú, con tu voluntad, promueves la guerra. En la medida fabulosa en que es cobarde la avaricia para el riesgo de tus dólares, es fabulosamente audaz para el sacrificio de la humanidad. Mares de sangre pura, que podría ser fecunda, necesitas derramar para sustraer una sola gota de la tuya, espuria e innoble. Has rendido nuestra sangre, nuestro espíritu, nuestra alma al dinero, y ahora hasta tu nombre perdiste. Porque tú ya no eres Robert Morrison, sino el avaro. Y tampoco tienes dinero: no tienes más que avaricia, y la avaricia, sábelo de una vez, es la derrota del libre albedrío. Yo soy uno de los ciento veinte millones de habitantes de este país. Tú sabes que sólo tenemos para vivir, tu madre y yo, una pequeña pensión del Estado. Podría decir que vivimos de la caridad pública, porque es de la contribución de todos como se me paga, pero vivimos alegremente, con una profunda y sabia alegría. ¿Sabes por qué? Porque si tuviéramos que vivir de tu caridad, tendríamos que alimentarnos de nuestras lágrimas y de nuestra vergüenza. *(Luego de una pausa.)* Nos muestras una vida ante la cual es lícito, es noble y es necesario cerrar los ojos y hacerse enterrar. Con una voluntad póstuma inflexible, eso sí: que ni una sola lágrima tuya manche la losa de nuestro sepulcro o queme una flor ofrendada. (MÍSTER MORRISON *se acerca a su esposa y le hace ademán de irse. Ella se pone en pie, se compone ligeramente, recoge el mazo de naipes y él le ofrece el brazo. En seguida hacen mutis lentamente por la puerta que da a la calle.)*

R. MORRISON.—*(Apenas sus padres han cerrado la puerta, retoma el tono anterior al estallido de* MÍSTER MORRISON.*)* ¡Tiene razón! ¡No tengo nada que ver con esa raza de románticos esclavizados a sus sentimientos! Soy un hombre de lucha, y no saben ellos cuánto gozo encuentro en esta lucha en que estaré empeñado toda mi vida. Gracias a ti, Eleanor, a quien tantas veces he ofendido por no comprender.

E. MORRISON.—No, Robert; gracias a mí, no. Gracias a ti mismo, que tenías escondidas tan fuertes ambiciones.

No me corresponde ningún mérito por haberlas descubierto por razones particulares. ¿Recuerdas lo que tantas veces te he dicho? Te casaste conmigo por la ambición de tener en tus manos la herencia de mi madre. Cuando te lo dije en el despacho de míster Byrton, me miraste de tal manera, que por primera vez te tuve miedo. Pero es la verdad. Yo no te decía sino la verdad. Ahora lo reconocerás tú mismo.

R. MORRISON.—No puedo reconocerlo. Tampoco puedo negarlo. Es posible. No tengo por qué negar la posibilidad de que sea cierto. La ambición tiene escondites muy secretos. Ahora creo que todos los seres humanos llevan en sí fuerzas extrañas a ellos mismos, que un día se animan y los conducen por derroteros jamás previstos. A veces, esas fuerzas irrumpen como las aguas y se lo llevan todo. Yo me siento invadido con verdadera plenitud. Pero sé que en ellas estás tú.

E. MORRISON.—No lo sé.

R. MORRISON.—Sí, lo sabes.

E. MORRISON.—¿Cómo podría saberlo? ¿Porque ahora somos una sola fortaleza, como lo has dicho en presencia de míster Byrton? Es muy fácil esa coincidencia con una fortuna en caja de ahorros. Nuestro afán común nada me asegura de tu amor. Me has confesado que no harías por mí lo que yo hice por ti.

R. MORRISON.—Tú lo resolviste en un momento de desesperación. Luego has hecho todo lo que pudiste para reducir el alcance de tu sacrificio. Estoy seguro de que no lo repetirías.

E. MORRISON.—Y yo también. Pero esto no me consuela.

R. MORRISON.—¿No te consuela de qué?

E. MORRISON.—No me consuela de que tú tengas mi dinero.

R. Morrison.—¿Tu dinero? Ni tuyo ni mío: nuestro. Tú has querido que estuviera depositado con nuestras dos firmas. Ahora no te deja dormir la idea de una posesión híbrida. Lo sé. Eso duele mucho. Es como si el corazón se negara a regar una parte de nuestro cuerpo. *(Un silencio.)* Pero debes tener confianza en mí.

E. Morrison.—¿Confianza en qué? ¿De qué clase de confianza me hablas?

R. Morrison.—Confianza en todo. Yo te quiero, Eleanor. *(Le hace una rápida caricia en la cara.)* No sabes, Eleanor, lo que significa que estemos tan juntos en las demás cosas. ¿Acaso no has sentido tú, como he sentido yo, que cuando sumamos un dólar más a nuestra cuenta nuestro amor parece recibir un incentivo poderoso, que lo hace más pleno y más puro? ¿Te atreverías a negar que nos amamos más fuertemente cuando logramos algún triunfo en nuestra lucha por la riqueza? No hay que tener pudores ridículos. El amor se alimenta de las cosas más extrañas. No es solamente la belleza física de la persona amada lo que hace que el amor exija su satisfacción. Un verdadero buen negocio, lo que se entiende por una operación brillante, es el mejor abono para el amor. En eso se parece a las más hermosas flores, que brotan perfectas de belleza mediante sustancias que, muchas veces, son detritus. ¿Qué felicidad más completa podríamos soñar que la de un abrazo ceñido y muchos besos encendidos sobre la certidumbre de haber vendido a mil dólares por diez el hierro viejo? ¿Verdad, Eleanor? *(Le toma una mano y se la besa con pasión.)* Dime si encuentras que no tengo razón.

E. Morrison.—¡Sí tienes razón! Pero, si tú eres un convencido, como dices, de que el amor no es tan sólo amor, sino también esa fuerza que viene de la seguridad de tener (de la seguridad compartida de tener), de la idea de ser ricos y de la voluntad de serlo más y más, y del sagrado terror de gastar, igualmente compartido, y sabes que yo soy así y que en eso soy tu madre y tú el hijo, vivo retrato de su madre, ¿por qué no me devuelves lo que está a nuestro nombre depositado?

R. MORRISON.—¡Ni una palabra sobre esto, Eleanor! En este aspecto soy un hombre de principios inflexibles. Los dólares que están en mi poder son míos por toda mi vida. Estoy resuelto a no hacer testamento, para no morir con la amargura de haber tenido que cederlos a alguien. Seguramente que mi último pensamiento será éste: "¡Son míos!" Yo no soy un avaro de orden común. Mis convicciones auxilian constantemente a las fuerzas que tú has despertado en mí.

E. MORRISON.—No es necesario que sigas hablando para demostrarme que no me quieres.

R. MORRISON.—No puedes tener ninguna duda de que he dejado de ser un sentimental de la calaña de mis padres.

E. MORRISON.—Yo tampoco soy una sentimental.

R. MORRISON.—Pero tuviste un instante de sentimentalismo que yo no tendré jamás.

E. MORRISON.—*(Con ira.)* ¡Pero tú tienes que ayudarme a corregir ese error tremendo de mi vida!

R. MORRISON.—Estoy dispuesto a ayudarte con todo lo que quieras, menos con los dólares. Mis dólares no se transfieren nada más que por una cantidad mayor.

E. MORRISON.—¿Esta es tu última palabra?

R. MORRISON.—La última, como la primera y la intermedia.

E. MORRISON.—Si es así, ya veré yo cómo puedo hacer para conseguir mi propósito. Ya me arbitraré algún recurso. Te lo aseguro. No me quedaré con este fracaso socavándome la salud.

R. MORRISON.—Puedo prometerte que no me quedaré

dormido. Sé bien que eres tesonera. Estaré en todo momento alerta. *(Queda un instante pensativo.)* Por mucho que pienso (no te oculto que ya he pensado en ello tal vez tanto como tú misma), no se me ocurre qué puedes hacer.

E. MORRISON.—Es una buena razón para que te tranquilices. Aunque sin desearlo, esa sería una excelente ayuda para mí.

R. MORRISON.—*(Después de un silencio reflexivo.)* Sabes que yo no podría echar mano de ese dinero. En primer lugar, necesitaría tu consentimiento y tu firma. Es tan imposible lo uno como lo otro. Pero aun si se extraviase tu juicio y se doblegara tu voluntad, que es la cosa humana más dura que conozco, no podría yo mismo consentírmelo. Ese dinero es una suma invulnerable. ¿Puede alguien partir el océano? Nuestros doscientos mil dólares tienen la unidad del océano. No veo por qué te inquietas, Eleanor. Por otra parte, te repito que debes tener confianza en mí.

E. MORRISON.—¿Por qué no me la tienes tú a mí?

R. MORRISON.—Tengo confianza en ti, Eleanor.

E. MORRISON.—Si es así, ¿por qué no me devuelves mi dinero?

R. MORRISON.—Hablas como si realmente fuera exclusivamente tuyo.

E. MORRISON.—¿Y no lo es?

R. MORRISON.—Si lo fuera, ¿qué me estarías pidiendo ahora? ¿No comprendes que si tú pudieras hablar como lo haces, yo podría hacerlo igualmente? Pero soy mucho más sensato que tú, y digo de él que es "nuestro" en la misma proporción legal y numérica, tuyo y mío.

E. MORRISON.—Lo ha juntado mi madre centavo sobre centavo, dólar sobre dólar, con una tenacidad y un valor moral heroicos. Porque se expuso toda la vida al desprecio de cuanta gente la rodeaba. Cargó bolsas de leña y carbón, husmeó cajones de desperdicios, comerció con marineros contrabandistas, hizo toda clase de transacciones con prostitutas. ¿Qué es lo que no hizo mi madre para reunir ese dinero? ¿Y ahora pretendes que es tan tuyo como mío?

R. MORRISON.—Lo que acabo de oír corrobora una reflexión que me visita con bastante frecuencia: la historia de los dólares de cada persona es su más secreta y fiel biografía. Hasta ahora no me habías hablado de tu madre con tanta franqueza. Te agradezco la prueba de confianza. Pero nada de lo que me has referido revela lo que hayas podido hacer tú para tener ese dinero.

E. MORRISON.—¿Lo que he hecho yo? Salvarlo de tus acechanzas durante siete años. Con las más sutiles armas, con las más subyugantes dulzuras y con mentiras románticas que hubieran podido ser el orgullo de tu padre, quisiste meter tus uñas, entonces prolijas y brillantes, en esa fortuna. Enamorada de ti, luché día tras día, hora tras hora, para retenerla y retenerte.

R. MORRISON.—Y finalmente me la entregaste con verdadera mansedumbre, malogrando un esfuerzo continuado de siete años.

E MORRISON.—Porque te quería, Robert.

R. MORRISON.—Yo también te quiero. Pero no me siento capaz de una caída tan terrible.

E. MORRISON.—No te jactes demasiado. Tenías ya todo en tus manos, eras ya dueño de todo, cuando consentiste en que mi firma fuera reconocida como depositante en pie de igualdad. Lo exigí, pero bien sabes que yo no podía hacer nada legalmente. Mi propósito no fué otro que el de inmovilizar los doscientos mil dólares. Y lo conseguí. Pero ¿cuál fué el tuyo cuando accediste? Lo has hecho por una obligación moral o sentimental. Lo mismo da.

R. MORRISON.—Confieso mi vergüenza, Eleanor. Pero

tengo un atenuante: cuando lo hice, era todavía un hombre lleno de prejuicios, atado a la estupidez común.

E. Morrison.—*(Con visible propósito de seducción, se le acerca aún más y le toma la cabeza y le acaricia. En seguida le pasa sensualmente la mano por la boca. Robert le responde con juego semejante.)* Ahora, querido Robert, es muy poco lo que te queda por hacer para sellar una paz definitiva en nuestro amor y para que podamos dormir tranquilos y soñar la misma victoria sobre la gente obtusa que nos rodea: retirar tu firma. Una simple declaración rubricada bastará.

R. Morrison.—Una mujer como tú no puede estar haciendo girar su pensamiento sobre un imposible.

E. Morrison.—*(Extremando sus mimos sensuales.)* ¡Lo harás, Robert! ¡Yo sé que lo harás! No me digas que no.

R. Morrison.—Mientras yo te beso, no hables. *(Y, en efecto, le llena la boca de besos, al tiempo que Eleanor hace esfuerzos por hablar y ríe.)*

E. Morrison.—*(Sus palabras salen entrecortadas a causa de la risa, pues Robert, entretenido y excitado, continúa besándola para dificultarle el habla.)* Tendrás que hacerlo, porque de lo contrario lo haré yo. Yo lo puedo hacer.

R. Morrison.—*(Continuando el juego.)* ¡Ah! ¿Sí? Algo estaba sospechando. Eres muy capaz de falsificarme la firma. *(Le aprieta el cuello.)* ¡Eres muy capaz!

E. Morrison.—*(En un tono apenas serio, con una risa que se quiebra.)* Me haces mal, Robert.

R. Morrison.—*(Que continúa apretándole el cuello, haciendo un contraste entre lo que hacen sus manos y el tono en que habla.)* Pero no lo harás. No lo haremos ninguno de los dos. Te lo aseguro.

E. Morrison.—*(Hace toda clase de esfuerzos para zafarse de las manos de Robert, y logra, en la semiasfixia, pronunciar una sola sílaba.)* ¡Ro...!

R. Morrison.—No creo que te atrevas. *(Abandona a* Eleanor. Eleanor, *así que la abandona* Robert, *hace un leve movimiento y luego queda rígida, sin vida.* Robert, *que no sospecha haber matado a* Eleanor, *ni mucho menos, al abandonarla se dirige directamente a la cocina, busca un trozo de pan, se sienta a la mesa, de espaldas al cadáver de su esposa, y mientras come le habla con el tono de un hombre disgustado y preocupado.)* ¡No te creo capaz de hacerlo, Eleanor! Al fin, el dinero está inmovilizado, no tanto por la dificultad de cedernos la firma como por nuestro deseo. *(Telón.)*

FIN DE
"DOS BRASAS"
Y DEL
"TEATRO ARGENTINO CONTEMPORÁNEO"

INDICE

INDICE